Das Buch

»Hier spricht ein Berufener, ein zu dieser selbstgewählten großen Aufgabe durch umfassendes Wissen und eine Fülle von
Erfahrungen als tief eindringender Interpret ermächtigter Künstler von Schuberts Lieder-Œuvre..., dem es ein ernstes Anliegen
ist, die Eigenart und Einzigartigkeit des Schubertschen Liedschaffens dem Leser neu bewußt und erkennbar zu machen, ihm
aber vor allem auch – rühmend und kritisch abwägend – mehr
über die Lieder zu sagen, als er aus sonstiger biographischer
Lektüre erfahren kann. So bespricht er fast jedes der vielen
hundert Lieder... Den Rahmen für die Erörterungen der Lieder
bildet die Erzählung von Schuberts Lebensgang, und diese
Schilderung der Umstände und Entwicklungsstufen seines Da-
seins ermöglicht ein chronologisches Verfolgen des äußeren und
inneren Wachstums seiner Lebensleistung. Zu den in anderer
Weise ebenso interessanten und schätzenswerten Teilen des
Buches gehören die Bemerkungen zur Geschichte der wachsenden Geltung und Pflege der Werke sowie zu den verschiedenen
Formen der Liederdrucke und zu den Arbeiten der verdienstvol-
len Herausgeber und Schubertforscher, nicht zuletzt aber das
Kapitel über die bedeutenden Interpreten der Lieder vom frühen 19. Jahrhundert bis zur jüngsten Gegenwart. Alles in allem:
ein für jeden Musikfreund wichtiges, für Sänger (nicht nur wegen der mannigfachen Ratschläge für den rechten Vortrag)
unentbehrliches Buch, eine kostbare Bereicherung der Schubert-
Literatur.« (Bayerische Staatszeitung)

Der Autor

Dietrich Fischer-Dieskau, geboren am 28. Mai 1925 in Berlin,
debütierte nach sängerischer Ausbildung bei Hermann Weißenborn 1948 an der Deutschen Oper in Berlin. Er gilt als der bedeutendste Liedsänger unserer Zeit, errang jedoch auch auf der
Opernbühne Weltruhm durch eine faszinierende Übereinstimmung von stimmlich-musikalischer Überzeugungskraft und hervorragender Menschendarstellung.
Weitere Veröffentlichungen: ›Texte deutscher Lieder‹ (1968) und
›Wagner und Nietzsche‹ (1974).

Dietrich Fischer-Dieskau:
Auf den Spuren der Schubert-Lieder
Werden – Wesen – Wirkung

mit 76 Abbildungen

Bärenreiter
Verlag

Deutscher
Taschenbuch
Verlag

Juni 1976
Gemeinschaftliche Ausgabe:
Bärenreiter-Verlag Karl Vötterle KG,
Kassel · Basel · Tours · London, und
Deutscher Taschenbuch Verlag GmbH & Co. KG,
München
© 1971 F. A. Brockhaus, Wiesbaden · ISBN 3-7653-0248-1
Umschlaggestaltung: Celestino Piatti
Gesamtherstellung: Graphische Werkstätten Kösel, Kempten
Printed in Germany · ISBN 3-7618-0550-0 (Bärenreiter)
ISBN 3-423-01178-5 (dtv)

HEINZ FRIEDRICH
DANKBAR
ZUGEEIGNET

INHALT

DER KOMPONIST

Franz Schubert hat eine Welt von Poesie in Musik verwandelt. Er hat das Kunstlied auf eine bis dahin nicht gekannte Höhe geführt und gezeigt, was alle Kunst ist: Steigerung, Konzentration, ein in die reinste Form Gegossenes. »*Natur und Kunst, sie scheinen sich zu fliehen, und haben sich, eh' man es denkt, gefunden.*« Diese Erkenntnis Goethes wird durch das Werk Schuberts bestätigt.

Wir leben in einer Zeit, die es liebt, Begriffe durcheinander zu werfen. Das wird dem besonders deutlich, der sich von berufswegen oder aus Liebhaberei mit den Liedern Schuberts beschäftigt. Mag die Bewunderung, die man ihm entgegenbringt, noch so überwältigend sein, man wird doch erst in Zukunft erkennen, was ihm anderen Komponisten gegenüber einen deutlichen Vorrang verschafft. Schubert ist »authentisch«. Er besitzt einen Stil, den man am liebsten gar nicht Stil nennen möchte, so sehr haben uns die Nachkommenden, die zur Fortsetzung Willigen, daran gewöhnt, daß bei dem Wort Stil die Vorstellung von einem gewollten, mit Kunst erreichten, das heißt, nach dem Studio riechenden Ausdruck auftaucht. Schubert schreibt, wie er denkt, wie er fühlt, wie er spricht. Zwischen die hingeschriebenen Noten und das, was er gedacht, gefühlt und gesprochen hat, tritt nur selten etwas. Das muß natürlicher Stil genannt werden, wobei wir nicht behaupten wollen, der natürliche Stil mache den großen Komponisten aus. Dafür gibt es zu vielsagende Ausnahmen. Aber wir wollen wiederholen: Der Musiker, der einen natürlichen Stil schreibt, ist eines der Wunder in der Musik. Daß es das Publikum und die Kritiker je fertig brachten, ihn mit einem nur aus dem Irrationalen Schaffenden zu verwechseln, läßt das nicht darauf schließen, daß dieses Wunder keins zu sein scheint?

Schon die Musiker unter seinen Zeitgenossen haben Schuberts Größe fast ausschließlich unterschätzt. Allerdings hat er auch in stetem Hunger des Intellekts mehr die Gesellschaft von Literaten und Malern gesucht, so daß in seinem Umkreis nur wenige

Jenger, Anselm Hüttenbrenner und Schubert

Komponisten zu finden sind, die sich dann später dürftig genug über ihn zu äußern pflegten. Außer Beethoven, dem er sich wahrscheinlich nicht nähern wollte, und Hummel, dessen sporadische Akklamationen ihm Freude machten, war zunächst Anselm Hüttenbrenner (1794—1868), der aber schon zu Schuberts Lebzeiten sich meist als Gutsbesitzer, Komponist und Musikdirektor in Graz aufhielt.* Ein anderer Studienfreund aus den Unterrichtszeiten bei Salieri und Mitsängerknabe aus den Konviktjahren war der Komponist und Kapellmeister Benedikt Randhartinger. Es versteht sich, daß ihm der vergleichsweise beste Musiker des Freundeskreises, Franz Lachner, am nächsten stand. Dieser Sohn eines kleinen bayrischen Dorforganisten war wie alle seine Geschwister Organist, sogar die Schwestern waren davon nicht ausgenommen. Zwanzigjährig kam Lachner 1822 nach Wien. Ein glänzend bestandener Wettbewerb brachte dem jungen Mann etwas Geld in die leeren Taschen und eine Organistenstelle an der protestantischen Kirche. Engere Freunde wurden Schubert und Lachner erst 1826. Da fing Lachner nämlich an, als zweiter Kapellmeister des Kärntnertor-Theaters im eigenen Hause rege zu musizieren und verhalf einigen Werken Schuberts zur Aufführung. Der äußerst fruchtbare Franz Lachner schrieb neben einer Unmenge von Kammermusik auch Lieder, die den starken

* Sein eigenes, durch Schubert geprägtes Liedschaffen setzt erst 1850 ein und berücksichtigt in der Hauptsache Texte, die auch der Freund komponierte.

Einfluß Schuberts verraten. Oft griff er unabhängig nach den gleichen Gedichten. So darf wohl behauptet werden, daß Lachner und Randhartinger zu jenen zählen, die dem Lied bei seinem Siegeszug über die Welt erste Hilfe leisteten. Aber beide gefielen sich nach Schuberts Tod in Selbstüberschätzung und prägten damit ein Stück jener Fehlbeurteilung, unter der Schuberts Ansehen so lange und beharrlich hat leiden müssen. Randhartinger wußte zum Beispiel zu sagen: *»Es tut mir doch leid, daß er bis zu seinem Lebensende ein Stück Dilettant geblieben ist.«* Und Lachner äußert 1884 zu dem Schubertforscher Friedländer: *»Schade, daß Schubert nicht so viel gelernt hat wie ich, sonst wäre bei seinem außerordentlichen Talent auch ein Meister aus ihm geworden.«*

Einzig Schuberts Werk blieb lebendig. Aber es sollte nicht vergessen werden, wie beschämend klein der tatsächlich ins allgemeine Bewußtsein gedrungene Teil seines Liedschaffens noch immer ist. Sein großer Umfang scheint im Wege gestanden zu haben. Es ist gewiß ein Plus unseres vielgescholtenen Konsummusikbetriebes, daß er es ermöglicht hat, auch die noch unbekannten Schätze unter den Werken der Vergangenheit zu heben.

Die Rasanz von Schuberts Arbeitstempo, die Leichtigkeit des Produzierens hat ihm in der Meinung der Kritiker immer wieder die übertriebene Betonung der »intuitiven« Seite seines Wesens, das Hervorheben des Unbewußten in seinem Schöpfertum eingetragen. Aber diese Intuition ist immer nur ein Anfang, also Material, sonst nichts. Eine Anekdote, wonach Schubert eins seiner eigenen Lieder nach geraumer Zeit nicht gleich wiedererkannt haben soll, schüttet Wasser auf die Mühlen derer, die annehmen, der Schöpfer von mehr als 600 Liedern hätte diese Leistung gar nicht bewußt bewältigen können. Von vornherein verkannte eine solche Anschauungsweise, was man bei der Instrumentalmusik Schuberts längst nicht mehr bestreiten konnte, nämlich die Auseinandersetzung mit ihren formalen und inhaltlichen Problemen.

Auch die häufig zu hörende Behauptung, Schubert habe seine Werke zumeist aus dem Ärmel geschüttelt und sei mit dem, was er in einem Zug hinschrieb, zufrieden gewesen, entspricht nicht der Wahrheit. Schuberts Arbeitsmanie war von anderer Art als die Haydns, Mozarts oder Beethovens. Eigentümlich ist, daß er sich nur in den seltensten Fällen Skizzen machte, eine Tatsache, die zur Legende des »Ärmelschüttelns« nachdrücklich beitrug. In Wahrheit war ihm das musikalische Feilen, das etwa die Skizzenbücher Beethovens wie Schlachtfelder aussehen läßt, fremd. Seine im Kopf klar konzipierte Arbeit erlaubte es ihm, eine Komposition bis zum Ende durchzuschreiben ohne abzubrechen, und nur selten waren Korrekturen notwendig. Entsprach die Arbeit nach letzter Überprüfung nicht seinen Absichten, so wurde sie nach drei Tagen, nach einigen Wochen, nach einem halben Jahr, nach mehreren Jahren wieder von vorne angefangen. So komponierte er häufig die gleichen Liedertexte nach kürzerer oder längerer Zeit von neuem, wobei es verwirrt, daß nicht immer die Letztfassungen in die gedruckten Ausgaben gelangten.

Aus der Tatsache, daß Schubert an manchem Tag eine ganze Reihe von Liedern hinschrieb (am 19. August 1815 fünf, am 25. desselben Monats sechs und am 15. Oktober 1815 sogar acht), glaubten manche Leute folgern zu sollen, ein solches Arbeitsmaß könne nur das Ergebnis instinktiver Eingebungen sein. Ein Blick auf das Beispiel der konzisen Genauigkeit, mit der seine Absichten zu Papier gebracht sind, muß solche Phantastereien zunichte machen. Zwar hat Schubert in seinen Liedern nur wenige dynamische Vortragszeichen angebracht, stehen aber welche da, so ist ihre minuziöse Befolgung der sicherste Weg zur vollgültigen Wiedergabe. Bleiben besonders die Strophenlieder ohne detaillierte Vorschriften, so ist einleuchtend, welche Rolle hier dem von Strophe zu Strophe wechselnden Wort- und Stimmungsgehalt eingeräumt wird. In allen Werken Schuberts, nicht nur in den Stücken instrumentalen Charakters, spielen übrigens »piano« und »pianissimo« eine auch für die Stimme höchst bedeutsame Rolle, sowohl beim Auswiegen von Gegensätzen als auch bei der Einführung von Hauptthemen. Dabei ist die zusätzliche dynamische Bedeutung von crescendo- und diminuendo-Gabeln bemerkenswert. Nie ist diese Dynamik rein äußerlich bedingt, sie ist immer von innerer Notwendigkeit getragen.

Das Genie, höchste Verwirklichung von Geistigkeit, sollte passiv unter Diktat von Hypnose arbeiten? Als Schubert kurz vor seinem Tode noch einmal bei Simon Sechter Kontrapunktstudien aufzunehmen trachtete, hat er uns bewiesen, welche immense Kraft der Ordnung und Gestaltung seinen ersten Eingebungen zu folgen hatte.

Egon Friedell schildert in seiner »Kulturgeschichte der Neuzeit« den linkischen, bebrillten Dickkopf von Vorstadtlehrer, dessen private Welt und Freude das Gespräch beim »Heurigen« war und der der Menschheit erst zeigen sollte, was ein Lied wirklich ist: *»Wie von den Brüdern Grimm das deutsche Märchen geschaffen, nämlich nicht erfunden, sondern zum Kunstwerk erhoben wurde, so hat Schubert das Volkslied geadelt und ebenbürtig neben die höchsten Kunstformen gestellt.«* Aber einer solchen Erkenntnis darf nicht die Verwechslung mit dem »Volkskünstler« à la Friedrich Silcher auf dem Fuß folgen. Das wird überzeugend deutlich, wenn Schubert in der zweiten Hälfte seiner Schaffenszeit die strophische Vertonung mehr und mehr ad acta legt. In die Seele des Musikers ist der Zwiespalt eingedrungen. Musik als tönend bewegte Form, der schöne Wahn der Ästhetik, der noch manche frühen Gesänge bestimmt, ist in ihrem Wesen gefährdet. Die Liebe zum Spielerischen trifft mit der Liebe zum Ausdruck zusammen. Nirgends scheint Spielerisches so durch das Handwerk geboten und entwickelt wie in der Musik. Aber schon ihre Verbindung mit der Lyrik zwingt die Musik zu einer neuen Zusammenraffung ihrer Kräfte. Franz Schubert orientiert sich dazu an Goethe. Die titanischen Worte von PROMETHEUS oder AN SCHWAGER KRONOS werden ihm zum damals noch durchaus nicht selbstverständlichen Medium, Hintergründe der Seele zu erkennen. Der Liedersänger Schubert, schon im Schweben zwischen Dur und Moll und in überraschender Modulation ein Kind der neuen Zeit, befruchtet den Instrumentalisten Schubert, auch über die fünf aktuellen Fälle hinaus, in denen Lieder die direkten Vorlagen für Instrumentalstücke abgeben.

Diese authentischen Liedvariationen teilen der Kleinform in unerschöpflicher Fülle immer neue Gedanken zu. Obenan stehen wohl die Variationen über das Thema DER TOD UND DAS MÄDCHEN aus dem d-Moll-Quartett (vielleicht einer der eindrucksvollsten Schubertsätze überhaupt), dann die Verwendung der cis-Moll-Kantilene aus dem WANDERER in der C-Dur-Fantasie für Klavier als Basis für geistvolle Veränderungen, die den Gedanken in allen Beleuchtungen zeigen. Auch die schwierigen, spielfreudigen Variationen für Flöte und Klavier über TROCKENE BLUMEN gehören hierher, sowie die für beide Teile höchst anspruchsvollen As-Dur-Variationen über SEI MIR GEGRÜSST, die in der Violin-Klavier-Fantasie C-Dur die Stelle des langsamen Satzes einnehmen. Schließlich die zeitlose Lieblichkeit des Forellenthemas mitsamt den Verwandlungen im Klavierquintett A-Dur. Die schöpferisch gewordene Sensibilität hat auch den Klang gefärbt. Farbe und Klang bekennen in einem Musikanten von unaufhörlich strömendem Reichtum ihre Verwandtschaft. Das, was der Ruhm der modernen Musik werden sollte, die Kunst der Übergänge, deutet sich schon in Schubert an.

Nun ist allerdings längst das eingeengte Bild Schuberts, das auf falscher »Schwammerl«-Rührseligkeit basierte, für große Teile des Publikums dem Erkennen der realen Strahlungskraft seines Werkes gewichen; besonders aber bei der jüngsten, durch Urväterhausrat nicht beschwerten Generation. Lange genug hat es ja auch gedauert, bis das allgemeine Bewußtsein ihn nicht mehr im Schatten von Haydn, Mozart und Beethoven sah, sondern ihm einen selbständigen Platz zuerkannte, den er wahrhaftig für sich beanspruchen kann. Solche, die ihm die Funktion des Neuerers absprechen, bleiben taub gegenüber den in die Zukunft weisenden Klängen, die aus den Klaviersonaten, den Quartetten, dem Streichquintett, der WINTERREISE herauszuhören sind; sie überraschen an allen Biegungen beim Gang durch den üppigen Garten seiner Eingebungen. Vielleicht ist er bei manchem Philister dadurch in verfärbendes Licht geraten, daß man ihn so schlecht einordnen kann. Nomenklaturen, wie »Klassischer Vorläufer der Romantik«, »Romantischer Außenseiter der Klassik« wollen dem nicht schmecken, den er wirklich in seinen Bann schlägt. Unsere Konzentration auf die Beziehung der Lieder zu Schuberts Leben rechtfertigt sich nicht bloß mit der schon von ihm selbst gerngesehenen, ausschließlichen Anerkennung seines Rufs als »Liederfürst« zu Lebzeiten. Die erste wirklich umfassende Veröffentlichung seiner Lieder auf Schallplatten war für mich der Anlaß, Material zu sammeln und ließ mich daran denken, in Buchform einen eigenen Beitrag zu der wahrlich nicht mehr übersehbaren Schubertliteratur zu leisten. Überraschend und in diesem Umfang nicht vorausgesehen, stellte sich bei der Arbeit an den Liedern ein Literaturbild her, das in großen Zügen und typischen Beispielen die deutsche Anakreontik über die Klassik bis zur Romantik einschließt und ein wichtiges Jahrhundert deutscher Lyrik vorführt. Die Gedichte aus der weiter zurückliegenden Weltliteratur, die Schubert vertonte, wie solche von Äschylus, Anakreon, Dante, Petrarca, Shakespeare, Goethe, Ossian und Scott, stammen ausnahmslos von Persönlichkeiten, die in Schuberts Jahrhundert entscheidende Einflüsse ausübten; sie waren ihm durch Übersetzungen seiner Freunde oder bekannter Dichter seiner Zeit geläufig.

Von Schuberts Leben ist im Grunde wenig zu berichten, es vollzog sich ganz von innen, unter dem Zwang des Komponierens, das seine Art des Versuchs darstellt, seinem Leben Form zu geben. Er brauchte die Vorstellung dessen, was ihm das Nichterlebte ersetzen könnte. Darum auch gehörte den Dichtern seine ganze Liebe. Sie gaben ihm Anregung und Auftrieb, sie lieferten Bilder, Formen und Geschehnisse, die ihm sonst unerschlossen geblieben wären. Mit ihnen konnte er in den Bereich des Wortes eintreten, mit ihnen eine so innige Verbindung nur deshalb eingehen, weil er niemals ganz von sich selbst in Anspruch genommen war.

Die Schubertliteratur, die heute etwa auf 4000 Titel angewachsen ist, kann sich nur auf eine begrenzte Anzahl von Dokumenten stützen, deren Erschließung vor allem dem Österreicher Otto Erich Deutsch zu danken ist. Niemand, der über Schubert schreibt, kann die Arbeiten dieses Mannes umgehen. Man ist im Angesicht der Dokumente in vielen Fällen zu vagen Rutengängen aufgefordert, in anderen muß man sich der Mühe unterziehen, die sich einander häufig widersprechenden, mitunter Jahrzehnte nach Schuberts Tod zu Papier gebrachten, manchmal auch gedächtnisschwachen Freundeserinnerungen auf den Mittelwert der Wahrscheinlichkeit hin zu untersuchen. Eine tröstlich vollwertige Ergänzung bieten Schuberts Briefe und Aufzeichnungen. Aber welch ein Abstand wird deutlich, wenn man an die etwa 1500 Beethoven- und 350 Mozart-Briefe denkt. Die verschwindend geringe Zahl von Schuberts Äußerungen fällt um so bedeutsamer ins Gewicht, weil nicht allzuviel von dem überliefert worden ist, was er gesprächsweise gesagt hat. Ich stehe nicht an, hier den Einbau gewisser Werke und Liedtexte, auch wenn sie literarisch wertlos erscheinen sollten, als geeignet anzusehen, einige Lücken zu schließen. Sie füllen vor allem psychologische Zwischenräume. Dabei kommt uns zu Hilfe, daß sich Schuberts Dasein und Schöpfertum so innig vereinen, wie kaum bei einem anderen.

Denn er harrt lebenslang bei seinem Werk aus. Mehr im Schatten wird sein Leben Wirklichkeit, und es verwundert kaum, daß die Welt ringsum für ihn nur bedingt vorhanden ist. Aus den Liedertexten läßt sich vieles von der Bitternis herauslesen, die ihn zeitlebens erfüllte. Vielleicht kann auch aus der Beschäftigung mit seinen Liedern erhellen, wie vollkommen er als Sprecher in seiner und für seine Zeit war, ohne doch etwa nur Stimmungsbilder des romantischen Biedermeier zu geben. Vielmehr deutet er die Wunschträume vieler musikalisch. Es kennzeichnet unsere Zeit, daß sie diesen Protokünstler — zumindest unter den Musikern — nicht hat. Das geistige Brot, das Schubert seinen Zeitgenossen und auch noch deren Enkeln gab, schmeckt den jungen Menschen von heute noch immer, weil die Kraft seiner Äußerung sich über das Mittelmaß oder die Zeitgebundenheit mancher von ihm vertonten Gedichte hinwegsetzt. Leid und Glück, Demut und Aufbegehren, Bescheidenheit und Stolz, Besinnung und Leidenschaft sprechen aus Schuberts Musik, vom zeitlichen Abstand zum Heute ungebrochen.

Die Unmittelbarkeit der musikalischen Sprache war Schubert natürlich nicht zu allen Zeiten seiner knappen Schaffensspanne in gleicher Vollendung gegeben. Wenn man die Lieder vom ersten bis zum letzten überblickt, offenbart sich, wie er zum musikalischen Dichter hin gewachsen ist. Am Anfang untermalt er noch als dienender Rezitator das Gedicht. Bei fortschreitender Entwicklung bekommt seine Arbeit am Lied den Charakter des Übertragens in die Sprache der Musik, wobei er häufig die Gedanken des Dichters schärfer formuliert oder weiterdenkt.

Drei grundlegende Typen des Liedes begegnen uns: Im strophischen Lied wird die Melodie bei gleichbleibender Begleitung beibehalten. Im szenischen Lied werden mehrere, gegeneinander abgesetzte Teile in verschiedenen Tonarten und Tempobezeichnungen nebeneinander gestellt. Im durchkomponierten Lied verbindet ein einheitlicher Begleittypus die, ohne Abhängigkeit von den Gedichtstrophen vorgetragenen, Gedanken und Stimmungen. Hinzu tritt noch das veränderte Strophenlied mit leichten Modifikationen bei Wiederaufnahme der bereits gehörten Musik. Beim Überblick wird klar, daß Schubert sich nicht etwa vom elementaren Strophenlied zum durchkomponierten Lied als einer »höheren« Form hin entwickelt hat. Er bleibt dem Strophenlied bis zum Ende treu, wie AM MEER oder DIE TAUBENPOST beweisen.

Wenn an die hohe Einschätzung und an die Liebe gedacht wird, denen Schuberts Lieder bei seinen Freunden und ersten Hörern gewöhnlich begegneten, dann wird man kaum daran zweifeln können, daß allem Glauben an sich selbst und aller Sicherheit des Verfahrens zum Trotz er seine Kompositionsprinzipien nicht in allen Fällen starr beibehielt. Trivialer Geschmack wird bei einigen der leichten Stücke mitbestimmend gewesen sein, ohne daß das dem jeweiligen Lied abträglich gewesen wäre. Aber im übrigen mag Spauns Bericht seine Geltung haben, in dem er dem Sänger Vogl jegliche Einflußnahme auf Schuberts Schaffen abstreitet.

Es läßt sich aus diesem Schaffen ablesen, wie sein Schöpfer von dem Bewußtsein erfüllt war, er habe etwas zu sagen, was vor ihm noch niemand in Töne zu fassen vermochte. Er weiß immer wieder zu überraschen. Innerhalb eines relativ enggesteckten technischen Rahmens ist der Erlebnisreichtum unerschöpflich. Und jeweils, wenn er von einem für einige Zeit geliebten Gebiet des Gedichtinhalts wie »Vogel«, »Wandern«, »Kindheit« oder »Tod« sich zum nächsten wendet, verwandelt er sich mit ihm. Der Stoff erschließt sich ihm durch die Liebe, mit der er ihm begegnet. Es ist mit der Kunst nicht anders als mit allen Lebensbezirken: Ohne die Liebe bleiben die Geheimnisse unerschlossen.

In der Kaiserstadt Wien muß man den Begriff Musik zu Schuberts Lebzeit weit fassen. Es gab nicht nur die Melodiestrophen der Bänkelsänger, Harfenisten und Volksmusikanten auf den Straßen, in Gasthäusern und Ballokalen. Auch die Werke der Kunstmusik waren Gemeingut und gehörten zum täglichen Bedarf. Die musikalische Welt traf sich, wenn auch noch nicht sehr lange, in Wien. Von ihren drei Gottheiten war Mozart, 1791 gestorben, noch lebendige Erinnerung für zahllose Menschen. Haydn lebte noch zwölf Jahre in Schuberts Dasein hinein, und der Titan Beethoven beherrschte bis 1827 den Schauplatz. Wiens seriöse Musikgeschichte war praktisch eine Generation alt. Besonders bevorzugt waren Sinfonie, Sonate und Quartett, die Oper lag hauptsächlich in italienischen Händen. Allerdings hatten Gluck, Mozart und Weber hier Erfolge, wenn auch lange nicht so nachhaltig wie anderwärts. Für den Stil Schuberts gab es keine Vorläufer am Orte, außer kleinen österreichischen Liedmeistern, deren Mittel andeutungsweise bei Schubert wiederkehren. Allerdings finden sich auch im übrigen deutschsprachigen Raum keine Vorbereiter für diesen persönlichen Stil, wenn man von den Modellen für die frühen Balladen absieht, die aus der Feder des Komponisten Johann Rudolf Zumsteeg (1760—1802) stammen, und aus denen höchst willkommen einige im Ergänzungsband der ersten Gesamtausgabe bei Breitkopf & Härtel abgedruckt sind. Aber hier handelt es sich ja mehr um des jungen Schubert Übung und Selbstunterricht. Auch kann man diese Vorläufer nicht bei Mozart finden, der mit dem »Veilchen« erstmals zum Kunstlied neuer Prägung vorstieß, und von dem bei längerem Leben sicher noch Wichtiges auf diesem Gebiet zu erwarten gewesen wäre. Ebensowenig finden wir sie bei Beethoven mit seinem andersgearteten, eigene Wege gehenden Liedstil, der uns höchstens zeigen kann, welche Möglichkeiten bekennerischen Ausdrucks im Liede um diese Zeit in der Luft lagen.

Lieder, Tanzmusik und Klavierstücke wurden durch die Verlage in die Breite gestreut. Durch die Vorherrschaft des Klaviers waren die musikalischen Abende begünstigt, die wöchentlich in den Häusern von wohlhabenden Kaufleuten, Rechtsanwälten oder Staatsbeamten vor vielen Gästen veranstaltet wurden und in denen Kammermusik aller Art, natürlich auch ein- und mehrstimmige Gesänge, zum Vortrag kamen. Dies alles bedeutete Anregung für Schubert, und was er im gleichen Rahmen nun zu sagen hatte, löste viele Trivialitäten ab, machte ihn zum Mittelpunkt eines Freundeskreises, dessen Liebe und Verehrung sich am besten bei dem altgewordenen Schwind nachlesen läßt. In viel späteren Jahren kehrte dieser nach Wien zurück, nicht etwa, um die Stadt wiederzusehen, sondern um sich jene Stätten in Erinnerung zurückzurufen, wo das Klavierspiel seines Freundes Franz und der Gesang des alten Vogl die Schubertianer bei Spaun, Bruchmann oder Hönig begeistert hatten.

Aber wir haben vorgegriffen. Wie in den meisten Lehrerfamilien machte man auch bei Vater Franz Theodor Schubert Hausmusik. Neben leicht spielbaren Duetten, Trios und Quartetten musizierte man auch die anspruchsvollen Beethoven-Quartette op. 18. Kein Wunder, wenn der kleine Franz hingegeben zuhörte und als Heranwachsender ins Quartett mit einbezogen wurde. Bei diesem Dilettieren entwickelte sich bald sein Sinn für das, was er musikalisch schön fand und welche Form es haben müßte. Schmerzliche Erfahrungen wie das Bild des aufgebahrten toten Bruders, bei dem der sonst so strenge Vater weinte, stehen neben heiteren wie etwa der Freude am Spiel mit der kleinen Schwester. Franz konnte sich nicht genug tun im Verwöhnen und Liebkosen Reserls, er wiegte das Kind in Schlaf und erfand ein Wiegenlied, das manchmal zusammen mit den Brüdern im Chor gesummt wurde, um die Kleine zum Schlafen zu bringen. Dur und Moll des Geschicks stehen von Anfang an in jenem Spannungsverhältnis, das später dann in seiner Musik faszinierenden Niederschlag finden soll. Hier könnte man auch den Anfang unserer Geschichte finden, deren Beginn schwebend ist.

Es war Schuberts ältester Bruder Ignaz (1785–1844), der dem vierten Kind der Familie Franz Seraph die ersten Griffe auf dem Klavier zeigte. Ignaz war um zwölf Jahre älter und bereits als Schulmeister Amtsgehilfe seines Vaters. Die Schwester Therese (1801–1878) berichtet später, wie sich Franz einem Tischlergesellen näherte, um Zutritt zu einer Klavierwerkstatt zu erhalten. Der zweite von den fünf lebengebliebenen Geschwistern, Ferdinand Schubert (1794—1859), schrieb 1839, als er schon Direktor der Lehrerbildungsanstalt in Wien war: *»Dieser gute Franz erhielt nun von seinem Ignaz im Klavierspiel Lektion. Im Violin- und Klavierspiel sowie in Gesang unterrichtete ihn später der Regens chori Michael Holzer, der mehrmals mit Tränen in den Augen versicherte, so einen Schüler habe er noch nie gehabt, ›denn‹, sagte er, ›wenn ich ihm etwas Neues beibringen wollte, so wußte er es immer schon; oft habe ich ihn stillschweigend angestaunt‹.«* Ignaz erinnert sich später: *»Ich war sehr erstaunt, als er nach kaum einigen Monaten mir ankündigte, daß er nun meines ferneren Unterrichts nicht mehr bedürfe und sich schon selber forthelfen wolle. Und in der Tat brachte er es in kurzer Zeit so weit, daß ich ihn als einen mich weit übertreffenden und nicht mehr einzuholenden Meister anerkennen mußte.«*

Wer in Österreich Schulmeister werden will, muß noch heute singen und ein Instrument spielen können. Daß alle Söhne dem Vater im Schulamt zu folgen hatten, stand für Franz Theodor Schubert fest. Nach einigem Anfangsunterricht im Violinspiel wurde die damals für Laien übliche musikalische Ausbildung fällig. Vater Schubert, ernsten, energischen und strengen Wesens, schickte Franz also in die Singstunde des Chorregenten Michael Holzer (1772—1826), der die Musik an der Pfarrkirche zu den Vier Heiligen Nothelfern in Liechtenthal leitete. Der Schüler wurde zunächst auf die Teilnahme an den Musiken zum Gottesdienst vorbereitet. Schubert wirkte als Sopranist des Kirchenchors. Bruder Ferdinand berichtet darüber: *»Im 11. war er erster Sopranist in der Liechtenthaler Kirche. Schon zu dieser Zeit trug er alles mit dem angemessensten Ausdruck vor.«* Ein Freund aus den Konviktzeiten, Anton Holzapfel (1794—1868), nennt Holzer *»einen etwas weinseligen, aber gründlichen Kontrapunktisten, bei dem alle Schubertschen Brüder Unterricht nahmen«.* Joseph von Spaun (1788—1865), später Schuberts treuester Freund, hat über Holzer zu sagen: *»Diesem alten, würdigen Lehrer, welcher die Freude erlebte, von seinem trefflichen Schüler eine Messe dediziert zu erhalten, blieb Schubert bis zu seinem Tod dankbar ergeben.«* Von Holzer — zu jener Zeit noch nicht Mitte 30 — kann man sagen, daß er der erste Mensch außerhalb des Elternhauses war, dem sich Schubert vertrauensvoll anschloß. Ferdinand erzählt weiter: *»Auch spielte er damals ein Violinsolo auf dem Chor und komponierte schon* *kleine Lieder, Streichquartette und Klavierstücke. Seine schnellen Fortschritte setzten den Vater in Erstaunen; er war daher darauf bedacht, ihm Gelegenheit zu weiterer Ausbildung zu verschaffen und ihn deshalb in das k. k. Konvikt zu bringen.«*

In der amtlichen »Wiener Zeitung« erschien am 3. August 1808 ein Aufruf, wonach im Chor des k. k. Konvikts eine Sopranstelle zu besetzen war. Der Vater, durchdrungen vom überragenden Talent und von der schönen Stimme seines Franz, zögerte nicht, mit dem Jungen vor der Prüfungskommission zu erscheinen. Deren Präsidenten Antonio Salieri, überheblicher Allmächtiger im Wiener Musikleben kraft seiner Bevorzugung durch den Kaiser, und Joseph Eybler hatten gegen eine Aufnahme nichts einzuwenden, sparten sogar nicht mit Lob.

Das Konvikt war im Zuge der Restauration von dem auf Ordnung bedachten Kaiser Franz II. zwecks Überwachung der Erziehung durch die Geistlichkeit geschaffen worden. Der finstere Direktor Innozenz Lang, der den Zöglingen pflichtgemäß Furcht einflößte, wurde später Rektor der Universität und Hofrat. Zur Wahrung der Standesunterschiede waren von den ehrwürdigen Patres zwei Anstalten eingerichtet, deren eine den Adelsschülern und deren andere den Söhnen von Beamten und niederen Offizieren offenstand. 1848 schloß man beide Schulen.

Ferdinand, wie immer Berichterstatter interessanter Einzelheiten, erzählt von der Aufnahmeprüfung: *»Der Knabe trug einen lichtblauen, weißlichen Rock, so daß sich die übrigen Leute samt den anderen Kindern, die auch in das Konvikt aufgenommen werden sollten, untereinander lustig machten mit Redensarten als ›das ist gewiß eines Müllers Sohn, den kann es nicht fehlen etc. etc.‹.«* Allein der Schulmeisterssohn erregte nicht nur durch seinen weißen Gehrock, sondern bei den Hofkapellmeistern Salieri und Eybler und bei dem Singmeister Korner auch durch sein sicheres Treffen der ihm vorgelegten Probegesänge Aufsehen. Schubert bezog im Herbst 1808 als k. k. Hofsängerknabe am Universitätsplatz zu Wien Quartier. Die ausgewählten Sänger trugen eine hübsche Uniform, erhielten Gymnasialunterricht und lernten außer Singen auch Violine und Klavierspiel. Es hatte wohl Tränen gegeben beim Abschied vom Elternhaus, aber einige Entschädigung boten rasch geschlossene Freundschaften. Unter den neuen Freunden findet man Joseph von Spaun, der die zweite Violine im Schulorchester spielte und der zum treuesten Wohltäter werden sollte; ferner den Cello

Das k. k. Stadtkonvikt

spielenden Anton Holzapfel, die beiden Geiger Anton Hauer und Johann Leopold Ebner. Der letztere fertigte viele Abschriften von Schubertliedern an, die später zu unschätzbarem Ersatz für verlorengegangene Manuskripte wurden. Zu dem Freundeskreis gehörten ferner Joseph Kenner, dessen Ballade DER LIEDLER 1815 umständlich und etwas drollig in Musik gesetzt wurde, der Dichter Johann Senn, schließlich Albert Stadler, der als Sammler von Schuberts Handschriften und von Liedabschriften zur wichtigen Forschungsquelle über den Komponisten wurde. Gemeinsam mit den Kameraden nahm Schubert täglich in den Übungsräumen des Konvikts am Musizieren teil, wo man Kammermusik, Lieder und vierhändige Klaviermusik pflegte. Ort der Chortätigkeit war die aus dem 15. Jahrhundert stammende Hofkapelle, mit deren Orchester man im Rahmen des Hochamts gemeinsam musizierte.

Die reiche Gelegenheit zum Singen hatte für Franz und das Lied schicksalhafte Bedeutung. Dem Vater allerdings stach die Aussicht auf ein Universitätsstudium ins Auge, zu dem der Abschluß der Schule berechtigte. Der Sohn sollte es einmal »besser haben«.

Am 17. April 1809 bestand dieser die erste Gymnasialklasse mit gutem Erfolg, was später nicht immer so bleiben sollte. Das Zeugnis führt unter anderem an: »*Ausweis über das sittliche Betragen, den Fortgang in den Studien und in der Musik der Hofsängerknaben k. k. Konvikt im I. Semester 1809 in Wien. Schubert, Franz: Sitten: sehr gut, Studien: gut, Gesang: sehr gut, Klavier: gut, Violine: sehr gut. Anmerkung: Ein musikalisches Talent. Lang m. p. Direktor.*«

Franz von Schober, der sich in einem ähnlichen Konvikt in Kremsmünster aufhielt, bekam von dem jungen Schlechta die vertrauliche Mitteilung: »*Besonders mißfallen mir die bösen Gesichter, welche uns die Herren Präfekten machen. Mir ist so eng, so weinerlich.*« Von Schubert meinte Spaun, die Anstalt schiene ihm »*nicht behaglich*«. Als Spaun dann im September die Anstalt verließ, rief Schubert aus: »*Sie Glücklicher, Sie entgehen nun dem Gefängnis! Mir ist so leid, daß Sie fortkommen.*«

Zuvor traten politische Ereignisse ein, die alle bestürzten: Am 13. Mai wurde Napoleon bei Aspern nach zwei blutigen Schlachttagen von den Österreichern geschlagen. Aber die Sieger ließen den endgültigen, letzten Angriffsbefehl nicht ergehen, gaben Napoleon damit die erwünschte Atempause, die er am 6. Juli dazu nutzte, die Österreicher endgültig bei Wagram zu besiegen. Die Folgen des zu Schönbrunn geschlossenen Friedens vernichteten die letzten Reste patriotischer Politik. Spaun berichtet von der Erregung unter den Zöglingen: »*Als die Franzosen sich Wien näherten, wurde ein Studentenkorps errichtet. Uns Konviktoren wurde verboten, uns einschreiben zu lassen; als wir aber in dem gegenüberliegenden großen Universitätssaale die patriotische Aufforderung des Feldmarschalleutnants Koller gehört, und gesehen hatten, mit welchem Enthusiasmus sich die Studenten zum Einschreiben drängten, so konnten wir uns nicht enthalten, uns einzuschreiben, und wir kehrten mit den weiß-roten Bändern, den Zeichen der Anwerbung, jubelnd in das Konvikt zurück. Der Direktor Lang empfing uns mit den bittersten Vorwürfen, allein wir achteten nicht darauf, fühlten uns begeistert und marschierten die nächsten Tage aus. Am dritten Tag erschien ein allerhöchster Befehl vom Erzherzog Rainer, der uns zur Pflicht machte, sogleich auszutreten, und da wir mehrere Tage im Konvikt eingesperrt wurden, so hatte das Soldatenspielen für uns ein Ende. — Vor unseren Augen fiel eine Haubitzgranate auf dem Universitätsplatz nieder und* platzte in einem der dortigen schönen Brunnen. Plötzlich knallte es aber im Hause selbst, indem eine Haubitzgranate auf das Konviktgebäude gefallen war. Dieselbe durchschlug alle Stöcke, bis in den ersten, und platzte im Zimmer des Präfekten Walch, der gerade den Schlüssel umdrehte, um einzutreten.« Zwei Söhne von Tiroler Führern, die nach dem Friedensschluß den Kampf weiterführten, befanden sich im Konvikt: Senn und Rueskäfer. Johann Senn wurde zum lebenslangen Freund Schuberts. Schubertfreund Kenner beschreibt ihn so: »Ein herrlicher, warmfühlender Jüngling, ein starrköpfiger Philosoph, offen dem Freunde, verschlossen den übrigen, freimütig, heftig, Hasser äußeren Zwanges. Sein Schicksal erregte meine tiefste Teilnahme.« Dieses Schicksal bereitete sich schon vor, als unter den Tirolern im Konvikt eine kleine Revolte ausbrach. Ein Schüler bekam eine drakonische Disziplinarstrafe. Senn war nämlich, statt in Stiefeln, in Schuhen zum Abendmahl erschienen. Kenner erzählt darüber: »Die Bestrafung erregte den Aufstand seiner ganzen Kameraden, welche ihn mit Gewalt seiner heimlich bezogenen Karzerhaft entledigen wollten. Senn war Teilnehmer wie Rueskäfer; der trat sogleich freiwillig aus dem Konvikt, Senn verlor seinen Stiftsplatz, weil er, obschon arm, nicht gegen seine Überzeugung zur Anerkennung der Rechtmäßigkeit jener Strafe sich demütigen konnte. Seine Freisinnigkeit wurde anrüchig, seine Unbeugsamkeit schien gefährlich. Schubert dürfte er schon früher im Konvikt gekannt haben.« Man sieht also, daß das Wort »Gefängnis« ganz zu Recht ausgesprochen worden war. Der Freundschaft mit Johann Senn konnte freilich die Entfernung nichts anhaben, sie wurde eher intensiviert. Auch künstlerisch hat sie noch zu spätem Zeitpunkt Früchte getragen: Schubert vertonte 1822 zwei Gedichte Senns, denn er fühlte in ihnen Verwandtes.

Die Statuten des Konvikts sahen eifrige Musikpflege vor, und in diesem Punkt blieben die Schüler den Vorschriften nichts schuldig. Schuberts Mitschüler Anton Holzapfel erzählt darüber: »Der damalige Konviktsdirektor, der geistliche Herr Hofrat Innozenz Lang, aus dem Orden der frommen Schulen, hatte die glückliche Marotte, ein volles Orchester lediglich aus Konviktszöglingen zusammenzustellen und uns junge Leute des verschiedensten Alters und kaum zureichender Kenntnis dahin zu dressieren, daß wir täglich abends eine ganze Sinfonie und zum Schluß eine möglichst rauschende Ouvertüre aufzuführen vermochten. Saiten, Instrumente und anderes Zubehör, selbst Lehr-meister der Blasinstrumente beschaffte er aus Eigenem, die Pau-ken spendete der Vizedirektor Schönberger. Da aber der Herr Direktor selbst gar nichts von Musik verstand, so ernannte er immer einen der ältesten musikalischen Zöglinge zum leitenden Direktor, und einer der jüngeren, verläßlichen Sängerknaben mußte die Stelle, die man allenfalls Kapelldiener nennen könnte, versehen. Diese letztere Stelle, eine sehr lästige Charge zur Besorgung des Saitenaufziehens, der Unschlitt-Kerzenbeleuch-tung, der Stimmauflage und der Ordnung und Aufbewahrung von Instrumenten und Noten, hat Franz Schubert durch ein paar Jahre versehen, wobei er zugleich als Violinspieler täglich mitwirkte. Außer dieser täglichen Übung und den kirchlichen Leistungen der stipendierten Sängerknaben bildeten sich kleine, von Herrn Direktor gern geduldete Gruppen zur Aufführung von Streich- und Singquartetten; auch kam der Gesang zum Klavier, besonders die Zumsteegschen Balladen und Lieder, unter uns in Mode. Es regte sich überhaupt um diese Zeit ein verhält-nismäßig solides musikalisches Streben unter uns, an welchem Schubert, der sich jedoch erst später im Klavierspiel bedeutend vervollkommnete, den tätigsten Anteil nahm.« Franz rückte bald vom zweiten Geiger und Orchesterdiener zum Vertreter des Dirigenten auf, den der im Musikleben des Konvikts unent-behrliche Wenzel Ruzicka vorstellte. Der gebürtige Mähre war Hoforganist und Bratscher am Burgtheater, und fast der gesamte Instrumentalunterricht der Anstalt lag in seinen Händen. Franz Eckel, Flötebläser im Konviktorchester, berichtet über seinen begabtesten Kameraden Franz: »Schubert lebte schon als Knabe und Jüngling mehr ein inneres, geistig-sinniges Leben, welches nach außen selten in Worten, ich möchte fast sagen, fast nur in Noten sich kund tat. Selbst gegen seine Vertrauteren, zu denen damals Holzapfel und ich zählten, die wir seine ersten, im Stadtkonvikt komponierten Lieder jedesmal fast noch naß vom Papier weg lasen und sangen, war er wortkarg und wenig mit-teilend, außer in Sachen, die jene Göttliche betrafen, der er sein kurzes, aber ganzes Leben weihte. Ein ihm angeborenes takt-volles Maß von Ernst und Ruhe, Freundlichkeit und Gutmütig-keit ließ weder eine Freund- noch Feindschaft zu, wie solche unter Knaben und Jünglingen in Erziehungsanstalten gewöhn-lich vorzukommen pflegen. Um so weniger, als Schubert außer der Studien- und Kollegienzeit die uns gegönnten Erholungs-

stunden fast immer im Musikzimmer und meist einsam zu-
brachte, und die Holzapfel und ich nur dann mit ihm teilten,
wenn er ein Lied geschaffen hatte. Wenn auch damals noch nur
wenige von seinen im Konvikt komponierten Liedern wußten,
so kannten doch alle seinen Wert als ersten Sopransänger der
Hofkapelle, als ersten Violinspieler und Subdirigenten des ausgezeichneten Konviktorchesters.«

Joseph von Spaun, den Schubert 1808 im Konvikt kennengelernt hatte, berichtet: »*Schon in einem Alter von 10—11 Jahren versuchte sich Schubert in kleinen Liedern, Quartetten
und kleinen Klavierstücken. — Er vertraute mir, daß er seine
Gedanken öfter heimlich in Noten bringe, aber sein Vater dürfe
es nicht wissen, da er durchaus nicht wolle, daß er sich der
Musik widme. Ich steckte ihm dann zuweilen Notenpapier zu.*«
Spaun brachte Schubert lebenslang unermüdlich mit neuen
Freunden zusammen und ermutigte ihn künstlerisch. Als Student der Rechte hörte er später bei Heinrich Watteroth an der
Universität Wien, und unter seinen Freunden fanden sich die
juristischen Kommilitonen Johann Mayrhofer, Franz von Schober
und Joseph Witteczek, die allesamt durch Spaun in die Nähe
Schuberts gelangten.

Am 30. März 1811 entstand die erste, uns erhalten gebliebene
Liedkomposition Schuberts. Des Münsteraner Dichters Schücking
HAGARS KLAGE IN DER WÜSTE ist stark von Zumsteegs Komposition des gleichen Gedichts angeregt und bestimmt. Wenzel
Ruzicka zeigte das Lied dem Hof-
kapellmeister Antonio Salieri,
der zugleich musikalischer Ober-
leiter der Hofsängerkapelle war.
Das hatte im Laufe des Jahres
zur Folge, daß Schubert, von der
wohlwollenden Aufmerksam-
keit Salieris ermuntert, zu dem
Italiener als neuem Lehrer hin-
überwechselte. HAGARS KLAGE
waren einige abhanden gekom-
mene Versuche vorausgegangen.
Der Einfluß des Altmeisters Zumsteeg, der übrigens ein Freund
Schillers war, auf alle frühen bal-
ladenhaften Kompositionen ist

Johann Rudolf Zumsteeg

nur zu verständlich. Galt Zumsteeg doch als der bedeutendste Liederkomponist jener Zeit. Und in der Tat muß er als der erste Anreger des romantischen deutschen Liedes angesehen werden. Er war es, der den hausbackenen Strophenliedern der norddeutschen Schule, dazumal den alleinigen Repräsentanten des Liedgesangs für eine Solostimme, seine von dramatischen Ansätzen übervollen »Lieder und kleinen Balladen« gegenüberstellte, in denen er erstmalig versuchte, eine Stimmung zu geben, der Atmosphäre eines Gedichts gerecht zu werden. Allerdings trieb er seine Auflockerung der Form mitunter so weit, daß die Musik nur noch illustrierend unter dem Text herspazierte. Aber wahrscheinlich ist es die Musik des Mitschülers von Friedrich Schiller gewesen, die den ganz jungen Schubert auf die Werke dieses Titanen stieß. Sicherlich offenbarte er ihm außerdem den ganzen Kreis der umgebenden Literatur: Klopstock, Bürger, Matthisson, Goethe. Und es ist ja eine der Faszinationen am Rande bei Schubert, daß wir den ganzen Kreis der Zeitdichtung mit ihm durchwandern, den er auf seine Weise bereicherte.

Improvisatorik und unbekümmerte Dramatik erheben HAGARS KLAGE über das Vorbild des erfahrenen Älteren. Der Vierzehnjährige steht noch unter dem Eindruck dessen, was er als Dreijähriger miterleben mußte. Die Wohnung der Schuberts bestand zu jener Zeit aus nur einem Zimmer mit Küche. Von ihren 14 Kindern wurden hier in den Jahren 1786—1801 zwölf von Mutter Schubert, Maria Elisabeth Vietz, angeblich früher Köchin, zur Welt gebracht. Fünf blieben am Leben. Zur Zeit des Kaisers Franz, des »Guten«, mußte man die Kindersterblichkeit noch als etwas Selbstverständliches hinnehmen, so daß Vater Schubert sich darauf beschränkte, den steten Wechsel von Geburts- und Todesfällen getreu und lakonisch in das Familienbuch einzutragen. Schückings Gedicht hebt so an: »*Hier am Hügel heißen Sandes sitz' ich, und mir gegenüber liegt mein sterbend Kind, lechzt nach einem Tropfen Wasser, lechzt und ringt schon mit dem Tod, weint und blickt mit stieren Augen mich bedrängte Mutter an. Du mußt sterben, armes Würmchen! Ach, nicht eine Träne hab' ich in den trocknen Augen, wo ich Dich mit stillen kann.*« Es erstaunt, wie Schubert sich, selbst noch ein Knabe, in die Not der Hagar versetzt, deren Kind in der Wüste verschmachten muß, und wie er den Schluß bereits in eine Welt von Trost einzuhüllen vermag. Alles noch Ungeschickte, Unausgereifte hat neben dieser Eindeutigkeit und mitreißenden

Gestaltungskraft nicht viel zu sagen. Schubert hat einige Kompositionen im Stil von HAGARS KLAGE hinterlassen. Es sind eigentlich keine Lieder, sondern eine damals modische Form von Kantaten, wie es sie schon lange nicht mehr gab; so hält es schwer, auszumachen, welche praktische Funktion sie im musikalischen Leben von damals ausübten. Sie wirken wie Miniopern für den Hausgebrauch, ohne Bühnenbild, ohne Orchester. Immerhin ermutigte Zumsteeg mit ihnen Schubert zu Vielseitigkeit des Ausdrucks und machte ihn mit Gedichten bekannt, die sich wenig für Musik eigneten, was eine glänzende Übung darstellte. Auch durfte Schubert sich, was Salieri sicher beanstandet hätte, durch viele Tonarten bewegen. Er beginnt sein Stück in c-Moll und schließt in As-Dur, nach einem Schlußadagio übrigens, das in seiner Schönheit das Vorbild weit hinter sich läßt. Für unbekümmertes Wandern durch die Tonarten zeigt Schubert auch später eine Schwäche, wenn er zum Beispiel OREST AUF TAURIS von 1817 in c-Moll beginnt und in D-Dur schließt. So wie jetzt über Zumsteeg die große Oper als Vorbild ins Blickfeld des Liederkomponisten gerückt wird, werden später — 1815 — die Ballad opera und das Singspiel zu Modellen für die kleineren Lieder.

Die Titel der wenigen Lieder, die aus dieser Zeit noch lebendig sind, wie HAGARS KLAGE, DES MÄDCHENS KLAGE oder KLAGLIED verraten die Anziehungskraft morbider Tränenliteratur, wie sie die meisten jungen Menschen damals erfaßte. Bezeichnend für Schubert als einen noch Lernenden ist es, wie er sich in KLAGLIED zum Text verhält, der ihm vorläufig noch bloßer Vorwand für die Komposition ist. Da, wo es ihm nützlich erscheint, scheut er sich nicht, unbedenklich zu ändern, einzelne Zeilen und Teile zu wiederholen, die im Text nicht direkt aufeinanderfolgen. Es ist seltsam, daß gerade dieses Lied manchmal als Spottgesang im Kreis der Konviktschüler die Runde machte, wobei der Singstimme ein neuer Text unterlegt wurde. Von KLAGLIED sind zwei Fassungen überliefert, nur die erste als Autograph. Schuberts erstes uns bekanntes Lied in einfacher Strophenform nimmt auf die zweite, dritte und vierte Strophe des Gedichts so wenig Rücksicht, daß die Textunterlegung kaum befriedigt. Die Goethe-Kopie des Friedrich Rochlitz mit den Anfangszeilen »Meine Ruh' ist dahin, meine Freud ist entflohn« bereitet höchstens mit ihren Wortanklängen auf GRETCHEN AM SPINNRADE vor. Bei dem KLAGLIED handelt es sich um das einzige Strophenlied aus dieser

Zeit. Wie zahlreiche Abschriften verdeutlichen, wurde es solcher Volksliednähe wegen das bekannteste von Schuberts frühen Liedern. Es ist auch das früheste Lied, das vor dem Erscheinen der alten Gesamtausgabe von 1830 bei Czerny gedruckt wurde.

Vater Schubert

Im Herbst des Vorjahres kam es zu ernsten Streitigkeiten mit dem Vater Franz Theodor, der dem nach freiem künstlerischem Schaffen strebenden Sohn den Beruf des Lehrers und Organisten aufzwingen wollte. Er untersagte dem Jungen sogar zeitweilig den Besuch im Elternhaus. Spaun spricht von einem »Sturm«. Weder trafen sich Vater und Sohn in der kirchlichen Strenggläubigkeit des Elternhauses noch im väterlichen Katzbuckeln vor dem Polizeistaat Metternichscher Prägung. Spaun schreibt über Schubert in dieser Zeit: *»Immer ernst und wenig freundlich.«* Hinzu kam die Steigerung seiner angeborenen Empfindsamkeit durch die Pubertät, die sich bereits seit einem Jahr auch in der Wahl der Liedtexte ausdrückte.

In Schillers EINE LEICHENPHANTASIE liest man: *»Freue Dich, Vater, im herrlichen Jungen, wenn einst die schlafenden Keime gereift.«* Das Lied birgt nach Erwähnung des Wortes »Walhall« prophetische »Siegfried«-Klänge, die staunen machen. Die Reinschrift des Manuskripts ist nicht datiert. Aus der Notierungsweise schließt Walther Dürr aber, daß das Stück etwa gleichzeitig mit HAGARS KLAGE entstanden sein muß. Dieses Schiller-Gedicht vom Juni 1780 ist dem Vater von dessen plötzlich verstorbenem Freunde August von Hoven gewidmet. Schillers DES MÄDCHENS KLAGE enthält die Zeilen: *»Das Herz ist gestorben, die Welt ist leer, und weiter gibt sie dem Wunsche nichts mehr.«*

Das Problem, die stark gedankliche Lyrik Schillers in Musik umzusetzen, hielt Schubert nicht davon ab, 42 seiner Gedichte zu komponieren, einige mehrmals. Bewundernswert ist, wie er sowohl die Länge als auch das Reflektorische der Dichtkunst Schillers organisch mit der Musik verschmilzt. Demgegenüber fällt auf, daß das Dramatische, besonders alles Rezitativische in

Schuberts Opern weniger eindringlich und entschlossen behandelt wird als in den epischen Gesängen. Das verwundert allerdings nicht, wenn man die schwachen Opernbücher bedenkt, mit denen er sich zeitlebens herumschlagen mußte. Jedenfalls verrät der monströse, 23 Seiten füllende TAUCHER liebevolle Versenkung in die spröde Materie. An Naturschilderungen, an Drastik, auch an Ergreifendem ist kein Mangel in diesem Stück, das nach dem zweiten Sprung des Tauchers in die Tiefe zu einem orchestralen Zwischenspiel ansetzt, nachdem der Tod des Jünglings mit seufzenden Klangfiguren betrauert wird. Schubert setzt naiv darüber: »bedauernd«. — Noch straffer und eindringlicher ist die BÜRGSCHAFT (1815) gestaltet. Die Fülle anschaulicher Naturbilder bedrängt den Hörer fast: Wolkenbruch, Waldquell, Abendröte. Die Deklamation ist derart einprägsam und gekonnt, daß man versteht, wenn das Stück in neuerer Zeit wiederholt — erst durch Hans Hotter, dann durch Hermann Prey — auf den Konzertprogrammen erschienen ist. Denn Schuberts Lösung der schwierigen Aufgabe, solch ein Riesengedicht musikalisch zusammenzufassen, ist als gelungen zu bezeichnen. Allenfalls fiel die Schlußrede des Tyrannen allzu wienerisch gemütlich aus und nimmt dadurch dem Ganzen etwas von seiner Wirksamkeit. Selbst Carl Loewe, der bald zum ersten Balladendichter erklärt wurde, hat nie etwas Besseres auf diesem Gebiet geschrieben, er hat vielmehr durch gelegentliche Gefühlsseligkeit diese Gattung des Liedes schon wieder ad absurdum geführt. Jedenfalls gehören diese beiden Schubertballaden nicht nur zum Umfangreichsten, sondern auch zum Ausdruckstärksten der gesamten Liedliteratur. Und man sieht schon an diesen Frühwerken deutlich: Nicht weil er die große Form nicht beherrschte oder ausfüllen konnte, bediente sich Schubert bei den meisten Gesängen der Kleinform, sondern weil es ihm genügte, ein Lied mit der Spannweite der Empfindungen ganz zu füllen. Und darum bedeutet es auch ein Mißverständnis, im Lied a priori nur eine musikalische Miniatur mit lyrischer Grundierung zu sehen. Ein Schubertlied birgt in sich die Essenz aller Dramatik und die Tiefe des Empfindens kosmischer Welterfahrung. Der ausgearbeitete, illustrative Stil, den Schubert für die Balladen Schillers fand, läßt vermuten, daß er ihn, hätte er die vierziger und fünfziger Jahre seines Jahrhunderts erlebt, zu musikdramatischer Ausprägung hätte entwickeln können. So aber bot er den Liebhabern musikalischer Deklamation seinen TAUCHER, der in

September 1813 begonnen und im August 1814 beendet wurde.*

Die Wunde, die der unerträgliche Gewissenskonflikt zwischen Berufung und Wünschen des Elternhauses aufgerissen hatte, vertiefte sich noch bei der heftigen Erkrankung der Mutter. Am 28. Mai 1812, noch während der Zeit des Hausverbots, starb sie an Typhus, derselben Krankheit, der später auch der Sohn aus Mangel an Widerstandskraft erlag. Man sagt, Vater und Sohn hätten sich am Grabe der Mutter ausgesöhnt. Das Bild, wie Franz gemeinsam mit dem Vater und den Geschwistern am Grab steht, sollte sich noch oft in den Texten finden, die er für seine Lieder auswählte. Der Burgfriede wurde aber erst geschlossen, als Spaun unermüdlich glänzende Urteile über Schuberts Kompositionen gesammelt hatte und in seinen Erinnerungen fest-

Antonio Salieri

stellen konnte: »*Nun waren die Schranken gefallen; der Vater erkannte das große Talent seines Sohnes und ließ ihn gewähren.*« »*Den 18. Juni 1812 den Kontrapunkt angefangen*«, so vermerkt Schubert auf einem Notenblatt. Ruzicka war als Lehrer den Anforderungen dieses wirklichen Kompositionsunterrichts nicht mehr gewachsen. Hofkapellmeister Antonio Salieri, Lehrer Beethovens, Hummels und später auch noch Liszts, erwies sich als der richtige Mann. Man wird sich der Feindschaft Salieris gegen Mozart erinnern, die den Anstoß zu fragwürdigen Spekulationen über die letzteren Tod gegeben haben. Der Gegensatz zwischen beiden saß tief. Es herrschte grundlegende Meinungsverschiedenheit über die Ästhetik der dramatischen Musik. Mozart, auf der Seite der älteren opera buffa, stand dem Anhänger der heroischen Reformoper Glucks kritisch gegenüber. Mit dessen Ausschließlichkeitsanspruch mußte sich Schubert noch auseinandersetzen. Den Unterricht erteilte Salieri, wie in

* Aus den beiden bei Mandyczewsky nebeneinanderstehenden Fassungen, die besonders in den rezitativischen Teilen differieren, stellte Max Friedländer für die Peters-Edition eine geschickte Mischung her, die ihrer Wirksamkeit wegen zur Benutzung anempfohlen sei, wenn sie auch den Originalen nicht ganz entspricht.

31

anderen Fällen, dem kleinen Franz unentgeltlich. Der Schüler durfte unter den neidvollen Blicken der Kameraden das Konvikt zu den privaten Unterrichtsstunden verlassen. Nach anfänglicher Enttäuschung über die langweilige Korrektur mitgebrachter mehrstimmiger Hausaufgaben schlugen die Wellen der Begeisterung hoch, als der kompetente Lehrer den Schüler mit Glucks Werken bekanntmachte. Schubert spielte im Internat ganze Szenen aus »Orpheus« und »Iphigenie auf Tauris« vor. Bald aber tauchten Spannungen zwischen Meister und Schüler auf. Spaun erzählt: *»Dazu kam, daß Salieri gerade jene Komposition, zu welcher es seinen Schüler unwiderstehlich hinriß, nämlich das deutsche Lied, durchaus mißbilligte. Die Gedichte von Goethe, Schiller und anderen, die den jungen Tonsetzer begeisterten und die es ihn unwiderstehlich drängte, in Melodien weiterzugeben, waren für den Italiener ungenießbar, und er fand darin nur barbarische Worte, die es nicht der Mühe lohne, in Musik zu setzen. Salieri begehrte mit Ernst von Schubert, daß er nicht ferner mit dergleichen Kompositionen sich abgebe, sondern daß er vielmehr mit seinen Melodien haushalte, bis er älter und reifer werde.«*

Neben Kammermusikwerken, ein paar Gelegenheitskantaten, Streichquartetten, Salve Reginae, Kyrie, symphonischen Ouvertüren entstehen einige Lieder, unter ihnen Schillers DER JÜNGLING AM BACHE, das vom 24. September 1812 datiert ist und als das erste wirkliche Lied Schuberts angesehen werden kann. Die Qualität dieses Wurfs wird dann lange Zeit, bis zu GRETCHEN AM SPINNRADE, nicht mehr erreicht. Auch ist Schuberts kompositorische Handschrift hier so unverkennbar, wie das in anderen musikalischen Gattungen bei ihm noch vergeblich zu suchen ist. Die vier Strophen finden sich in Schillers Komödie »Der Parasit« nach dem Französischen des Picard. Noch zweimal in kommenden Jahren erweisen die Verse ihre Anziehungskraft auf Schubert. Schon jetzt wird wirkungsvoll von Strophe zu Strophe variiert, besonders bei dem leidenschaftlichen Aufgang nach d-Moll aus dem anfänglichen F-Dur, wenn der Liebende klagt, daß die tausend Stimmen der Natur kein Echo in ihm finden. Der Klavierpart leidet allerdings unter einiger Trockenheit. Die Revision des Liedes von 1815, vereinfacht und versetzt nach Moll, kann sich aber nicht mit der bekannteren Drittfassung, die völlig neu gestaltet ist, messen.

Franz saß öfters auf der Galerie des Kärntnertor-Theaters

und hörte in Spauns Gesellschaft ganz hingerissen Opern von Boieldieu und Isouard, Glucks »Iphigenie«, Cherubinis »Medea« und Mozarts »Zauberflöte«. Die Singkunst der Frau Milder und seines späteren begeisterten Propheten Michael Vogl entzückte ihn. »*Den Vogl möchte ich kennen, um ihm für seinen Orest zu Füßen zu fallen.*« Die Sängerknaben nahmen auch häufig an öffentlichen Konzerten teil und machten so Bekanntschaft mit den Chorwerken von Joseph Haydn. Diese Musik eröffnete Franz ganz neue Perspektiven. Nach dem Stimmwechsel ließ er das Chorsingen bleiben und schied 1813 nicht ohne Erleichterung aus dem Konvikt aus. Zum letzten Mal, schon mit Altstimme, sang er in Peter Winters Messe, auf deren Partitur man lesen kann: »*Schubert, Franz zum letztenmal gekräht, den 26. Juny 1812.*« Er spielte nun zum Gesang der drei Brüder die Gitarre. Für sein weiteres Leben mußte er sich mit einer bescheidenen tenoralen Baritonstimme begnügen, deren er sich mit Anstand in den Gesangsquartetten bediente, die in Wien so sehr en vogue waren. Zurückblickend muß gesagt werden, daß die Jahre von 1808 bis 1813 im Konvikt von größter, zumeist positiver Wirkung auf Franz gewesen sind. Nur wenige andere Komponisten haben damals mit noch nicht 15 Jahren eine so zielgerichtete, dichte und zugleich streng geregelte musikalische Ausbildung genossen wie Schubert.

Im Spätherbst 1812 hatte Salieri seinem Schüler drei Arien und einen Chor zu italienischen Texten Pietro Metastasios zu komponieren aufgegeben. Es handelt sich um Aufgaben, die der vom Ausdruck her ganz anders eingestellte Franz nicht aus dem Handgelenk zu lösen vermochte. Hinsichtlich ihrer technischen Anlage verraten sie eine Konzentration, die auf vorausgegangenes exaktes Studium schließen läßt. Schubert zeigt sich in den frühen Liedern und besonders in den italienischen Arien als Lernender, was schon aus der Notierungsweise abzulesen ist, die noch die Klavierhände, jede auf ein besonderes System bezogen, trennt. Das hat die Notwendigkeit häufigen Schlüsselwechsels zur Folge. Das beste unter Schuberts italienischen Stücken ist wohl »Pensa che questo istante« nach Metastasio, das für den neapolitanischen Bassisten Lablache gedacht ist. Schubert hält die Gesangslinie bewußt nobel und schränkt die Begleitung auf ein Minimum ein. Um sich ganz dem italienischen Gesangsstil anzupassen, wird auf pittoreske Detailschilderung verzichtet, wie übrigens in fast allen italienischen Gesängen.

Pietro Metastasio

Der Textdichter Pietro Metastasio hatte seine alten Tage in Wien verbracht. Er war einst durch einen Zufall in den dritten Stock jenes Hauses eingezogen, in dem sich des jungen Haydn elende Dachwohnung befand. Der Italiener hieß eigentlich Trapassi, Metastasio war nur eine ungenaue Übersetzung des Namens. Er war einmal Abbé gewesen, hatte diese Würde aber wahrscheinlich über Frauen und Alkohol vergessen. Jedermann hielt ihn für einen genialen Dichter, während er in Wahrheit nur ein recht guter Librettist war. Er hatte die Stellung eines kaiserlichen Hofpoeten bekleidet, seine Hauptaufgabe sah er allerdings in der Organisation von Vergnügungen für den Hof. Am 21. April 1782 war er 84jährig gestorben.

1820 und 1827 folgten weitere Kompositionen dieser Art. Spaun meint: »Dagegen gab er (Salieri) ihm italienische kurze Stanzen, um sie in Musik zu setzen, die den feurigen Tondichter, der kaum die Sprache verstand, kalt ließen, und mit welchen er sich ohne bedeutenden Erfolg abmühte.« Aber Mißbilligung und Verbote richteten natürlich nichts gegen die Verlockung aus, sich von Anfang an in der Muttersprache auf seinem ureigensten Gebiet der Lyrik zu betätigen. Albert Stadler*, neu hinzugekommener Konviktfreund, erinnert sich: »Spaun, Holzapfel und ich, und wer sonst noch Interesse nahm, versorgten ihn fleißig mit Vorwürfen hierzu und durchstöberten die lyrischen und epischen Dichter, soviele wir ihrer erhaschen konnten. Selten wies er eine Wahl zurück. Der Genius war erwacht, und mit steigender Bewunderung sahen wir das rasche Entfalten seiner mächtigen Schwingen. Dabei war Schubert nichts weniger als eigenliebig; er war, ich möchte behaupten, der Letzte, der die höhere Stufe der Künstlerschaft erkannte, auf der er schon damals stand.« Die Wahllosigkeit der Liedvorwürfe sollte bald strengerer Auswahl weichen. Das Sichausprobieren der ersten Jahre ist häufig

* Stadler ist der Autor zweier Romanzen und eines Namenstagsliedes, die Schubert in Musik setzte.

als literarische Anspruchslosigkeit mißdeutet worden. Der literarische Wert ist für Schubert überhaupt erst in zweiter Linie relevant, es geht ihm hauptsächlich um die Musik auslösende Funktion des Gedichts.

Am 4. Mai 1813 entstand bereits etwas, das sich fernab der Tränenliteratur bewegte: die Vertonung von Popes »The dying Christian to his Soil« in der Übersetzung Herders unter dem Titel VERKLÄRUNG. Das Lied markiert den Beginn bewußter Anstrengung Schuberts, über die Vielfalt der Form- und Aus-

Alexander Pope

druckselemente hinaus die Einheit des Sinnes anzustreben. Johann Gottfried von Herder (1744–1803) stand bei seinem Theologiestudium in Königsberg unter dem Einfluß Hamanns und Kants. In Straßburg lernte er Goethe kennen, auf den er durch seine humanistischen Ideen eine überaus anregende Wirkung ausübte. Für das Lied wurde er durch seine Übertragungen ausländischen Volksliedgutes wichtig. In seiner 1778–79 erschienenen Sammlung »Stimmen der Völker in Liedern« prägte er den in den deutschen Sprachgebrauch übergegangenen Begriff »Volkslied«. Seine wissenschaftlichen Abhandlungen, wie die »Über den Ursprung der Sprachen«, über Ossian und Shakespeare sowie seine »Ideen zur Philosophie der Geschichte der Menschheit« haben das deutsche Geistesleben noch lange nach seinem Tode befruchtet. In Schuberts Schaffen steht er mit zwei Gesängen am Anfang und am Ende. Mit Herder hat Franz als 14–16jähriger im Unterschied zu Gleichaltrigen dem

Johann Gottfried v. Herder

Karl Theodor Körner

Tod gegenüber keine sentimentale oder sehnsüchtige Einstellung. Energisch singt er in dem Rezitativ aus VERKLÄRUNG: »O Grab, wo ist dein Sieg? Wo ist dein Pfeil, o Tod?«

Den 16jährigen traf es zutiefst, als ihn die Nachricht erreichte, Theodor Körner sei am 26. August zu Gadebusch in Mecklenburg gefallen. Denn Schubert hatte mit Bewegung an der Entwicklung des patriotischen Krieges teilgenommen. Zu Beginn dieses Jahres 1813 hatte ihn Spaun mit dem 21jährigen Freiheitsdichter Körner bekannt gemacht, dieser lebte seit 1811 in Wien, wo er mit Bühnenwerken so erfolgreich war, daß ein vielverheißender Vertrag mit dem Burgtheater in Aussicht stand. Besonders die ungarische Freiheitskämpferlegende »Zriny« erregte stürmische Begeisterung. Die Aufführung vom vorangegangenen Dezember traf mit den ersten Nachrichten von Napoleons vernichtender Niederlage in Rußland zusammen. Ferdinand Schubert berichtete, nachdem es gelungen war, Schuberts Wunsch nach einem Treffen mit Körner zu erfüllen: »*Die Begegnung machte auf ihn großen Eindruck.*« Körner hatte sich erst in Wien dazu entschlossen, sein Studium zugunsten der Schriftstellerei aufzugeben, und er bestärkte durch diese Entscheidung auch den jungen Schubert in dem Entschluß, ausschließlich für die Musik zu leben. Angesichts der politischen Ereignisse hielt es den tatendurstigen Körner nicht länger in Wien. »*Soll ich Komödien schreiben auf dem Spottheater, wenn ich den Mut und die Kraft mir zutraue, auf dem Theater des Ernstes mitzusprechen?*« Seine Meldung als Freiwilliger beim Lützowschen Freikorps brachte ihm schon nach fünf Monaten den Tod.

13 Gedichte Körners setzte Schubert neben dem Singspieltext »Der vierjährige Posten« 1815 in Musik. Die Schlachtgedichte sprechen uns Weltkriegsgeprüfte nicht mehr an. Besonders lachmuskelreizend die Vertonung des SCHWERTLIEDES, in dem sechzehnmal am Ende des Refrains der Chor »Hurrah« zu brüllen

hat. Und darunter schreibt Schubert auch noch: »*Bei Hurrah
wird mit den Schwertern geklirrt*«, was schon fast wieder für
Ironie gehalten werden könnte. Aber einige reizende Liebesgedichte würden es verdienen, öfter aufgeführt zu werden. So
wenig wie Ästhetizismus eine Sache Schuberts ist, so fern steht
er im Grunde auch der heroischen Äußerung. Das zagende Klagen im GEBET WÄHREND DER SCHLACHT entspricht ungefähr (nur
ohne die musikalische Größe zu erreichen) jenem Augenblick des
lähmenden Heimwehs, das KRIEGERS AHNUNG kennzeichnet, oder
jenem Pathos des Abschiednehmens in SCHIFFERS SCHEIDELIED.
Da träumt sich Schubert schon lieber an die Stelle dessen, der
der Geliebten Herz besitzt, wie in DAS WAR ICH. Bei AMPHIARAOS,
der Ballade vom Tod des Seherhelden im thebanischen Krieg,
vermerkt Schubert stolz auf dem Manuskript, sie sei in fünf
Stunden hingeschrieben worden. Der Sinn für stimmliche Pracht-
entfaltung kann dem Komponisten nach dieser dramatischen
tour de force kaum abgesprochen werden, wenn auch der Text
den Genuß merklich mindert. Gleich zweimal, erst neckisch,
dann nachdenklich, kann man SÄNGERS MORGENLIED erleben,
wobei die schöne Melodie der zweiten Fassung nachdrücklicher
überzeugt. Die seltene Begegnung mit einem andeutungsweise
komischen Stück kann man in DAS GESTÖRTE GLÜCK (1815) erleben, dessen junger Held immer dann unterbrochen wird, wenn

Der Erlafsee

er sich anschickt, sein Liebchen zu küssen, wobei die Pointe, wie man es bei Schubert nicht anders erwarten kann, so dezent gesetzt wird, daß sie ohne Verdeutlichung durch den Sänger unbemerkt bleiben könnte. — Die kleine Kantate AUF DER RIESENKOPPE vom März 1818 porträtiert den Wanderer Körner, der häufig von seiner Heimatstadt Dresden aus die Berge des Riesengebirges bestieg, ebenso wie den Österreicher. Dessen Wandererseele spricht sich mit gleichsam naturalistischen Jodlern im Klavierpart so aus, wie es ähnlich direkt nur noch in den Koloraturen des HIRT AUF DEM FELSEN oder in ERLAFSEE geschieht.

Hoch auf dem Gipfel
Deiner Gebirge
Steh' ich und staun' ich,
Heilige Koppe,
Himmelanstürmerin!

Weit in die Ferne
Schweifen die trunk'nen,
Freudigen Blicke;
Überall Leben,
Üppiges Streben,
Überall Sonnenschein!

Blühende Fluren,
Schimmernde Städte,
Dreier Könige
Glückliche Länder
Schau' ich begeistert,
Schau' ich mit hoher,
Inniger Lust.

Auch meines Vaterlands
Grenzen erblick' ich,
Wo mich das Leben
Freundlich begrüßte,
Wo mich der Liebe
Heilige Sehnsucht
Glühend ergriff.

Sei mir gesegnet
Hier in der Ferne,

Liebliche Heimat!
Sei mir gesegnet,
Land meiner Träume!
Kreis meiner Lieben,
Sei mir gegrüßt!

Ein Blick auf ein frühes Gedicht Schuberts — er schrieb deren sieben auf —, das auch als Terzett vertont vorliegt, zeigt das ursprüngliche Interesse an der Verwendung von Umlauten, Selbstlauten und Doppellauten. Schiller scheint für den Sechzehnjährigen eine Dauerlektüre gewesen zu sein. In Schuberts Gedicht findet sich nämlich ein zweizeiliges, fast wörtliches Zitat aus ELYSIUM, das er dann fünf Jahre später zu einem großkonzipierten Lied gestaltete. *»Und im ewig schönen Flor blühe seines Lebens Kranz. Wonnelachend umschwebe die Freude seines grünenden Glückes Lauf. Immer getrennt vom dauernden Leide, nehm' ihn Elysiums Schatten auf.«*

Das Gelegenheitsstückchen zur Namensfeier des Vaters am 26. September 1813 steht hier für die bewußte Vokalfülle, eine Vorwegnahme durch die Sprachmelodie. Daß die Musik daneben dürftig ausfiel, ist sicher der Eile zuzuschreiben. Die Anhäufung von Ausrufungszeichen übrigens übt Schubert, wenn er selbst Gedichte schreibt, später bewußt weiter. Vielleicht drücken sie hier eine besondere Darlegung seines Verhältnisses zum Vater aus. Dessen einziges Bestreben war es, den Sohn einst in höheren Gesellschaftsschichten zu sehen und damit mehr Privilegien beanspruchen zu können. Aber das Komponieren war dem sich unter der militärischen Konviktschraube eingeengt fühlenden Jungen nun einmal Lebenssinn, und es sollte noch zu vielen Schwierigkeiten mit dem Vater kommen.

Sicher ist Schuberts Vater nicht immer gerecht beurteilt worden. Man sollte sich der Bewunderung seiner Geradlinigkeit und seines Stehvermögens nicht verschließen. Von dem schlechten Ruf, in dem die Schule stand, die Franz Theodor einst übernahm, bis zu jenem etwas größeren Haus, in dem der schlecht bezahlte, aber mit unglaublichem Fleiß in zwei Schichten arbeitende Vater ein geachteter Mittelpunkt seiner Gemeinde wurde, ist es sicher ein beschwerlicher Weg gewesen.

1813 las Franz die Novellen des Grafen de la Motte Fouqué. Das Resultat, eine Gruppe von drei Liedern DON GAYSEROS ist von geringem musikalischem Interesse. Literarisch werden wir

Konrad Gottlieb Pfeffel

an die Tat der Brüder Humboldt erinnert. Sie brachten Spanien zu Beginn des 19. Jahrhunderts den Deutschen überhaupt erst wieder in Erinnerung, die seit dem Erbfolgekrieg von 1701—13 nichts mehr von diesem Lande wissen wollten oder konnten. Durch die romantisch-katholische Welle folgte darauf geradezu eine Hispanophilie, die sich auch in den Calderon-Übersetzungen A. F. Schlegels zwischen 1803 und 1809 niederschlug.

Da die Revolution in Österreich noch weniger als in Deutschland ihre Heimat hatte, waren die kurzen Umstürzlerzuckungen nach der französischen Initiative bereits vergessen, und der Staat drückte mit Spitzeln, Uniformen, Zensoren und aller Obrigkeit auf jegliche Freiheitsregungen. Für Schuberts seelische und geistige Konflikte in dieser Zeit spricht die Wahl des kuriosen VATERMÖRDERS, den er als umfangreiche Ballade an einem Tag des Dezembers 1813 * niederschrieb. Die Gesamtausgabe vom Ende des vorigen Jahrhunderts kannte den Textautor noch nicht oder nicht mehr. Man rätselte herum, ob es sich um ein Gegenstück zur frühen »Kindsmörderin« von Schiller handeln könnte oder ob der Text gar von Schubert selbst geschrieben worden sei. Erst später stellte sich heraus, daß die Ballade Gottfried Konrad Pfeffel (1736—1809) zuzuschreiben ist. Die Geschichte des von Gewissensnöten in den Irrsinn getriebenen Vatermörders wird musikalisch zügig, in einer etwas aufgesetzt wirkenden Virilität erzählt. Solche pseudoitalienischen Klänge hat Schubert nur noch sehr selten angeschlagen.

Natürlich behielt auch das Idol Schiller seine Anziehungskraft. THEKLA, EINE GEISTERSTIMME soll die Antwort Schillers auf das ungewiß gebliebene Schicksal der Tochter seines Trilogiehelden Wallenstein geben. Die Geisterstimme sagt, sie sei mit dem, den sie auf Erden verlor, nun wiedervereinigt, und auch der Vater sei von allem Blut, das er vergoß, gereinigt und weile bei den Liebenden. Der Wechsel von Rezitativen mit kleinen Melodie-

* Neuere Forschung placiert die Komposition in den Dezember 1811.

fetzen, der die Erstfassung von 1813 kennzeichnet, interessiert jedoch kaum. Dreimal versuchte Schubert, Schillers An Emma zu komponieren. Es fiel ihm offenbar schwer, die Sentimentalität des Dichters ohne nachsichtiges Lächeln zu interpretieren. Immerhin ist dieses Lied, abgesehen von einigen Beilagen zu Zeitschriften, die an die Öffentlichkeit gelangten, das erste, das als Opus 58 zusammen mit zwei anderen Schillerliedern 1826 im Druck erscheint.

Im Konvikt war es Franz zu eng gewesen. Aber nach dem Tod der Mutter und der Wiederverheiratung des Vaters mit einer um 20 Jahre jüngeren Fabrikantentochter war zu Hause auch nicht seines Bleibens. Bruder Ferdinand läßt verlauten: »Da Schubert nun wegen seines außerordentlichen Hanges zur Musik das Konvikt verläßt und später in der Conscription dreimal aufgefordert wurde, sich als Soldat zu stellen, entschloß er sich, ähnlichen Unannehmlichkeiten zu entgehen, Schulgehilfendienste zu leisten.« Der Vater, dessen alleiniges Berufsideal für Franz sich nun zu verwirklichen schien, zog ihn mit dem 19. August 1814, nach mühsam bestandener Prüfung, als sechsten Gehilfen in seine Schule. Das Schaffen, der Strom der Lieder wurde von alledem nicht unterbrochen. Allerdings wehrte sich Franz gegen die Störung seiner musikalischen Grübelei mit dem Universalmittel Stock, während er, seinem Schicksal ergeben, zwischen den Erstkläßlern auf- und abwandelte. »Es ist wahr, stets wenn ich dichtete, ärgerte mich diese kleine Bande so sehr, daß ich regelmäßig aus dem Konzept kam. Natürlich verhaute ich sie dann tüchtig.«

Zu Beginn des Jahres 1814 hatte sich Schubert zum ersten Male entschieden und in größerem Umfange dem Lied zugewandt. Rasch aufeinanderfolgend und durch Arbeit in anderen Musikgattungen kaum unterbrochen, entstanden Stücke, die erstmals vorwiegend lyrischen Charakter haben. Wir sprechen von den Liebesliedern nach Friedrich von Matthisson. Schon vor Jahresfrist war das erste vollständig ausgeführte Matthissonlied Die Schatten einheitlich gestaltet worden. Die melodische Führung der Singstimme wird nur noch selten rezitativisch durchbrochen. Die Klavierbegleitung bekommt durchgehende Figuration. Die Ausgangstonart ist bestimmt, und die erste Melodie kehrt am Schluß häufig wieder. Alle Stücke sprechen von kommender Liebe und den Ahnungen von Unerfüllbarkeit. Matthissons Adelaide, dessen Beethovenvertonung Schubert

Friedrich v. Matthisson

wohl kennt und verehrt, wird eigenständig in Musik gesetzt, und Schubert singt: »*Einst, o Wunder, entblüht auf meinem Grabe eine Blume der Asche meines Herzens; deutlich schimmert auf jedem Purpurblättchen: Adelaide!*« Friedrich von Matthisson (1761–1831) betätigte sich neben der Produktion von Gedichten, die jedermann damals zu rezitieren wußte, als Erzieher, Theaterintendant und Bibliothekar in Magdeburg und Dessau, um dann seinen Lebensunterhalt als Nationalökonom zu verdienen. Unter Höltys Vorbild entstand seine gleichsam pastellierte Landschaftspoesie, die auch Schillers Anerkennung fand. Allerdings wollten die Romantiker dann, von den Brüdern Schlegel angeführt, nichts mehr von Matthissons Versen wissen. Seine Lyrik ist von den meisten Komponisten der Zeit in Musik gesetzt worden; Schubert allein schrieb 24 Lieder nach Texten dieses Dichters. Die 1814 entstandenen sind vielleicht die fesselndsten. Sie geben sich einfach und unterscheiden sich gerade dadurch wohltuend von den länglichen und zumeist finsteren Balladen

Schubert im 17. Lebensjahre

der Erstzeit. Ein anderer, leichterer, mehr der reinen Musik zugewandter Schubert spricht aus ihnen. Man betrachte zum Beispiel DER ABEND nach Matthisson und wird kaum verstehen, daß dieses Lied zu Unrecht durch das drei Monate später entstandene Wunderwerk von GRETCHEN AM SPINNRADE völlig in die Ecke gedrückt wurde. Zierlich und zugleich ernst ist der Ton, ein Rezitativ wird geschickter als sonst gelegentlich eingeführt, und die nächtliche Atmosphäre ist mit den einfachsten Mitteln überzeugend heraufbeschworen. Die Achtung, die Matthisson in seiner Zeit genoß, hindert uns nicht, ihn für einen schwachen Poeten zu halten, und so sind auch alle Matthissonlieder Schuberts aus den Jahren 1813—16 nicht von allererster Qualität. Aber sie stellen einen stilistischen Zyklus dar, und der Bärenreiter-Verlag hat sie im Jahr 1969 als Einzelausgabe aus den Bänden 6 und 7 der »Neuen Schubert-Ausgabe« wieder zusammengeführt, sehr zum Vorteil ihrer Wirkung. Der Herausgeber war Walther Dürr. Da finden wir das von Beethoven her vertraute ANDENKEN, nur bei Schubert mit kräftigerem Zugriff behandelt. Goethe klingt heraus mit den Worten »Ich denke Dein«, und sogar musikalisch offenbart sich bei der Stelle »Denkst Du mein« eine Beziehung zur absteigenden Quinte des Schlußverses im Goethelied NÄHE DES GELIEBTEN. Die Sechzehntelbewegung in LIED DER LIEBE kündet die Gretchenbegleitung an. Und was in der letzten Strophe steht, klingt zwar abgenutzt, war jedoch für Schubert Wirklichkeit:

> Die Freude sie schwindet, es dauert kein Leid,
> die Jahre verrauschen im Strome der Zeit.
> Die Sonne wird sterben, die Erde vergeh'n:
> doch Liebe muß ewig und ewig besteh'n.

Herrlich tönt AN LAURA, ALS SIE KLOPSTOCKS AUFERSTEHUNGSLIED SANG. Und wenn sich auch die allzu empfindsamen Worte nicht wegretuschieren lassen, sie drücken im Verein mit der Musik, die köstlich und voller Feinheiten ist, Wahrheit aus. Nicht die romantische Attitüde, sondern der Sinn ist komponiert. — DIE BETENDE ist ähnlich hymnisch gehalten. — Mit Beethoven führt uns wiederum ADELAIDE zusammen, deren Bescheidenheit und Intimität bei Schubert sich zwar an Effektfülle nicht mit dem Vorbild vergleichen läßt, aber dem Stil des Gedichts doch angemessen erscheint. Der Reichtum der Melodie wird im Verlauf nicht ganz durchgehalten. In Einzelheiten, wenn auch nicht in der Disposition, ist das Lied Beethoven verpflichtet. Schubert war sich dessen wohl bewußt, wie ein Hinweis Joseph Hüttenbrenners vermuten läßt, der 1817 Schubert »um seine Adelaide von Matthisson« bat, »die ich für die beste nach Beethoven erkannte; er erklärte, es nicht schreiben zu wollen, weil er es ebenso wie B. schreiben müßte.« — DER GEISTERTANZ muß dem halben Kind, das der Komponist schließlich noch war, Spaß gemacht haben, so mitreißend ist das c-Moll-Scherzo mit den

Vorahnungen der Unvollendeten während der zögernden Momente erfunden. — Die Spukgeschichte der ROMANZE dagegen ist aus dem Turm, in dem der Geist seinen Tod gefunden hatte, kaum mehr herauszuretten. — Von großer Ausdruckskraft ist das begleitende Rezitativ in TROST AN ELISA. Die Klavierkadenzen erheben sich zu pianistischer Selbständigkeit. — Die fast immer formal eingesetzten Rezitative dieser Liedersammlung finden eine interessante Ausnahme in TOTENOPFER, wo das Lied wirklich in Deklamation umschlägt, wie das später dann noch oft anzutreffen ist. — DIE SCHATTEN verweisen auf Matthissons Andenken an seinen Freund, den Schweizer Philosophen Charles de Bonnet. — Ungewöhnlich und für die Zeit ganz unerhört schreiten die Harmonien in TOTENKRANZ FÜR EIN KIND fort, dem Nachzügler von 1815. Wieviel weniger hätten die Zeitgenossen wohl aus dem gleichen Text gemacht!

Im August 1814 trat der zehn Jahre ältere Johann Mayrhofer in Schuberts Gesichtskreis. Der verhinderte Dichter fristete sein Leben als Beamter des Staatlichen Zensuramtes und sollte bald Schuberts Intimus, sein Textautor und Einzimmerherr werden. Über den neu gewonnenen Freund schreibt Mayrhofer später: *»Mein Verhältnis mit Schubert wurde dadurch eingeleitet, daß ihm ein Jugendfreund mein Gedicht AM SEE zur Composition übergab. An des Freundes Hand betrat Schubert das Zimmer, welches wir fünf Jahre später gemeinsam bewohnen sollten. Es befindet sich in der Wipplinger Straße. Haus und Zimmer haben die Macht der Zeit gefühlt, die Decke ziemlich gesenkt, das Licht von einem großen, gegenüberstehenden Gebäude beschränkt, ein überspieltes Klavier, eine schmale Bücherstelle; so war der Raum beschaffen, welcher mit den darin zugebrachten Stunden meiner Erinnerung nicht entschwinden wird.«* Überbringer des Gedichts war Joseph von Spaun gewesen. Johann Mayrhofer wird sehr unterschiedlich beurteilt. Manches in seinen Dichtungen erscheint sonderbar, von altmodischer Abgeschmacktheit, literarisch heute zum Teil ungenießbar. Unter den Schwächen tritt sein Hang zum Sentimentalen und zu verschleiernder Unklarheit hervor, der Ausdruck verunglückt ihm nicht selten. Daneben aber beeindruckt die große Absicht, bestechen die groß und genau gesehenen Bilder und die Diktion. Unleugbar ist die Anregung, die Schubert durch ihn gewann, übrigens auch im Sinne des Sichanpassens an ungeeignete Verse. Vollends müssen wir Mayrhofer als den weitaus besten unter den dilettierenden

Dichterfreunden ansehen, der unsere Vorstellung von einem »romantischen Charakter« nur allzusehr in die Wirklichkeit umsetzte. Grillparzer charakterisiert Mayrhofer, dessen lyrische Begabung richtig einschätzend, so: »*Mayrhofers Gedichte sind immer wie Text zu einer Melodie. Entweder zur antizipierten eines Tonkünstlers, der das Gedicht in Musik setzen wollte, oder es schimmert die Melodie eines gelesenen Gedichtes durch, das er im Innern reproduzierte und mit neuem Text und neuer Empfindung sich vorsang.*« Dies wird unterstrichen durch der Freunde Aussage, Mayrhofer habe ihnen oft gestanden, seine Gedichte seien ihm erst gut und klar erschienen, wenn sie Schubert in Musik gesetzt habe.

Mayrhofers AM SEE, das Schubert ganz im Ton der Matthisson- lieder hält, mündet unversehens aus des Dichters Schilderung eigener Not zwischen prosaischem Beruf und künstlerischem Darstellungsdrang in das Preislied des »Großen deutschen Leo- pold«. Von ihm sei aufklärend gesagt, daß es sich um jenen Herzog von Braunschweig handelt, der vorbildhaft seine künst- lerischen Neigungen hinter die Aufgaben für sein Volk gestellt haben soll, als er bei einer Flutkatastrophe seine Landeskinder aus den Wogen zu retten half und dabei umkam. Schubert mag wohl selbst diese Schlußpreisung als zu banal empfunden haben, denn er nimmt die demütige Anfangsstrophe als Abgesang noch einmal auf: »*Das Schilfrohr neiget seufzend sich, die Uferblumen grüßen mich, der Vogel klagt, die Lüfte wehn, vor Schmerzeslust möcht' ich vergehn.*« 1815 folgten dann noch einige weitere Mayrhofertexte, auch gehören die beiden Bühnenstoffe, die Schubert nach Mayrhofer komponierte, demselben Jahr an: »Die beiden Freunde von Salamanca« und die fragmentarisch gebliebene Oper »Adrast«.

Es wäre hier der mitunter minderen Gedichte zu gedenken, die Schubert in der Hauptsache von den Freunden übernahm, um sie fast immer weit überhöhend in Musik zu formen, die den Text zwar nicht vergessen läßt, aber den Kern der Aussage völlig in Noten sublimiert. Die nie verstummende Frage, wes- halb er wohl, bei seinem zweifellos literarischen Interesse, solche Machwerke berücksichtigt habe, mag sich so beantworten, daß man damals, wenn man nicht gerade genial war, in einer Art Umgangssprache der Lyrik dichtete, die nichts abschleifen wollte, was bei der Schilderung von Himmel, Natur und Seele bereits in viele Federn geflossen war. Unsere heute gewohnte

Therese Grob

Präzision des Umschreibens durch geklügelten Satzbau und genau gesetzte Silben war den Nichtperfektionisten des Biedermeiers fern, und sie strebten sie auch gar nicht an. Der Vorzug solcher Gedichte für den Komponisten hat sich in der bisherigen Entwicklung des Liedes herausgeschält: Die Aufgabe der Sublimation fiel damals der Musik zu, sie konnte sich noch ungezügelt von der Blässe des Gedankens entfalten. Und Schubert mag sich in solchen Fällen über die Möglichkeit gefreut haben, eigenständig und sozusagen unter Umgehung des Reimeschmieds zu dichten.

Die erste Aufführung der Messe in F-Dur am 16. Oktober 1814, in der ein Mädchen namens Therese Grob (1798–1875) das Sopransolo sang, schenkte Franz die erste und wahrscheinlich einzige große Liebe seines Lebens. Unter ihrem Zeichen steht die Werkfülle des kommenden Jahres 1815 mit den berückenden, noch enthusiastischen Liebesgesängen. Die Zuflucht, die er bei dem reichlich einfachen Mädchen mit der hübschen Stimme suchte, fand er nicht. Die trennenden Welten, die er kaum ahnte, weigerte er sich auch in späteren Jahren zu erkennen. Daß Therese keine Schönheit war, focht Schubert nicht an. Holzapfel beschreibt sie uns als ziemlich voll, aber gut gewachsen, mit einem frischen, rundlichen Kindergesicht, in dem die Pocken ihre Spuren hinterlassen hatten. Schubert versteckte seine Zuneigung sogar vor den Freunden. Anselm Hüttenbrenner erzählt viel später, Schubert habe sich gesprächsweise so über seine Liebe geäußert: *»Eine habe ich recht innig geliebt und sie mich auch. Sie war etwas jünger als ich und sang in einer Messe, die ich setzte, die Sopransoli wunderschön und mit tiefer Empfindung. Sie war eben nicht hübsch, hatte Platternarben im Gesicht, aber gut war sie, herzensgut. Drei Jahre hoffte sie, daß ich sie ehelichen werde; ich konnte jedoch keine Anstellung finden, wodurch wir beide versorgt gewesen wären. Sie heiratete dann nach dem Wunsche ihrer Eltern einen anderen, was mich sehr* *schmerzte. Ich liebe sie noch immer, und mir konnte seitdem keine andere so gut und besser gefallen wie sie. Sie war mir halt nicht bestimmt.«*

In der Zeit seiner Jugendliebe begann Schubert, wärmere, lebensnähere und persönlichere Töne zu finden. Die Schaffenslust war unbändig, die Leichtigkeit und Sicherheit des Niederschreibens ist beispiellos. 1815 und 1816 können als die schaffensreichsten Jahre seines Lebens angesehen werden, 1815 entstanden 140 Lieder. Spaun meint: *»Statt durch die ungeheure Verschwendung der herrlichsten Melodien ärmer zu werden, schien er nur neue, größere Reichtümer zu enthüllen, und die Quelle zauberischer Töne sprudelte immer lebendiger.«* Tiefsten und unmittelbarsten Ausdruck fanden die durch die Liebe freigewordenen Kräfte im Lied. Dabei darf man nicht etwa nur an die zahlreichen Liebeslieder denken — die ganze Vielfalt der Beziehungen des Menschen zur Natur wurde mit eingeschlossen. Natürlich war Therese die gegebene erste Sängerin, von Franz am Klavier begleitet. Lied für Lied probierte man aus, und das verschämte Glücksgefühl beflügelte fieberhaft zu immer höheren Leistungen. In der Nacht nach der erfolgreichen Aufführung der Messe schrieb Schubert für Therese Schillers DAS MÄDCHEN AUS DER FREMDE auf.

> Beseligend war ihre Nähe,
> und alle Herzen wurden weit;
> doch eine Würde, eine Höhe
> entfernte die Vertraulichkeit.
> Sie brachte Blumen mit und Früchte,
> gereift auf einer andern Flur,
> in einem andern Sonnenlichte,
> in einer glücklichern Natur,
> und theilte jedem eine Gabe,
> Dem Früchte, Jenem Blumen aus;
> der Jüngling und der Greis am Stabe,
> ein jeder ging beschenkt nach Haus.
> Willkommen waren alle Gäste;
> doch nahte sich ein liebend Paar,
> dem reichte sie der Gaben beste,
> der Blumen allerschönste dar.

DAS MÄDCHEN AUS DER FREMDE, Schillers märchenhafte Ballade, ist wie ein Kompliment an die einfache Natürlichkeit Thereses und volksliedhaft gehalten. Entsprechend bewegt sich das Stück unprätentiös in pastoralen Sechsachteln. Franz war 17, Therese ein Jahr jünger. Die beiden waren um so glücklicher, als die Messe mit Wärme aufgenommen wurde und sich eine zweite Aufführung in der Wiener Augustinerkirche anschließen konnte. Der begeisterte Vater schenkte seinem Sohn ein Klavier.

Schicksalhaft fiel das Ereignis der Begegnung mit Goethes Werk mit Franzens erster Liebe zusammen. Mit den Zeilen Goethes »Meine Ruh' ist hin, mein Herz ist schwer« schlägt die Geburtsstunde des eigentlichen, großen Schubertliedes. Nach all den weibischen Reimern fühlt man die Überlegenheit des Wissens, die aus den Gedichten Goethes leuchtet. Aber nie ist diese Weisheit tödlich für die Poesie der Verse. Und es berührt vor allem, wie selbständig und ohne Sklaverei Schubert mit diesem Reichtum fertig wird. Seine Musik nimmt manchmal auf einzelne Worte in der durchgehaltenen Empfindung oder Bewegung keine Rücksicht. Und doch ist die Vereinigung von Poesie und Tönen noch nie vorher so vollkommen gelungen. Das geistige Erlebnis Goethe sollte für Schubert seine unverändert starke Ausstrahlung bis zum Ende behalten. Er hat mehr als 70 Goethegedichte vertont, viele in verschiedenen Versionen. Das erste Meisterwerk vom 19. Oktober 1814 kommt überraschend. Derartiges hatte es in der Musik noch nicht gegeben. Die monotone Figur in der Klavierbegleitung, die das sich drehende Spinnrad versinnbildlicht, hält auf dem Höhepunkt des Liedes an und macht auf schlagende Weise deutlich, wie Verzweiflung die körperliche Bewegung erlahmen läßt. Dann wird die Figur schluchzend und mühsam wieder aufgenommen. Wir erleben schmerzhaft die Wiederkehr sinnlicher Wahrnehmung. Solcherlei erschütternde Details hindern eine formale Geschlossenheit keineswegs. Die drei Teile enden jeweils mit dem Ausruf Gretchens »Meine Ruh' ist hin«, eine durchaus nicht von Goethe stammende Einschnittverteilung. Die erregte Bewegung, die durch das Ganze läuft, entnimmt Schubert wiederum wie ein guter Darsteller dem Gedicht. Alle charakteristische Lebendigkeit kann aber die hohe Genialität seiner Melodielinie nicht stören, der Melodiker Schubert bewährt sich gerade an diesem Vorwurf. Das veränderte Strophenlied faßt jede Strophe anders in Melodie und Harmonisation, während in der rechten Hand des Klaviers die Sechzehntel weiter surren. Die zweite Strophe

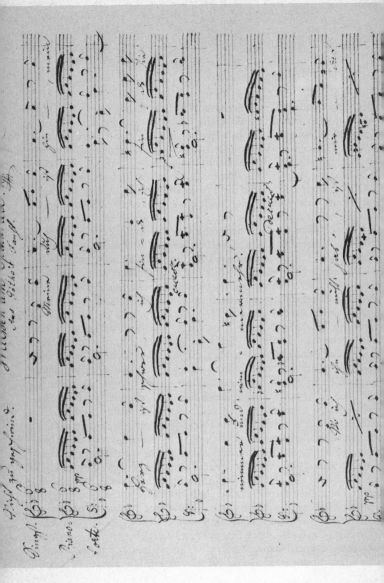

schließt mutig mit dem zur Fermate gedehnten G des Kusses, zwei verminderte Septakkorde folgen aufeinander. Die dritte steigert sich bis zu dem hinreißend leidenschaftlichen »Vergehen sollt«, um dann zu verhallen, indem die Anfangsworte leise wiederholt werden. Das Prinzip der einheitlich beibehaltenen Begleitungsform ist zum ersten Mal und gleich mit reifem Gelingen festgehalten. Sie ist ebenso Bewegung wie Stockung, sie hat angstvolles Herzklopfen in den Bässen, die vom monotonen Surren des Spinnrades übertönt werden. Nach zwei gewaltigen Steigerungen geschieht ein Zusammenfallen wie in großer Erschöpfung, und noch einmal zitiert Schubert eigenmächtig das jetzt wieder sich drehende Spinnrad wie ein Zagen vor dem Zukünftigen. Das Lied muß mit vorsichtiger Ökonomie auf seine beiden Höhepunkte hin angelegt werden, stimmliche Überspannungen drohen sonst. Es gilt, was Raimund von zur Muehlen seinen Schülerinnen ans Herz legte: *»All' die Busen, die sich auf dem Konzertpodium auf Gretchens Konto ›nach ihm hindrängen‹, sind wie Verzerrung und Korruption. — Wir sollen uns klar werden, daß Gretchen ein ganz junges Mädchen ist, noch nichts erlebt hat —, daß sie zum ersten Male liebt! Ihr Weiber, laßt Euch behüten und erhalten, auf daß der Teufel und Euer Fleisch Euch nicht verführet zu Mißglauben, Schande und Laster. Gretchen ist nicht eine Dame der Gesellschaft, die mit ihrem zweiten Gatten in Scheidung liegt, um Faust anzuhangen.«*

Am 30. April 1821 brachte Sonnleithner GRETCHEN AM SPINNRADE als Privatdruck heraus mit der Opuszahl 2. Es wurde dem Grafen Moritz von Fries gewidmet, einem Bankier, dem Beethoven schon einige frühe Kammermusikstücke zugeeignet hatte. 20 Dukaten erhielt Schubert als Gratifikation. Man sollte sich später kaum noch daran erinnern, daß es auch Lieder gleichen Titels von Zelter, Loewe und Spohr gab. GRETCHEN AM SPINNRADE erregte, obwohl es so außenseiterisch neu mit der Strophenteilung des Gedichts umgeht, großes Aufsehen unter näheren und weiteren Freunden. Wie hier die Form dem Ausdruck gehorsame Dienerin ist, wie dadurch der musikalischen Sprache neue Dimensionen eröffnet werden, sagt den Umstehenden ein Siebzehnjähriger. Der begeisterte Salieri hatte Berechtigung auszurufen: *»Der ist ein Genie! Der kann alles!«*

Das zweite Goethegedicht wurde am 30. November komponiert. Der NACHTGESANG gestaltete sich zur zartesten Serenade und zum kleinsten Strophenlied. Für jeden der fünf Vierzeiler erfindet Schubert 14 Takte, in denen Spielerisches, Verschlafenes und Erotisches zueinander finden, ohne daß sich der Ausdruck in Details verzettelt. — Am gleichen Tag entsteht auch TROST IN TRÄNEN. Die Aufmunterungen, die hier dem sentimentalen Jüngling in F-Dur zuteil werden, beantwortet der in seinem Kummer Verliebte schlicht in f-Moll und behält damit auch das letzte Wort. — Im Dezember 1814 erweist das weit hinter dem stürmischen Beethovenlied zurückbleibende, musikalisch so viele Zierlichkeiten enthaltende Lied »SEHNSUCHT«, wie traditionell Schuberts Arbeitsweise auch sein konnte. Goethes Anapaeste verlieren durch derartige Reihungen von Rezitativen und Musiksätzchen allen Schwung. — Die bald folgende erste Fassung der SZENE AUS FAUST ist als dramatisches Fragment für Sopran (Gretchen) und Altsolo (Mephisto), Chor und Klavier gedacht. Hinweise wie »tromboni« lassen auf einen ursprünglichen Plan der Orchestrierung schließen. In den beiden erhaltenen Reinschriften hat Schubert jedoch die Entscheidung für das Klavier bereits getroffen. Im ersten Manuskript findet sich der Zusatz »Skizze zu einer weiteren Ausführung«. In der Überarbeitung erscheinen die Stimmlagen des bösen Geistes und Gretchens einander angeglichen, aus der dramatischen Szene ist ein liedhafter Dialog geworden.

Ebenfalls um die Jahreswende 1814/15 singt Schubert, nach dem Gedicht eines unbekannten Verfassers mit dem Titel DAS BILD von seiner Liebe in einem Strophenlied, das schlicht und rührend von seinen Gefühlen gegenüber Therese zeugt. Verhalten beginnt es, die Worte »schwebet« und »Himmelsreiz« lassen durch natürlichste Phrasierung ein Stück Firmament ein. Innere Bewegtheit kommt auf mit den Sechzehnteln bei »Ich seh's, wenn lieblich das Bild«. Das Wort »Bild« verweilt auf einer Fermate —, das Bild soll sich einprägen, und später können die gleichen Halte-Coronen bei »Gestalt« und »Zier« bezeugen, daß dies auch für immer geschehen ist. »Abendstern« und »Altar« schließlich steigen auf und schweben einen Takt lang allein, während das Klavier schweigt. Jene Absilbe auf A, die den letzten Gesangston bildet, kehrt als bisher offengebliebene Terz im abschließenden F-Dur des Klaviers wieder. Dieser kleine, unbekannte Schubert-Tonsatz wiegt viel Liebesliedschmachten und so manches Opernschmettern auf.

Zu den Freunden, die begeistert am wachsenden Liederreichtum des jungen Schubert teilhatten, voran Spaun, Holzapfel und

Stadler, stießen Anselm Hüttenbrenner und der von Spaun eingeführte Franz von Schober. Daß sie sich in Schuberts Elternwohnung in der Vorstadt trafen, wurde vom Vater allerdings nicht gern gesehen, weil er den Schuldienst und vor allem die Privatlektionen seines Sohnes gefährdet glaubte. Aber auch die Verlegung der Treffen ins Konvikt, wo man sonntags nachmittags die Stille ausnützte, mißfiel ihm. Dazu Stadler: »Schuberts wiederholtes Erscheinen in der Anstalt war den Direktoren nicht angenehm, und noch weniger ein längeres Verweilen in derselben. Wir mußten an Sonntagen auch dem nachmittäglichen Gottesdienst in der anstoßenden Universitätskirche beiwohnen, der immer eine starke halbe Stunde dauerte. War nun Schubert bei uns, so sperrten wir ihn während dieser Zwischenzeit im Wohn- und Studierzimmer ein, gaben ihm ein paar Flecke Notenpapier und irgendeinen Band Gedichte, der eben bei der Hand war, damit er sich einstweilen die Zeit vertreibe. Wenn wir aus der Kirche zurückkamen, war gewöhnlich etwas fertig, was er mir auch gern überließ.« Wenn Schubert nicht selbst begleitete, spielte Stadler zum Gesang Holzapfels. Stadler definiert den Eindruck von Schuberts Klavierspiel: »Schöner Anschlag, ruhige Hand, klares, nettes Spiel, voll Geist und Empfindung. Er gehörte noch zur alten Schule der guten Klavierspieler, wo die Finger noch nicht wie Stoßvögel den armen Tasten zuleibe gingen.« Anselm Hüttenbrenner erweitert dies: »Er spielte auch Violine und Bratsche; er las alle Schlüssel mit gleicher Leichtigkeit und übersah auch mit dem Halbsopran- und Baritonschlüssel keine Note von Wichtigkeit. Seine Stimme war schwach, aber sehr gemütlich. In seinem neunzehnten Jahr sang er Bariton und Tenor; im Notfalle, wenn er eine Dame fehlte, übernahm er, da er ein umfangreiches Falsett besaß, auch die Alt- oder Sopranpartie, wenn bei Salieri aus alten Partituren der musikalischen Hofbibliothek vom Blatt gesungen wurde.«

Die Freunde waren für Schubert insofern ein rechter Widerpart, als sie ebenso literarisch wie musikalisch interessiert sich zeigten und ihm außerdem ständig neue Stoffe zuführten, nicht zuletzt auch viele Gedichte und Opernentwürfe aus ihrer eigenen Feder. Die später zur festen Einrichtung werdenden »Schubertiaden«, bei denen das Klavier die beherrschende musikalische Rolle spielt, künden sich schon hier an. Kaufleute, Rechtsanwälte und Staatsbeamte stellen in der Zukunft ihre komfortablen und gemütlichen Häuser zur Verfügung, damit vor zahlreichen

Gästen ein- und mehrstimmige Gesänge, Kammermusik, Klavierduos und manches andere aufgeführt werden kann. Ähnliche Hausmusiken waren längst im Schwange, aber Schubert gab ihnen das Profil und die Qualität erfüllten, professionelleren Musizierens.

Um diese Zeit wurden die meisten der 42 Lieder nach Friedrich Schiller (1759–1805) geschrieben, dessen Gedichte so viele charakteristische Schönheiten in Schuberts Werk herausforderten. Einige Kompositionen allerdings bleiben in einer gewissen Flachheit stecken, und sicherlich halten sie einen Vergleich mit der Großartigkeit der Goethegesänge kaum aus. Nahezu alle Schiller-Lieder datieren vor 1818. 1823 wird das letzte geschrieben. 1815 entstehen 15 Lieder nach Schiller, aber doppelt so viele nach Goethe-Texten. Und nach 1817 schwindet Schuberts Interesse an Schiller langsam dahin. — Mit dem geschmacklich uns weit entrückten Zwiegesang HEKTORS ABSCHIED (musikalisch finden sich wie immer Köstlichkeiten, den literarischen Durststrecken zum Trotz) begegnen wir jenem Griechentaumel, der in der Literatur der Zeit eine so beherrschende Rolle spielt, und dem sich natürlich auch Schubert in zahlreichen Liedern nicht entziehen kann. Besonders Mayrhofer und Schillers Dichtungen werfen die Frage nach den mannigfachen Wurzeln, Auswirkungen und Ergebnissen auf, die diese Bewegung speziell für Deutschland so folgenschwer machte. Entscheidend war wohl die Auffassung, es existiere eine ungebrochene Kontinuität von der frühesten Antike bis zur jeweiligen abendländischen Gegenwart. Einige Philosophen der zweiten Hälfte des 19. Jahrhunderts haben das alles in Frage gestellt oder vom Tisch gefegt. Die Antike war eine Kultur wie jede andere, mit den Stadien des Wachsens, Blühens und Welkens. Die phantasiebegabten Deutschen suchten immer nur jenes Land der Griechen, das den beiden ersten Stadien angehörte. Schon der Hellenismus und die römischen Jahrhunderte waren jenem Griechentum längst fern. Griechen und Römer wußten, daß sie es nur mehr mit einem Bildungsgut zu tun hatten. Germanen und Slawen, deren Kulturen sich zwischen 500 und 1000 zu formen begannen, kann man trotz der römischen und byzantinischen Fermente nicht als Fortsetzer griechischer Antike sehen. In sich geschlossen stellt sich die Kultur des Mittelalters dar, ganz im Zeichen des Versuchs einer Verschmelzung von Diesseits und Jenseits in dem zur Kirche gewordenen Christus. Unterstützt von der Erschöpfung durch Kriege, Länderzersplitterung, politischen Druck scheiterte dieser Versuch. Man erinnerte sich des besseren, harmonischeren Altertums. Ein ideales Griechenland wurde erfunden, als dessen geistige und kulturelle Nachkommen man sich fühlte, und in das man heimkehren wollte. Man suchte das eigene Dasein und alle Lebensäußerungen danach zu gestalten. Das gelang aber nicht als Erneuerung, sondern scheint Ausdruck des Absterbens abendländischer Kultur gewesen zu sein. Unter den von Schubert vertonten Dichtern sind es Goethe, Schiller, Schlegel und Mayrhofer, die ihre eigene Gegenwart am Maß der Antike messen wollten, oder glaubten das zu reflektieren, was in der von ihnen gesehenen Form niemals existiert hat. In Griechenland war keiner von ihnen, wenn man von Lord Byron einmal absieht. Die nach Italien reisten, wie Goethe, Winckelmann oder Humboldt, ließen Frühchristentum, Renaissance und Barock außer acht, sie kümmerten sich bloß um die Reste Alt-Roms, um Kopien griechischer Spätplastiken. Schiller und Schlegel erlebten die Antike mehr literarisch und aus den für sie erreichbaren Abgüssen und Abbildungen. Es ist für uns nur schwer zu begreifen, wie sie alle nun aus den Relikten das herauslasen, was sie selbst hineingeheimnist hatten. Sie müssen ihrer eigenen Vergangenheit, der des abendländischen Europa, müde gewesen sein und auch nicht ganz aufrichtig gegen sich selbst. Hölderlin, Byron oder Goethe machten aus ihrem Traum vom idealen Griechenland Dichtung und kamen auf diesem Umweg zu eigenen, nur griechisch verbrämten Aussagen. Schiller übersetzte einige Zeugnisse griechischer Literatur, schrieb das als Fragment unter den Schubertliedern aufscheinende Gedicht DIE GÖTTER GRIECHENLANDS und einiges andere in dieser Art. Schlegel kehrte in römische Katholizität zurück und ließ seinem Frühwerk christlich Inspiriertes folgen.

Aber natürlich ist nicht alles bei Schiller vom Hellenismus gekennzeichnet. 1815 entstand die bekannteste unter den drei Versionen von DES MÄDCHENS KLAGE. 1814 hatte Schubert es als mehr oder weniger dramatische Liederreihe niedergeschrieben, nun und im folgenden Jahr wurde das Gedicht strophisch behandelt. — Unbegreiflich, daß am gleichen Tag mit Goethes NÄHE DES GELIEBTEN, nämlich am 27. Februar 1815, neben anderen Liedern auch noch die ersten Skizzen jener umfangreichen ERWARTUNG Schillers geschrieben werden konnten, eines der längsten Lieder Schuberts. (Bertrands ADELWOLD UND EMMA schlägt allerdings alle Rekorde mit 26 Druckseiten.) In fünf langen Strophen glaubt der Dichter fünfmal irrtümlich, die Geliebte sei gekommen. Charlotte von Lengefeld (sie ist hier gemeint) schleicht sich dann unbemerkt am Ende in die Szene. Vielleicht interessierte Schubert dieses zunächst unmöglich scheinende Unternehmen nur deshalb, weil Zumsteeg sich auch schon daran versucht hatte. Wie Zumsteeg läßt auch Schubert Rezitativ und Arioso abwechseln, aber wie weit bleibt der Ältere hinter der taufrischen Musik des Jüngeren zurück! — Ebenfalls eine Zumsteeg-Imitation bietet übrigens auch KLAGE DER CERES. Bis ins Jahr 1816 dehnt sich die Niederschrift des im November 1815 begonnenen Stückes. Was herauskam, mutet wie eine Fingerübung zwischen den Genieblitzen an. — Auch die Heldin aus Schillers »Räubern«, AMALIA, kommt mit einem Lied zu Wort und wird dramatisch aufgeputzt. — Das geschieht einige Tage nach der zweiten Version von DES MÄDCHENS KLAGE, die am 15. Mai 1815 entsteht und vielleicht die schönste der rein lyrischen Schillervertonungen ist. Über pulsierenden c-Moll-Triolen schwingt sich die ausladende Melodie. — Die zarte Erstfassung des GEHEIMNIS nimmt noch keine Rücksicht auf den Verlauf aller vier Strophen, was dann in der mehr ausgearbeiteten Version von 1823 unter Einbuße des besonderen Ausdrucks der Scheu geschieht, ohne doch die Erinnerung an den Erstling auslöschen zu können. Wahrscheinlich verdankt das Lied sein Schattendasein nur der Tatsache, daß es in der Peters-Edition verschwiegen wird. — HOFFNUNG ist nicht viel mehr als ein Volksliedchen, ebenso wie AN DEN FRÜHLING, dessen Vorspiel mit einem Ländler charmiert; Schubert hat es etwas später im gleichen Jahr noch einmal, ebenfalls in Sechs-Achteln, vertont. Außerdem setzte er es auch für Männerchor. Unter den etwa 20 Vertonungen des Gedichtes durch andere Musiker ist Schuberts zweite Version die weitaus schönste.

Aber zurück zum Februar des Jahres 1815! Das Goethegedicht NÄHE DES GELIEBTEN vertonte Schubert am 27. Februar zweimal. Die erste Fassung im 6/8-Takt begleitet die Singstimme mit akkordischer Sechzehntelbewegung, während in der zweiten Fassung das ganze Lied durch eine im 12/8-Takt sich ausbreitende Schwingung zu ruhevollem Schweben gebracht ist, die dem Gesang Vertiefung und dem Lied mehr Durchsichtigkeit und Herzlichkeit des Ausdrucks gibt. Ganz aus dem Gefühl, auf das sich Schubert sicherlich wie selten ein anderer verlassen konnte, und mit wachem Herzen wandelt er das sonst in beiden Fassungen Note für Note sich gleichende Lied durch eine unscheinbare rhythmische Veränderung von einem schönen in ein großartiges um. Allerdings vergaß ich eine einzige kleine Note, die sich gegenüber der ersten Fassung auch verändert: Der letzte Sington bleibt nicht auf dem Des liegen, sondern sinkt zum Ges hinunter. Man spürt an dieser Kleinigkeit, wie Schubert nicht bloß mit dem Musikverstand arbeitete. Im ersten Moment erscheint das ausgehaltene Des auf dem Wort »da« sehr schön und klingt sehnsuchtsvoll in die Weite. Das Zurücksinken vom Des zum Ges dagegen gibt dem Verlangen »O wärst Du da« Verinnerlichung der Empfindung. Der Ausdruck der Sehnsucht wird durch den kleinen Seufzer nach innen zurückgenommen. Der Kreis vom höheren Ges des Beginns: »Ich denke Dein« zur tieferen Oktave: »O wärst Du da« schließt sich. In der dritten Strophe will Goethes Text nicht zu seiner Melodie stimmen, und Schubert fügt kühn ein »da« in die Zeile: »Im stillen Haine geh ich« ein.

Viele der nachmals so berühmten Gesänge nach Goethe aus dem Jahre 1815 möchte man, der Kraft ihrer Eigenständigkeit wegen, unwillkürlich später datieren. Dabei würde allerdings vergessen, welche Ausnahmerolle GRETCHEN AM SPINNRADE bereits 1814 gespielt hatte. Natürlich ist nicht alles von gleicher Intensität, aber selbst in einem vergleichsweise konventionellen Stück, wie der ersten Goethe-Vertonung des Jahres, DER SÄNGER, steigert das Vorbild Goethe seinen Komponisten weit über das Niveau des üblichen Liedes der Zeitgenossen. Idealisiertes Mittelalter ist der Schauplatz der Ballade, die Schubert gleichsam im Stile Haydns »altmodisch« gestaltet. Die Tatsache, daß der eigentliche Gesang des Barden von Goethe ausgelassen wird, ist wahrscheinlich daran schuld, daß so viele spätere Vertonungen unbefriedigend ausgefallen sind, so auch die von Loewe, Schumann oder Wolf. Schubert bietet zweifellos die interessanteste Ausdeutung. Im Lied heißt es:

> Der König, dem das Lied gefiel,
> ließ, ihn zu ehren für sein Spiel,
> eine goldne Kette holen.
> Die goldne Kette gib mir nicht,
> die Kette gib den Rittern,
> vor deren kühnem Angesicht

der Feinde Lanzen splittern.
Gib sie dem Kanzler, den du hast,
und laß ihn noch die goldne Last
zu andern Lasten tragen.

Dieses Gegenstück aus »Wilhelm Meister« zu Novalis' »Lied von der Wiederkehr eines goldenen Zeitalters« stützt die auch in Schubert lebende romantische Hoffnung auf die Verbindung von Geist und Macht. Der poetische Staat, die harmonische Gesellschaft soll entstehen. Der Fürst möge als »Künstler der Künstler« erscheinen. Der Sänger, als Sendbote von Geist und Poesie, soll eine echte Mittlerrolle spielen, um die Verwandlung der Menschen herbeizuführen. Die in Schuberts mehr konventioneller Manier sich am Rokoko ausrichtenden Töne wechseln häufig das Tempo und vermengen Rezitative und Ariosi. Und wenn auch die Spontaneität und formale Geschlossenheit etwa des ERLKÖNIG hier nicht annähernd erreicht ist, so spürt man doch, wie die Anteilnahme des Musikers und Verlebendigung des Details von Goethe geradezu herausgefordert werden.

Im zweiten Buch des »Wilhelm Meister« erscheint jener geheimnisvolle Harfner, von dessen Gesängen der Dichter allerdings nur wenige mitteilt, denn gerade diese Gedichte erweisen sich als Keimzelle der deutschen Liedkunst. Schubert hat Philines Lieder unberücksichtigt gelassen, aber alles, was der Harfner und Mignon singen, zumeist mehrfach vertont.

Mignon, das rätselhafte italienische Kind, wird von Wilhelm aus einer Tänzertruppe aufgelesen. Unter seinem Schutz schließt sie sich, zusammen mit dem wahnsinnigen Harfner, der Schauspielergesellschaft an. Heimweh und gebrochenes Herz bestimmen Leben, Liebe und Tod des Mädchens. Ihre Geheimnisse enthüllen sich erst später, sie sind mit jenen des Harfners verbunden. Er weiß nicht, daß sie das Kind jener inzestuösen Liebe ist, deren Erinnerung ihn in den Irrsinn und in die Fremde getrieben hat.

Die berühmten drei Gesänge des Harfners entstanden erst 1816, aber eine erste Annäherung erfolgte schon jetzt mit WER SICH DER EINSAMKEIT ERGIBT, das sich allerdings mit den fast zu harmlosen Sechsachteln nicht mit seinem Nachfahren messen kann. Auch die erste der sechs verschiedenen Fassungen von NUR WER DIE SEHNSUCHT KENNT entstand 1815. Zwei weitere folgten im nächsten Jahr. 1819 trägt ein Männer-Quintett diesen Text vor. 1826 folgte die bekannteste Version in a-Moll, etwa zur selben Zeit eine Duett-Fassung, die dem Goethegedicht vielleicht am nächsten kommt. Denn nicht, wie es 1827 die Verleger des op. 62 nennen: »Mignons Lied« muß es heißen, sondern Mignon und der Harfner singen es »als unregelmäßiges Duett« an Wilhelms Bett.

Antonio Salieri ist das am 5. Juli 1815 geschriebene Goethelied DER FISCHER gewidmet. Es verwundert, wie Schubert es fertigbrachte, in sehr einfachen, immer wiederkehrenden Strophen die Naturstimmung der Verse ganz einzufangen. Auch ohne jede Beziehung zum Text würde diese Musik wirken. Spielt man die wenigen Takte als reine Instrumentalmusik, etwa neben der Zelterschen Fassung, dann wird die innere Schönheit des Schubertstils offenbar; daran ändert auch die Tatsache nichts, daß hier Goethes Bezeichnung »Ballade« völlig ignoriert wird.* WANDERERS NACHTLIED I (»Der du von dem Himmel bist«) faßt auf sehr knappem Raum drei eindringliche Motive zu einer lyrischen Einheit zusammen. Dennoch kommt der tiefe Gehalt der Worte darin noch nicht zu vollkommenem musikalischem Ausdruck. Unter den vielen Vertonern mag Hugo Wolf mit seiner psychologisierenden Frühvertonung dem Dichter am nächsten gekommen sein. Schubert singt das »Ach, ich bin des Treibens müde« nicht pessimistisch. Der Friede wird ruhig und mit dem Ziel reifer Vollendung angerufen. Und so fallen auch die Worte: »doppelt elend« nicht scharf aus, das Elend wird kaum angedeutet, der erste Teil des Liedes ist auf den zweiten gestimmt. Die Bitte um Frieden tönt »etwas geschwinder« nach dem bisherigen sehr langsamen Tempo. Man hat zu Recht gesagt: Wer so um Frieden bittet, der hat ihn schon. Und der leise Schluß deutet das denn auch an. Goethe schrieb das Gedicht 1776 auf dem Ettersberg und dachte es Charlotte v. Stein zu.

Am gleichen Tag entstand ERSTER VERLUST, jene naive, immer wieder überraschende Vertonung der berühmten Verse.** — WONNE DER WEHMUT besteht den Vergleich mit Beethovens gültiger Musik nicht. Mit strophischem Volksliedton ist den Worten dieses Gedichts nicht beizukommen.

18 Lieder wurden allein im Juli 1815 komponiert. Im ganzen Jahr sind es 150. Die Dichternamen steigen von Goethe bis zu den dichtenden Freunden hinab. Richard Strauss hat die auf

* Das Stück erschien 1821 mit anderen Goethegedichten im Druck.
** Das op. 5, Nr. 4 erschien 1821.

Schubert gemünzte spöttische Bemerkung, er könne auch eine Speisekarte komponieren, mit Stolz auf sich angewendet. Wenn manche Texte auch von geringem literarischem Interesse sind, so sollte man sich vor Augen halten, daß sich Schubert aus Mangel an Besserem oft an Minderes halten mußte, denn Not an Texten war bei seinem Produktionsbedürfnis immer gegeben. Es gibt genügend Hinweise darauf, wie Schubert aus Anthologien und Almanachen und den einzelnen, ihm vorgelegten Gedichten dennoch eine genaue und streng sondierende Auswahl vornahm.

Zur Hochzeit eines der Freunde schrieb er am 19. August 1815 Goethes BUNDESLIED in einfachster, für alle singbarer Form nieder. Der Text zeichnet den Geist der Zusammenkünfte Gleichgesinnter in jenen Tagen deutlich nach:

> Wer lebt in unserm Kreise, und lebt nicht selig drin?
> Genießt die freie Weise und treuen Brudersinn!
> So bleibt durch alle Zeiten Herz Herzen zugekehrt;
> von keinen Kleinigkeiten wird unser Bund gestört.
> Uns hat ein Gott gesegnet mit freiem Lebensblick,
> und alles, was begegnet, erneuert unser Glück.
> Durch Grillen nicht gedränget, verknickt sich keine Lust;
> durch Zieren nicht geenget, schlägt freier unsre Brust.

Die berühmteste Komposition dieser Verse stammt von Reichardt und fand Eingang ins Kommersbuch. Goethe empfiehlt sein Gedicht in der Selbstbiographie folgendermaßen den Nachkommen: *»Da dieses Lied sich bis auf den heutigen Tag erhalten hat, und nicht leicht eine muntere Gesellschaft beim Gastmahl sich versammelt, ohne daß es freudig wieder aufgefrischt werde, so empfehlen wir es auch unseren Nachkommen und wünschen allen, die es aussprechen und singen, gleiche Lust und Behagen von innen heraus, wie wir damals, ohne irgendeiner weiteren Welt zu bedenken, uns in beschränktem Kreise zu einer Welt ausgedehnt empfanden.«*

Auch Zelter und Beethoven vertonten diese Verse.

An jenem 19. August war Franz völlig von Goethe und vom Komponieren besessen. Es entstanden DER GOTT UND DIE BAJADERE, DER RATTENFÄNGER, DER SCHATZGRÄBER, HEIDENRÖSLEIN, BUNDESLIED und die erste Fassung von AN DEN MOND, alle mit wenig Mühe, ohne komplizierte Begleitung, aus dem Augenblick geboren. HEIDENRÖSLEIN hat den besten Einfall für sich. DER RATTENFÄNGER kann als eine Art Bänkelsängerlied aufgefaßt werden, der Tonfall der Melodie gibt sich volkstümlich, die Begleitung stützt mit wenigen Akkorden, die Modulation kommt über die verwandte Moll-Tonart nicht hinaus. Gerade diese Schlichtheit entspricht dem Charakter des Liedes, als den Gegenpol zu Hugo Wolfs »Rattenfänger«. Wolf sättigt die Musik mit vielen einzelnen Gedanken und gefällt sich ein wenig in der Einfallsfülle, während Schubert in der Figur des Rattenfängers vornehmlich den gutgelaunten Großtuer charakterisiert. Noch nichts von der Groteske Hugo Wolfs ist hier zu spüren. Der Tausendsassa aus Hameln, dem Goethe Saiten anstelle der Pfeife in die Hand drückt, bleibt hier noch ein recht harmloser Bramarbas.

Es kann nur dem Arbeitsrausch dieses Tages oder einem Mißverständnis zugeschrieben werden, wenn Schubert Goethes DER GOTT UND DIE BAJADERE wie eine Volksliedererzählung à la »Edward« vertonte, die es nun wirklich nicht ist. Schaut man sich dann die weitschweifigen Detailschilderungen an, in die sich auch Othmar Schoeck beim gleichen Vorwurf verliert, könnte man allerdings an der Komponierbarkeit des Stoffes schlechthin verzweifeln. – Die erste Fassung von AN DEN MOND dagegen ist hübsch, wenn auch unbedeutend; sie kann dem wunderbaren Gedicht kaum gerecht werden. Schubert tat gut daran, sich im gleichen Jahr ein zweites Mal dem Text zu nähern. – Am 21. August folgt ein auf die simpelste Weise kompliziert gemachtes Couplet: WER KAUFT LIEBESGÖTTER?, das sein c-g-f-Schema nicht verläßt und doch mit Figuration und Schnellzüngigkeit Probleme aufgibt. Keine Atempause wird dem Sänger gegeben, um den orientalischen Redefluß des verschmitzt anzüglichen Verkäufers nicht zu hemmen. Goethe hatte das Lied zu seiner Fortsetzung von Mozarts »Zauberflöte« gedichtet und die einzelnen Strophen Papageno und Papagena in den

Johann Wolfgang v. Goethe

Mund gelegt, die »goldene Käfige mit beflügelten Kindern« tragen. —

Gabriele von Baumberg (1766—1839), die von den Wienern als ihre »Sappho« gepriesene Lyrikerin, erfreute sich der Wertschätzung Goethes. Aber die Lieder, die Schubert nach ihren Versen im August 1815 schrieb, sind bloße Miniaturen ohne viel Bedeutung.

Mit dem Gedicht FURCHT DER GELIEBTEN nach Friedrich Gottlieb Klopstock (1724—1803) wird der Auftakt zu den 13 Gesängen nach dessen Dichtungen gegeben, deren Entstehen sich besonders auf den September und Oktober 1815 konzentriert. Klopstock

Friedrich Gottlieb Klopstock

begründete durch sein Hauptwerk, das Epos »Der Messias«, an dem er 28 Jahre gearbeitet hatte, einen völlig neuen Stil in der deutschen Dichtung des 18. Jahrhunderts, indem er hier und in seinen Oden antikes Versmaß und später freie Rhythmen gebrauchte. Mit der Revolution des lyrischen Stils erstrebte er zugleich auch einen neuartigen Lebensstil, der körperlicher Bewegung, wie Schlittschuhlaufen, Wandern und Reiten hohen Wert beimaß, und er blieb damit nicht ohne Einfluß auf Goethe. Den nordamerikanischen Freiheitskampf begrüßte er begeistert, und für seine Oden, in denen er die französische Revolution feierte, erhielt er, ebenso wie Schiller, das Ehrendiplom eines französischen Bürgers.

Man darf vermuten, Schubert sei in AN SIE für die Sinngebung des Strophenliedes einmal von den letzten Zeilen ausgegangen, denn erst bei der dritten Wiederholung der Musik stellt sich der Eindruck musikalisch-textlicher Einheit her. Das Lied wird den eigenartigen Wortstellungen aufs genaueste gerecht und repräsentiert, wie die anderen Klopstocklieder, einen besonderen Stil. — Das Hauptwerk der Klopstockreihe ist ohne Zweifel DEM UNENDLICHEN, dessen zweite Fassung man wohl als die maßgebliche ansehen darf, sie unterscheidet sich von der dritten kaum. Es handelt sich offensichtlich nicht um ein Lied, sondern um eine Arie mit vorbereitendem Rezitativ. Für die Erhabenheit scheint gar kein anderer Stil in Frage zu kommen. Das Pathos der Worte findet nur in solchen Tönen die gemäße musikalische Sprache. Man glaubt ein Stück aus einem Oratorium zu hören. Zunächst ist von Gedanken die Rede, die erheben, also wird nicht gesungen, sondern deklamiert. Wie erschrocken vor der Vermessenheit, Gott denken zu wollen, tönt der Fortissimo-Akkord nach »denkt«. Der Blick auf sich selbst beugt das Herz tief hinunter, bis es »Nacht und Tod« in c-Moll sieht, aber dann richten bewegtere Sequenzen den Anruf wieder in die Höhe. Gewißheit der Erlösung klingt aus der befreienden Modulation nach F-Dur, der weiteres, zuversichtliches Aufsteigen bis H-Dur folgt. Auf »Herrlicher« stehen in Fortissimo C-Dur und Pianissimo a-Moll Lobpreis und Erschauern nebeneinander. Aber die Haupttonart, bisher trotz aller Modulation nicht berührt, wird erst bei dem entscheidenden Wort »dankend« erreicht. Der Jubel vom hohen As herunter beschließt dieses hinreißende Rezitativ. Nun setzt der ariose Dankgesang zu Harfen und Posaunen ein, die das Klavier imitiert. Ein »klassischer Stil« ist hier gefunden, den Schubert mit ebensolcher Fraglosigkeit meistert wie seine schlichte Lyrik.

Ein Reiz der Klopstocklieder, die man beileibe nicht nur als verehrende Pflichtübungen einem großen Geist gegenüber ansehen darf, ist ihre Vielfalt. Aus einer komischen Oper könnte das VATERLANDSLIED stammen, das die blauen Augen und den patriotischen Sinn eines »deutschen Mädchens« preist, nämlich die der Elisabeth von Winthen, Klopstocks spätere Frau.

Zeitgeschichtlich mag interessieren, daß man das »Deutsche Mädchen« als Gedicht nach seinem Erscheinen über die Maßen bewunderte. Matthias Claudius schrieb ein Gegenstück:

> Ich bin ein deutscher Jüngling!
> Mein Haar ist kraus, breit meine Brust . . .

das ebensooft vertont wurde wie das Klopstockgedicht. Neefe trug zu seiner Verbreitung am meisten bei. Der Dichter Schubart brachte gleich nach dem Erscheinen des Gedichts von Klopstock in seiner »Deutschen Chronik« die Einsendung einer Charlotte v. Y., in der sich das adelige Fräulein über das »rauhe und barbarische Zeug« des Dichters ereifert. Die delikate Welt könne an solchen für Bauerndirnen bestimmten Mißtönen keinen Gefallen finden. Das VATERLANDSLIED wurde von der Einsenderin so verändert, daß es auch in Gesellschaften mit gutem Ton gesungen werden konnte:

> Ich bin ein gnädigs Fräulein,
> mein Aug' ist schwarz, und wild mein Blick,
> ich hab' ein Herz voll Zärtlichkeit und Sentiment.

Es folgen sieben weitere parodistische Strophen, die um der schärferen Wirkung willen in der Zeitschrift neben das Original Klopstocks gestellt werden. Man beachte aber nun das Datum 1815, das Entstehungsjahr des Schubertliedes. In den Jahren der patriotischen Begeisterung zur Zeit der Freiheitskriege hatten die flammenden Verse neue Volkstümlichkeit gewonnen. Klopstock stellte übrigens auch eine plattdeutsche Fassung des Gedichtes her.

Heroische Oper wird uns in HERMANN UND THUSNELDA vorgespielt, allerdings macht die pompöse Begrüßung des aus dem Krieg heimkehrenden Heldengatten durch sein Heldenweib uns eher lachen. Eine Abteilung des riesigen Stückes scheint Schubert in der Klavierbegleitung so gefallen zu haben, daß er sie zehn Jahre später fast notengetreu in seinen ebenfalls in Des-Dur stehenden und so sinnverwandten Gesang der ELLEN aus Scotts »Fräulein vom See« übernahm. — Sehr zu Unrecht ist DAS ROSENBAND vernachlässigt und lediglich in der Vertonung durch Richard Strauss in den Konzertsaal gelangt. Dabei ist natürlich des Spätromantikers Pasticcio im Nachteil gegenüber der Unmittelbarkeit und Frische Schuberts. Dessen Lied war eine besondere Köstlichkeit im Repertoire der Elena Gerhardt. Das Gedicht von 1753 regte unzählige Musiker an. Der erste Vertoner, Rosenbaum, schreibt in der Vorrede zu seiner Ode von 1762: *»Außerdem habe ich nach der Mitteilung eines Freundes das bisher ungedruckte Lied »Das schlafende Mädchen« genannt, dessen Verfasser man nicht zu nennen braucht, weil auf jedem kleinsten Zuge desselben der Originalgeist hervorschaut, den die Welt längst in seinen größeren Werken bewundert. Die Schwierigkeiten, die bei einer solchen Composition unvermeidlich sind, darf ich nicht anzeigen, man wird sie leicht einsehen.«* Das ist denn auch bei den Kompositionen der Corona Schröter, des Johann Schenk, des Carl Friedrich Zelter unüberhörbar. Schubert überragt sie alle hoch. — DIE FRÜHEN GRÄBER kann zwar Glucks Meisterwerk nicht in den Schatten stellen, wirkt aber durch seine musikalische Schlichtheit. — Aus Episoden zusammengebaut wird DIE SOMMERNACHT, ein durch Ausschluß aus den neben der Gesamtausgabe erschienenen Sammlungen völlig unbekanntes Lied. Es ruft nach einem überschauend zusammenfassenden Interpreten, dann werden die aneinandergereihten Einfälle ihre Wirkung nicht verfehlen.

Am 16. November 1815 war Joseph von Spaun Augenzeuge der Entstehung des ERLKÖNIG:

»Wir fanden Schubert ganz glühend, den ERLKÖNIG aus einem Buch laut lesend. Er ging mehrmals mit dem Buch auf und ab, plötzlich setzte er sich, und in kürzester Zeit stand die herrliche Ballade nun auf dem Papier. Wir liefen damit, da Schubert kein Klavier besaß« (dies ist ein Irrtum Spauns), *»in das Konvikt, und dort wurde der ELRKÖNIG noch denselben Abend gesungen und mit Begeisterung aufgenommen. Der alte Ruziczka spielte ihn dann selbst, ohne Gesang, in allen Teilen aufmerksam durch und war tiefbewegt über die Komposition. Als einige dort eine mehrmals wiederkehrende Dissonanz ausstellen wollten, erklärte Ruziczka, sie auf dem Klavier anklingend, wie sie hier notwendig dem Text entspreche, wie sie vielmals schön sei und wie glücklich sie sich löse.«*

Der englische Schubert-Forscher Maurice J. E. Brown will nicht wahrhaben, daß die Niederschrift in so kurzer Zeit erfolgt sein soll. Zu berücksichtigen ist jedoch Schuberts Schreibeigenheit, die alle Wiederholungen in den Begleitfiguren nicht voll notierte, so daß bei den wenigen Tonartrückungen und der schnellen Schreibhand Schuberts keinesfalls vier Stunden für die Niederschrift anzunehmen sind.

Das Gedicht ist, wie vielfach nicht bekannt, eine Einlage zu Goethes Singspiel »Die Fischerin« von 1782. Die szenische Bemerkung des Autors am Beginn lautet: *»Unter hohen Erlen am Flusse stehen verstreute Fischerhütten, es ist Nacht und Stille. An einem kleinen Feuer sind Töpfe gesetzt, Netze und Fischergeräte ringsumher aufgestellt. Dortchen (beschäftigt, singt): ›Wer reitet so spät‹.«* Die Fischerin singt bei der Arbeit, halb mechanisch, das ihr längst vertraute Lied, etwa wie Gretchen sich den »König von Thule« summt. Der Erlkönig gehört also zu den Liedern, von denen Goethe schreibt: *»das der Singende sie irgendwo auswendig gelernet und sie in ein oder der andern Situation anbringet. Diese können und müssen eigene, be-*

stimmte und runde Melodien haben, die auffallen und jeder-
mann leicht behält.« (aus einem Brief an Kayser vom Dezember
1779.) Corona Schröter, die Darstellerin der Fischerin bei der
ersten Aufführung des Werks, hatte selbst eine nur acht Takte
umfassende, leicht nachzusingende Melodie für sich niedergeschrieben. Der geniale, 18jährige »supplierende Lehrer«
Franz Schubert kümmert sich wenig um die betonte Einfachheit der Dichtung, versetzt (im Gegensatz zu seinen kompositorischen Vorgängern Reichardt, Klein und Zelter) den
nordischen Spukgeist in die Bezirke verführerischer Sinnlichkeit und läßt alle ästhetischen Bedenken der Zeitgenossen
mit der hinreißenden Gewalt seines Sturm- und Drangstückes
weit zurück.

Schubert ergreift die sich anbietende große Rondoform und
deutet die drei Apostrophen des Geistes im Sinne dreier Seitensätze, deren lockender Ton das stürmische Drängen durch-
bricht. Die Schluß-Stretta, mit ihrem (nicht zu übersehenden)
Accelerando, ergibt dazu die Coda. Die Ballade steht unter dem
Prinzip einheitlicher Durchführung. Windesbrausen und Rastlosigkeit des Reitens bestimmen den Grund-Rhythmus des
Liedes. Auch während der Apostrophen des ERLKÖNIG setzt die
Triolen-Bewegung nicht aus. »Ich liebe dich« rückt die Harmonie
derart, daß es fast wie ein Ohnmächtigwerden des Knaben
wirkt. Der Aufschrei »Mein Vater, mein Vater!« bringt dann
jene Nonen, die den ersten Zuhörern zu schaffen machten und
deren Richtigkeit der einsichtige Ruziczka ihnen erst demon-
strieren mußte. Trotz der Dämonie verläßt Schubert in diesem
Werk nie die Grenzen des musikalisch Schönen im ästhetischen
Sinne des Eduard Hanslick, ungeachtet aller Plastik des stür-
menden Reitmotivs und des bei der Schlußpointe angewandten
Rezitativs. Denn im Mittelpunkt steht nicht die noch so gekonnte
Schilderung und Veranschaulichung, sondern das Menschliche
des Ausgesetztseins und die Spiegelung glühender Leidenschaft.
Die Schwierigkeit der Begleitung, für viele Pianisten nicht ohne
Schrecken, trug sicherlich nicht zuletzt zur Bekanntheit des
ERLKÖNIG bei —, allerdings mehr mit dem Blick auf die pianistische Bravour als dem auf das Stück. Schubert selbst hat fast
immer seine Bearbeitung in Achtel- statt Triolen-Oktaven gespielt. Das Goethe zugedachte Autograph zeigt sie ebenfalls,
wohlweislich vorsorgend. Ganz anders später Franz Liszt, der,
wenn er den französischen Schubert-Apologeten Nourrit beglei-

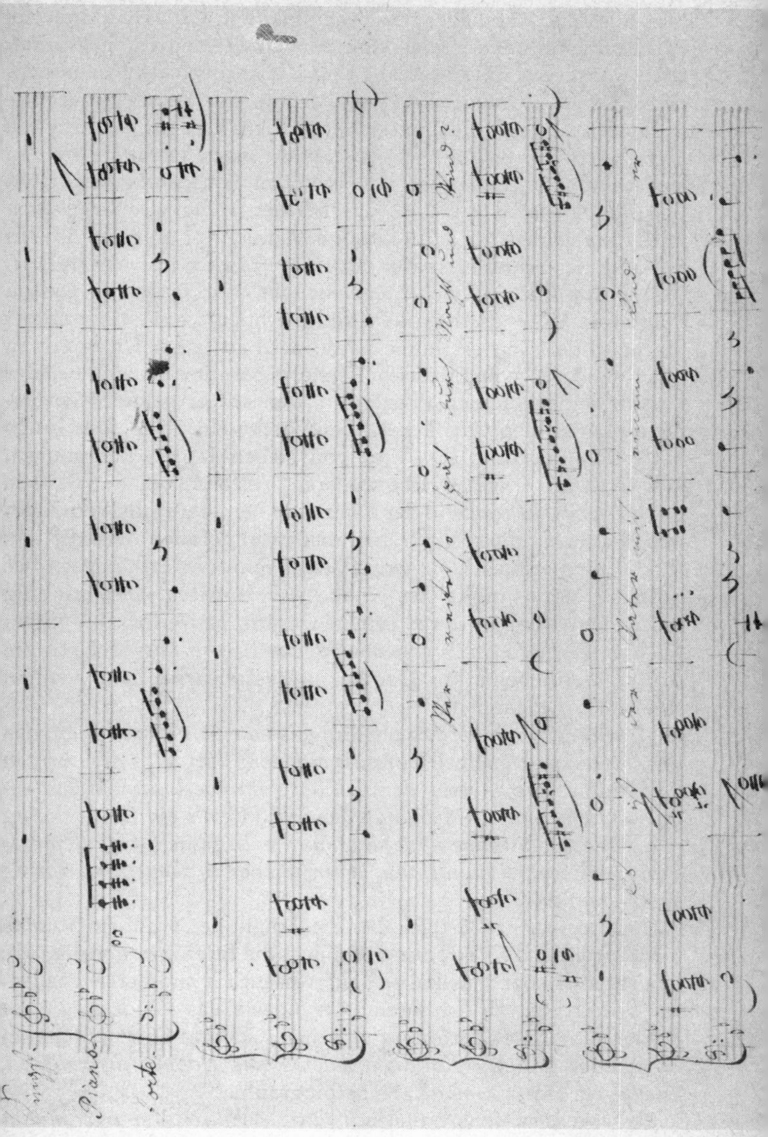

tete, auch noch die Läufe der linken Hand in Oktaven donnerte. Es ist ohnehin mit der sogenannten »Klavierbegleitung« vorbei, spätestens vom ERLKÖNIG ab. Der Klavierpart als Nebensächlichkeit und harmonische Grundierung, der lediglich der Gesangsstimme zur Folie dient, ist gestorben. Das kompositorische Eigenleben der Begleitung ist etabliert, auch wenn sie sich so einfach und konzentriert, wie etwa im LEIERMANN, darbietet. Bezeichnend ist das Detail, das bei der Stelle »Ich liebe dich, mich reizt deine schöne Gestalt« im Manuskript ursprünglich ein ff stand, das Schubert später mit Rotstift in ein pp verwandelte. Ihm wurde klar, wieviel intensiver hier das Pianissimo wirken mußte als lautes Pathos. Wie recht Schubert mit seiner Interpretation der Geisterstimme hatte, wird aus einer Unterredung klar, die 1827 von Friedrich Forster übermittelt wird, bei der Forster seinen kleinen Pflegesohn, den später bekannt gewordenen Dirigenten Carl Eckert, bei Goethe einführte. Der Junge hatte den ERLKÖNIG im Alter von sieben Jahren komponiert. Auf Goethes Frage, welche anderen Vertonungen der Ballade ihm gefielen, antwortete der Kleine, er kenne nur die von Klein und Reichardt, die wollten ihm aber nicht gefallen, weil die den Erlkönig so grauslich singen ließen. Wenn der Erlkönig so tief brumme, dann müßte der Knabe sich fürchten. Der Erlkönig müsse den Knaben durch seinen Gesang zu verlocken suchen. *Wir müssen schon zugeben, daß der Knabe das Richtige getroffen hat*«, bemerkte Goethe, und streichelte dem Kleinen freundlich die Hand.

»Du mußt ja am besten wissen, wie so einem Bürschchen, das der Vater zur Nachtzeit vor sich auf dem Pferde in den Armen hält, zumute ist, wenn der Erlkönig ihn verlockt. Außerdem müssen wir auch zugeben, daß der Erlkönig als ein Geisterkönig jede beliebige Stimme annehmen und nach seinem Gefallen erst sanft und schmeichelnd, und dann wieder drohend und zornig singen kann.«

Carl Loewes großartige, aber die Tragik des Schubert-Stückes nicht erreichende Vertonung schildert die Erlen zwar realistisch, bewegt sich aber musikalisch auf wesentlich simpleren Pfaden. Im Unterschied zu Schubert hatte Loewe das Glück, 1820 die Bekanntschaft des Dichters zu machen. Goethes Eintragung vom September lautet: *»Kandidat Loewe aus Halle, musikalisch«*. Loewe berichtet in seiner Selbstbiographie:

»Goethe war außerordentlich gütig. Während er mit mir im

Salon auf und nieder ging, unterhielt er sich mit mir über das Wesen der Ballade. Ich sagte ihm, wie ich die Ballade vor allen anderen Dichtungsformen liebe, wie die volkstümliche Sage seines »Erlkönig« in dem großartig romantischen Gewande seiner Dichtung mich ganz hingenommen. So hingenommen, daß ich diesen »Erlkönig« habe komponieren müssen. Ich hielte schon deshalb den »Erlkönig« für die beste deutsche Ballade, weil die Personen alle redend eingeführt seien. ›Da haben Sie recht‹, sagte Goethe. Nun bat ich ihn, ihm den ›Erlkönig‹ vorsingen zu dürfen. ›Leider habe ich hier in Jena kein Instrument‹, sagte er. ›Das tut mir um so mehr leid, als ich immer besser arbeiten kann, wenn ich Musik gehört habe.‹«

Also hatte auch Loewe musikalisch wenig Glück mit Goethes Beurteilung, allerdings hat Walther, ein Enkel des Dichters, später bei Loewe Komposition studiert. Im Archiv der Gesellschaft der Musikfreunde zu Wien finden sich auch Skizzen Beethovens zu einer »Erlkönig«-Vertonung, die in ihrer 6/8-Einfachheit mehr zu Loewes Auffassung hinneigen, die Einmaligkeit der Leistung Schuberts wird dadurch nachdrücklich unterstrichen. Die bedeutendsten Interpreten des Stückes waren Baßbaritone: Michael Vogl, Joseph Staudigl, Julius Stockhausen, Eugen Gura, Theodor Reichmann, Ludwig Wuellner, Hans Hotter. Wenn die Ballade auch ein Liebling der Sängerinnen geworden ist, so darf man wohl sagen, daß diese Liebe bis auf wenige Ausnahmen einseitig geblieben ist.

Kein Zweiter vermochte so zum Anreger schöpferischer Phantasie des Musikers zu werden wie Goethe. Alles, was Schubert in Tönen auszudrücken strebte, Klarheit der Gedanken, Ausdruckseindeutigkeit, tiefe Empfindungskraft, bildhafte Sprache, fand er in Goethes Gedichten vor. Der Einheit von Kunst und Natur, wie sie seinem eigenen Wesen gemäß war, durfte er hier begegnen. Ende 1815 waren bereits 34 Goethe-Gedichte vertont. Eines der bemerkenswertesten ist MEERESSTILLE. Nie wieder ist Windstille und Bedrückung mit so einleuchtenden und selbstverständlich wirkenden Mitteln gezeichnet worden. Das graphische Bild der unbestimmt gebrochenen Akkorde, die sanften Tonartwechsel, die sich so zögernd fortbewegen, als seien sie furchtsam, ergeben eine vollkommene Einheit mit dem Gedicht. Wie eine Zeichnung sieht das Notenbild des Liedes aus. In den vertikalen Arpeggi wird in der Tat »Todesstille fürchterlich« und absolute Bewegungslosigkeit verwirklicht. »In der ungeheuren Weite«, dem zentralen Punkt des Gedichts, bringt die harmonische Kühnheit den weitesten Fortschritt.

Schuberts Wunderwerk entstand fast gleichzeitig mit Beethovens Chorkomposition. Das Gedicht stammt aus Goethes Epigrammen und hat ein Pendant in dem lebhaften »Glückliche Fahrt«.*

In jeder Hinsicht die bedeutendste unter den etwa 40 im Druck erschienenen Kompositionen von Goethes AN DEN MOND ist die von Schubert. Die vorangegangene, strophische Fassung aus dem gleichen Jahr war trotz ihrer Lieblichkeit weniger geglückt. Nun aber kommt das ganz unvergleichlich Zarte und Sehnsuchtsvolle der Dichtung, das »zwischen Freud und Schmerz«-Wandeln zu vollendetem Ausdruck. Den Anlaß zur Niederschrift des Gedichts gab sehr wahrscheinlich der Tod der Christel von Lassberg, die sich in der Ilm, nahe Goethes Gartenhaus in Weimar, aus Liebeskummer ertränkte. In der ersten Lesart deutet die dritte und vierte Strophe noch auf die dämonische, todbringende Gewalt des Wassers hin. Von Lyrik, weder klassischer noch romantischer, kann in diesem Gedicht kaum mehr die Rede sein. Vielleicht könnte man Unversehrtheit künstlerischer Kraft als den Hintergrund für ein solches Wunder bezeichnen. Es wird offenbar, was freigewordene Töne vermögen, was klanggewordene Liebe ist. Schon die ersten drei Noten des Gesangs strömen solche Fülle des Gefühls aus, daß der kurze Auftakt das Lied und mit ihm das Gedicht bereits charakterisiert. Begriffe wie Kunst oder Einfall reichen für solch unsterbliche Musikgebärde nicht aus. Reflexion und Empfindung durchdringen sich in diesem Gedicht, wie kaum je sonst. Konnte man da überhaupt noch etwas hinzukomponieren? Aber gleich das Vorspiel beginnt mit einem Akkord, der das Unerfüllte, das Nichtvergessenkönnen, die Freundsehnsucht des Dichters gestaltet. Kraft des Vorfühlens, Überblick und Sicherheit sind bei Schubert unfaßbar. Mit den ersten Tönen des Gesangs geht der Blick nach oben. Auch die Trostgebärde in dem spontan gesungenen: »Nimmer werd' ich froh« weist in die Höhe. Diese musikalische Innigkeit muß man sich seit Schubert auch für das vollkommenste Gedicht dazuwünschen. Wo solche Musik beginnt, ist alles Beschreiben, Malen, Charakterisieren der Dichtung überholt. Aus je zwei

---

* Schuberts Lied wurde mit anderen Goethe-Liedern 1821 als op. 3 Nr. 2 veröffentlicht. Auch Reichardts Vertonung ist stimmungsvoll, Mendelssohn inspirierter die Verse zu seiner Konzert-Ouvertüre.

Gedichtstrophen wird eine Liedstrophe, die sechste und siebente baut Schubert wegen der ungeraden Strophenzahl neu aus. Dem »Rausche, Fluß« entspricht es, wenn Bewegung und harmonische Mannigfaltigkeit in der Art einer musikalischen Durchführung eintreten. So können sich auch die beiden letzten Strophen wieder den ersten angleichen. Weil sie aber zusammengehören, wird durch ein zweitaktiges Zwischenspiel gekürzt, und der letzte Vers »wandelt in der Nacht« als Coda wiederholt, in der höheren Oktave, wie von Hoffnung erhoben.

Aber noch vielseitig andersartige Texte von Goethe wurden komponiert. Der muntere GOLDSCHMIEDEGESELL von 1817 zeigt, wie in wenigen Takten ein befriedigend abgerundetes Bild entworfen werden kann, hier besonders reizvoll durch die bewußte Dünne des Klaviersatzes. — AM FLUSSE, das schon im Februar 1815 entstand, kann sich trotz seines stürmischen d-Moll wegen der zusammengestückelten Details nicht mit der Zweitkomposition von 1822 messen. Der Höhepunkt der Gefühlsaufwallung bei »Meiner Treue Hohn« läßt an GRETCHEN AM SPINNRADE denken. — DIE SPINNERIN stimmt so völlig mit den Vorstellungen Goethes über die Funktion der Musik im Liede überein, daß man denen zustimmen möchte, die sagen, er habe keinen Blick in ihm übersandte Stücke geworfen und sich auch von niemandem beraten lassen. Hätte er nämlich diese Komposition zum Beispiel angesehen, so hätte er entzückt sein müssen von der Übereinstimmung mit seinen eigenen Anschauungen.

Zweiteilig ist KLÄRCHENS LIED aus dem »Egmont«. Der erste mit acht Takten ruhiger Triolen in der rechten Klavierhand und wunderbar deklamierender Singstimme über ausdrucksvoller Harmonisation. »Himmelhoch jauchzend, zu Tode betrübt« leitet in gesteigerter Erregung über zum zweiten Teil des »Glücklich allein ist die Seele, die liebt«. Nach dem sieghaften hohen B bei der Wiederholung verklingt der Schluß poetisch in pianissimo. Diese kurzen Zeilen hatte Beethoven in seiner bewundernswerten Fassung für die Bühne durch Wiederholungen verlängert, worauf Schubert weitgehend verzichtet. — Die Fassung des KENNST DU DAS LAND vom Oktober 1815 wirkt verhältnismäßig schwach, und man muß Schumanns Auffassung über alle Vertonungen des Gedichts vor Hugo Wolf fast unumwunden zustimmen, wenn er sagt: »*Die Beethovensche Komposition ausgenommen, kenne ich keine einzige dieses Liedes, die nur im mindesten der Wirkung, die es ohne Musik macht, gleich käme. Ob man es*

durchkomponieren müsse oder nicht, ist eins; laßt es euch von
*Beethoven sagen, wo er seine Musik herbekommt.«**

Kurz vor den Goethe-Gesängen von 1815 vertonte der Achtzehnjährige ein Gedicht von Ehrlich: ALS ICH SIE ERRÖTEN SAH. Wenn auch künstlerisch nicht vergleichbar, schrieb er hier ein subjektiveres Gegenstück zum berühmten Gretchen-Lied. Derselbe Rhythmus und ähnliche Linienführung in der Singstimme,

Ossians Gesänge

ähnlich auch die Sechzehntel-Bewegung in der Begleitung. »Mit Liebesaffekt« ist dieses Ausströmen jugendlichen Verlangens nach der Geliebten überschrieben, das einfach aussieht, aber an den Sänger Virtuosenansprüche stellt, vor allem in bezug auf Leichtigkeit der Tongebung.

Ganz anders geartet sind die Ossian-Lieder, von denen die meisten in diesem Jahr entstanden. Man muß bedauern, daß sich wertvolle Eingebungen in den zum Teil unverständlichen, auch in zu nebelhaften Fernen wurzelnden Texten verlieren. Hinter dem Pseudonym Ossian verbirgt sich James Macpherson (1736—1796), der eine lyrische Modewelle im späten 18. Jahrhundert auslöste, indem er im Jahre 1760 in Edinburgh »Bruchstücke alter Dichtungen, im Hochland gesammelt und aus dem

* Die Überfülle von Vertonungen rief überall viele Parodisten auf den Plan, deren einen Reichardt vertonte, indem er singen ließ: »Kennst du das Land, wo stets die Veilchen blühn? . . .«

72

Gälischen übersetzt« herausgab und sie einem alten Barden namens Ossian zuschrieb. Andere Dichtungen kamen hinzu, mehrere Übersetzungen erschienen, und schon war die Ossian-Mode auf dem Plan. Die Dichtungen erwiesen sich als unecht, aber mit den 1765 von Thomas Percy veröffentlichten »Reliques of Ancient English Poetry« haben sie dazu beigetragen, daß der Sinn für volkstümliche Einfachheit geweckt wurde. Goethe läßt seinen jungen Werther ausrufen, Ossian habe in seinem Herzen den Platz des Homer verdrängt. Schubert ist an eine ziemlich späte und anscheinend schlechte Übersetzung durch Baron Edmund de Harold geraten. Er muß aber doch wohl sehr von der Dichtung gefesselt worden sein, sonst hätte er sich nicht mit derartiger Vehemenz in das Abenteuer der Vertonung dieser von Helden bevölkerten Landschaftsbilder gestürzt. Allzu Bedeutendes ist allerdings nicht dabei herausgekommen, wenn man von der Balladenkunst in LODAS GESPENST absieht. Hier wird virtuos deklamiert und charakterisiert; am Schluß erfolgt eine jähe Ernüchterung zur Alltäglichkeit, die an Loewes Technik in ähnlichen Fällen (Prinz Eugen) erinnert. Das Autograph vom 17. 1. 1816 wurde 1830 für den Druck umgearbeitet. Zunächst glättete man den Text. Schon der Verleger der Harold-Übersetzungen glaubte sich im Vorwort zur zweiten Auflage der Gedichte Ossians für mangelnde Sprachkenntnisse des irischen Übersetzers entschuldigen zu müssen: »Indessen erweiterte er seine Kenntnisse in der deutschen Sprache.«

Noch dazu ersetzte man die letzten Takte der Ballade durch eine Bearbeitung des PUNSCH-LIEDES von Schubert. Später berichtet Leopold v. Sonnleithner: »Ein langes Gesangsstück mit einem so wenig entschiedenen Ausgange fand Diabelli ganz ungeeignet zum Vortrag. Er meinte insbesondere, nach dem Rezitativ müßte wenigstens einer von den Helden-Gesängen folgen, welche obige Worte in Aussicht stellen, damit das Ganze einen befriedigenden Abschluß erhalte. Bald brachte er auch eine Schubertsche Composition von Schillers PUNSCH-LIED »viel Elemente, innig gesellt« zum Vorschein und mutete mir zu, einen anderen Text zu verfassen, der geeignet wäre, das Lied als »Heldengesang« an LODAS GEIST anzuhängen. Ich beschäftigte mich zu jener Zeit manchmal zu meiner Unterhaltung mit allerlei musikalischen und poetischen Flickarbeiten, Übersetzungen und dergleichen, und um die Herausgabe der Ossian-Gesänge zu beschleunigen, ließ ich mich herbei, die verlangten paar Verse *zu liefern und das* PUNSCH-LIED *in den Heldengesang zu maskieren . . .«*

Wie man sieht, geschah die Veränderung schlechten Gewissens, und es ist gut, daß schon Mandyczewski der Ballade ihren ursprünglichen lapidaren Schluß beließ.

Die 14 Seiten von DER TOD OSCARS, 1816 geschrieben, verraten, wie gern Schubert eine Ossian-Oper geschrieben hätte, wenn nur ein Librettist aufzutreiben gewesen wäre. — Ossians LIED NACH DEM FALLE NATHOS mag nicht jedem als »arios« erscheinen. Aber eine leichte Steifheit und manche Einzelheit deuten auf Absichten in dieser Richtung, besonders der auf Gluck zurückweisende Schluß. Was sollte wohl die Deklamation besagen, die das unbetonte und unbedeutende »in« mit einer halben Note und dem hohen Fis ausstattet? — Unter den weiteren Langstrecken-Balladen verdient DIE NACHT deshalb Interesse, weil ihr nach Schuberts Tod ein Finale angehängt wurde, das dem im gleichen Jahr komponierten JAGD-LIED nach Zacharias Werner entnommen wurde. Es ist bezeichnend, daß das kürzeste und konzentrierteste Ossian-Lied, MÄDCHEN VON INISTORE, am meisten Atmosphäre hat.

Unter den vielen Vertonungen Schillers finden sich nur wenige Gedichte, die jene Hauptqualität besitzen, die Schubert so wichtig war: Ein genau definiertes Gefühl, einen klar umrissenen Hintergrund und vor allem eine sich dem Epischen nähernde Schlußstrophe oder wenigstens -zeile. Zumeist fand er diese Vorzüge in den Gedichten weniger bedeutender Autoren, aber gerade Schillers etwas hochfahrende Erzeugnisse ließen ihn da im Stich. Um so mehr ist es eine Ironie des Schicksals, daß die Autorschaft des bis vor kurzem Schiller zugeschriebenen LIED (Es ist so angenehm, so süß) inzwischen angezweifelt wird, und man die Gönnerin der jungen Jahre des Dichters, Caroline v. Wolzogen, als Urheberin vermutet. In diesem Kleinod spiegelt sich Schuberts Genie ungebrochen.

Geradezu antipodisch zu Schiller wirkt der nächste Dichter, dem er sich zuwandte.

Der Dorfpriester auf der Ostseeinsel Rügen, Ludwig Kosegarten (1758—1818), ergeht sich in prätentiösem Stil auf gemütlichen Pfaden. Und doch war Schubert im Sommer und Herbst 1815 völlig von seinen Gedichten gefesselt. Er schrieb am 19. Oktober gleich sieben Lieder nach Kosegartens Texten nieder ROSA I und II gelten der Angebeteten des Geistlichen und haben nicht viel mehr als technische Leichtigkeit zu bieten. — LOUISENS ANTWORT ist schon ergiebiger, auch weil es eine geistige Brücke zu Mozart herstellt. Kosegarten schrieb es als Antwort auf ein »Lied der Trennung« von Klamer Schmidt, das Mozart 1787 vertonte. Die Antwort komponierte Schubert 28 Jahre später. — DIE ERSCHEINUNG und die TÄUSCHUNG verheißen beide die Erfüllung der Liebe erst in einer anderen Welt, »Hochdroben, nicht hienieden«. — Dann beschäftigten Schubert die Worte

Gotthard Ludwig Kosegarten

an den GEIST DER LIEBE: »Nur der ist gut und edel, dem du den Bogen spannst; nur der ist groß und göttlich, den du zum Mann ermannst.« Er läßt das Lied »mit Kraft« singen und führt am Schluß im Klavier den gebrochenen E-Dur-Septimakkord durch drei Oktaven hinauf. Die so entstehende Spannung entspricht dem Moment der Prüfung, die den Jüngling zum Mann macht. Die Dissonanz wird aufgelöst. — Am 19. Oktober 1815, wohlgemerkt nach der Fertigstellung der langen und zähen dramatischen Szene von Schillers HEKTORS ABSCHIED, muß Schuberts Sehnsucht nach einem unbeschwerten Singen, in einfachen Strophenliedern, groß gewesen sein. Alle sieben Kosegarten-Lieder dieses Tages sind strophisch, und zu anderer Formung hätte die Arbeit eines Tages auch wohl kaum Raum gegeben. Aber man sollte sich nun nicht bemüßigt fühlen, alle 17 Strophen von IDENS SCHWANENLIED oder die sieben von SCHWANENGESANG oder gar die 19 von LOUISENS ANTWORT über den Hörer ergehen zu lassen. Dazu hat der Dichter denn wohl doch zu wenig Substanz geliefert. Eine oder zwei Strophen geben die Anregung zu einer Stimmungsspiegelung oder einem musikalischen Gedanken, die sich bei peinlicher Genauigkeit des Vortragenden viel zu lang ausspinnen würden. Herausgehoben seien noch das Schubertische a-Moll in DAS SEHNEN und die prächtigen Harmonien des NACHTGESANG, der sich dem Vorbild Neefes nähert. An der Spitze der wieder einmal als versteckter Zyklus denkbaren Gruppe steht DIE MONDNACHT, die Schubert wohl zu vermehrtem Engagement herausforderte. Harmonisch und in der Phantasiefülle glauben wir hier seinen persönlichen Ton am vernehmlichsten wiederzuerkennen. — Im nächsten Jahr folgt noch AN DIE UNTERGEHENDE SONNE, in dem sich ein wenig Gedankenmühe und Länge als störende Fracht auswirken. — Obwohl nur wenig von Zumsteegs Vertonung des langen Textes unterschieden, spricht der Ernst und die strophisch geschickte Textaufteilung des NACHTGESANG durch Schubert am meisten an.

Für einige Zeit wurde Schubert von Gedichten des Ludwig Heinrich Christoph Hölty (1748—1776) angezogen. Neun davon waren bereits 1815 vertont. Dieser stärkste Lyriker des sogenannten »Hainbundes«, in dem auch Voß, die beiden Grafen Stolberg und Leisewitz gewichtige Stimmen hatten, war Sohn eines Pfarrers, der ihn auch zum Universitätsstudium vorbereitete. Schon bevor Hölty nach Göttingen zum Studium ging, zeigte er Neigung zur Dichtkunst. Seine zarten Frühlings- und Liebesgedichte sprechen auch heute noch an. Er starb 1776, noch jünger als Schubert. Außer Schubert vertonten ihn vor allem später auch Cornelius und Brahms. Die Skala der Ausdrucksmöglichkeiten Höltys ist begrenzt. Seine Dichtung kann als Vorläufer jener Mischung von Schwermut und Aufbegehren angesehen werden, die im Wiener Biedermeier dann so sehr gefiel. Der Dichtername war bei Schubert zuerst 1813 mit dem TOTENGRÄBERLIED aufgetaucht, das scharf deklamierend beginnt und dann eine handfeste, leicht ironische Melodie folgen läßt. Die Strophen des merkwürdigen kleinen Liedes fangen in verschiedenen Tonarten an, nämlich in G-Dur, C-Dur und a-Moll, die Melodie wird jedesmal leicht verändert. — Strophisch noch strenger wird DIE MAINACHT gestaltet. Schubert erfindet eine flötende Melodie, um des Dichters Nachtigall musikalisch zu vergegenwärtigen. Brahms machte in seiner »Mainacht«-Komposition die Dacapo-Liedform für das Gedicht berühmt. Die zweite Strophe ist bei ihm gar nicht komponiert, die dritte als Mittelsatz aufgefaßt, die vierte der ersten nachgebildet. Zunächst sieht daneben Schuberts strophische Fassung etwas brav aus. Bei genauerem Hinhören muß man jedoch den Eigenwert dieser stilistisch zu Hölty soviel näheren Formung erkennen. Es ist ein Vorurteil, wenn behauptet wird, der neuere Meister sei tiefer gedrungen. Schubert nähert sich dem Dichter ohne Rücksicht auf sein Versmaß, wie er denn überhaupt nicht allzuviel auf sklavische Imitation der von seinen Autoren benutzten Versrhythmen achtete. Deutlich wird die spätere, immer ausschließlichere Hinwendung zu den einfachsten Sprachrhythmen der Dichter. Hugo Wolfs nicht immer zum Nutzen der Musik vorwaltende Skrupel gegenüber den Formen sind noch in weiter Ferne. — Am 17. Mai 1815 schreibt Schubert sprachlich das Meisterstück dieser Serie AN DEN MOND nieder, genau ein Jahr vor dem Mondlied Höltys KLAGE AN DEN MOND. Die Formfanatiker werden ihre Mühe haben, diese veränderten Strophenlieder einzuordnen, so vielfältig sind die Modifikationen. Anfang und Schluß von AN DEN MOND stehen in einem nicht zufällig dem ersten Satz der Beethovenschen »Mondscheinsonate« äußerst stimmungsverwandten 12/8-Takt. Die beiden Mittelstrophen kontrastieren dazu mit Viervierteln. Der Mond soll dem verlassenen Menschen Freund sein —, wie sollte er es nicht bei so inniger Anrufung! — KLAGE AN DEN MOND findet für die zweite Strophe harte Harmonisierungen, denn von der bitteren Gegenwart ist die Rede. Zuvor gibt eine sanfte Melodie im 6/8-Takt der Trauer um die Vergangenheit Ausdruck. Die dritte Strophe spricht Vorahnungen frühen Todes aus, und Schubert identifiziert sich sichtlich mit dem Dichter, erkennbar durch neue Thematik dieses Teils. — DER LEIDENDE birgt das musikalische Modell für den Entr'acte in h-Moll aus der »Rosamunde« von 1823, klingt daneben auch stark an des Zeitgenossen Michael Glinkas »Leben für den Zaren« an. — AN DIE APFELBÄUME und SEUFZER entstanden kurz nach der MAINACHT am gleichen 22. Mai 1815. — Von ähnlicher Intimität und nur für den Liebhaber kleinster Dimensionen sind DER LIEBENDE, DER TRAUM und DIE LAUBE. Die NONNE, die uns mit wenig Geschick wieder einmal eine typische Geistergeschichte der Romantik erzählen will, läßt uns musikalisch wie textlich kalt, obwohl sie Schubert nach einem halben Monat revidierte. Das WINTERLIED erschien 1777 im »Vossischen Musen-Almanach« mit einer Komposition Reichardts, der überhaupt in unglaublich vielen Erstdrucken von Gedichten, die Schubert später komponierte, als musikalischer Erstformer auftaucht. — Auch die Hölty-Gruppe von 1816 reiht wieder lauter kleine Stücke einfacher Art. Zweimal erscheint der Titel KLAGE, mit Matthisson und Hölty als Dichtern, und Zeilen wie

> Stets in Glut und Beben
> schleicht mir hin das Leben

Hermann Watteroth

kamen der damaligen Stimmung Schuberts sicher entgegen. — Ein wenig an Telemanns »Kanarienvogel-Trauerkantate« läßt im Gegensatz dazu »Auf den Tod einer Nachtigall« denken, aber natürlich fehlt hier jeder mokante Ton, und anstelle einer Flut von Klagen steht ein unaufdringlich trauriger Gedanke. — Einen hübschen kleinen Zyklus mögen die folkloristisch konzipierten »Frühlingslied«, »Erntelied« und »Winterlied« bilden. Es fügt sich noch eine Reihe von anspruchslosen Liebesliedern an, aber die melodische Kraft von AN DEN MOND aus dem Vorjahre wird nicht erreicht.*

Schubert wohnte um diese Zeit vorübergehend und erstmals außerhalb des Elternhauses. In dem Haus des Universitätsprofessors Watteroth (im Nachbarhause, dem Pasqualethaus auf der Mölkerbastei, fand 1810 die Aussprache Beethovens mit Bettina statt). Dort lebte auch Freund Josef Witteczek (1787 bis 1859), der sich im Laufe der Jahre eine umfangreiche Abschriftensammlung Schubertscher (natürlich auch gedruckter) Werke zulegte, die sich für die Bewahrung der Schubert-Lieder als äußerst kostbar erweisen sollte und in den Besitz der Wiener Gesellschaft der Musikfreunde überging.

Josef Witteczek

Damit man sie ja unverfälscht singe und spiele, wurde am 17. April 1816 das Paket mit Goethe-Gesängen fein säuberlich abgeschrieben und ausgestattet, das mit dem folgenden Begleitschreiben Spauns an den Dichter nach Weimar abging:

* Dieses wohl populärste der Hölty-Lieder kam 1826 als op. 57, Nr. 3 heraus.

78

»Ew. Exzellenz,

Der Unterzeichnete wagt es, Ew. Exzellenz durch gegenwärtige Zeilen einige Augenblicke Ihrer so kostbaren Zeit zu rauben, und nur die Hoffnung, daß beiliegende Liedersammlung Ew. Exzellenz vielleicht keine ganz unliebe Gabe sein dürfte, kann ihn vor sich selbst seiner großen Freiheit wegen entschuldigen. Die im gegenwärtigen Hefte enthaltenen Dichtungen sind von einem 19jährigen Tonkünstler namens Franz Schubert, dem die Natur die entschiedensten Anlagen zur Tonkunst von zartester Kindheit an verlieh, welche Salieri, der Nestor unter den Tonsetzern, mit der uneigennützigsten Liebe zur Kunst zur schönen Reife brachte, in Musik gesetzt. Der allgemeine Beifall, welcher den jungen Künstler sowohl über gegenwärtige Lieder als auch über seine übrigen, bereits zahlreichen Kompositionen von strengen Richtern in der Kunst sowie von Nichtkennern, von Männern sowie von Frauen, zuteil wird, und der allgemeine Wunsch seiner Freunde bewogen endlich den bescheidenen Jüngling, seine musikalische Laufbahn durch Herausgabe eines Teils seiner Kompositionen zu eröffnen, wodurch er sich selber, wie nicht zu bezweifeln ist, in kurzer Zeit auf jene Stufe unter den deutschen Tonsetzern schwingen wird, die ihm seine vorzüglichen Talente anweisen. Eine auserwählte Sammlung von deutschen Liedern soll nun den Anfang machen, welcher größere Instrumental-Kompositionen folgen sollen. Sie wird aus acht Heften bestehen. Die ersten beiden (wovon das erste als Probe beiliegt) enthalten Dichtungen Ew. Exzellenz, das dritte enthält Dichtungen von Schiller, das vierte und fünfte von Klopstock, das sechste von Matthisson, Hölty, Salis usw., das siebente und achte enthalten Gesänge Ossians, welch letztere sich vor allen anderen auszeichnen. Diese Sammlung nun wünscht der Künstler Ew. Exzellenz in Untertänigkeit weihen zu dürfen, dessen so herrlichen Dichtungen er nicht nur allein die Entstehung eines großen Teils derselben, sondern wesentlich auch seine Ausbildung zum deutschen Sänger verdankt. Selbst zu bescheiden jedoch, seine Werke der großen Ehre wert zu halten, einen, soweit deutsche Zungen reichen, so hochgefeierten Namen an der Stirne zu tragen, hat er nicht den Mut, Ew Exzellenz selber um diese große Gunst zu bitten, und ich, einer seiner Freunde, durchdrungen von seinen Melodien, wage es, Ew. Exzellenz in seinem Namen darum zu bitten; für eine dieser Gnade würdige

Ausgabe wird gesorgt werden. Ich enthalte mich jeder weiteren
Anrühmung dieser Lieder, sie mögen für sich selbst sprechen.
Nur soviel muß ich bemerken, daß die folgenden Hefte dem
gegenwärtigen, was die Melodie betrifft, keineswegs nachstehen,
sondern vielleicht noch vorgehen dürften, und daß es dem Kla-
vierspieler, der selbe Ew. Exzellenz vortragen wird, an Fertigkeit
und Ausdruck nicht fehlen dürfe. Sollte der Künstler so glücklich
sein, auch den Beifall desjenigen zu erlangen, dessen Beifall ihm
mehr als der irgend eines Menschen in der weiten Welt ehren
würde, so wage ich die Bitte, mir die angesuchte Erlaubnis mit
zwei Worten gnädigst melden zu lassen. Der ich mit grenzen-
loser Verehrung verharre

Ew. Exzellenz gehorsamster Diener
Josef Edler v. Spaun

Die unterwürfige Emphase dieses Briefes überschätzt vielleicht
Goethes Eitelkeit und hat möglicherweise dazu beigetragen, daß
keinerlei Antwort erfolgte. Eine eindeutige Erklärung von
Goethes Schweigen ist jedoch bis heute nicht möglich gewesen.
Die Annäherung an Goethe, die Schubert übrigens nur zögernd
versuchte, kam durch das Bestreben der Freunde zustande, eine
Reihe von Notenheften herauszubringen, in denen die Lieder
nach den Dichtern der Texte geordnet sein sollten. Die ersten
beiden Konvolute sollten Goethe-Texte umfassen und enthielten
folgende Titel: Gretchen am Spinnrade, Schäfers Klagelied,
Rastlose Liebe, Geistesgruss, An Mignon, Nähe des Geliebten,
Meeresstille, Der Fischer, Wanderers Nachtlied (Der du von
dem Himmel bist), Erster Verlust, Die Spinnerin, Heidenröslein, Wonne der Wehmut, Erlkönig, Der König in Thule,
Jägers Abendlied. Die Kopien, die Schubert damals anfertigte,
kann man in der Deutschen Staatsbibliothek in Ostberlin be-
wundern. Ob allerdings Vollständigkeit in der gegebenen Auf-
zählung erreicht ist, kann uns die Wissenschaft nicht genau
beantworten. Im Heft Nr. 2 stehen folgende Titel: Nachtgesang,
Der Gott und die Bajadere, Sehnsucht, Mignon, Trost in
Tränen, Der Sänger, Der Rattenfänger, An den Mond (erste
Fassung), Bundeslied, Wer kauft Liebesgötter?, Tischlied.
Dieses mit »Mai 1816« datierte Heft der zweiten Sendung ist zu
Teilen in der Bibliothek des Conservatoire Paris und in der
Stadtbibliothek Wien zu finden.

Der sich ablehnend oder gleichgültig verhaltende Goethe

konnte nicht ahnen, daß sein Name einst in vielen Teilen der Erde ausschließlich durch die Musik des armen Schullehrers aus Wien lebendig bleiben würde. Heft 1 ging an Spaun zurück, Heft 2 wurde erst gar nicht an Goethe abgeschickt.

Die Erwartungen erfüllten sich nicht. Schubert sah sich in dem unbestimmten Gefühl bestätigt, lieber nicht ohne weiteres mit dem Weltberühmten in Briefwechsel treten zu sollen. Auch die weltmännische Haltung Spauns hatte hier nichts genutzt. — Die Behauptung, Goethe habe nicht einmal einen Blick in das Heft geworfen, erscheint unglaubwürdig, vielmehr dürfte der vorerwähnte fähige Klavierspieler tatsächlich nicht zur Hand gewesen sein. Auch gab der Meister alles auf das Urteil des gänzlich konservativen Berliner Singakademiedirektors Carl Friedrich Zelter, der die Werke des, über einen engen Freundeskreis hinaus ja kaum noch bekannten, Schubert mit einer Handbewegung abtat. Es ist auch verständlich, daß der völlig neue Musikausdruck, der vor allem aus dem Klavierpart sprach, den am alten Liedideal hängenden Goethe unberührt ließ. Wie aber steht es mit dem HEIDENRÖSLEIN? Das allbekannte Stück vereint die Vorzüge des Volksliedes und Kunstliedes, ohne sich im mindesten von Goethes Ideal zu entfernen. Hier war es ein Akt genialer

Eingebung, daß Schubert das Gedicht und seine entzückende Melodie sich gleichsam selbst überließ. So kann nichts mehr von dem einfachen, ländlichen Charme ablenken, nachdem die wundervolle Artikulation einmal gefunden ist. Die Anregung des um fünf Jahre älteren Herder, der junge Goethe möge elsässische Volkslieder sammeln, befolgte der Dichter willig, und ohne solches Hinhören auf den Volkston wäre HEIDENRÖSLEIN wohl nie zustande gekommen.

Wer nun aber hätte dem alten Herrn in Weimar die erschreckende Großartigkeit des am Beginn der Sammlung stehenden GRETCHEN AM SPINNRADE verdeutlichen können? Auch das etwas später entstandene Meisterstück von 1816 AN SCHWAGER KRONOS, das aus Goethes Sturm- und Drangtagen, dem Jahre 1774, datiert und während einer Postkutschenfahrt niedergeschrieben wurde, überforderte wohl die Aufnahmefähigkeit des alten Mannes, weil hier alles das deutlich wird, was der Begriff Lied an Neuem bei Schubert umfaßt. Hübscher Singsang, wie er früher üblich war, wird von wirklicher Interpretation des Gedichtes abgelöst. »Rasselnder Trott« macht die Klavierbegleitung anschaulich, im Vorspiel über weitere Bögen, beim Gesang auf drei Noten konzentriert, die stellenweise durch Akkordakzente unterstrichen werden. »Ekles Schwindeln« vertauscht die musikalischen Figuren unter den Händen. Im Zwischenspiel werden Terzen daraus. »Eratmender Schritt« wird durch Seufzer im Baß gekennzeichnet. »Hoch, weit, herrlich« schwingt sich der Baß in Oktaven hinauf. Der Mittelteil »seitwärts des Überdachs Schatten« bekommt tänzerischen Beigeschmack, als Idylle ins Piano zurückgenommen. Bei vereinfachtem Motiv geht es dann unter Umgehung jeglicher Beschleunigung »ab denn, rascher hinab«. Das schreckhafte subito piano bei »ergreift im Moore Nebelduft« wird von den Sängern meist übersehen und hat doch soviel Expressivität für sich und erlaubt neuerlichen Aufbau der Dynamik. — Man hört es mit Staunen: Erst in Schuberts Tönen kommt die ganze Gewalt des Gedichts zur Wirkung und gewinnt noch Dimensionen hinzu. Wie in ERLKÖNIG wird auch hier ein Bewegungsmotiv durch lange Strecken festgehalten, allerdings ist es von mehr kontrapunktischer Prägung. Der Sechsachtel-Rhythmus durchzieht das ganze genial holprige Stück. »Schwager« nannte man zu Goethes Zeiten den Postillon, und der Dichter hält an dem Bilde fest, wo ihn »Chronos« (Die Zeit) in rasender Fahrt auf imaginärer

Kutsche durchs Leben dem Orkus zufährt. Selbst bei solchen Eindrücken auf dieser Reise, die zum Zögern einladen, duldet die Bewegung kein Hemmnis. Am Ende sollte das Tempo so gehalten sein, daß das Posthorngeschmetter ungefähr der realistischen Ausführbarkeit der kleinen Noten auf einem Posthorn entspricht, und die Lautstärke des Klaviers müßte sich dergestalt der tiefliegenden Singstimme anpassen, daß fast nur die Akzente der vollen Kraftentfaltung vorbehalten bleiben.* Das jugendliche Drängen des Dichters war längst überschauender Altersruhe gewichen, als ihm das Lied 1825 als op. 19 mit zwei weiteren seiner Gedichte von Schubert gewidmet wurde.

Die meisten der Gesänge nach Johann Gaudenz von Salis-Seewis (1762—1834) gehören in das Jahr 1816. Salis war Offizier in französischen Diensten und stand als Hauptmann bei der Königlichen Schweizer Garde in Versailles. Auf einer Deutschlandreise kurz vor Ausbruch der Französischen Revolution lernte er 1789 in Weimar Goethe, Schiller, Herder und Wieland kennen und freundete sich mit Matthisson an, der seine Gedichte später verlegerisch betreute. Nach seiner Heimkehr verließ er den Militärdienst, blieb dann aber während der Revolution in Paris, um später in der Schweiz regen Anteil am politischen Leben zu nehmen. Die elf von Schubert vertonten Gedichte sind musikalisch unterschiedlich. Das LIED (Ins stille Land) beeindruckt durch seinen hingegebenen Ernst. Es ist interessant, daß das Stück die Melodiestruktur der endgültigen Fassung des Mignon-Liedes NUR WER DIE SEHNSUCHT KENNT erkennen läßt. Zehn Jahre hat die Melodie gebraucht, bis sie ihre Textentsprechung fand. Die Beziehung der Worte weist auf die Einheitlichkeit des Fühlens bei Schubert hin, der sich allerdings auch von der Ernsthaftigkeit und Zurückhaltung des Gedichts sofort angesprochen fühlte. Die kleine Kostbarkeit verdiente bekannter zu sein. — DER HERBSTABEND gibt den Anhängern des Schöngesangs Stoff. DAS GRAB, ein 1783 geschriebenes Gedicht, war im Wiener Schubert-Kreis besonders beliebt. Schuberts Freunde Hüttenbrenner und Randhartinger setzten es ebenfalls in Musik. — Zweimal wird DIE EINSIEDELEI zum Sololied, aber auch ein Männerchor unbekannten Entstehungsdatums existiert. Quell-

* Einer der ersten, die den SCHWAGER KRONOS in die großen Konzertsäle trugen, war der berühmte Bayreuther Wotan Anton van Rooy.

wasser sprudelt in der Triolen-Begleitung bei beiden Solo-Fassungen unter der selbstgenügsamen Melodie. — DER ENTFERNTEN ist in der Ausgabe für Männerchor am berühmtesten geworden. — Nicht gerade wichtig sind PFLÜGERLIED und FISCHERLIED, aber ihr wie aus einer Phantasie-Folklore entnommener Charme kann bezaubern. — Fünf Jahre später liegt die letzte Salis-Vertonung vor, das hinreißend schöne DER JÜNGLING AN DER QUELLE, dem Schubert als Schlußzeile den melodischen Namen »Luise« ausrufend hinzufügte.*

In der amtlichen Wiener Zeitung vom 17. Februar 1816 hatte die Ausschreibung der Musiklehrerstelle an der »Deutschen Normalschulanstalt in Laibach« gestanden. Darin hieß es: »*Der Bewerber muß ein gründlich gelernter Sänger, Organist und ein ebenso guter Violinspieler sein, nicht nur die nötigsten Kenntnisse aller gewöhnlichen Blasinstrumente besitzen, sondern auch die Fähigkeit haben, andern den Unterricht darin zu erteilen.*«

Diese Anzeige kam Schubert wie gerufen, denn er wollte endlich einen musikalischen Beruf für sich ausüben, um unbeengt komponieren zu können. Andererseits dachte er vage ans Heiraten; aber er konnte mit den Almosen, die er beim Vater verdiente, nicht leben. In seinem Gesuch hebt er deshalb, um unbedingt etwas zu erreichen, selbstbewußt hervor: »*2. hat er sich in jedem Fache der Komposition solche Kenntnisse und Fertigkeit in der Ausübung auf der Orgel, Violine und im Singen erworben, daß er laut beiliegenden Zeugnisses unter allen um diese Stelle nachsuchenden Bittstellern als der Fähigste erklärt wird.*«

Neben Salieri, der schwache Empfehlungsworte beilegte, unterstützte Domherr Josef Spendou (1757—1840) die Bewerbung mit warmen Worten über die pädagogischen Fähigkeiten des Aspiranten. Schubert ging allerdings leer aus. Die Stelle wurde einem Musiklehrer Sokol aus Laibach zuerteilt. Aber im kommenden September bedankte sich Franz bei Spendou mit der Widmung eines Kantatenwerkes.

Große Namen einer neuen Generation fügen sich nun dem Spektrum von Schuberts Liedlyrik ein. Einer Dichter- und Literatenfamilie entstammen August Wilhelm v. Schlegel (1767 bis

---

* Friedländer wollte dann »Geliebte« daraus machen, aber man bleibt wohl besser beim Original.

1845) und sein jüngerer Bruder Friedrich. Man kann sie als die Wortführer der unter dem Namen »Jenaer Romantik« bekannten Bewegung in der Literatur ansehen. August Wilhelms Stärke lag weniger im eigenen Schaffen, als im formvollendeten, sich wunderbar einfühlenden Nachschaffen. Ihm dankt man die erste vollgültige Übersetzung von 17 Shakespeare-Dramen, auch hat er zahlreiche Theaterstücke von Calderon und südländische Gedichte verschiedener Herkunft nachgestaltet.

August Wilhelm v. Schlegel

Mit seinen Vorlesungen über Kunst und dramatische Literatur, von denen Schubert eine in Wien gehört haben soll, auch als fruchtbarer Literaturkritiker hat er die deutsche Dichtung seiner Zeit maßgebend beeinflußt. Zehn seiner Gedichte sind von Schubert in Musik gesetzt.

Als zeitweiliger Begleiter der Madame de Staël hielt sich Schlegel, nicht lange bevor Schubert seine Texte zu vertonen begann, für einige Zeit in Rom auf und fand die Sympathie des damaligen Vatikan-Gesandten Wilhelm v. Humboldt, der über ihn schreibt: »*Schlegel war hier viel milder, als ich ihn sonst gekannt habe, er hat durch den Umgang mit der Staël indes vielleicht weniger an Vielseitigkeit gewonnen, als an Tätigkeit verloren. Er hat ein unleugbares, aber soviel ich beurteilen kann, immer subalternes Talent, und seine wahre Sphäre wird er immer nur in Übersetzungen finden.*«

Diese Auffassung bestätigt der endlose Dialog zwischen Schwan und Adler in Lebensmelodien. Sehr genau scheint Schubert nicht hingesehen zu haben; er setzt jeweils nur ein kurzes Musikzeichen, nach dem die absurden Strophen dann abrollen sollen. — Die verfehlte Stunde macht ihrem Namen insoweit Ehre, als die vielversprechende Nervosität des Anfangs sich mit dem plötzlichen Wandel des Gedichtrhythmus im Refrain totläuft. — An dem harmlos ansetzenden Sprache der Liebe des August Wilhelm v. Schlegel interessiert harmonisch, wie nach stürmischen Wendungen in den Quartsextakkord vom G gemündet wird, um dann geschmeidig vor dem Schluß in das anfängliche E-Dur dieser leidenschaftlichen Serenade zurückzufinden. — Über die reflektierende Poesie von Schlegels LOB DER TRÄNEN breitet Schubert Ende 1818 gesangliche Innigkeit. Auf unruhigen Triolen steigt die Melodie sanft abwärts, einst eine der populärsten Weisen Schuberts. Sie variiert sich charakteristisch bei der Wiederholung und schwingt sich, allem Sentiment zum Trotz, sieghaft auf zur Schlußwendung. Was den Sinnen Lust verschafft, meint der Dichter, kann das Gemüt nicht laben. Unser Erbteil ist die Träne, die uns schon durch Prometheus' schöpferisches Leiden überkommen ist. Der Schmerz allein kann befreien und vertiefen.*

1816 brachte auch die letzten Vertonungen von Matthisson-Liedern, sieben an der Zahl. Man kann allerdings nichts allzu Kennzeichnendes für die Entwicklung von Schuberts Kunst an ihnen finden, so ehrgeizig sie sich auch in bezug auf die technischen Ansprüche an den Sänger geben. ENTZÜCKUNG oder JULIUS AN THEONE mögen für stimmlich dankbar gehalten werden, aber es sind doch mehr die kleineren Stücke, die durch die Betonung intimen Charakters für sich einnehmen. — Des Grafen Stolbergs STIMME DER LIEBE, deren Erotik sich wie eine Steigerung von Matthissons ADELAIDE ausnimmt, läßt durch sein modulatorisches Durchlaufen fast der ganzen Tonalität aufhorchen; ähnlich wie Platens DU LIEBST MICH NICHT hatte es deswegen zunächst keine Gnade vor den Ohren der Kritiker gefunden.

Christian und Friedrich Leopold Grafen zu Stolberg waren die Freunde Goethes. Friedrich v. Stolberg (1750—1819) übersetzte Homer, Platon und Ossian und schrieb Gedichte, von denen Schubert sieben zur Komposition auswählte. 1815 waren die korrespondierenden Kleinigkeiten MORGENLIED und ABENDLIED entstanden. — DAPHNE AM BACH bietet das seltene Schauspiel einer nonchalanten Textbehandlung Schuberts. Was bei Claudius, Hölty, Matthisson, Jacobi, Kosegarten oder Salis ihm als formal und altmodisch und deshalb zu strenger Strophik anhaltend erschienen war, kann auch einmal nicht ernstgenommen werden, wie im vorliegenden Fall, wenn der Name

---

* Als Kuriosum sei hier angeführt, daß es einmal eine berühmte Schubert Phantasie des Harfenvirtuosen Trnecek gab, in deren Thematik LOB DER TRÄNEN eine bevorzugte Rolle spielte.

»Daphne« dem einfachen Geschmack des Komponisten zu selbstbewußt und prätentiös erscheint. Und wenn auch Daphnes erster Satz »Ich hab ein Bächlein funden« Schubert bei Nr. 2 der »Schönen Müllerin« WOHIN? in den Sinn gekommen sein muß (so ähnlich ist nämlich die Linie des »Ich hört ein Bächlein rauschen«), so kann sich Daphnes Bach doch kaum an ungetrübter Frische mit dem des Müllers vergleichen. Und aus ihren Tränen wird ganz bewußt Zuckerguß, der allerdings noch genug musikalisches Vergnügen machen

Friedrich Leopold Graf zu Stolberg

kann. — Niemand wird es dem Tenor verdenken, der sich DIE ENTZÜCKUNG AN LAURA transponiert. Die Tessitura einiger der Frühlieder ist nämlich ermüdend hoch. Das ganz schlicht musizierte AN DIE NATUR von 1814 gründet sich auf ein Gedicht Stolbergs, das dieser bei einer Schweizreise beim Anblick des Rheinfalls »am Ufer des himmelabstürzenden Stromes« niedergeschrieben hatte.

Das Goethe-Gedicht RASTLOSE LIEBE erklingt mit Schuberts Musik am 13. Juni 1816 mit erstaunlichem Erfolg in des Grafen Erdödys vornehmen Räumen. Noch anschaulicher, als es Goethes Worte vermöchten, erzählt uns das ungestüme Drängen des Liedes, was der Dichter hat sagen wollen. Schubert schreibt in sein Tagebuch, das uns leider nur als Fragment erhalten ist: »*Auch ich mußte mich producieren bey dieser Gelegenheit. Ich spielte Variationen von Beethoven, sang Göthes Rastlose Liebe und Schillers Amalia. Ungeteilter Beifall ward jenem, diesem minderer. Obwohl ich selbst meine Rastlose Liebe für gelungener halte, als Amalia, so kann man doch nicht leugnen, daß Göthes musikalisches Dichtergenie viel zum Beifall wirkte.*«

Es dürfte sich um eines der ersten halböffentlichen Auftreten Schuberts gehandelt haben. Zuvor hatte Primargeiger Schlesinger Schuberts Gemüt zutiefst mit dem Vortrag von Musik aus Mozarts »Zauberflöte« aufgewühlt. Beide Lieder waren im Mai

1815 entstanden.* Die ingeniöse formale Gestaltung von Rastlose Liebe ist ein deutliches Beispiel für die dreiteilige Rondoform, die an geeigneter Stelle des Gedichts eine Andeutung des
Verweilens möglich macht. Neu entfesselt wird mit verdoppeltem
Elan auf den erlösenden Schluß losgestürmt, der jegliches Aus-
ruhen auf dem Spitzenton bei »Liebe«, wie es früher einmal
modisch war, verbieten sollte. Mit dem nachtwandlerischen Instinkt für den zutreffenden Grundcharakter wird das »Glück ohne
Ruh« zum Kern der Komposition. Prägnant, scharf akzentuiert,
rhythmisch vorwärtstreibend, orchestral gedacht, so jagt dies
Lied vorbei. Aber Schubert bringt es fertig, die Ruhelosigkeit
immer wieder zu Höhepunkten hinzuführen, wenn er etwa
»Immerzu, immerzu« penetrierend auf einem Ton singen läßt,
oder bei dem jubelnd schließenden »Liebe, bist du!« unerwartet
eine weitere Steigerung findet. Das Gedicht wurde während eines
Schneesturms im Mai 1776 geschrieben und stammt aus den
ersten Tagen von Goethes Liebe zu Charlotte von Stein. Man
sagt, die Verse hätten den achtzehnjährigen Schubert so aufge-
regt, daß er sich in minutenlanger Ekstase von dem Eindruck
befreit habe. Am nächsten kommt Reichardt dem Schubertlied,
Zelter und Hummel hingegen schrieben unbedeutende trockene
Melodien. Von Beethoven liegt ein Kompositionsentwurf vor,
dessen Erscheinen er Goethe auch ankündigte, aber das Lied
blieb liegen. Es muß schwer vorstellbar gewesen sein, daß
Schuberts kühnes Sturmlied aus der Feder eines Salieri-Schülers stammte, und doch wurde es dem greisen Meister als erste
Nummer des op. 5 gewidmet, als die Veröffentlichung 1821
dann erfolgte.

Schuberts hübsche Stimme war hier wie bei anderen Gelegenheiten sicherlich ein einnehmender, aber kein in die Breite wir-
kender Propagandist seiner Lieder. Um in die Öffentlichkeit
auszustrahlen, mußte ein Sänger gefunden werden, der mit ge-
schulter Stimme und Gestaltungskraft vorzutragen imstande
war. Aber den sogenannten »Kammersänger«, der sich in der
Hauptsache auf klavierbegleitete Lieder spezialisiert, hat Schubert erst auf den Plan gerufen. Sänger fühlen sich auch heute

* Vor einigen Jahren machte man in Linz die Entdeckung, daß das Tagebuch-
zitat im Originalmanuskript des Liedes Rastlose Liebe stand, das die bestimmte
Datumsangabe 19. Mai 1815 trägt. Man weiß also, daß es tatsächlich am gleichen
Tage wie Laura am Klavier niedergeschrieben wurde, und Schubert wird die beiden Lieder an diesem Junitage vielleicht aus demselben Heft mit anderen Liedern
gesungen haben, die alle Mitte Mai 1815 entstanden sind.

noch auf der Bühne mehr zu Hause, und wer hätte damals für diese neuartigen, von dem Opernschmaus so grundverschiedenen Gebilde zuständig sein sollen, in denen sich so wenig Bravour vorführen ließ? Gewiß: Technik, Umfang der Stimme, Lautstärke-Entwicklung waren gelegentlich auch damals bereits gegeben, aber sie wurden doch zumeist auf Einfachheit und lyrisches Maß zurückgeführt. Es ging ja darum, die Sprache durch musikalische Poesie in all ihren Gedanken wahrhaftig aufzudecken. Und das alles in deutscher Sprache! Salieri hatte ihn ja gewarnt; sollte der Lehrer nun Recht behalten, daß mit solchen Liedern kein Erfolg in der Öffentlichkeit zu erwarten war und zudem vielleicht auch noch der Zugang zur Oper versperrt würde? Gerade hatte Beethoven seine besten Lieder, den Liederkreis »An die ferne Geliebte«, komponiert und damit die Form des Liederzyklus mit motivischem Zusammenhalt geschaffen. Das Erscheinen dieser, sich überraschend mit Schuberts eigenen Intentionen berührenden Lieder hat sicher wie eine Offenbarung auf Schubert gewirkt und ihn auf seinem Wege bestärkt. Aber auch den Liedern des so berühmten Beethoven blieb die Beachtung der musikalischen Öffentlichkeit versagt.

Laura am Klavier vom März 1816 nach Schiller zeigt jene Anklänge an Mozart, die dem Lehrer Salieri als erbittertstem Gegner des Salzburgers ins Auge stachen, und die dann letztlich auch die Entfremdung zwischen Lehrer und Schüler auslösten. Laura wird uns nicht »durch die Saiten meisternd« und mit »wollüstigem Ungestüm« vorgeführt, wie es der Text schildert, vielmehr ist sie als schlichte Dilettantin sozusagen aus dem Nebenraum vernehmbar.

> Mädchen, sprich! Ich frage, gib mir Kunde:
> Stehst mit höhern Geistern du im Bunde?
> Ist's die Sprache, lüg' mir nicht,
> die man in Elysien spricht?

In Prae- und Postludium des solistischen Klaviers ist etwas gewagt, was bis dahin unerhört war. Das Klavier beginnt sich zu emanzipieren. (Dem Sänger, den der Name »Philadelphia« stört, sei hier angemerkt, daß es sich um den Illusionisten handelt, der Friedrich den Großen zu unterhalten pflegte.)

Bleiben wir noch bei den Schiller-Gesängen des Jahres 1816. Schillers Stärke lag im Epischen, Balladesken. Es ist klar, daß die ausgedehnten Dichtungen, die Schubert beherzt und zum Teil großartig in Angriff nahm, nicht immer musikalisch gelingen konnten. Für den RITTER TOGGENBURG hat er keine überzeugenden Töne. Natürlich finden sich auch hier Anläufe zu echter Dramatik im ersten Teil, es gibt feine Lyrik, nicht ohne Glück wird das Rezitativ genutzt, aber das Gedicht will sich der Musik nicht fügen, und man merkt, wie in der zweiten Hälfte Schuberts Kraft (oder Interesse?) erlahmt. Ein larmoyantes as-Moll muß für vier Strophen herhalten und wird durch das den Schluß einleitende As-Dur auch nicht interessanter. Der Rückfall in die sklavische Nachahmung Zumsteegs wirkt sich hier lähmend aus, und das Interesse an der modischen Interpretation des Mittelalters, wie sie die Leser um 1800 angesprochen haben mag, scheint bei Schubert nicht erheblich gewesen zu sein. — Die 12 Strophen der poetischen Literaturgeschichte DIE VIER WELTALTER machen es dem Sänger mit ihrer sorglosen Mißachtung der Betonungen im Verlauf des Gedichts schwer, sich selbst eine singbare Fassung herzustellen. Es scheint, als sei dem Vortragenden die Auswahl überlassen, sich das Passendste zu dem Sechsachtel-Tischlied herauszufischen. Ein Mittelding zwischen endlosen Erzähl-Rezitativen und der lapidaren Umtrunkform scheint sich nicht angeboten zu haben. — Den FLÜCHTLING konnte sich wohl nur ein demütiger Verehrer Schillers zu komponieren vornehmen. Prompt verfällt Schubert in die Zumsteeg-Manier, aber die Identifikation mit dem auf dieser Erde nicht Heimischen

Johann Peter Uz

gibt ihm immerhin ein träumerisches Marschmotiv für die Einleitung ein. Ein einfacheres Gedicht hätte ein Pendant zum WANDERER, der im Oktober folgte, möglich gemacht.

»Nach einigen Monaten machte ich wieder einmal einen Abendspaziergang. Etwas Angenehmeres wird es wohl schwerlich geben, als sich nach einem heißen Sommertage abends im Grünen zu ergehen, wozu die Felder zwischen Währing und Döbling eigens geschaffen scheinen. Im zweifelhaften Dämmer-

schein, in Begleitung meines Bruders Carl, ward mir so wohl ums Herz. Wie schön das ist, rief ich, und blieb ergötzt stehen. Die Nähe des Gottesackers erinnerte uns an unsere gute Mutter.«

Freude und tiefe Bewegung in der Natur, wie sie aus diesem Tagebuchblatt vom 14. Juni 1816 sprechen, tönt auch aus dem in diesen Tagen entstandenen Lied GOTT IM FRÜHLINGE, nach Versen des Dichters Johann Peter Uz (1720–1796). Dieser Ansbacher Goldschmiedssohn war Jurist in seiner Vaterstadt und galt als der bedeutendste Vertreter der deutschen »Anakreontik«.

> Mit eurer Lieder süßem Klang,
> ihr Vögel, soll auch mein Gesang
> zum Vater der Natur sich schwingen.
> Entzückung reißt mich hin!
> Ich will dem Herrn lobsingen,
> durch den ich wurde, was ich bin!

So singt Schubert mit der ohrenfälligsten Überzeugung. Seine wahrscheinlich beste Vertonung von Uz ist unglücklicherweise nicht vollständig erhalten: AN CHLOEN. Uz schrieb Rokokoverse in Nachahmung italienischer und französischer Poeten, die Schubert im Laufe des Jahres 1816 berücksichtigte. — Die Bearbeitung des 23. Psalms DER GUTE HIRTE interessiert durch ihre ausdrucksgebundenen Harmonien. — DIE NACHT sollte nicht durch monotone Wiederholungen aller Verse in ihrer malerischen Ausdruckskraft gemindert werden.

Am 17. Juni 1816 schreibt Schubert in sein Tagebuch: *»An diesem Tage componierte ich das erste Mal für Geld, nämlich eine Cantate für die Namensfeier des H. Professor Watteroth, v. Dräxler. Das Honorar ist 100 fl. w. w.«*

Daß die Summe mehr als das Doppelte seines Jahreseinkommens betrug, machte ihn nachdenklich. Eine Studentengruppe plante eine Ehrung für ihren Lehrer, den freidenkerischen Rechtsgelehrten Watteroth, bei dem auch Spaun lernte. Ein Student Dräxler wählte, auf die mutige Haltung Watteroths gegen Metternichs Polizisten anspielend, den Prometheus-Stoff für den Anlaß aus. Dem Festtag angepaßt, sollte die Kantate zu Watteroths Namenstag scherzhaftes Spiel mit tieferer Bedeutung vereinen. Schubert dirigierte die Aufführung selbst. Durch die Einstudierung wurde der junge Leopold Sonnleithner mit ihm befreundet und zählte von da an zu seinen tatkräftigsten Förderern. In Sonnleithners glühender Beschreibung des Eindrucks, den das Werk machte, heißt es: »*Das Werk, voll Empfindung und Ausdruck, glänzend instrumentiert, drang aber doch nicht in die Öffentlichkeit. Ich schlug es mehrere Male zur Aufführung in Konzerten des Musikvereins etc. vor, allein man wollte es nicht wagen, das Werk eines jugendlichen, noch nicht anerkannten Tonsetzers aufzuführen. Das Werk hat sich aber leider an dieser Zurücksetzung gerächt; denn es ist verlorengegangen.*«

Ebenso wie Beethoven in seinen »Geschöpfen des Prometheus« hat Schubert der Prometheus-Stoff gefesselt, wie es eindringlich auch seine zugleich kühne und gedankenreiche Vertonung des Goethe-Gedichts von 1818 bezeugt. Die Voreingenommenheit gegen die Jugend oder Unbekanntheit des Komponisten konnte nicht verhindern, daß zumindest die Nachricht von der Aufführung der Prometheus-Kantate in die Öffentlichkeit drang.

Der Rechtsstudent Franz von Schlechta, kurz vor Schuberts Abgang noch Mitzögling auf der adligen Seite des Konvikts, verfaßte für die Wiener Allgemeine Theaterzeitung ein Gedicht: »An Franz Schubert — als seine Kantate Prometheus aufgeführt wurde«:

> In der Töne tiefem Weben,
> wie die Saiten jubelnd klangen,
> ist ein unbekanntes Leben
> in der Brust mir aufgegangen.

Schlechta hatte als Sänger, gemeinsam mit Sonnleithner, am Prometheus mitgewirkt. Schubert scheint das leidenschaftliche Verlangen nach Freiheit und Menschenwürde, das in diesen jungen Menschen lebte, vollendet ausgedrückt zu haben. Franz Xaver Freiherr v. Schlechta (1796—1875) wurde später Sektionschef im Finanzministerium und erhielt den Titel eines Wirklichen Geheimen Rates. Neben seinen Gedichten schrieb er auch damals recht oft aufgeführte Dramen. Schubert hatte im Vorjahre zum ersten Mal eines seiner Gedichte vertont, das AUF EINEN KIRCHHOF überschrieben ist. Es drückt so recht das Sichhingezogenfühlen der jungen Halbwaise (genau wie bei Schubert) zu Friedhöfen und Gedanken an die Toten aus. Rezitativ, Arioso und Arie mit brillantem Opernschluß zeigen italienischen Einfluß. Der 18jährige Schüler identifiziert sich mit dem Bekenntnis des Barons, er steigert die Antwort auf die bange Frage, ob das,

was in ihm lebt, wie seine sterbliche Hülle zu »eitel Staub«
werden müsse, bis in ein euphorisches Forte:

> Nein, was ich im Innern fühle,
> ist der Gottheit reine Hülle,
> ist der Hauch, der in mir lebt!

Dies ist das dritte Lied aus dem Jahr 1815. Der schöne Ausdruck seines Anfangs geht leider ein wenig in der Operndrama-
tik des Schlusses unter.

Die letzte Vertonung eines Textes von Kosegarten taucht
1816 auf, sie zeigt die Fähigkeit Schuberts, nun auch in Stunden mangelnder oder schwacher Inspiration Meisterhaftes zu
schaffen. AN DIE UNTERGEHENDE SONNE wird als Rondoform angelegt, mit zwei Wiederaufnahmen der ersten Anrufung und
zwei umfänglichen Zwischenstücken. Um das ohnehin ausgedehnte Lied nicht überlang werden zu lassen, streicht der kritische Komponist fast die Hälfte des Gedichts fort. (1826 kommt
das Lied als op. 44 heraus.)

In Schuberts Tagebuch vom 8. September 1816 lesen wir:
*»Wenige Augenblicke erheitern das düstere Leben; drüben wer-
den die seligen Augenblicke zu währendem Genuß, und seligere
werden Blicke in seligere Welten u. s. f.«*

Zur selben Zeit etwa schrieb Schubert die Klavier-Kantate
LIED DES ORPHEUS, ALS ER IN DIE HÖLLE GING, nach einem Gedicht
von Johann Georg Jacobi (1740—1814), in dem es heißt:

> Götter, die für euch die Erde schufen,
> werden aus der tiefen Nacht
> euch in selige Gefilde rufen,
> wo die Tugend unter Rosen lacht.

Wie ein Gang zu den Einsamkeiten der Mütter wirkt Schuberts Absteigen der Bässe, das bereits in diesem relativ frühen
Stadium dem Sinne folgend ebenso ruhig als leidenschaftlich im
LIED DES ORPHEUS angewendet wird. In solchen Takten und
den wenigen, für sich genommen anspruchslosen, Noten liegt
das Orpheus-Geschehen des Hinabsteigens zur Unterwelt, aber
mehr noch die von Schubert immer wieder neu geleistete Tat,
furchtlos durchs Unbewußte zur Bewußtheit zu dringen. ORPHEUS
ist als große dramatische Kantate angelegt. Die Stimme, die
Schubert dabei im Sinne hatte, muß so außergewöhnlich gewesen
sein, daß der Anfang in der Baßlage die tenorale Ekstatik des

Schlußteils nicht unausführbar erscheinen ließ. In der zweiten Niederschrift vermeidet er dann die hohen A.

Der Herausgeber der von 1774—76 erscheinenden Frauenzeitschrift »Iris«, Johann Georg Jacobi, war vielleicht der Lyrischste unter den Anakreontikern. Zu seinem großen Freundeskreis gehörte vor allem Gleim, der von Haydn und Mozart so häufig vertont wurde. Das bedeutendste der Lieder nach Jacobis Texten ist wohl LITANEI AUF DAS FEST ALLERSEELEN, dessen gebethafte Innigkeit zum gesanglich Schwierigsten von Schubert gehört, da eine schier endlose Legatolinie zu spinnen ist. Die neun Strophen des Gedichts sind poetisch sehr ungleich geraten, man sollte also sorgfältig auswählen, sich vielleicht auf zwei beschränken, da auch die Weihe der langsamen Melodie durch allzu häufige Wiederholungen leiden könnte. Wer die lang ausgesponnene Gesangslinie in vorbildlichem Legato zu singen versteht und dabei doch jedem Wortausdruck seine Bedeutung läßt, der weiß wohl so ziemlich alles über die Technik des Pianosingens. Das eindrucksvolle Mahnen des Ritornells gehört zu jenen seltenen Nachspielfällen, in denen durch einen neuen musikalischen Gedanken das Lied ergänzt oder über seine Grenzen hinausgeführt wird (AN DIE MUSIK, RASTLOSE LIEBE, GANYMED). Ähnlich wie bei Uz kamen durch Jacobi acht Gedichte auf Schubert, von denen nur LITANEI durch die Musik zur Unsterblichkeit gelangt ist. Man hat es fälschlich dem Jahr 1818 zugeschrieben. — IN DER MITTERNACHT hält mit wenigen Pianissimo-Noten das Erlebnis nächtlicher Natur fest. — DIE PERLE ergötzt durch gesprächige Heiterkeit und zeigt, wie Schubert aus den ersten beiden Takten eines Liedes die thematische Entwicklung für Singstimme und Begleitung herauswachsen läßt. In der Klavierstimme wird eine Greifbewegung deutlich, die nervös nicht nur nach dem verlorenen Schatz, sondern mehr noch nach der ersehnten Liebe tappt.

Auf dem gleichen Tagebuchblatt, in das wir eben einen Blick geworfen haben, heißt es weiter: »*Glücklich, der einen wahren Freund findet. Glücklicher, der in seinem Weibe eine wahre Freundin findet. . . . Der Mann trägt Unglück ohne Klage, doch fühlt er's desto schmerzlicher. — Wozu gab uns Gott Mitempfindung?*«

Hiermit korrespondiert deutlich die Komposition eines Gedichts von Johann Mayrhofer, ABSCHIED, die sich durch ihre Vor-Mahlerischen, weitausgesponnenen Naturlaute von allem in jener Zeit Geschaffenen abhebt. Im Text lesen wir:

Über die Berge zieht ihr fort,
kommt an manchen grünen Ort;
muß zurücke ganz allein,
lebet wohl, es muß so sein!
Scheiden, meiden, was man liebt,
ach wie wird das Herz betrübt!
O Seenspiegel, Wald und Hügel schwinden all;
hör' verschwimmen eurer Stimmen Widerhall.

So sehr die Thematik, die sich hier ausbreitet, an Gustav Mahler denken läßt, so zeugen auch die ersten drei Takte, die am Schluß des Liedes wiederkehren, in ihrem Anklang an die Gefangenen aus »Fidelio«, wenn sie singen: »Schnell schwindest du uns wieder« von der Bewunderung für Beethoven, die aus so manchem Schubert-Werk spricht. Schuberts Frage: »Wer kann nach Beethoven noch etwas machen?« ließ ihn doch nicht ausweichen. Neben Mozart und Gluck ist ihm Beethoven das Vorbild gewesen, das es mehr in der Geisteshaltung als in kompositorischer Hinsicht fortzusetzen galt.

Johann Mayrhofer, dem die Ehre widerfuhr, über 40mal von Schubert vertont zu werden, war in dem später durch Bruckner berühmt gewordenen Stift St. Florian bei Linz zum Geistlichen ausgebildet worden. Er gab aber das theologische Studium bald ganz auf und ging nach Wien, wo er sich eng an Schubert anschloß. Nach beendetem Rechtsstudium trat er in den Staatsdienst und erhielt eine Stelle als Buchzensor. Der Zwiespalt zwischen seinen freiheitlichen Neigungen und diesem Amt verleidete ihm das Leben, dem er schließlich 1836 freiwillig ein Ende setzte. Die beiden 1816 herausragenden Mayrhofer-Lieder zeigen den Dichter als treuen Goetheaner, der eine neue Klassik sucht, die dem Sturm und Drang Valet sagt. Beide Stücke stehen in Schuberts Nachttonart As-Dur, beide in düsterer Größe. Getragen und weihevoll tönt das LIED EINES SCHIFFERS AN DIE DIOSKUREN, das der Ruderer an die Schutzgötter der Seeleute singt. Ganz kurz führt ein Mittelsatz über f-Moll nach F-Dur, der sein Glaubensbekenntnis durch Unisoni von Stimme und Klavier ausdrückt. — Schuberts Beschäftigung mit Texten Mayrhofers ist 1816 intensiv. Zehn musikalisch und dichterisch sehr verschiedene Lieder machen den Anfang mit dem FRAGMENT AUS DEM ÄSCHYLUS, das einige Zeilen des Chores aus den »Eumeniden« in der Übersetzung Mayrhofers zitiert, die Schubert einer Solostimme anvertraut. — Nicht allzu eigenständig gerät die längliche Sängerballade LIEDESEND. — ALTE LIEBE ROSTET NIE ist in der angestrebten Volkstümlichkeit weniger gelungen als der Ländler ZUM PUNSCHE. ABENDLIED DER FÜRSTIN nimmt mit Pastoraltönen in Sechsachteln das Lied aus »Rosamunde« voraus. Auch ein Gewitter darf dabei nicht fehlen, wenn es musikalisch auch reichlich unmotiviert bleibt.

Auch 1816 begegnen wir wieder Goethe. Mignons zu hunderten von Malen komponiertes NUR WER DIE SEHNSUCHT KENNT packte Schubert insgesamt fünfmal an, wobei es ihm 1815 in F-Dur gleich wunderbar gelungen war. Der Schaffenszeitraum der einzelnen Fassungen des Liedes erstreckt sich über elf Jahre. Wer darf da noch die leichtsinnige These des Beethoven-Adlatus Schindler aufrechterhalten, der da sagt: ».. . *daß dem so erfindungsreichen Schubert ganz oder doch in dem erforderlichen Maße abgehe, was man in der Autorenwelt die Kunst der Feile nennt, die das Kennerauge in allen Werken der Klassiker in so hohem Maße bewundern muß.*«

KENNST DU DAS LAND entstand ebenfalls schon 1815 und konnte sich neben seinen vielen nachgeborenen Rivalen, vor allem gegen die Fassung von Hugo Wolf, nicht durchsetzen. Mignons drittes Gedicht SO LASST MICH SCHEINEN bleibt 1816 unvollendet. Auch die drei GESÄNGE DES HARFNERS gehören in den September 1816. Das Bestreben, der Aufeinanderfolge innere Konsequenz zu verleihen, mag zur Veränderung der Reihenfolge durch Schubert gegenüber derjenigen in Goethes »Gedichten« geführt haben. Das erste Lied führt den Harfner ein, das zweite begründet seine Einsamkeit, das dritte gewinnt nun Ausklangcharakter, da es die vollständige Isolation des Alten zeigt. Durch Schuberts Reihung ist also ein kleiner Zyklus entstanden. Das schon 1815 etwas simpel in Sechsachteln in Angriff genommene »Wer sich der Einsamkeit ergibt« erfährt jetzt eine gültige Gestaltung und erscheint 1822 als op. 12, Nr. 1. Das breitangelegte Stück wird dem Ausdruck bohrenden Schmerzes gerecht, obwohl es so einfach und anspruchslos gearbeitet ist, daß es bei einem Vergleich mit Schumanns oder besonders Wolfs Musik verblüffend unkompliziert erscheint. Jeder dieser drei Musiker hat sein Persönlichstes in die Komposition einfließen lassen und in der Behandlung ein Bild seines Charakters entworfen. Von den drei Gedichten liebte Schubert WER NIE SEIN BROT MIT TRÄNEN ASS besonders, weil er seine eigenen Umstände darin ausgedrückt fand. Die drei Fassungen, die er 1816 hinschrieb, entwickeln sich eine aus der andern.* Alle Aussetzungen, Goethe sei psychologischer als Schubert verfahren und man müsse deswegen von Unverständnis des Komponisten reden, sind durch den Höreindruck der hochpsychologischen Interpretation Hugo Wolfs präokkupiert. Es gibt genügend tonal bis dahin Unerhörtes, was die rein auf die Musik bezogene großartige Übereinstimmung Schuberts mit dem Text bekunden kann. Bald gesungen, bald gesprochen stellt sich Goethe die Stanzen vor, und sie werden mehr als einmal wiederholt, während der Romanheld Wilhelm dem Alten zuhört. Das gibt Schubert die formale Berechtigung, in seinem op. 12 jeden Vierzeiler zweimal erscheinen zu lassen. Beim ersten Wiederholen bekommt die a-Moll-Melodie durch das Dur Weichheit und Resignation, um dann mit der F-Dur-Kadenz weiter abgeändert zu werden. Das schwierig auszuführende Diminuendo dieser Passage kann, der beabsichtigten Wendung nach innen wegen, keinesfalls umgangen werden. Die Stimme erstickt in Tränen, ist immer wieder zu Unterbrechungen gezwungen, und die Harfe übernimmt die Zwischenspiele dann allein. Einzelne Strophen werden wiederholt, und das schafft die geforderte »Art Phantasie«. Schubert hat jedes Detail genau nachempfunden, ohne daß sich der Eindruck sklavischer Textgebundenheit einstellt. Alles fügt sich frei und ungezwungen. Die beiden Abschnitte des Stückes stellen eine Klage und eine Anklage dar. Jeder wiederholt sich verändert, sie sind durch eine motivierende Mittelstrecke miteinander verbunden. Aber natürlich muß auch ein Gedicht so beschaffen sein, soll ein Lied so hoher Qualität dazu entstehen. Wenn der Gesang auf der Quinte geschlossen hat und das Klavier als Nachspiel die Formel der ungelösten Frage wieder aufnimmt, um zu sagen: Keiner wird die Antwort finden, dann wird man nur überwältigt von einem Lied scheiden, in dem Schubert davon zu überzeugen weiß, daß er die geheimsten Vorgänge zu erschließen vermag. Und die Überzeugung der Hugo-Wolf-Fanatiker, Schubert sei in der psychologischen Deutung dieser drei Gedichte nicht an ihr Idol herangekommen, wird sich mit der Zeit als eine bloße Verlagerung vom musikalisch Gebundenen des Älteren zum deklamatorisch Gebundenen des Jüngeren erweisen. — Schuberts

* 1822 wird dann eine endgültige Form für den Druck gefunden, die als op. 12,2 publiziert ist.

Fassung des Gedicht-Fragments AN DIE TÜREN WILL ICH SCHLEICHEN greift in ihrer unendlichen Baßlinie (jener Beethovens aus dem Lied »Bitten« äußerst ähnlich) das Vorbeiziehende, Unstete auf und läßt Anfang und Ende im Unbestimmten. So wird auch in der durchkomponierten zweiten Strophe die Musik nur unmerklich an den Text angeglichen.

Beide Fassungen von NUR WER DIE SEHNSUCHT KENNT (1816) sind einfachsten lyrischen Charakters, vor allem im Vergleich mit dem ausdrucksgesättigten Arioso vom Vorjahr. Das erste Lied in Zweivierteln leidet etwas unter der dreifachen Wiederholung der Anfangszeilen am Schluß. Das zweite weist unverkennbar auf die berühmte Version voraus, die zehn Jahre später entstehen wird.—Gretchens Lied vom KÖNIG IN THULE aus Goethes »Faust I« ist kein großes Lied, aber die gleichsam holzgeschnitzte archaisierende Einfachheit kommt wohl dem geistesabwesenden Trällern der alten Weise entgegen, die Gretchen nicht im geringsten mit ihren Gedanken bei nordischer Frühzeit sein läßt. Auch männliche Stimmen können mit der Monotonie des Tones alter Volksliedsänger von diesem Stück profitieren. Aus drei gleichlautenden Teilen, die je zwei Gedichtstrophen umfassen, wird DER KÖNIG IN THULE zur Ballade, die den am Spinnrocken vor sich hingesummten Ton ebenso trifft, wie sie die ganze Melancholie der nördlichen Landschaft durch ihre spröde Harmonik einfängt, dabei aber doch der Singstimme nichts von ihrer Melodieseligkeit nimmt. — In JÄGERS ABENDLIED zaubern die gleitenden Sexten mit der ruhigen Kantilene darüber die Illusion einer Landschaft und zugleich die schleichenden Schritte des Jägers hervor. Schubert hält sich nicht an die Vorschrift, die Goethe Genast 1814 gegeben hat: »*Der erste Satz sowie der dritte müssen markig, mit einer Art Wildheit vorgetragen werden, der zweite und vierte weicher, denn da tritt eine andere Empfindung ein.*«

Auch Weber, Tomaschek, Zelter und Reichardt komponierten das Gedicht, bleiben aber zumeist im Volksliedhaften. Schubert streicht der einheitlichen, verträumten Gestaltung zuliebe den unruhigsten, dritten Vers weg. — Da gibt es 1816 noch einen traurigen, weil vielversprechenden Torso, der begonnen und liegengelassen wurde. GESANG DER GEISTER ÜBER DEN WASSERN ist Schubert wohl leider mit seinen zweieinviertel Oktaven Umfang als zu anspruchsvoll für den beabsichtigten Solobaß vorgekommen. Aber das Bruchstück läßt vermuten, daß hier ein ganz großes Lied ungeschrieben blieb. Vier Jahre später kommt er noch einmal auf den gleichen Text zurück und setzt ihn nun für Männerstimmen und tiefe Streicher. Es wird sein eindrucksvollstes Chorwerk.

Im Oktober 1816 entsteht jenes für die Romantik prototypische Lied DER WANDERER, das ein Verseschmied aus Liebhaberei namens Georg Philipp Schmidt (1766—1849) verfaßt hatte. Er benannte sich nach seiner Vaterstadt »von Lübeck« und hatte nach mancherlei anderen Wissenschaften in Jena Medizin studiert. Von Jena aus näherte er sich auch dem Weimarer Dichterkreis. Später reiste er viel durch Europa, war zeitweilig Arzt in Lübeck, arbeitete im Bankfach und stand schließlich in Holstein in dänischen Verwaltungsdiensten. Außer seinen, zu seiner Zeit sehr beliebten, Gelegenheitsgedichten gab er auch historische Studien heraus. Uns ist er freilich nur durch Schuberts Schöpfung noch im Bewußtsein. Die Berühmtheit von Schuberts Vertonung des WANDERER wurde im 19. Jahrhundert höchstens noch durch die des ERLKÖNIG überrundet. Gefunden hatte Schubert das Gedicht in einer 1815 in Wien publizierten Anthologie für öffentliche Rezitationen, in der es fälschlich unter dem Dichternamen Zacharias Werner figuriert und auch so in den ersten Schubertschen Niederschriften noch bezeichnet wird. In einer zweiten von der ursprünglichen nur wenig abweichenden Version veröffentlichten das Lied erstmals Cappi & Diabelli. Der Dichter hatte inzwischen seinen ursprünglichen Gedichttitel »Der Unglückliche« in »Der Fremdling« verwandelt, was Schubert dazu veranlaßte, seine neue Version nun DER WANDERER zu betiteln. 1818 transponierte er das Gedicht für seinen singenden Dienstherrn Graf von Esterházy nach h-Moll und konnte es sich dabei nicht verkneifen, den Vermerk auf dem Titelblatt anzubringen: »DER WANDERER: oder DER FREMDLING: oder DER UNGLÜCKLICHE«. Das Gedicht gehört in jene gefühlsselige Reimerei, mit der die Romantik auf das lange beherrschende Heldische, auf die strengen Formen reagierte. Der Wunsch nach Sicherheit und Geborgenheit, die weit und breit nicht zu finden waren, sehr im Gegensatz zur landläufigen Meinung über das Biedermeier, gab sich Gestalt in der Darstellung solcher junger Wanderer, die die Erde auf der Suche nach dem unerreichbaren Ideal durchstreifen, häufig in der Person eines unglücklich Liebenden, wie sie in den »Müllerliedern« oder der WINTERREISE dann zur noch ausgeprägteren künstlerischen Prototype wurde.

Schuberts Freund Johann Umlauff, Student der Rechtswissenschaft, stritt nach beider Kennenlernen 1818 mit ihm über die Frage, wie man die Textzeile »O Land, wo bist du?« richtig deklamieren solle, und wollte unbedingt das »Du« betont wissen und es folglich auf einen ersten Taktschlag versetzen. Schubert ließ sich davon natürlich nicht beirren.

Einen stark veränderten Ausschnitt aus dem WANDERER nehmen die Variationen der Fantasie in C-Dur für Klavier von 1822 zum Ausgangspunkt. Immer wieder hat man versucht, das Klavierstück als einen getreuen Nachhall der im Lied ausgesprochenen Empfindungen hinzustellen. Aber wieviel hat die Stelle »Die Sonne dünkt mich hier so kalt« des ziellos schweifenden Wanderers mit dem äußerst bestimmten, freudigen Fortgang der Fantasie wirklich zu tun? Liszt hat sicher recht, wenn er von der Komposition, die er auch selbst für Klavier und Orchester uminstrumentierte, als einem Wanderer-Dithyrambus spricht, der uns allenfalls auf die exakte Tempoahme der besagten Liedstelle hinweisen könnte. Denn in der Fantasie ist das entsprechende Thema mit »Adagio« überschrieben, während im Lied, vielleicht irrtümlich, die anfängliche Notation in Halben bei dieser Stelle nicht aufgehoben wird. Einer solchen Auffassung steht freilich entgegen, daß in der Erstfassung des Liedes hier sogar ein »etwas geschwinderes« Tempo gefordert wird. Es ist selten, daß die Einleitung eines Liedes, wie hier, über einen Orgelpunkt geführt wird. Man hat das Gefühl, als bleibe der Wanderer aufatmend stehen, bevor er zu sprechen anfängt. Nach einer rezitativischen Strecke geht die Stimme bald in eine ruhige Dur-Kantilene über, gerät dann in leidenschaftliches Drängen, sinkt nach dem Höhepunkt wieder in trüben Verzicht, um endlich, wirklich wie mit Geisterhauch, auf Unisonogängen in die Schlußkadenz einzumünden, die nach aller Melancholie dennoch in Dur ausklingt. Verschiedenartigste Elemente sind zu überzeugender Einheit miteinander verschmolzen. (Kann man sich heute noch vorstellen, daß der Ehrgeiz der Posaunisten sich einst eines solchen Stückes bemächtigte? Das Opfer hatte unter der Komik der störenden Optik gewiß arg zu leiden.)

Vom Elternhaus und Schuldienst nahm Schubert im Oktober 1816 endgültig Abschied. Spaun hatte Ende 1815 die Vermittlung der Bekanntschaft mit Franz von Schober übernommen. Der war Schubert inzwischen zum liebsten Freund geworden. Aber auch die anderen kümmerten sich um den von seiner neuen

Selbständigkeit seelisch Bedrängten. Mayrhofer gab ihrer aller Erstaunen über die unveränderte Schaffensdichte Ausdruck, wenn er schrieb: GEHEIMNIS (an Franz Schubert)

Sag an, wer lehrt Dich Lieder, so schmeichelnd und so zart?
Sie rufen einen Himmel aus trüber Gegenwart.
Erst lag das Land verschleiert im Nebel vor uns da —
Du singst, und Sonnen leuchten, und Frühling ist uns nah.
Den schilfbekränzten Alten, der seine Urne gießt,
erblickst Du nicht, nur Wasser, wie's durch die Wiesen fließt.
So geht es auch dem Sänger, er singt — er staunt in sich:
Was still ein Gott bereitet, befremdet ihn wie Dich.

Hier ist ein, wenn auch unbeholfener, Versuch gemacht, die Bewunderung für das Genie des Freundes in Worte zu fassen. Unbefangen setzte Schubert auch diese Laudatio in Musik. Er war aber viel zu bescheiden, um darin nun wirklich sein Wesen ausdrücken zu wollen. So fiel die Musik, wie durch Schüchternheit gehemmt, naiv aus. Die Stelle »er staunt in sich« wird mit einem unvermittelten Forte im Klavier überfallen. Will Schubert damit das Staunen abwerten und das Denken und Arbeiten an seine Stelle setzen? Die konventionellen Schlußtakte machen definitiv deutlich, wie wenig ihm solche Selbstdarstellung lag.

Franz Ritter von Schober (1796—1882), vielseitiger und vermögender Alles- und Nichtstuer, einige Zeit mit der Schauspielerei kokettierend, war zu jener Zeit noch Student der Literaturwissenschaft. Schuberts

Franz v. Schober

offensichtliche Bevorzugung brachte ihm sehr unterschiedliche, von Eifersucht diktierte Beurteilung der Freunde ein. Immerhin steuerte er zwölf Gedichte zu Schuberts großem Lied-Oeuvre bei, und zwar durchaus wesentliche. Besonders sein TROST IM LIEDE drückt Anfang 1817 Schuberts Haltung ebenso gut aus wie das eine Zeitlang jeden Schubertabend unvermeidlich krönende AN DIE MUSIK. Schober war von Schubert, aber auch von Mayrhofer sehr ver-

schieden. Unausgeglichenen Temperaments, in keine bürgerliche
Schablone zu pressen, vielseitig begabt und weltmännisch. Vielleicht deshalb fühlten sich Schubert und er in besonderem Maß
zueinander hingezogen. Es ist schwer auszumachen, inwieweit
die gefärbten Freundesberichte über die ungute Beeinflussung
Schuberts durch den Freund zutreffen. Festzuhalten wäre, daß
Schober vom ersten bis zum letzten Tage der Freundschaft zu-
verlässig, auch materiell oft Nöte mildernd und rührend treu war.

Die Verse des Freundes finden sich 1816 zum ersten Mal in
dem unproblematisch von Schubert ausgesungenen GENÜGSAM-
KEIT, dessen Ländlerton durch die Schwerverständlichkeit des
Textes freilich gemindert wird. Bekenntnishafter Ernst und
musikantische Gelöstheit gehen in TROST IM LIEDE (komponiert
im März 1817) eine typisch schubertische Verbindung ein:

> Braust des Unglücks Sturm empor,
> halt' ich meine Harfe vor,
> schützen können Saiten nicht,
> die er leicht und schnell durchbricht;
> aber durch des Sanges Tor
> schlägt er milde an mein Ohr.
> Sanfte Laute hör' ich klingen,
> die mir in die Seele dringen,
> die mir auf des Wohllauts Schwingen
> wunderbare Tröstung bringen!
> Und ob Klagen mir entschweben,
> ob ich still und schmerzlich weine,
> fühl' ich mich doch so ergeben,
> daß ich fest und gläubig meine:
> Es gehört zu meinem Leben,
> daß sich Schmerz und Freude eine.

Die merkwürdige musikalische Deklamation dieses Schlusses
deutet auf ein Nachlassen der Aufmerksamkeit des Komponisten, was hier um so mehr auffällt, als sich Schubert kurz
davor noch um eine, den Freund deklamatorisch verbessernde,
Betonung müht. — Die Zusammenarbeit der Freunde wird durch
AN DIE MUSIK unsterblich. Unter den zahlreichen Abschriften,
die Schubert von der Urschrift anfertigte, gibt es eine, die in der
Bibliothek des Conservatoire zu Paris aufbewahrt wird und die
in einem Umschlag steckt, auf dem zu lesen ist: »Manuscrit très
précieux«. Schobers Text geht auf eine Stanze der von Schuberts

Freund und ärztlichem Berater J. Bernhardt als Opernstoff vorgeschlagenen »Bezauberten Rose« des Ernst Schulze zurück, die dann ihrer mangelnden Dramatik wegen nicht vertont wurde. Diese Stelle drückt, fast noch mehr als Schobers Verse, innere Verwandtschaft zu Schubert aus:

> Du holde Kunst melodisch süßer Klagen,
> du tönend Lied aus sprachlos finsterm Leid,
> du spielend Kind, das oft aus schönen Tagen
> in unsere Nacht so duft'ge Blumen streut,
> ohne dich vermöcht' ich nie zu tragen,
> was feindlich längst mein böser Stern mir beut!
> Wenn Wort und Sinn im Liede freundlich klingen,
> dann flattert leicht der schwere Gram auf Schwingen.

Biedermeierlich wie das Vorbild ist auch die Imitation im Gedicht geraten, und selbst die für ihre Spezies vorbildliche Komposition kann das nicht ganz vergessen machen. Symbolisch dürfen in ihr Klavierbaß und Singstimme miteinander dialogisieren. Die einfache Akkordwiederholung kommt bei Schubert häufig vor. Es handelt sich um einen Effekt fürs Klavier, der dem Spieler dynamische Vielfalt und größere Farbigkeit des Klanges erlaubt. Natürlich sprechen wir hier von den frühen Klavieren, die erst seit 1770 dem Cembalo ernsthafte Konkurrenz machten. Tonwiederholungen erbringen eine Sonorität, die nichts mit Figuration zu tun hat. Das Repetieren von Akkorden bei Schubert muß nämlich peinlichst von figurativer Bedeutungsschwere unterschieden werden. Nur eine pulsierende Empfindung wird ausgedrückt, an ein zusätzliches musikalisches Argument ist aber nicht gedacht. — 1816 komponierte Schubert von Schober lediglich das ansprechende Gedicht Am Bach im Frühling. Ruhiger Fluß von Achteltriolen trägt eine beschauliche Melodie, bis der zum Mittelteil umdisponierte Gedichtschluß als Rezitativ behandelt wird. Dann kehrt die Melodie einfach als da capo wieder. So ausgesprochen baritonal liegt ein idyllisches Lied bei Schubert selten. — Sobald wir nun auf etwas sozusagen »dogmatisch« Festgelegtes wie Schobers Pax Vobiscum treffen, ist es aufschlußreich, wie kühl uns die Komposition läßt, da die Frömmelei des Gedichts Schubert offenbar zu leichtgewichtig ist.

Im November 1816 kam Schubert eine Gedichtsammlung des Matthias Claudius (1740—1815) zu Gesicht, und er wählte daraus eine ganze Reihe von Texten zu Vertonungen. Der Dichter studierte in jungen Jahren zunächst Theologie, wandte sich aber bald den Staatswissenschaften zu. In Wandsbek gab er seit 1771 die Zeitschrift »Der Wandsbeker Bote« heraus, die ihn allerorten bekannt und beliebt machte. Die Einfachheit seiner Dichtungen setzte sich bewußt von gelehrtem Bildungsdünkel und Unnatürlichkeit ab, forderte aber auch sehr bald den Widerspruch einiger Schriftsteller heraus. Dessen ungeachtet setzte sich Claudius tatkräftig für seinen erbarmungslosen Kritiker Lessing ein und war mit Klopstock, Voß und den Brüdern Stolberg eng befreundet. Die Frische und Anschaulichkeit seiner Gedichte regte viele Komponisten seiner Zeit zu Vertonungen an, so auch Beethoven mit dem Scherzgedicht »Urians Reise um die Welt«.

Das im Februar 1817 konzipierte Lied DER TOD UND DAS MÄDCHEN sei hier seiner Vorrangstellung wegen zuerst angeführt. Seit langem ist es nicht mehr Aufführungsbrauch, den Wechselgesang zwischen einem jugendlichen Sopran und dem antwortenden Baß auf zwei Stimmen aufzuteilen. Die dialogische Dramatik ist hier ja auch nicht das Wesentliche, vielmehr setzt die Erhabenheit des d-Moll-Themas, das den Todesrhythmus einführt, schon am Beginn die Reflexion über den Tod als Freund zum beherrschenden Sinnzeichen. Der Gedanke an den Tod als »Schlafes Bruder« hatte schon den ganz jungen Schubert begleitet; er zieht sich nun wie ein Leitmotiv durch sein Werk. Wenn man willens ist, die Melodie Schuberts seinen Atem zu nennen, dann muß der Rhythmus sicher sein Herzschlag genannt werden. Oft stimmt der Rhythmus mit der Melodie überein, oft aber auch offenbart er selbständig innere Seelenvorgänge. Einige charakteristische Rhythmen begegnen uns immer wieder. Ein jeder ruft bestimmte Assoziationen hervor. Und natürlich denkt man zuerst an jenen geheimen Herzton, mit dem sich Schuberts Rhythmus dem Schritt des Todes anpaßt, dort wo er eine Ruhe ausdrückt, die allein dem Tode zukommt. Es ist der auf einem langen und zwei kurzen Notenwerten basierende Rhythmus. Was in ihm schwingt, ist geheime Auseinandersetzung, etwa so, wie im chinesischen »Buch der Wandlungen« ein langer Strich das »Ja« und zwei kurze das »Nein« bedeuten. Auch die japanische Gagaku-Musik aus dem 12. Jahrhundert wird von ihm durchzogen, dort in einer Abstraktion, deren Reinheit jeder Deutung Raum gibt. In DER TOD UND DAS MÄDCHEN und dem entsprechenden Satz des d-Moll-Streichquartetts bilden Rhythmus und Melodie ein Unzertrennliches. Der Tod ist in Schuberts

Vorstellung keine biblische Strafe, keine verdiente Züchtigung unserer Sünden. Der Vertraute und Trostbringer tut uns die Pforten zur anderen Welt auf. Das Skelett aus den mittelalterlichen Totentänzen, das seine Fratzen in solchen Gedichten noch schneiden darf, die Schubert aus der Epoche vor der Aufklärung in jungen Jahren übernimmt, weicht der Figur aus griechischen Kulten, der eleusischen Religion oder der des Pythagoras. Der schöne Jüngling der Griechen, der eine zu Boden gesenkte Fackel in der Hand hat, ist ein Doppelgänger jenes »Schlafes Bruder«, der dem jungen Mädchen die tröstlichen Worte ins Ohr raunt.

Aber kommen wir auf die Realität einiger Ausführungsfragen: Was macht man mit der Tempovorschrift »Mäßig«? Schubert versah seine Lieder mit deutschen Vortragsbezeichnungen, die an Eindeutigkeit und Genauigkeit mit den italienischen nicht Schritt halten. Unter die vieldeutigsten Anweisungen ist »Mäßig« einzureihen, die in der Übersetzung etwa dem »Moderato« der Italiener entspräche. Gibt man dem Alla-breve-Zeichen sein Recht, kommt ungefähr das richtige Tempo dabei zustande. Aber bei dem Vergleich mit dem zweiten Satz des Streichquartetts d-Moll, der die Klaviereinleitung des Liedes zum Thema hat, stellt sich heraus, daß die halben Takte etwas schneller als »Mäßig« gedacht sind, denn auch die Streicher haben ein Alla breve vorgezeichnet. Die Tempovorschrift heißt hier nun allerdings »Andante con moto«. Ohne einen vorherigen Einblick in den geforderten Gefühlsausdruck und die technischen Probleme läßt sich bei Schubert wegen der Einschränkungen (wie »Etwas«, »Nicht zu«, »Ziemlich«, »Mäßig«), die den Vortragsangaben beigegeben sind, das Tempo nicht ohne weiteres festlegen. — Daß Schubert dieses Einleitungsthema in seinem berühmten Streichquartett verwendete, unterstützte eine langanhaltende Popularität des Liedes, auch gleich im Kreise der Freunde. Der Halbbruder Alexander, derselbe, der von AN CHLOEN nach Uz die Einleitung wegschnitt und uns so nur ein Fragment dieses Liedes zurückließ, konnte seine Verteilerfreude auch hier nicht zurückhalten, und die voneinander getrennten Blätter wurden unter die Freunde vergeben.

Die neun kleinen Claudius-Lieder von 1816 nehmen sofort für sich ein, ob sie nun idyllischen oder pathetischen Ton anschlagen. AM GRABE ANSELMOS zeigt mit den andern Liedern der bisherigen Schaffensjahre, daß vieles von der gleichaltrigen

Instrumentalmusik im Vergleich noch nicht an die Eigenständigkeit der Vokalwerke heranreicht und wie sehr für Schubert das Lied noch Zentrum seines Schaffens war. Als vorbildhafter Klaviermeister scheint Beethoven noch ein nicht zu Erreichender, auf symphonischem Gebiet sind Haydn und Mozart als deutliche Anreger erkennbar. Aber wer hätte Schubert als Liedkomponisten etwas vormachen können, da doch zuvörderst Beethoven hier Wege gegangen ist, die mehr für ihn selbst bedeutsam waren? — Schon im Vorspiel von AM GRABE ANSELMOS breitet sich die Stimmung tiefster Trauer aus. Im Mittelsatz wendet sich dann die Erinnerung zum verwandten Dur. — Im ABENDLIED des »Wandsbeker Boten« ist Schubert dem Volksliedstil der Reichardt oder Schulz (dessen Melodie sich bis heute vertraut erhalten hat) nicht gefolgt, was um so mehr erstaunt, als schon Herder in seiner Volksliedersammlung von 1779 das Lied als ein Musterlied unter die anonymen Volkslieder aufgenommen hatte und so seinem Freund Claudius Anerkennung zudachte. Schubert setzt die Begleitfiguren im Klavier so dickgriffig, daß sie im vorgeschriebenen pp kaum zu bewältigen sind. Dennoch bleibt er auch hier der nicht nachzuahmende Einfache, der selbst zu solchem Textentwurf, der zu vier Vierteln auffordert, noch mit einem Dreierrhythmus zu überraschen bereit ist. — Ein Pastell à la Mozart ist AN EINE QUELLE. Unverfälscht österreichisch klingt die Stelle »O wenn sie sich nochmal am Ufer sehen läßt«, in Schüchternheit und Humor eine reizvolle Verbindung zum norddeutschen Ton des Gedichts. Besonders deklamatorisch ein kleines Meisterwerk. — Die etwas zu zahlreichen Strophen der vom Cupido verschreckten PHIDILE wirken ebenso unterhaltsam wie die fröhliche Bewegung von ICH BIN VERGNÜGT. — Die Miniatur AN DIE NACHTIGALL hat eine hübsche musikalische Pointe: Das G-Dur-Stück erlaubt es sich, in C-Dur zu beginnen. Leichte Tongebung des Sängers muß sich hier mit präziser Rhythmik verbinden. Es erschien 1829 als Opus 98, zusammen mit dem berühmtesten unter Schuberts Wiegenliedern.

Dieses SCHLAFE, HOLDER, SÜSSER KNABE ist ganz Grazie. Und wenn Richard Strauss eine deutliche Anleihe in der »Ariadne« nicht verhüllt, so ist das wohl Huldigung eines Meisters an den anderen. — TÄGLICH ZU SINGEN dachte sich Claudius, nach eigenem Vermerk von 1780, zur Choralweise »Mein erst Gefühl sei Preis und Dank« gesungen. Am meisten Verbreitung unter den zahlreichen Sängern dieser Verse fanden die Kompositionen von Reichardt und Schulz.

»In der Wohnung des H. von Schober« ist auf den beiden Autographen des LEBENSLIED nach Matthisson und LEIDEN DER TRENNUNG aus dem Dezember 1816 vermerkt. In LEBENSLIED ruft Schubert mit Matthisson:

> Fruchtlos hienieden ringst du nach Frieden!
> Täuschende Schimmer winken dir immer;
> doch, wie die Furchen des gleitenden Kahns,
> schwinden die Zaubergebilde des Wahns!

Und in LEIDEN DER TRENNUNG drückt Heinrich von Collin (1771 bis 1811), der Autor des »Coriolan«, zu dem Beethoven seine Ouvertüre schrieb (und der nicht etwa Shakespeare heißt!), was Schubert bewegt, so aus:

> Es sehnt sich die Welle in lispelnder Quelle,
> im murmelnden Bache, im Brunnengemache,
> zum Meer, zum Meer, von dem sie kam,
> von dem sie Leben nahm, von dem, des Irrens matt und müde,
> sie süße Ruh' verhofft und Friede.

Beide Lieder sind durch eine Abwärtsbewegung vom Anfang bis zur Mitte jeder Strophe gekennzeichnet, so wie man über einen ausatmenden Seufzer spricht. Unter den Stücken, die für Freunde aus dem engeren Kreise in Wien gedacht waren, nimmt dieses LEIDEN DER TRENNUNG einen allzu versteckten Platz in der Gesamtausgabe ein, zumal es in Friedländers Sammlung bei Peters nicht aufgenommen wurde. Das Gedicht, aus dem Italienischen des Metastasio, von Collin übersetzt, vergleicht die Sehnsucht der Wellen in Flüssen und Brunnen nach der Weite des Meeres mit dem Drängen der jungen Intellektuellen in freiere Luft. Unterdrücktes spricht sich zart angedeutet in diesen Seiten aus, die der Wiederentdeckung harren. — Zu

Heinrich J. v. Collin

einem der seltenen echten Duette (d. h. zweier gleichzeitig singender Stimmen) bei Schubert finden sich Tenor und Sopran in LICHT UND LIEBE zusammen, das auf einen Text des anderen Collin, Matthäus (1779–1824), entstand.

Im Frühjahr 1817 rückte wieder Goethe ins Blickfeld. Bei zwei angefangenen Torsen ist es besonders schade, daß sie nicht zu Ende geführt wurden. GRETCHENS BITTE macht nämlich den Eindruck, als sei hier ein Ansatz zu ähnlicher Dichte wie in GRETCHEN AM SPINNRADE gegeben. — Bei dem Fragmente MAHOMETS GESANG müssen Schwierigkeiten der Textbehandlung für das Aufhören mitten im Zuge schönsten Musizierens verantwortlich gewesen sein. — Frau Josephine von Frank widmete Schubert die zweite Fassung seines Liedes AUF DEM SEE. Die Überschrift der Goetheschen Verse in der wichtigen Herderschen Abschrift lautet »Auf dem Züricher See«. In der Tat verbrachte Goethe den Sommer 1775 in der Schweiz mit den Stolbergs, um seine Gefühle für Lili Schönemann auf die Probe zu stellen, ihnen vielleicht auch zu entfliehen.

> Goldene Träume, kommt ihr wieder?
> Weg du Traum! So gold du bist.

Diese Stelle aus der dritten Strophe verbindet sich mit dem Gedanken an sie. Um der gleichen Länge der beiden Teile des Liedes willen wiederholt Schubert den vorletzten Vers, vor dem, wie es dem Stimmungsumschwung im Gedicht angemessen ist, der Barcarolentakt von Sechsachteln auf Zweiviertel überwechselt. Rudertakt im ersten, beflügelte Morgenwind-Sechzehntel im zweiten Teil werden der Vorlage vollendet gerecht. Nur sollte die Bewegung vom Sänger beileibe nicht als Vierachtel verschleppt werden. Schubert handelt mit solcher Rhythmusveränderung als selbständiger Poet.* Nun aber zu GANYMED, einem Gipfelpunkt des Jahres, der nicht zu Unrecht die Gefolgschaft Vogls zu seinem jungen Freund besiegeln sollte. In Goethes Nachlaß fanden sich zwei, 1823 erschienene, auf starkem Papier gedruckte Widmungsexemplare, die zu Schuberts Briefsendung nach Weimar gehörten und in der ehemaligen Großherzoglichen Bibliothek aufbewahrt werden. Reichardt war mit der Vertonung vorangegangen, aber Schuberts selbstschöpferische Haltung, die diesem pantheistischen Hymnus erst sein Äquivalent

---

* Man vergleiche Simrocks Gedichtimitation gleichen Titels und dessen Vertonung durch Brahms.

gibt, ist bei Reichardt noch nicht zu finden. Schubert beginnt in As-Dur und schließt in F-Dur, und er zeigt damit, wie neue Ausdrucksformen in der Dichtung dazu imstande sind, auch die hergebrachten Musikformen herauszufordern und zu sprengen. Mit dem Wechsel der Tonart werden wir in eine höhere, lichtere Sphäre versetzt. Zwei liebenswürdige Melodien sind fast vertikal übereinandergeschichtet. Dem Eingangsmotiv, das an sich schon Melodisches genug enthält, macht eine Kantilene von besonders Beethoven-naher Prägung den Rang streitig. Der frühe Wind tändelt in Triolen, die Nachtigall lockt in Trillern. Der gesteigerte, dramatisch durchglühte Schlußsatz bringt den langgedehnten Passus »Alliebender Vater« als einen besonderen Prüfstein für die Atemtechnik des Sängers. Am besten wird der Vortrag wohl mit dem auskomponierten Decrescendo der Phrase vereinbar sein. So wie Goethe die Sage vom Zeus, der den Ganymed zu den Höhen des Olymps hinaufhebt, in das allgemeinere Bild eines schönen Sommermorgens verwandelt, sollte der Blick des Interpreten die großen Zusammenhänge dieses Stückes erfassen, nicht an Einzelheiten kleben, damit Schwung und Farbigkeit nicht auf der Strecke bleiben.*

Hilfslehrer zu sein, eine Komposition nach der andern zu schaffen, liebevoll von Freunden umsorgt zu werden, alles das half der miserablen finanziellen, gesellschaftlichen und künstlerischen Position Schuberts nicht auf. Man ließ auch dem berühmten Leipziger Verleger Breitkopf eine säuberliche Abschrift des ERLKÖNIG zukommen — umsonst. Man wußte dort nichts von einem Schubert, man glaubte sich verulkt und richtete die Antwort nicht an den Absender Spaun, sondern nach Dresden an einen Violinisten, der auf den Namen Franz Schubert hörte. Der stolze deutsche Musikmeister und Kirchenkompositeur schreibt am 18. April 1817 nach Leipzig:

»Ich melde, daß diese Kantate niemals von mir komponiert worden. Ich werde selbige in meiner Verwahrung behalten, um etwas zu erfahren, wer dergleichen Machwerk Ihnen auf so unhöfliche Art übersendet hat und um auch den Padron zu entdecken, der meinen Namen so gemißbraucht.«

Ohnehin verzweifelt über das Ausbleiben von Goethes Antwort auf seine Liedersendung, fühlte sich Schubert nach diesem Vorfall tief deprimiert. Auch die seelische Bedrückung durch den Bruch mit dem Vater, der die Loslösung vom Schulamt übereilt

* Das Opus 19 Nr. 3 kam 1823 zur Drucklegung.

und zu unsicher fand, muß groß gewesen sein. So blieb er denn auch Schober die Miete für die Unterkunft schuldig, bis sie nach seinem Tode aus dem Verkauf seiner Kompositionen schließlich beglichen wurde. Dem Vater galt Musik als untauglich für den Lebensunterhalt. Zusätzlich argwöhnte er, Franz werde sich in die Gesellschaft von Leuten begeben, deren freiheitliche Lebensweise mit seinen katholischen Grundsätzen unvereinbar sein mußte. Er sah nur allzu richtig voraus, was sich später verwirklichte.

Es ist anzunehmen, daß das Vorhandensein eines Klaviers in der Säulengassenvilla bei Schober dazu führte, daß die überwältigende Produktion von Liedern sich 1817 ein wenig verringerte und die Klaviersonaten als neu erschlossenes Schaffensgebiet den Vorrang hatten. Immerhin entstanden etwa 50 Lieder, deren größten geschlossenen Anteil Mayrhofer mit acht Gesängen innehat, die meist griechischen oder römisch-antiken Inhalt verarbeiten.

Die Freunde beschlossen, Neugierde und Begeisterung für Schuberts Lieder bei einem Sänger zu erwecken. Michael Vogl, von dem man sich erinnern wird, wie er schon 1812 Schubert als Opernsänger enthusiasmiert hatte, wollte sich gerade von der Bühne zurückziehen, um sich ganz dem Konzertgesang zu widmen. Vogl (1768—1840), in Steyr als Sohn eines Schiffsmeisters geboren, hatte das Gymnasium in Kremsmünster absolviert und bei kleinen geistlichen Schau- und Singspielen schon im dortigen Kloster auf sein Darstellungstalent aufmerksam gemacht. Franz Süssmayr, dessen Name mit Mozarts Requiem in so engem Zusammenhang steht, fiel dort gleichfalls auf, nämlich als Komponist. Die beiden Hoffnungsvollen zogen dann zusammen nach Wien, wo Vogl das bereits begonnene Jurastudium beendete, Süssmayr aber Kapellmeister am Hoftheater wurde. Auf seinen Antrieb hin verpflichtete man Vogl 1794 dem Institut, der dort volle 28 Jahre rühmlichst wirkte, die längste Zeit, ohne von Schubert eine Ahnung zu haben. So erfreulich es ist, daß ein solcher Bühnensänger Verständnis für eine rein lyrische Musikgattung in späten Jahren aufbrachte, so ist es doch auch nicht allzu verwunderlich. Man sollte nicht übersehen, daß es in den ersten Jahrzehnten jenes Jahrhunderts eigentliche Bariton-Hauptpartien nicht gab. Erst die Werke Marschners brachten diesen Typus auf mit dem »Vampir«, dem »Templer« und dem »Hans Heiling«. Vorher waren alle Männerpartien dem Baß oder dem Tenor vorbehalten, und auch Mozarts »Don Giovanni« oder »Graf Almaviva« galten, ihrer tiefen Ensemble-Führung wegen zu Recht, als Baßpartien. Erst mit Marschner wurde der Bariton in den Mittelpunkt der Handlung gerückt. Der »literarische« Künstler Vogl mußte sich von der neuen Ausdrucksweise Schuberts angezogen fühlen, auch als Ersatz dafür, daß er die neue Epoche der romantischen Baritonhelden nicht mehr aktiv mitmachen konnte.

Vogl verfügte über außergewöhnlichen Stimmumfang, er war in der historischen »Fidelio«-Aufführung vom Mai 1814 der Pizarro gewesen. Unvergeßlich blieb er den Freunden auch als Orest in »Iphigenie auf Tauris«. Spaun erzählt: *»Als ich einmal mit Mayrhofer und Schubert die Iphigenie besuchte, die zur Schande der Wiener wieder wie immer vor leerem Hause gegeben wurde, begaben wir uns begeistert zum Blumenstöckel im Ballgassl, um dort zu soupieren; und als wir auch dort unserem Entzücken freien Lauf ließen, gefiel es einem der dort anwesenden Universitätsprofessoren, uns darüber zu höhnen. Er rief laut, die Milder hätte gekräht wie ein Hahn, sie könne gar nicht singen, da sie weder Läufe noch Triller zu machen verstehe, und es sei eine wahre Schande, sie als Primadonna zu engagieren, und Orestes (Vogl) habe Füße wie ein Elephant. Schubert und Mayrhofer fuhren wütend auf, wobei Schubert sein gefülltes Glas umstürzte; und es kam zu lautem Wortwechsel, der bei der Hartnäckigkeit des Gegners in Tätlichkeiten ausgeartet wäre, wenn uns nicht einige beschwichtigende Stimmen beruhigt hätten. Schubert war dabei glühend vor Zorn, der ihm doch sonst bei seiner milden Gemütsart ganz fremd war.«*

Johann Michael Vogl

Vogl war zweifellos ein ungewöhnlicher Mensch. Aktiv hatte der bereits nicht mehr junge Mann bei der Entstehung der deutschen Oper mitgewirkt und war gelegentlich auch als Regisseur hervorgetreten. Vom üblichen Sängertypus unterschied ihn seine Belesenheit und Bildung. In alten und neuen Sprachen zu Hause, komponierte er dilettantisch und schrieb eine Abhandlung über Gesang. Der hünenhafte Mann, dessen breite Plattfüße in der Tat zu seinen antiken Heldenrollen nicht recht stimmen wollten, vertiefte sich vor und zwischen den Auftritten hinter der Bühne in lateinische Schriftsteller, um sein Lampenfieber einzudämmen. Von diesem ernsten, vornehmen Künstler war anzunehmen, er würde nicht so leicht vor dem Rossini-Taumel kapitulieren. Spaun registriert das behutsame Vorgehen der Freunde:

»Schubert, der seine Lieder immer selbst singen mußte, äußerte nun oft großes Verlangen, einen Sänger für seine Lieder zu finden, und sein alter Wunsch, den Hofopernsänger Vogl kennenzulernen, wurde immer lebhafter. In unserm kleinen Kreise wurde nun beschlossen, Vogl müsse für die Schubertschen Lieder gewonnen werden. Die Aufgabe war schwierig, da Vogl sehr schwer zugänglich war. Schober, dessen verstorbene Schwester an den Sänger Siboni verheiratet war, hatte noch einige Verbindung mit dem Theater, die ihm die Annäherung an Vogl erleichterte. Er erzählte Vogl mit glühender Begeisterung von den Kompositionen Schuberts und forderte ihn auf, eine Probe mit ihm zu machen. Vogl erwiderte, er habe die Musik satt bis über die Ohren, er sei mit Musik aufgefüttert worden und strebe vielmehr, sie loszuwerden, statt neue kennenzulernen. Er habe hundertmal von jungen Genies gehört und sich immer getäuscht gefunden, und so sei es gewiß auch mit Schubert der Fall; man solle ihn in Ruhe lassen, er wolle nichts weiter darüber hören. — Diese Ablehnung hat uns alle schmerzlich berührt, nur Schubert nicht, der sagte, er habe die Antwort gerade so erwartet und er fände sie ganz natürlich. Vogl wurde inzwischen wiederholt von Schober und anderen angegangen; endlich versprach er, an einem Abend zu Schober zu kommen, um zu sehen, was daran ist, wie er sagte.«

Den Ausschlag für die Begegnung gab also Franz von Schober. Der große Tag des Kennenlernens war da. Hören wir wieder Spaun:

»Bei der ersten Zusammenkunft war Schubert nicht ohne Befangenheit. Er legte zuerst das soeben in Musik gesetzte Gedicht von Mayrhofer AUGENLIED *zur Beurteilung vor. Vogl, aus diesem Liede sogleich Schuberts Talent erkennend, prüfte mit steigendem Interesse die Reihe anderer Lieder, die ihm der durch solchen Beifall höchst erfreute junge Tonsetzer mitteilte.«*

An anderer Stelle läßt sich Spaun etwas mehr in Details ein:

»Vogl trat zur bestimmten Stunde, ganz würdevoll zu Schober ein und als ihm der kleine, unansehnliche Schubert einen etwas linkischen Kratzfuß machte und über die Ehre der Bekanntschaft in der Verlegenheit einige unzusammenhängende Worte stammelte, rümpfte Vogl etwas geringschätzig die Nase, und die Bekanntschaft schien als unheilverkündend. Vogl sagte endlich: ›Nun was haben Sie denn da? Begleiten Sie mich.‹ Und dabei nahm er das nächstliegende Blatt, enthaltend das Manuskript von Mayrhofers AUGENLIED, ein hübsches, sehr gesangliches, aber nicht bedeutendes Lied. Vogl summte mehr, als er sang und sagte dann etwas kalt: ›Nicht übel!‹ Als ihm hierauf MEMNON und GANYMED begleitet wurden, die er aber alle nur mit halber Stimme sang, wurde er immer freundlicher, doch schied er ohne Zusage wiederzukommen.«

Die Musik des Zwanzigjährigen zu dem erwähnten MEMNON bezeichnet die Höhe der Meisterschaft, die inzwischen erreicht wurde. Die bekannte Sage erfährt durch Mayrhofer eine ganz subjektive Auffassung.

Den Tag hindurch nur einmal mag ich sprechen,
gewohnt zu schweigen immer und zu trauern:
Wenn durch die nachtgebor'nen Nebelmauern
Aurorens Purpurstrahlen liebend brechen.

Für Menschenohren sind es Harmonien.
Weil ich die Klage selbst melodisch künde
und durch der Dichtung Glut das Rauhe ründe,
vermuten sie in mir ein selig Blühen.

In mir, nach dem des Todes Arme langen,
in dessen tiefstem Herzen Schlangen wühlen;
genährt von meinen schmerzlichen Gefühlen
fast wütend durch ein ungestillt Verlangen:

Mit dir, des Morgens Göttin, mich zu einen,
Und weit von diesem nichtigen Getriebe,
Aus Sphären edler Freiheit, aus Sphären reiner Liebe,
Ein stiller, bleicher Stern herab zu scheinen.

Die sprechende Säule ist menschlich beseelt, Tragik wird in das Nichtahnen dessen gelegt, was sie im Innern empfindet, wenn sie tönt. Das schwebende Vorspiel in Des-Dur ist so orchestermäßig erfunden, daß sich Brahms an eine Orchesterfassung für den Bariton Julius Stockhausen machte. Wie aus dem Nichts fängt das darauffolgende Rezitativ an, um bald mit der Wendung von Dur nach Moll sich zu verdunkeln, zu schmerzlich angespannter Dramatik sich zu steigern, bis bei »mit dir, des Morgens Göttin, mich zu einen« der Höhepunkt erreicht ist. Die rezitativische Gebrochenheit verklärt sich im Schlußarioso zu dem Bild jenes Ideals, das dem Melancholiker Mayrhofer vorschwebt. Das Klavier läßt den mildverklärten Abgesang herrlich ausklingen.

Spaun fährt in seinem Bericht fort: *»Bei dem Weggehen klopfte er Schubert auf die Schulter und sagte ihm: ›Es steckt etwas in Ihnen, aber Sie sind zu wenig Komödiant, zu wenig Charlatan. Sie verschwenden Ihre schönen Gedanken, ohne sie breit zu schlagen . . .‹ Gegen andere äußerte er sich bedeutend günstiger. Als ihm das* Lied eines Schiffers an die Dioskuren *(von Mayrhofer) zu Gesicht kam, erklärte er, es sei ein Prachtlied und geradezu unbegreiflich, wie solche Tiefe und Reife aus dem jungen kleinen Mann kommen könne.«*

Bleiben wir für einen Augenblick bei den Mayrhofer-Gedichten dieses Zeitraums, die recht unterschiedlichen Charakter haben. Das Lob der Kritik für die immerhin konventionelle Form im Lied eines Schiffers an die Dioskuren, das wir bereits gestreift haben, konnte nicht hoch genug ausfallen. Die Haltung der »Allgemeinen Musikalischen Zeitung« in Frankfurt, die regelmäßig die Neuausgaben Schubertscher Lieder rezensierte, war nämlich in solchen Fällen ablehnend, wo die in Deutschland herrschende Grundvorstellung aufgehoben wurde, die »Lied« mit strophisch gleichsetzt und alles Durchkomponierte als regelwidrig bekrittelt. In Berlin sah es damit noch schlimmer aus. — Der Alpenjäger vom Januar 1817 sieht Mayrhofer als Imitator Goethes und Schillers, und diesmal findet Schubert Töne zu des Freundes Versen, die vereinfachen und dadurch bereichern.

> Je mehr Gefahr aus Schlünden,
> so freier schlägt die Brust.

Dieser Touristenlyrik begegnet die Musik mit einer Banalität, die wie handkoloriert wirkt. — In Uraniens Flucht dagegen läßt Mayrhofer mit allzu aufgesetztem Pathos die enttäuscht von der Erde zum Olymp heimgekehrte Aphrodite dem Zeus auf 17 Seiten Musik klagen, die es verfehlen, uns wirklich zu fesseln. — Ähnlich dramatisch ist das szenische Fragment Antigone

114

und Oedip angelegt, das Antigone auf dem Weg nach Colonos die Götter bitten läßt, den Fluch vom blinden König Ödipus auf ihr unschuldiges Haupt zu übertragen. Dann erwacht Ödipus und erzählt von dem Traumgesicht, das ihm seinen Tod zu Colonos zeigte, um dann mit breit ausladender Melodie Abschied zu nehmen von seinem Leben unter bösem Stern. Gleich bei der ersten Besprechung dieses Liedes in der Wiener »Allgemeinen Musikalischen Zeitung« vom 19. Januar 1822 heißt es kritisch: »*Zu bedauern ist, daß die Worte des Dichters* »*Laßt einen milden Hauch des Trostes in Ödips große Seele wehn*« *durch folgende Worte verändert und der Sinn ganz verunstaltet wurde. Der Tonsetzer läßt den Dichter sagen:* »*In des Vaters Seele wehn.*« »*Da doch unmittelbar dadurch das Metrum verletzt wurde und die ursprünglichen Worte der Kantilene gar keinen Schaden würden getan haben. Die Unterlegung des Textes sollte mit derselben Achtung gegen des Dichters Werk geschehn, mit welcher wir des Tonsetzers Gebilde ehren.*« Schuberts Lesart achtet zwar das Metrum nicht, klärt aber die Aussage: Die innere Distanz, die Antigone von ihrem Vater als Ödip sprechen läßt, erscheint Schubert nicht angebracht.* — Die Fahrt zum Hades hat es nur zur Bekanntheit unter den Schubertspezialisten gebracht und verdient doch, ihrer düsteren Großartigkeit wegen, breitere Aufmerksamkeit. Geheimnisvoll steigen die Bässe abwärts, die Rezitative haben eindrucksvolle Kraft, die Schlußwendung wirkt erlösend. Zwischen den tiefernsten ersten Teil und dessen Wiederholung in versetzter Tonart stellt Schubert eine freundlichere Partie, die von wehmütiger Erinnerung an alles Verlorene erfüllt ist. Über die Berechtigung des Rezitativs am Schluß können nur die geteilter Meinung sein, die nicht bereit sind, sich von Schubert hinreißen zu lassen. — Freiwilliges Versinken ist eine an den allegorischen Sonnengott Helios gerichtete Rede; in der Antwort des Helios gibt Mayrhofer seine eigene Auffassung vom Künstler bekannt, Schuberts Komposition mischt Rezitativ und Gesang. Die Intervallsprünge der Stimme mögen Alban Berg vorgeschwebt haben, als er bei einem Interview mit dem österreichischen Radio in den dreißiger Jahren unseres Jahrhunderts die Sprunghaftigkeit »atonaler« Stimmführung mit Belegen aus vergangener Zeit verteidigen wollte. Schöner als in Schuberts Nachspiel kann verschwindende

* Die Kantate für dramatischen Sopran und Baß wurde 1821 als Opus 6 Nr. 2 veröffentlicht.

Sonne und aufgehender Mond in einander durchdringendem Stimmengeflecht wohl nicht gezeichnet werden. »Ich nehme nicht, ich pflege nur zu geben«, wie könnte man Schuberts künstlerisches Dasein besser beschreiben? Gleich die ersten Takte frappieren mit ihrer Modulation, spannen mit den Trillern auf dem zweiten Viertel unsere Erwartung. Das zweite »Wohin?« läßt mit seiner Fermate die Frage in die Ferne hinaushallen. Die Worte »scheide« und »herrlich« bringen zweimal den großen Sprung einer kleinen None abwärts, worauf ein Dur herrlich die nahende Nacht und die scheidende Sonne malt. Im Nachspiel schlägt die linke Klavierhand der rechten nach, man sieht förmlich die blassen Sterne heraufziehen. (Maurice J. E. Brown fand heraus, daß die bisher für den September 1820 angenommene Entstehungszeit auf 1817 vorzuverlegen ist.) — Im April wurde dann AUF DER DONAU komponiert, das einmal nicht mit der Antike beschäftigt ist. Mayrhofers vergleichende Vision der Flußlandschaft hinter Wien trifft auch heute noch den Charakter jener Gegend genau. Schubert, wie immer von der Tragik des Vergänglichen fasziniert, wendet seine ganze Kunst an diesen Gesang, der in den Farben der Klavierbehandlung Schumann und Brahms vorausnimmt und, über die Künstlichkeit von Mayrhofers Mittelstrophe hinweg, Figuriertes und Melodiöses nahtlos miteinander verschmilzt. — Einheitlicher wird die stürmische Begleitfigur im SCHIFFER durchgeführt. Unnachahmlich drückt sich trotzige Lebenskraft aus. Die malerische Pose des Gedichts bleibt nicht starr, der gleichsam stehengebliebene Film darf anlaufen. Das Baßlied ist in strophischer Form und wurde Mayrhofer gewidmet, als es mit AUF DER DONAU und WIE ULFRU FISCHT Ende 1823 als Opus 21 zum Druck kam. Das Letztgenannte erstaunt mit Wanderungen durch entlegene Tonarten, die eine energisch marschierende Figur unternimmt. Die einfache Strophenform wird nicht verlassen.

Lassen wir Spaun weiter erzählen: *»Nach wenigen Wochen schon sang Vogl Schuberts* ERLKÖNIG, GANYMED, *den* KAMPF, *den* WANDERER *etc. etc. einem kleinen, aber entzückten Kreise vor, und die Begeisterung, mit der der große Künstler diese Lieder vortrug, waren der beste Beweis, wie sehr er selbst davon ergriffen sei. Die größte Wirkung aber brachte der herrliche Sänger auf den jungen Tonsetzer selbst hervor, der sich glücklich fühlte, so lange gehegte Wünsche nun so über alle Erwartung erfüllt zu sehen. Ein Bund der beiden Künstler, der sich immer*

enger schloß, bis ihn der Tod trennte, war die Folge ihres steten
Zusammentreffens. Vogl erfüllte mit wohlmeinendem Rate dem
jungen Freund den reichen Schatz seiner Erfahrungen, sorgte
väterlich für die Befriedigung seiner Bedürfnisse, wozu damals
sein Erwerb durch Kompositionen nicht ausreichte.«

Der erwähnte KAMPF nach Schiller wurde im November dieses
Jahres komponiert. Er ist ausdrücklich für eine Baßstimme notiert
und nimmt hier insofern eine Sonderstellung ein, als unerwartet
der Arienstil der Marschner, Spohr und Weber in die Intimität
des Schubertliedes eindringt. Das Pathos des Helden, der sich
nicht zwischen Liebe und Treue entscheiden kann, scheint dieser Expansion allerdings entgegenzukommen. Der opernhafte
Schluß des Liedes gibt davon einen Eindruck:

> Der einz'ge Lohn
> der meine Tugend krönen sollte,
> ist meiner Tugend letzter Augenblick!

Der junge Schubert verehrte den großen Schiller, der so hoch
im Ansehen der intellektuellen Welt stand. Und er überwand
ihm zuliebe jene Kühle und Unwirtlichkeit der Gedichte Schillers,
die ihm immer wieder zu schaffen machten. Aber wie er es fertig
brachte, das schöne Lieblingsstück Vogls DER KAMPF durch sinn-
liche Lebenskraft zu fermentieren, fordert große Bewunderung
heraus. Es ist eigentlich Schubert, der den abgebrauchten Komplex
Liebe, Pflicht, zerstörerische Leidenschaft faszinierend erlebbar
macht. Wie wir wissen, war Schiller einer der ersten Poeten, die
in Schuberts Gesichtskreis traten. Und immer wieder stellt sich
der Komponist der Herausforderung, Texte des Dichters zu vertonen, auch wenn er durch irgendeine prosaische oder antimusi-
kalische Seite gestört wird. Im Anhören Schuberts offenbart
sich, wie rar die lyrische Qualität bei Schiller im Grunde ist.
Die Musik zum KAMPF mag sich freilich im Rhetorischen er-
schöpfen, aber gleich das Eröffnungsthema wird zum Gegenstand sozusagen symphonischer Gestaltung. — Das wohl bedeutendste Stück nach Schiller aus dem Jahre 1817, GRUPPE AUS
DEM TARTARUS, hatte Schubert schon Jahre zuvor beschäftigt.
Das Fragment zeigt bereits Musik ähnlich hohen Ranges. Fast
nur in der nun erfolgten Neufassung gelingt es Schubert ganz,
durch die Schillerschen Worthüllen zum Gedichtzentrum vorzudringen, bekräftigt in jenem Sinnbild des Saturn, das sich im
Schlußarpeggio manifestiert, wie Schubert es nach langer Stille

pianissimo und langsam für sich stehen läßt. Vorher ist es kolossalisch zugegangen, und Schuberts orchestrale Sprache verlockte Brahms zur Instrumentierung für einen großen Orchesterapparat. Das Bild der Komposition ist voller Unruhe, Dramatik und krasser Gegensätze, die Wirkung erschreckend, und der Interpret wird auch heute noch die Erfahrung machen, daß es, an den Schluß einer Gruppe gestellt, wie am ersten Tage Lähmung und Erschrecken zurücklassen kann. Das grandiose C-Dur auf »Ewigkeit«, bevor die Musik in der Motivik des Anfangs erstirbt, gehört zum Gesamteindruck des sich stets gleichbleibenden, tragischen Drehens im Kreise. Die furiose Darstellung der im Tartarus Gebannten aus Schillers Sturm- und Drang-Gedicht von 1782 weist weit auf Wagner und Wolf voraus, sie hat mit dem konventionellen Lied, auch dem von Schubert, nichts mehr zu schaffen. Die Singstimme kann sich an keine »Liedmelodie« mehr halten, die Plastik des Geschehens wird durch die harmonischen und rhythmischen Waghalsigkeiten des Klaviers fast noch mehr erreicht als durch den Gesang. Was nicht heißen soll, Stimme und Instrumentalpart seien ungleichwertig. Aber jene irreführende Verallgemeinerung Leopold von Sonnleithners, Schubert habe immer nur vom Wort unabhängigen Schöngesang gefordert, wird hier in seine ganze, bis heute nicht genügend erkannte Relativität zurückgewiesen. In eine Schubladenschematisierung: Hie Deklamation, hie Schöngesang, läßt sich Schuberts Kunst wohl kaum verkleinern, und die Maßstäbe, nach denen die Zeitgenossen urteilten, umfaßten zusätzlich einen Gesichtspunkt, der heute im deutschsprachigen Gesang kaum noch beachtet wird. Das Wort und seine gesangliche Ausbildung waren Ausgangspunkt für jegliche Gestaltung, und von daher suchte man den musikalischen Forderungen nachzukommen. Durchlebtes Singen steht am Ende jenes Reifeprozesses, der mit dem Formen von Vokalen und Konsonanten beginnt. Er hat nichts mit jenen Verzerrungen und Tonlosigkeiten zu tun, die man dem bereits stimmlich angegriffenen Vogl vorwarf. Schubert indiziert im Notenbild sehr genau, wo er reine Linie, wo angedeutete oder schließlich dramatische Wortfärbung wünscht. Den Weisungen seiner Musik folgen heißt, den richtigen Stil eines jeden Liedes finden. Was sich in der Komposition abspielt, das Ausbalancieren unsymmetrischer Periodenglieder etwa durch harmonische Rückungen oder Verschiebung von Akzenten, in anderen Fällen die Störung oder Wiederherstellung metrischen Gleichgewichts durch Varianten in Dynamik, Textur und Registerlage, also scheinbar technische Details musikalischer Konzeption, führen durch ihre richtige Identifikation und n u r durch sie zur Gestaltung.

Wie das schon bei Dante zu konstatieren ist, bietet die Hölle ergiebigere künstlerische Gestaltungsmöglichkeiten als das Paradies. So auch bei Schubert in dem gleich auf den TARTARUS folgenden ELYSIUM. Das Stück wird seiner Länge und der schwierigen Atemphrasen wegen kaum aufgeführt, aber es stellt dennoch eine schöne, fein charakterisierte Vision himmlischer Freuden dar. Das Anschauen des Todes hat bei Schubert nie etwas Starres, Unerbittliches. Immer neu ist die Sicht, mit der er in die Abgründe dieses Bereiches vorzudringen sucht. Und immer nähert er sich ihm als ein das Leben liebender Mensch. Bei den Schlußworten »feiert sie ein ewig Hochzeitsfest« hält Schubert das »ewig« mehr als zehn Takte lang mit unerschöpflichem Lebensatem, den der Nachvollziehende nur mühsam aufzubringen vermag. — Dann wandte sich Schubert noch einmal THEKLA zu, das im Untertitel »Eine Geisterstimme« genannt wird. Wir erinnern uns, daß er das Gedicht 1813 zum ersten Mal in Arbeit hatte. Innerhalb einer Quarte vollzieht sich der reine Lyrizismus dieser Version, deren zweite Niederschrift einen Halbton tiefer liegt und den Strophen um ein geringes individueller nachgeht. (1827 wurde diese Fassung als Opus 88 herausgebracht.) Das Gedicht muß ihn, der es schon als Sechzehnjähriger vornahm, sehr beschäftigt haben. Schillers hochtönende Gedanken über die Aufhebung der Grenzen vom Jenseits zum Diesseits lassen Schubert keineswegs die Schlichtheit aufgeben. Er versteckt in der so einfach erscheinenden Moll-Dur-Wendung bei der dritten Zeile von Strophe 1, 3 und 5 den einen harmonischen Schritt, der solche Welten versetzt, daß nur der ihn tun kann, dessen Glaube an Schöpferisches und Neuzugestaltendes unversehrt ist. Die Stelle, wo Schiller von den Nachtigallen sagt: »Nur solang' sie liebten, waren sie«, gehört in diesen Zusammenhang. Immer wieder ist die rätselhafte Beziehung zwischen Lebenden und Toten Gegenstand von Schuberts musikalischer Kontemplation. Er hat immer an ein Wiedersehen mit den Vorangegangenen geglaubt. Schillers schaurige Geisterstimme bringt Schubert in vertraute Nähe, er scheut sich nicht, mit einem Lächeln die Kluft zu überbrücken. — Es ist zu verwundern, was Schubert selbst noch dem wenig inspirierten Gedicht DER ALPENJÄGER musikalisch abgerungen hat. Die beiden Gedichtabteilungen werden strophisch abgetan, mit einem angehängten Schlußwort des Berggeistes, der aber leider nicht mit Raimunds naiv liebenswerter Zunge redet. Der Maler Ludwig Schnorr von Carolsfeld ist Widmungsträger, dessen steife, moralinsaure Bibelfiguren ganz gut zu den allegorischen Handelnden des Schiller-Poems passen.

Welcher Art der Eindruck von Schuberts Liedern auf Vogl war, können wir dem Tagebuch des Sängers entnehmen:

»Nichts hat den Mangel einer brauchbaren Singschule so offen gezeigt, als Schuberts Lieder. Was müßten sonst diese wahrhaft göttlichen Eingebungen, diese Hervorbringungen einer musikalischen clairvoyance in aller Welt, die der deutschen Sprache mächtig ist, für allgemein ungeheure Wirkung machen. Wieviele hätten vielleicht zum ersten Male begriffen, was es sagen will: Sprache, Dichtung in Tönen, Worte in Harmonien, in Musik gekleidete Gedanken. Sie hätten gelernt, wie das schönste Wortgedicht unserer größten Dichter übersetzt in solche Musiksprachen noch erhöht, ja überboten werden könne. Beispiele ohne Zahl liegen vor: ERLKÖNIG, GRETCHEN AM SPINNRADE, SCHWAGER KRONOS, MIGNON und HARFNERS LIEDER, Schillers SEHNSUCHT, DER PILGRIM, DIE BÜRGSCHAFT.«

In Vogl hatte Schubert einen eindringlichen Gestalter gefunden, dessen Interpretationen sein eigenes Schaffen befruchteten. Auch menschlich blieb der Einfluß nicht aus, Vogl half materiell, wo immer er konnte, machte sich auch zum Gegengewicht gegen manche unguten Leichtsinnseinflüsse aus dem Freundeskreis. Sonnleithner beobachtet:

»Er vermied das Gemeine im Leben wie der Kunst und hatte in dieser Richtung einen günstigen Einfluß auf Schubert. Er trug viele Schubertsche Lieder hinreißend, tiefergreifend, wenn auch, besonders in späteren Jahren, mit unverkennbarer Affektation und Selbstgefälligkeit vor. Schubert mußte sich häufig nach ihm richten, und die Klagen, daß viele Schubertsche Lieder eigentlich für keine Stimmlage vollkommen passen, findet vorzüglich in dem Einfluß Vogls ihre Veranlassung und Entschuldigung. Vogl brachte oft mit einem tonlos gesprochenen Wort, mit einem Aufschrei oder einem Falsett-Ton eine augenblickliche Wirkung hervor, die aber künstlerisch nicht zu rechtfertigen war und von einem anderen nicht wiedergegeben werden konnte.«

Und in Spauns Erinnerungen lesen wir:

»In vielen Häusern, namentlich in jenen des Doktors von Sonnleithner, in welchem regelmäßig in jeder Woche Musiken stattfanden, dann bei den Konzerten des Kleinen Musikvereins, wurden von nun an häufig Schubertsche Kompositionen aufgeführt, und zwar jederzeit mit dem ungeteiltesten Beifalle der Zuhörer.« (Es handelt sich um die privaten Abendunterhaltungen der Gesellschaft der Musikfreunde.) »Ebenso wurden damals die Schubertschen Lieder häufig in dem Hause des früh verstorbenen Matthäus von Collin, welcher den Kompositionen Schuberts enthusiastischen Beifall schenkte, vor einem Kreise mehrerer durch Talente und ihre Stellung ausgezeichneten Menschen vorgetragen, die sämtlich über die Neuerscheinung in so trüber Zeit innig erfreut waren und dann einzeln das ihrige beitrugen, die allgemeine Aufmerksamkeit auf Schubert zu lenken. In diesem Hause wurde Schubert dem Herrn Grafen Moritz von Dietrichstein, den Herren Hofräten von Hammer und von Mosel, dem nachherigen Patriarchen von Venedig, der Frau Karoline von Pichler und noch mehreren anderen ausgezeichneten Personen bekannt, die ihn sämtlich mit ihrem großen Beifalle beehrten und ermunterten.«

Schober zitiert in seinen Erinnerungen Vogls feine Umschreibung dessen, um was es sich bei der Geburt des neuen Verhältnisses zwischen Vortragendem und den Zuhörern handelt:

»Das ist nichts, daß einer richtig singe und allenfalls vortrage, er muß machen können, daß die andern das glauben, was er singt.«

Anselm Hüttenbrenner beschreibt uns kurz den Begleiter Schubert: »Schubert war kein eleganter, aber ein sicherer und sehr geläufiger Klavierspieler, der seine Lieder stets im Takt bleibend, vortrefflich begleitete und ebenso wie der alte Salieri mit Leichtigkeit Partitur spielte.«

Spaun rügt Vogls altmodische Gewohnheit — da alles Volkstümlich-Einfache als immer noch dürftig galt — die Singstimme mit Verzierungen auszuschmücken, die sich dann bis in die Drucklegung hinein behauptete. Aber er bestreitet, Vogl habe einen nennenswerten Einfluß auf Schuberts Komponierweise genommen.

»Niemand hat auf seine Art zu komponieren je den geringsten Einfluß geübt, wenn es auch hier und da versucht worden sein mag. Höchstens hat er Vogl in Rücksicht auf dessen Stimmlage Konzessionen gemacht, allein auch das nur selten und ungern.«

Vogls Verehrung für seinen jungen Schützling streifte bald

alle Herablassung des Anfangs ab, und es rührt, wenn ein junger Medizinstudent namens Haller, der aus Vogls Heimatstadt Steyr stammte und während seiner Studienzeit in dessen Wiener Haus wohnte, zugibt, daß *Vogl brutal gegen jedermann war, besonders der ihm nicht schmeichelte. Nur Schubert allein, vielmehr sein Genius, hatte den Zauber, der diese derbe Natur zahm machte.*

Und wenn Schubert, wie er es manchmal tat, bei Veranstaltungen plötzlich verschwand oder überhaupt nicht erst erschien, nahm Vogl seinen Freund mit den Worten in Schutz: *»Vor Schuberts Genius müssen wir uns alle beugen, und wenn er nicht kommt, müssen wir ihm auf den Knien nachkriechen.«*

Einen Monat, nachdem DER TOD UND DAS MÄDCHEN zusammen mit zwei unbedeutenden Gefährten nach Claudius, TÄGLICH ZU SINGEN und DAS LIED VOM REIFEN entstanden waren, machte sich Schubert an ein Gegenstück, das subjektivere Zwiegespräch DER JÜNGLING UND DER TOD. Das Gedicht stammt diesmal aus dem Freundeskreis, von der Hand Spauns:

> Die Sonne sinkt, o könnt' ich mit ihr scheiden,
> Mit ihrem letzten Strahl entflieh'n,
> Ach, diese namenlosen Qualen meiden
> Und weit in schön're Welten zieh'n!

Hier sind wohl verschiedenartige Interpretationen des Weltschmerzes möglich, es ist sicherlich von der gleichen Resignation die Rede, die Lenau zerbrach, die Grillparzer bis zum Verstummen einengte, die Schubert ebensowenig verschont ließ: Keine Modeerscheinung ist hier zu suchen, eher das Leiden unter der Passivität ringsum, der Willenlosigkeit der Jugend gegenüber den Schrecken einengender Restauration. Wir sollten uns die vielen ausgeführten und noch zahlreicher versuchten Selbstmorde in der Metternichzeit vergegenwärtigen. In der zweiten der beiden vorhandenen Fassungen des Liedes wird der Antwort

Joseph v. Spaun

des Todes ein Vor- und Nachspiel gegeben, die sich an das Thema des Pendants vom Februar anlehnen. DER JÜNGLING UND DER TOD mag seinem Gefährten nicht ebenbürtig sein, aber das Lied ist schon dadurch von Interesse, daß gerade umgekehrt der Gesang des den Tod erflehenden Jünglings den Hauptinhalt bildet, während der Tod ihm in nur wenigen Takten die Bitte gewährt. Diesem gilt die Auswahl der Gedichte meist dann, wenn in ihm der Mahner empfunden werden kann, der mit dem Wissen um das Ende dem Leben Tiefe, Ernst und dem Erleben Vollständigkeit zubringt. In diesem Zusammenhang gewinnt das rhythmische Symbol für den Tod die Bedeutung einer Auseinandersetzung.

Dem scheidenden Albert Stadler wurde im Sommer 1817 das Lied DER STROM zugeeignet. Damit leitete sich eine Folge von Trennungen ein, deren Aufwühlung in Schuberts Textwahl und seinem musikalischen Verzweiflungston wiederzuerkennen ist. Das wahrscheinlich von Stadler selbst stammende Gedicht sei hier zitiert:

> Mein Leben wälzt sich murrend fort,
> Es steigt und fällt in krausen Wogen,
> Hier bäumt es sich, jagt nieder dort
> in wilden Zügen, hohen Bogen.
>
> Das stille Tal, das grüne Feld
> durchrauscht es nun mit leisem Beben,
> Sich Ruh' ersehnend, ruhige Welt,
> ergötzt es sich am ruhigen Leben.
>
> Doch nimmer findend, was es sucht,
> und immer sehnend tost es weiter,
> Unmutig rollt's auf steter Flucht,
> wird nimmer froh, wird nimmer heiter.

Wir erinnern uns, daß Stadler zu den Freunden aus dem Konvikt gehörte. Er hatte die Rechte studiert und verließ Wien jetzt, um in seine Heimat Oberösterreich zu gehen, wo er sich später mit Schubert wiedertreffen sollte. Stadler ist der Textautor einer der unglücklichsten Operetten Schuberts »Fernando.« — DER STROM ist durch unaufhörliche Sechzehntelbewegung gekennzeichnet, die mit Vehemenz gleich beim ersten Auftakt den Hörer in die Leidenschaft hineinreißen.

Weit mehr noch als die Trennung von Stadler ging Franz die Abreise Schobers zu Herzen, der für ein Jahr nach Schweden reiste. Ihm widmete er ein Gedicht von eigener Hand, das einfach und empfindsam in Musik gesetzt wurde. Schubert schrieb es am 24. August 1817 »in das Stammbuch eines Freundes«:

> Lebe wohl, Du lieber Freund,
> Ziehe hin in fernes Land,
> Nimm der Freundschaft trautes Band
> Und bewahre es in treuer Hand!
>
> Lebe wohl, Du lieber Freund!
> Wenn dies Lied Dein Herz ergreift,
> Freundesschatten näher schweift,
> Meiner Seele Seiten streift.
> Lebe wohl, Du lieber Freund!

Mit ABSCHIED VON EINEM FREUNDE entstand nichts Abgerundetes, nichts besonders Geistvolles, Schubert begnügte sich mit Abgrenzung des Ausdrucks. Auf der Rückreise holte Schober seinen Bruder aus Frankreich nach Wien zurück, was bedeutet, daß Schubert sein jetzt anderweitig benötigtes Zimmer aufgeben und die Schulmeisterarbeit, des Geldverdienens wegen, wieder aufnehmen mußte. Die Bedrückung nach den Monaten der Freiheit war natürlich groß, sie bedeutete eine sinnlose Belastung seiner nach schöpferischer Tätigkeit drängenden Natur.

Im Frühherbst schrieb er das Lied DIE BLUMENSPRACHE nieder. Es ist mir nicht gelungen festzustellen, ob es sich bei dem Dichter wirklich um Anton(?) Platner (1787–1855) handelt. Dieses landbekannte Original war Hirtenjunge bei Innsbruck gewesen. Nach dem Studium wurde Platner Geistlicher, lebte aber später als Sonderling vor sich hin, der Lyrik und Tagebücher verfaßte. Aber nicht nur der Vorname, auch die Autorenschaft ist ungeklärt. Es kann sich bei dem Dichter ebenso um Eduard Plattner handeln. Die BLUMENSPRACHE läßt nicht die Pflanzen, sondern den Überbringer sprechen, und das in leichtestem, sehr wienerischem Ton, den Schubert musikalisch genau aufnimmt.

Im Sommer 1817 war DIE FORELLE nach Christian Daniel Schubart (1739–1791) entstanden. Bis zur Veröffentlichung im Dezember 1828, als die »Wiener Zeitung« das Lied abdruckte, sollte noch einige Zeit vergehen. Am 21. Februar 1818 nun widmete Schubert die vierte Niederschrift des Liedes dem treuen Adlatus Josef Hüttenbrenner, den er sonst eigentlich eher mit Strenge behandelte, so daß man von ihm, mit Bezug auf das Verhalten gegenüber dem Freund, gelegentlich als einem »Tyrannen« redete. »Dem da gefällt doch alles von mir!« ist ein überlieferter Ausspruch Schuberts. Hüttenbrenner, der später unter einem Dach mit Schubert wohnte, weilte zu jener Zeit in Graz. Mitternachts saß Schubert mit dessen Bruder Anselm zusammen und schrieb ihm aus Wien:

Josef Hüttenbrenner

»Theuerster Freund! Es freut mich außerordentlich, daß Ihnen meine Lieder gefallen. Als einen Beweis meiner innigsten Freundschaft schicke ich Ihnen hier ein anderes, das ich eben jetzt bei Anselm Hüttenbrenner nachts um 12 Uhr geschrieben habe. Ich wünschte, daß ich bei einem Glas Punsch nähere Freundschaft mit Ihnen schließen könnte. — Eben als ich in Eile das Ding bestreuen wollte, nahm ich, etwas schlaftrunken, das Tintenfaß und goß es ganz gemächlich darüber. Welches Unheil!« *

Der als Dichter, Musiker und Rezitator hochbegabte Schubart gründete als Student, Hauslehrer und Organist 1774 die Zeitung »Deutsche Chronik«, mit deren fortschrittlichen Ideen er Männer wie Schiller beeinflußte, dem er übrigens auch den Stoff zu den »Räubern« lieferte. Als ihm seine politischen Satiren den Haß des Herzogs von Württemberg zuzogen, wurde er 1777 ohne Gerichtsurteil in der Festung Hohenasperg eingekerkert. Man mußte ihn nach etlichen Jahren auf Druck der öffentlichen Meinung hin befreien. Bis zu seinem Tode war er am Hoftheater in Stuttgart Direktor. Seine »Ideen zur Ästhetik der Tonkunst« weisen Schubart als bedeutenden Musiktheoretiker aus. Schubert hat vier Lieder dieses Dichters komponiert, von denen AN DEN TOD und DIE FORELLE die eigentlich bedeutenderen Hauptstücke des Jahres 1817 an Berühmtheit weit hinter sich ließen. Wir wissen von vier Abschriften der FORELLE, aber ganz sicher hat

---

* Dieses berühmte Manuskript mit dem Tintenklecks hat jemand 1870 photographiert. Dadurch können wir heute wenigstens das Faksimile betrachten, denn das Original ging sehr bald verloren.

es noch mehr gegeben. Hält man sich vor Augen, wie vieles Schubert mehrmals in gleicher Form und Fassung aufschrieb, so beängstigt fast die Arbeitsleistung. Die vier bekannten Abschriften der FORELLE wurden 1817 als Albumblatt für Franz Sales Kandler, 1818 in Hüttenbrenners Album, 1820 für den ersten Druck (A. Hüttenbrenner übergeben und verlorengegangen), 1821 zum endgültigen Druck angefertigt. Das Vorspiel von sechs Takten mit dem springenden Forellenmotiv schon vor Einsetzen des Gesanges erscheint erst bei der letzten Niederschrift. DIE FORELLE läßt uns auch etwas von Schuberts kritischem Geschmack ahnen, der zwei Strophen aus dem Original des »Schwäbischen Musenalmanach« von 1783 unberücksichtigt läßt, die lauten:

> Die ihr am goldenen Quelle der sicheren Jugend weilt,
> Denkt doch an die Forelle! Seht ihr Gefahr, so eilt!
> Meist fehlt ihr nur aus Mangel der Klugheit, Mädchen,
> Seht Verführer an der Angel! Sonst blutet ihr zu spät!

Das didaktische Lehrgedicht mit der barocken Nutzanwendung wird von dem symbolisch geflossenen Blut gereinigt und seiner »himmlischen Kürze« zugeführt. Die FORELLE liefert ein überzeugendes Beispiel des Strophenliedes mit Abgesang. In gleichlautenden Strophen wird so lange gesungen, wie die Situation unverändert bleibt. Im Augenblick, da der Text das tückische Wassertrüben beschreibt, setzt der Abgesang ein; allerdings wird am Schluß die Hauptmelodie wieder aufgenommen, die Grenzen zum Dacapolied erweisen sich als dehnbar. Wieder einmal gibt es eine konsequent durchgeführte Klavierbewegung, die bald als Dreiklang in die Höhe schießt, bald in den Baß hinunterwechselt. Die Lebendigkeit der Darstellung mit dem Trüben und Glätten des Wasserspiegels, die Lebensfreude der Melodie selbst machen die allgemeine Beliebtheit verständlich, die übrigens zu zahllosen Transkriptionen für Klavier führte, unter denen Stephen Hellers angenehme pianistische Flüssigkeit die fragwürdige Palme des Vielgespieltseins davontrug.

Schuberts Fassung von des schwäbischen Dichters AN DEN TOD verliert ihren ruhigen Grundcharakter auch dann nicht, wenn interessante chromatische Rückungen die Melodie beleben. Der Schlußpassus sollte beim Singen nicht schmachten, Schuberts naive Innigkeit deckt sich dann überzeugender mit den Worten des Gedichts. Als Befreier ist der Tod willkommen, aber vor

Schloß Zseliz

allem, was noch nicht erblüht ist, soll er fernbleiben. Schubarts Gedicht zieht sich über 16 Strophen hin. Schubert faßt je zwei der Vierzeiler zusammen. Wenn der Herausgeber der ersten Gesamtausgabe Mandyczewsky nur zwei Musikstrophen abdruckt, so hat das gute Gründe.

Die kleine Delikatesse An mein Clavier von 1816 mag uns an die Musikliebe des glücklosen Poeten erinnern. Schubart legt die Verse einem Mädchen in den Mund und nennt sein Gedicht »Serafina an ihr Clavier«. Schubert jedoch spart das Mädchen in seiner Komposition aus und streicht auch zwei Strophen, die ihn zu seraphisch anmuten. Er will mit diesem kleinen Lied nur bescheidenen Dank für tröstliche Musik in Verstörtheit sagen, wenn sich auch Schubarts »sanft« eher auf ein Clavichord beziehen dürfte, das noch eine Generation zuvor so stark in bürgerlichem Gebrauch war. — Grablied auf einen Soldaten schließlich hat außer einem üblichen Grabes-c-Moll nicht viel zu bieten.

Unterricht zu erteilen, auch wenn es musikalischer war, belastete Schubert immer. Ganz besondere Überwindung hatte ihn die Tätigkeit als Elementarlehrer bis zum Herbst 1816 gekostet. Die einzige Ausnahme machte das Angebot Graf Johann Carl Esterházys (1775—1834), im Sommer 1818 die Stelle eines Musikmeisters in seinem Hause zu übernehmen. Es handelt sich hier nicht um den berühmten Gönner Haydns, auch nicht um dessen ganz unmusikalischen Sohn, sondern um einen Verwandten aus einem anderen Familienzweig. Schubert nahm das Angebot an und ging mit nach Zseliz, dem Herrensitz der Familie an der Waag in Ungarn, 14 Poststationen von Wien entfernt. Er unterrichtete die Töchter Marie, Karoline und den Sohn

Johann Albert. Eigentlich war er in Zseliz musikalisches Mädchen für alles, seine Aufgaben wurden nicht fest umrissen. Er schrieb Gesangsübungen für die Töchter auf und gab der Mutter, die eine Altstimme traktierte, eine Art Gesangsunterricht. Der Graf, mit kräftigem Baß ausgestattet, wurde am Klavier begleitet und auch mit Liedern bedacht. Marie und Karoline bekamen Stoff für ihr vierhändiges Klavierspiel und auch einige mehrstimmige Gesänge zum Vortrag bei gelegentlichen, improvisierten Abendkonzerten. Natürlich war es Schubert lieb, daß man in der Familie viel Hausmusik machte, an der sich auch ein Schüler Vogls, Freiherr Karl von Schönstein (1797–1876), als hervorragender Sänger beteiligte. Dieser junge Mann wurde nicht nur einer der ersten Schubertsänger, er war auch dazu ausersehen, Widmungsträger des Zyklus DIE SCHÖNE MÜLLERIN zu sein. Am 3. August geht ein Brief Schuberts aus Ungarn nach Wien:

»Liebste, theuerste Freunde! Wie könnte ich Euch vergessen, Euch, die ihr mir alles seid! Spaun, Schober, Mayrhofer, Senn, wie geht es Euch? Lebt Ihr wohl? Ich befinde mich recht wohl. Ich lebe und komponiere wie ein Gott, als wenn es so sein müßte. — Mayrhofers EINSAMKEIT ist fertig, und wie ich glaube, so ist es mein Bestes, was ich gemacht habe, denn ich war ja ohne Sorge. Ich hoffe, daß Ihr alle recht gesund und froh seid, wie ich es bin. Jetzt lebe ich einmal, Gott sei Dank, es war Zeit, sonst wäre noch ein verdorbener Musikant aus mir geworden. Schober melde meine Verehrung bei Herrn Vogl, ich werde nächstens so frei sein, auch ihm zu schreiben. Wenn es sein kann, so bringe ihm bei, ob er nicht die Güte haben wollte, bei dem Kunzischen Konzerte im November ein Lied von mir zu singen, welches er will. Grüße mir alle möglichen Bekannten. An deine Mutter und Schwester meine tiefste Verehrung. Schreibt mir ja recht bald, jeder Buchstab' von Euch ist mir theuer. Euer ewig treuer Freund Franz Schubert.«

Trotz dieser freudigen Tonart ist das kompositorische Ergebnis dieser Monate von vergleichsweise geringem Umfang: etwa acht Lieder, Variationen Opus 10 und das Fragment einer Klaviersonate. Schuberts hohe Einschätzung seines Liedes EINSAMKEIT nach Mayrhofer mag sich auch aus der erstmals wieder kantatenartigen Formung dieser hochinteressanten Komposition erklären. Vor allem gibt das Lied Zeugnis von der inneren Einstellung zu den Freunden, dem Dichter Mayrhofer und den anderen. Schober war zwar so etwas wie ein Wortführer unter den jungen Männern, aber ebenso fühlte sich Schubert zu dem schwermütigen Mayrhofer hingezogen. Der Hinweis an Schober, er möge doch Mittelsmann bei Vogl spielen, betont Schuberts zuzeiten reserviertes Verhältnis dem Sänger gegenüber. Es war an ein öffentliches, konzertantes Hervortreten im kommenden Winter gedacht.

Man hat geglaubt, Schuberts Feststellung, dieses Lied sei das beste, das er bis jetzt komponiert habe, bezeuge seine völlige Urteilslosigkeit dem eigenen Werk gegenüber. Die Kritiker verkannten jedoch, was alles an Neuem und Aufregendem sich in diesem Lied ereignet, das eigentlich nur seiner etwas diffusen Form wegen so verkannt wird. Es stellt eine der umfangreichsten Liedkompositionen dar, die Schubert überhaupt hinterlassen hat, eine Art Liederreihe aus sechs philosophierenden Strophen des Freundes Mayrhofer. Die musikalisch auseinanderstrebenden Sätze werden durch den Ausdruck des Fordernden, Sehnenden zusammengehalten. Mayrhofer schildert das Leben eines Unbefriedigten, den es aus Klostermauern in wilde Tätigkeit hinaustreibt, dann zu ländlicher Idylle und lustigen Freunden, zu den Seligkeiten der Liebe und in grauenvolle Schlacht, bis er zuletzt die Erfüllung seiner Jünglingssehnsucht in der Stille der Natur findet. Einsamkeit, Tätigkeit, Geselligkeit, Seligkeit, Düsterkeit — alle diese Stimmungen werden in dem Gedicht beschworen, und Schubert benutzt ihre Anrufung zu einer Art Resumée seiner bisherigen gestalterischen Möglichkeiten, wobei er die rezitativische Deklamation legitim in die arios expressiven Kantatensätze hineinnimmt. Aber natürlich kann der reichlich abstrakte Held Mayrhofers nur auf Umwegen von Schuberts Identifikation mit Teilen des Textes erzählen. Es mag bezeichnend sein, daß der Höhepunkt bei den letzten Manuskriptseiten erreicht wird, die vom Zurückziehen in die Ungestörtheit des Waldlebens handeln:

> Und sein Leben rauh und steil
> führte doch zur Seligkeit.

Inhaltlich schließt sich an diese Komposition eine Überraschung unter Schuberts Liedern an, die vielleicht vom März 1816 datiert und deren Text von Adolph Pratobevera, Freiherr von Wiesborn (1806—?) stammt; er veröffentlichte neben juristischen Abhandlungen politische Xenien; das Melodram ABSCHIED

Adolf Pratobevera Frh. v. Wiesborn

VON DER ERDE, als Fragment dem Gedicht »Der Falke« entnommen. Im Stil mancher Raimund-Strophen spricht die Stimme sanft über einer einfachen, tröstlichen Klavierbegleitung. Was macht diesen Effekt, der seither durch Film und Fernsehen bis zum Überdruß ausgenutzt worden ist, immer wieder so bewegend? Man denke vergleichsweise an die Wechselreden Leonores und Roccos, an die briefelesende Violetta oder die zu nächtlichen Windschauern in Marschners »Vampir« gesprochenen Strecken. In unserem Falle wirkt das Abweichen vom gesungenen Lied seiner Einmaligkeit wegen unter den vielen für Singstimme komponierten Stücken doppelt anrührend. Schumann, Liszt und Richard Strauss haben später der melodramatischen Rezitation noch besondere Aufmerksamkeit zugewendet. Aber keiner erreicht die musikalische Dichte dieser kurzen Kontemplation über die Macht der Liebe, die Kummer in Freude verwandelt.

Während dieses ungarischen Sommers in Zseliz schwärmte Schubert verstohlen die junge und schöne Gräfin an, was ihn aber nicht davon abhielt, sich auch mit der Kammerzofe Pepi einzulassen. Dennoch beschließt er am 24. August einen Brief an den Bruder Ferdinand so:

»So wohl es mir geht, so gesund als ich bin, so gute Menschen als es hier gibt, so freue ich mich unendlich doch wieder auf den Augenblick, wo es heißen wird: Nach Wien, nach Wien! Ja, geliebtes Wien, du schließt das Theuerste, das Liebste in deinen engen Raum, und nur Wiedersehen, himmlisches Wiedersehen wird dieses Sehnen stillen.«

Zu den sehr unterschiedlichen Deutungen dieses Briefschlusses gehört auch die von Heinrich Werlé, der hier ein Gedenken an die früh verstorbene Mutter vermutet. Schon im Juni dieses Jahres hatte er ihrer in einem Lied gedacht, dessen Text, wie Arnold Schering meint, von Schubert selbst stammt. GRABLIED FÜR DIE MUTTER nimmt mit dem Inhalt der beiden letzten Strophen Schuberts allegorische Erzählung »Mein Traum« voraus:

Bleich und stumm, am düstern Rand
steht der Vater mit dem Sohne,
denen ihres Lebens schönste Krone
schnell, schnell mit ihr verschwand.

Und sie weinen in die Gruft,
aber ihrer Liebe Zähren
werden sich zum Perlenkranz verklären,
wenn der Engel ruft.

Mindestens ebenso dürfte sich der sehnsüchtige Briefschluß auf die Langeweile beziehen, die dadurch entstand, daß die Esterházys die Ferien verlängerten. Es fehlten die Wiener Freunde, das Theater, die Cafés.

So heißt es denn in einem Brief vom 8. September 1818 an die Freunde:

»Daß die Operisten in Wien jetzt so dumm sind und die schönsten Opern ohne meiner aufführen, versetzt mich in eine kleine Wut. Denn in Zzelez muß ich mir selbst alles sein: Compositeur, Redacteur, Auditeur und was weiß ich noch alles. Für das Wahre der Kunst fühlt hier keine Seele, höchstens dann und wann (wenn ich nicht irre) die Gräfin. Ich bin also allein mit meiner Geliebten und muß sie in mein Zimmer, in mein Klavier, in meine Brust verbergen. Obwohl mich dieses öfters traurig macht, so hebt es mich auf der andern Seite desto mehr empor. Fürchtet Euch also nicht, daß ich länger ausbleiben werde, als es die strengste Notwendigkeit erfordert. Mehrere Lieder entstanden unter der Zeit, wie ich hoffe, sehr gelungene. Daß der griechische Vogel (Vogl) *in Oberösterreich flattert, wundert mich nicht, da es sein Vaterland ist und er Ferien hat. Ich wollte, ich wäre bei ihm. Dann würde ich gewiß meine Zeit gut zu Faden schlagen.«*

Unter den erwähnten Liedern befand sich das wegen seiner großen Intervallsprünge technisch anspruchsvolle Virtuosen-Stück für hohen Baß DAS ABENDROT von Aloys Wilhelm Schreiber, dem damals in Heidelberg wirkenden Literaturhistoriker, das folgende vielsagende Sätze enthält:

O Sonne, Gottesstrahl, du bist
nie herrlicher, als im Entfliehn!
Du willst uns gern hinüberziehn,
wo deines Glanzes Urquell ist.

Der schöne Ernst, der das Hauptstück des Liedes bestimmt, wird allerdings durch eine Rhetorik à la Loewe ersetzt, wenn die tiefen E der letzten Seiten auftauchen. (Als das Stück 1867 in den Druck gelangte, erhielt es die Bezeichnung »Für Baß«, was unsere Vermutung bestätigt, daß es dem Grafen Esterházy auf den Kehlkopf geschneidert war.)

Aloys Schreiber (1763—1841) war neben seiner Tätigkeit als Professor für Literarästhetik und Theaterkritiker ein vielseitiger Schriftsteller, der sich mit der Herausgabe literarischer Zeitschriften, von Reisehandbüchern und Rheinsagen beschäftigte und auch als Bühnenautor hervortrat. Alle vier Gedichte aus seiner Feder, die Schubert auswählte, wurden 1818 komponiert. Berührungspunkte mit Schlegels VOM MITLEIDEN MARIÄ oder Jacobis LITANEI stellen sich bei Schreibers MARIENBILD her, dessen zarte Sechsachtel etwas von der Rührung widerspiegeln, die den Wanderer Schubert überkommt, wenn er vor einem alten Muttergottesbild stehenbleibt, wie er es gelegentlich mitteilt. Schönheit als den Betrachter verändernden Faktor der Kunst, er fand sie gleichnishaft für sein eigenes Tun dort wieder.

Als eines der zentralen Bekenntnisstücke Schuberts erweist sich das während der unglücklichen Frühjahrstage 1818 geschriebene AN DEN MOND IN EINER HERBSTNACHT. Schreibers Worte müssen besondere Saiten in Schuberts Wesen angerissen haben, so beteiligt und aus dem schöpferischen Zentrum kommend wirkt die Musik, die sicher nur ihrer Länge wegen nicht zum Repertoire-Bestandteil wurde. Dieses schönste aus jener Reihe unbekannter Lieder, die, besonders in der zweiten Schaffenshälfte, immer wieder als markante Bekenntnispunkte aus dem Schaffen des Komponisten herausragen, sei hier vollständig zitiert:

Freundlich ist dein Antlitz, Sohn des Himmels!
Leis sind deine Tritte durch des Äthers Wüste,
holder Nachtgefährte!
Dein Schimmer ist sanft und erquickend,
Wie das Wort des Trostes von des Freundes Lippe,
wenn ein schrecklicher Geier an der Seele nagt.
Manche Träne siehst du, siehst so manches Lächeln,
Hörst der Liebe trauliches Geflüster,
leuchtest ihr auf stillem Pfade.
Hoffnung schwebt auf deinem Strahle

herab zum stillen Dulder,
der verlassen geht auf bedorntem Weg.
Du siehst auch meine Freunde, zerstreut in fernen Landen,
Du gießest Deinen Schimmer auch auf die frohen Hügel,
Wo ich oft als Knabe hüpfte, wo oft bei deinem Lächeln
ein unbekanntes Sehnen mein junges Herz ergriff.
Du blickst auch auf die Stätte, wo meine Lieben ruhn,
Wo der Tau fällt auf ihr Grab
und die Gräser drüber weh'n in dem Abendhauche.
Doch dein Schimmer dringt nicht in die dunkle Kammer,
Wo sie ruhen von des Lebens Müh'n,
wo auch ich bald ruhen werde.
Du wirst geh'n und wiederkehren,
und du wirst seh'n noch manches Lächeln;
Dann werd' ich nicht mehr lächeln,
dann werde ich nicht mehr weinen,
Mein wird man nicht mehr gedenken
auf dieser schöne Erde.

Die »leisen Tritte«, die vom Dichter suggeriert werden«, geben den Anstoß zu jenem traumwandlerischen Marschthema, das, wie von Bläsern vorgetragen, durch das Stück hindurch sich variiert. Die zweite Klaviersonate a-Moll von 1823 bringt im langsamen Satz fast wörtlich jenes Thema, das nach den letzten Worten des Liedes die »schöne Erde« in resignierter Wunschlosigkeit vor uns hinmalt.

Dem Bruder Ignaz, der sich in einem Brief über den Mißbrauch beklagt, dem er als Lehrer ausgesetzt war, und der bekennt, daß er die Freiheit nur dem Namen nach kenne, daß er den Bruder darum beneide, vom Schuldienst erlöst zu sein, antwortet Franz: »*Übrigens werde ich mit meinen Herzensgefühlen niemals berechnen und politisieren, so wie es in mir ist, so geb' ich's heraus und damit Punctum. Meine Sehnsucht nach Wien wächst täglich. Mit heiter'm November werden wir reisen.*«

Sehnsucht nach Wien, das heißt natürlich auch Sehnsucht nach Therese Grob. Die paar »braven Mädchen«, die er inzwischen kennengelernt hatte, konnten ihn diese Liebe nicht vergessen machen. Ganz Ausdruck solchen Fernwehs ist das im September entstandene Lied nach einem unbekannten Dichter BLONDEL ZU MARIEN, das Friedländer irrtümlich Franz Grillparzer zusprach.

Die extrem liegenden Koloraturen blühen in quasi italienischer Manier, so künstlich wirkend, daß Mandyczewsky sie für »embellissements« des Michael Vogl hielt. Man denkt bei solchen verzierten Kantilenen an Beethovens Behandlung von Italianismen, die wenig später auch eine besondere Eigenart der Kavatinen Loewes darstellen. Hält man das kleine Barockpasticcio nach Goldoni La Pastorella daneben, 1817 entstanden, so wird deutlich, wie Schubert gewollt Artifizielles mit solcherlei Schnörkeln gleichsetzt.

Im Dornröschenschlaf lagen bisher drei Sonette, die Schubert nach der Heimkehr im November und Dezember 1818 schrieb, indem er Übersetzungen des Petrarca von A. W. Schlegel benutzte. Der Renaissance-Meister italienischer Sprachkunst in Sonett, Madrigal und Canzone, Francesco Petrarca (1304—1374) erblickte 1327, als er von seinem Jurastudium von Frankreich zurückkehrte, in der Kirche St. Clara zu Avignon Madonna Laura, die er fortan wie ein Troubadour besang. Ihm unerreichbar, zum Idol erhoben, durchglänzte sie seine Dichtung zehn Jahre lang bis zu ihrem Tod. Die Sonettform ist Petrarcas eigenste Schöpfung, und Franz Schuberts musikalische Interpretation hat nur den Nachteil, daß sie nicht auf der Originalsprache basiert. Sie steht übrigens weitgehend allein in der Musikliteratur, wenn man von drei bedeutenden Petrarca-Vertonungen absieht, die Franz Liszt als junger Mann in Italien schrieb und die er im Laufe seines Lebens noch zweimal neu faßte. Schubert bemüht sich mehr als der auf Schönklang bedachte Ungar, der betont formalen Eigenart der Dichtung gerecht zu werden. »Apollo, lebet noch dein hold' Verlangen« alterniert zwischen Rezitativ und Arioso. Der Lorbeer (lauro) wird von Petrarca häufig als Sinnbild für den Namen Laura eingeführt. Die Allegorie des Pflanzens eines jungen Lorbeerbaums ist hier als Bitte an den Apoll um heiteres Wetter zur Genesung Lauras zu verstehen. Musikalisch begegnet Schubert der Abstraktion des Gedichts mit Herbheit und Distanz. »Allein, nachdenklich« fesselt durch die g-Moll-Eröffnung, »wie gelähmt vom Krampfe« wirken Synkopierungen zur Zeichnung der schleppenden Schritte des Wanderers, der die Pfade der Menschen vermeidet, wie das ähnlich nur Schumann in Heines »Schöne Wiege meiner Leiden« wieder getan hat. — Der Irrtum, aus dem heraus »Nunmehr, da die Erde schweigt« das Sonett Nr. 3, von Schubert und Schlegel dem Dante zugeschrieben wurde, findet sich bei Mandyczewsky wieder, und so figuriert Dantes Name seit langem fälschlich unter Schuberts Autoren. Das ausgedehnte Stück offenbart zwischen Friede der Abenddämmerung und Krieg in des Dichters Herzen eine Fülle musikalischer Gedanken. Ausführlich die Anwendung des übermäßigen Dreiklanges, die in Novalis' »Nachthymne«, hier aber ganz bewußt, der Veranschaulichung des Unheimlichen, dienstbar gemacht wird.

Am 28. Februar 1819 kam Schubert erstmals öffentlich mit dem Vortrag eines Liedes zu Gehör. Goethes Schäfers Klagelied wurde von Herrn Franz Jäger, dem Tenoristen vom Theater an der Wien, wie die Presse vermerkt, »gefühlvoll« gesungen. Bald darauf hörte man das gleiche, schon 1814 entstandene hübsche, aber nicht entscheidend bedeutende Lied nochmals. Nur wenige Menschen wußten eben zu diesem Zeitpunkt von der Existenz der Schubertlieder. Auch auswärtige Zeitungen begannen nun endlich Notiz zu nehmen. Im »Berliner Gesellschafter« lesen wir: »Des Schäfers Klage, von dem jungen Schubert komponiert, gewährte den meisten Genuß. Man freut sich in der Tat recht sehr auf ein größeres, uns zum Genuß bevorstehendes Werk dieses hoffnungsvollen Künstlers.« Später, im Jahre 1822, steht folgende Analyse in einer Zeitschrift: »Der dem Pastorale eigentümliche Ton ist vortrefflich gehalten: er liegt schon in melodischen Ausdrücken. Die Begleitung ist zweckmäßig und verbindet die durch die charakteristischen Modifikationen notwendig auseinandergehaltenen Melodien. ... Die Charakteristik ist so tief ergreifend, daß sie keiner Auseinandersetzung bedarf, um allgemein empfunden zu werden.«

In der Tat werden hier Goethes, die Worte eines bekannten Volksliedes paraphrasierende Verse weit über ihren Wert gehoben und in eine musikalisch nahtlose Form gekleidet. Das Opus aus dem Jahrgang des Gretchen ist ein stimmungsvolles Stück bangender Warmherzigkeit, in dem die Steigerung des Ausdrucks bei »wem ich sie geben soll« oder die müde Resignation nach der Gewitterstelle bei »die Türe dort bleibt verschlossen« zu rühren vermag. Der Mittelsatz hebt sich in gesteigerter Lebhaftigkeit heraus, bis die Zeile »alles ist leider ein Traum« wieder in Wehmut zurückgleitet. Die Wiederholung verändert bedeutsam: Die beiden Abschnitte des ersten Teils werden umgestellt. Es ergibt sich ein erweitertes da capo: Ein erneuter Beweis, wie dehnbar die Form in der Hand eines Meisters ist. Ein guter Dichter braucht sich nicht davor zu scheuen,

Johann Mayrhofer

immer und immer wieder benutzte Metren anzuwenden. Das gilt auch für Schuberts bevorzugten Pastoralrhythmus, der sich hier aus Sechsachteln auf Dreiviertel übergreifend, sehr zu seinem Vorteil einführt. Dieser Siciliano-Bewegung wird man nicht müde, in seinen frühen wie späten Kompositionen wiederzubegegnen, denn immer gewinnt ihr Schubert ein spezifisches Interesse ab. SCHÄFERS KLAGELIED führt eindrucksvoll vor Augen, wie er schon 1814 die Form des modifizierten Strophenliedes sicher im Griff hatte. Die zweite Version in c-Moll unterscheidet sich von der ersten in e-Moll lediglich durch das Fortlassen des vier Takte langen Vorspiels.*

Schubert lebte mit Johann Mayrhofer gemeinsam in dem dumpfen Zimmer bei der »Witwe Sanssouci«. Ihr Beisammenwohnen bot den Freunden ein eigenartiges Bild. Zu Schuberts Offenheit wollte der verschlossene, ungesellige Mayrhofer nicht recht passen. Der Spötter Bauernfeld, damals noch zu jung, um sich dem Schubertkreis zu nähern, dichtete 17 Jahre später folgendes Couplet, das Mayrhofer porträtiert und so beginnt:

Ernst war seine Miene, steinern,
niemals lächelt' oder scherzt' er;
flößt uns losem Volk Respekt ein,
so sein Wesen und sein Wissen.

Wenig sprach er. — Was er sagt',
war bedeutend, allem Tändeln
war er abgeneigt, den Weibern
wie der leichten Belletristik.

* Die Veröffentlichung erfolgte zusammen mit drei weiteren kurzen Goethe-Vertonungen als Opus 3 im Sommer 1821. Die Widmung ging an den Hoftheater-Vizedirektor Ignaz von Mosel, der selbst zur Belustigung Beethovens im Händelstil komponierte und als erster Dirigent den Taktstock benutzte.

> Nur Musik konnt' ihn bisweilen
> aus der dumpfen Starrheit lösen,
> und bei seines Schuberts Liedern,
> da verklärte sich sein Wesen.
>
> Seinem Freund zuliebe ließ er
> in Gesellschaft aus sich locken,
> wenn wir Possen trieben, sah'n ihn
> stumm dort in der Ecke hocken.

Spaun nennt die wahren Gründe von Mayrhofers Unzugänglichkeit beim Namen:

»Mayrhofer zeichnet sich besonders durch seine genaueste Kenntnis des Latein und des Griechischen und der Klassiker aus. Es ging ihm wohl oft sehr übel; allein er hatte außer seiner Pfeife keine Bedürfnisse. Da seine ausgezeichnete literarische Bildung doch in einigen Kreisen bekannt wurde, so erhielt er anfänglich eine kleine, ihn aber vor Not schützende Anstellung im Bücher-Revisionsamte, von welcher er später zum Amte eines Bücher-Revisors vorrückte. Da er außerordentlich liberal, ja demokratisch gesinnt war und für freie Presse schwärmte, konnte ihn wohl nur die Not in das Bücher-Revisionsamt treiben. Auffallend war es bei seinen Ansichten, daß er als Bücher-Revisor von allen Buchhändlern wegen seiner großen Strenge gefürchtet war.«

Aber lesen wir weiter in Bauernfelds Charakterstudie:

> Eines Abends, als sich Schubert
> frei erging im Fantasieren,
> überkam die Dichter-Mumie
> dort im Winkel tiefes Rühren.
>
> Des verschrumpften Mannes Körper
> schien sich mächtig auszudehnen,
> über seine hagern Wangen
> liefen warme Schmerzenstränen.
>
> Langsam stand er auf vom Sessel,
> als die Fantasie zu Ende,
> und dem Freunde am Klaviere
> schüttelt stumm und stark die Hände.
>
> Dann ergreift ein großes Weinglas
> majestätisch er, bedächtig,

füllt es bis zum Rande, stürzt es
flugs hinunter, rasch und mächtig.

Ward gesprächig da und geistreich,
überrascht auch heute jeden
durch die Frische der Gedanken —
ließen bald allein ihn reden.

Oestreich wurde durchgesprochen
und sein künftiges Entfalten,
wie's vom Wege abgekommen,
so von Kaiser Josephs Walten.

Kaiser Joseph war der Heros,
den der Dichter sich erkoren,
und er klagte patriotisch,
daß sein Oesterreich verloren.

Alle Fehler der Regierung,
setzt' er auseinander logisch,
immer feuriger die Rede,
ward zuletzt wild demagogisch,

daß er aufsprang so vom Tische.
Und mit Worten, kecken, dreisten,
nur von Freiheit sprach und Volkstum,
schäumend, mit geballten Fäusten.

Also sprach er, also tobt' er,
Glas auf Glas hinunterstürzend,
und mit Witzen und Sarkasmen
seine wilde Rede würzend.

Und zum Schluß beiläufig sagt' er:
Ja, der Geist hat seine Waffen,
wird sie einst damit zerschmettern,
diese Knechte, diese Pfaffen!

Nach Jahrhunderten vielleicht erst,
über all' die Leichenhügel
flattert, jetzt noch Puppe, Menschheit
als ein Falter mit dem Flügel.

Doch in jedem der Jahrhundert'
treibt und wächst der Puppe Leben,

und zum Licht emporzudringen
ist ihr innerstes Bestreben.

Ja, ich sag' es Euch prophetisch:
Kommen werden schlimme Zeiten,
und die Dunkelmänner werden
gegen Licht und Wahrheit streiten.

Aber kommen wird am Ende
doch die neue, schöne Aere,
siegen wird der Geist, die Freiheit
und die neue Gleichheitslehre!

So ein österreich'scher Zensor
sprach vor etwa 40 Jahren:
wirklich weiß ich's nicht — doch schwör ich,
daß es die Gedanken waren!

Und im Leben hat der Mann
so gesprochen wohl nur ein Mal,
trocken saß er sonst und stumm
wie auf einem Grab das Steinmal.

Und am nächsten Morgen saß er
als Beamter am Zensurtisch,
streng, gewissenhaft und pflichttreu
strich er jede Geistesspur frisch.

Einmal kam er frühen Morgens
ins Bureau, begann zu schreiben,
stand dann wieder auf — die Unruh'
ließ ihn nicht im Zimmer bleiben.

Durch die düstren Gänge schritt er
starr und langsam wie im Träumen,
der Kollegen Gruß nicht achtend,
stieg er nach den obern Räumen.

Steht und stiert durch's off'ne Fenster,
draußen wehen Frühlingslüfte,
doch den Mann, der finster brütet,
haucht es an wie Grabesdüfte.

An dem off'nen Fenster kreiselt
Sonnenstaub im Morgenscheine —

und der Mann lag auf der Straße
mit zerschmettertem Gebeine.

Schubert erwiderte die ihm vom Dichter angetragene Dios-
kurenfreundschaft, er erfüllte dessen Hoffnung, seine Verse
möchten auch einer Nachwelt noch vom Kampf um die Sinngebung des Lebens künden. Wie der Ältere auf den Jüngeren
einzuwirken wünschte, wird besonders deutlich in HELIOPOLIS II
von 1822 umrissen, wo sich Mayrhofer direkt an Schubert
wendet:

> Fels auf Felsen hingewälzet,
> fester Grund und treuer Halt;
> Wasserfälle, Windesschauer,
> unbegriffene Gewalt.
>
> Einsam auf Gebirges Zinne,
> Kloster wie auch Burgruine.
> Grab' sie der Erinn'rung ein!
> Denn der Dichter lebt vom Sein.
>
> Atme du den heil'gen Äther,
> schling' die Arme um die Welt;
> nur dem Würdigen, dem Großen
> bleibe mutig zugesellt!
>
> Laß die Leidenschaften sausen
> im metallenen Akkord;
> wenn die starken Stürme brausen,
> findest du das rechte Wort.

Dem ruhigen Fortschreiten ins Licht, das das ganz lineare
Gegenstück HELIOPOLIS I bestimmt, stellt hier Schubert den
Worten gemäß rasche, kräftige Energie entgegen. Sie spricht
aus dem c-Moll-Thema, von dem das Ganze getragen wird. Der
abschließende Teil bewegt sich chromatisch über f-Moll nach
d-Moll. Häufig stützt das Klavier in dreifacher Oktavierung die
Singstimme und ruft damit den Eindruck unzweifelhafter Festig-
keit hervor. Drei Quintsextakkorde auf b, h und c lassen, unmittelbar nebeneinandergestellt, die »Leidenschaften sausen und
brausen« und führen zum wuchtig wiederholten »rechten Wort«,
das Schubert hier denn auch gefunden hat. Beethoven ist den trot-
zigen Zackenrhythmen recht nahe, die chromatisch durch mehrere

Tonarten geschleudert werden, um schließlich mit dem strahlenden C-Dur zum rechten Wort den rechten Klang zu geben.*

Franz Grillparzer

Durch die Vermittlung der Katharina Fröhlich begegnete Schubert Franz Grillparzer (1791 bis 1872). Der Dichter kann wohl als der wichtigste Repräsentant der österreichischen Literatur im 19. Jahrhundert angesehen werden. Bekannt machte den Staatsbeamten 1818 sein Drama »Die Ahnfrau«, und auch in der Folgezeit lagen seine wesentlichsten Leistungen auf dramatischem Gebiet, während seine Lyrik kaum mehr als Gelegenheitsdichtung darstellt. Verbittert durch die Verständnislosigkeit des Publikums und ständigen Zensurdruck zog sich der Dichter schon verhältnismäßig früh von der Öffentlichkeit zurück und verbarg seine Werke. Eigentlich gehörte er mehr in den Kreis um Beethoven, dessen Werk er auch größere Gerechtigkeit hat widerfahren lassen und dem er den nicht verwendeten Operntext »Melusine« schrieb. Schuberts weithin bekanntgewordenes STÄNDCHEN für Solostimme und Chor ist zweifellos bedeutender als die Komposition des LIEDES IN DER NACHT, das Schubert Bertha in der »Ahnfrau« singen läßt und das, aus dem Zusammenhang gerissen, keinen rechten Sinn ergibt, obwohl es so inspiriert musiziert ist. Da müßte man sich schon mit der »Schicksalstragödie« par excellence näher vertraut machen und erfahren, wie die Ahnfrau als Gespenst uralter Erbschuld über dem Geschlecht der Grafen von Borotin als bewegende Schicksalsmacht immer wieder in die Handlung eingreift und dabei die Gestalt Berthas, der jungen Tochter des Grafen, annimmt. Dem Schaurigen der unwahrscheinlichen Ballade entspricht das Versmaß reimloser spanischer Trochäen, die sich nur wie in unserm Falle des Nachtliedes zum Reim steigern.

Trotz der verbindenden Funktion des Hauses Fröhlich kam

* Aus HELIOPOLIS I trug zunächst die rätselhafte Aufschrift »Nummer 12«, was sich daraus erklärt, daß die beiden Texte dem zwölften Gedicht der Sammlung Mayrhofers »Heliopolis« entnommen worden waren.

Schubert zu Grillparzer nie in ein rechtes Verhältnis, wohl weil er spürte, wie sehr der Dichter zum Kreis um Beethoven gehörte. Das erklärt auch, warum er nur drei armselige Gedichte von ihm in Musik setzte, obwohl doch sehr, sehr viele Gedichte österreichischer Autoren in seinem Liedwerk vertreten sind. Vielleicht hat er nicht gewußt, wie Grillparzer in Wahrheit über die Zeit dachte, in der er lebte. Man kann sich nur schwer vorstellen, daß sie bei wirklichem geistigem Austausch nicht hätten Freunde werden müssen. Ein Gedicht Grillparzers von 1826/27 verdeutlicht, daß der Dichter wohl begriff, wer dieser Schubert in Wirklichkeit war, obwohl er über ihn in den Konversationsheften seines Freundes Beethoven nichts verlauten ließ:

> Schubert heiß ich, Schubert bin ich,
> und als solcher geb' ich mich.
> Was die Besten je geleistet,
> ich erkenn' es, ich verehr' es,
> immer doch bleibt 's außer mir.
>
> Selbst die Kunst, die Kränze windet,
> Blumen sammelt, wählt und bindet,
> ich kann ihr nur Blumen bieten,
> dichte sie und — wählet ihr.
>
> Lobt ihr mich, es soll mich freuen,
> schmäht ihr mich, ich muß es dulden,
> Schubert heiß ich, Schubert bin ich,
> mag nicht hindern, kann nicht klagen,
> geht ihr gern auf meinen Pfaden,
> nun wohlan, so folget mir!

Hier ist, womöglich ungewollt, Schuberts künstlerische Haltung Beethoven gegenüber treffend gekennzeichnet, und seine tapfere Unabhängigkeit wird deutlich, von der er freilich nie Aufhebens machte.

Den abendlichen Himmel besingen die beiden Lieder nach Johann Peter Silbert (1772—1844) vom Februar 1819, einen Gymnasiallehrer und späteren Professor der französischen Sprache, der sich vor allem als Übersetzer betätigte. Das träumerische ABENDBILDER bezeugt Schuberts Kunst, illustrierende Momente in der Begleitung nie auf Kosten der musikalischen Substanz hervorzuheben. Vogelsang, fernes Glockenläuten, der Schimmer des Mondlichts auf dem Kirchendach, das alles wird so unaufdringlich wie möglich in das Musikgeschehen einbezogen. Die metrischen Probleme, der Wechsel von längeren mit Kurzzeilen haben Schubert wohl besonders gereizt. Das einheitliche Begleitmotiv und die kunstvoll variierte Melodie des Liedes vereinigen sich zu beseeltem Ausdruck. Wenn die an anderer Stelle häufig vorkommenden Wassermotive in den Begleitungen äußerst klaviergerecht sind, so reizen den Pianisten hier die Figuren des Blätterrauschens nicht weniger, die in dem späteren LINDENBAUM ähnlich wieder auftauchen. Aber die Form ist in ABENDBILDER zu lose gefügt und der Ausdruck zu zurückhaltend, als daß dieses interessante Stück den Weg zu öffentlichem Vortrag finden könnte. In solchen Fällen ist die Schallplatte ein besonders willkommener Helfer für das Kennenlernen. — HIMMELSFUNKEN wollen uns die Sterne als Zeichen der Gottheit an den andächtigen Menschen näherbringen. Die Aufmerksamkeit für das einfache, strophische Lied wird durch die modulatorische Lebendigkeit mehr als durch die Worte wachgehalten.

Es sind die Dichter, bei denen Schubert besonderem Verständnis begegnete. Mayrhofer gehörte seine ganze Zuneigung, und auch dessen Liebe gab ihm Auftrieb. Die immer wieder geäußerte Selbstmordabsicht des staatlichen Zensors drückt sich in dem Gedicht AN DIE FREUNDE unverhohlen aus. Schubert deutet sie in sein eigenes Todesgefühl um, das hier von ähnlich demütiger Frömmigkeit erfüllt ist, wie sie Friedrich Schlegels VOM MITLEIDEN MARIÄ als polyphone Studie kennzeichnet. Abstrahierende Linearität drückt im Sinne barocker Meister bei beiden Stücken Hingebung aus und ist in dieser Form nur noch selten in Schuberts Werk anzutreffen. Auf trockenen, durch Pausen voneinander getrennten Achteln ist AN DIE FREUNDE zunächst aufgebaut, sie verbinden sich bei dem Ansprechen der Weggenossen zu Vierteln. Das Mitfühlen des Komponisten mit dem Freund gewinnt die Oberhand über die zerstörerischen Gedanken des Dichters. Schuberts Verhältnis zum Tod unterscheidet sich von dem Mayrhofers. — AN DIE FREUNDE ist einer von fünf Mayrhofer-Gesängen aus dem Jahre 1819, unter denen wir auch DIE STERNENNÄCHTE finden. Einmal nicht mit »des Geschickes Mächten« im Streit, vielmehr vom Anblick der Gestirne beruhigt, regt der Dichter den Komponisten zu einer leicht fließenden Sechsachtel-Melodie an, über zumeist licht hochliegenden und dadurch lichten Begleitakkorden.

Der aus Zseliz Heimgekehrte setzte der Absicht des Vaters, die Hilfslehrerstelle anzunehmen, seine entgegen, mußte aber nach dem neuerlichen Bruch mit dem Elternhaus fortan bei Freunden wohnen. Vorläufig teilte er mit Mayrhofer dessen winzige Wohnung in der Wipplingerstraße. Der Beamte Metternichs mit der theoretischen Freiheitsbegeisterung hält in seinen Erinnerungen fest:

»Während unseres Zusammenseins konnte es nicht fehlen, daß Eigenheiten sich kundgaben. Nun waren wir jeder in dieser Beziehung reichlich bedacht und die Folgen blieben nicht aus. Wir neckten einander auf mancherlei Art und wendeten unsere Kanten, zur Erheiterung und zum Behagen, einander zu. Seine frohe, gemütliche Sinnlichkeit und mein in sich abgeschlossenes Wesen traten schärfer hervor und gaben Anlaß, uns mit entsprechenden Namen zu bezeichnen, als spielten wir bestimmte Rollen. Es war leider meine eigene, die ich spielte.«

Wie ein imaginäres Absetzen aus dieser Enge, eine Bejahung des schöpferischen Alleinseins mutet die Wahl eines Gedichtes von Friedrich Schlegel an, das DER WANDERER heißt und im Februar 1819 vertont wird.

> Wie deutlich des Mondes Licht zu mir spricht,
> mich beseelend zu der Reise:
> »Folge treu dem alten Gleise, wähle keine Heimat nicht.
> Ew'ge Plage bringen sonst die schweren Tage.
> Fort zu andern sollst du wechseln, sollst du wandern,
> leicht entfliehend jeder Klage.«
> Sanfte Ebb' und hohe Flut tief im Mut,
> wandr' ich so im Dunkeln weiter,
> steige mutig, singe heiter,
> und die Welt erscheint mir gut.
> Alles Reine seh' ich mild im Widerscheine,
> nichts verworren in des Tages Glut verdorren:
> Froh umgeben, doch alleine.

Der diese eigenwilligen Zeilen schrieb, der jüngere Schlegel (1772–1829), war nur kurze Zeit kaufmännischer Lehrling und schwenkte bald zu Wissenschaft und Kunst über. Seine Anregung für die Romantik beinhaltet vor allem die Beschäftigung mit Philosophie und Plastik des klassischen Griechenland, mit der älteren deutschen, spanischen und italienischen Literatur auch mit orientalischen Sprachen und indischer Lebensweisheit

Wie sein Bruder hielt er philosophische und ästhetische Vorlesungen und arbeitete emsig an Kunst- und Literatur-Zeitschriften mit. Seine patriotischen Proklamationen für Österreich gegen Napoleon dürften dem freiheitsbegeisterten Schubert aus dem Herzen gesprochen gewesen sein. Sechzehn von Schlegels Gedichten hat Schubert vertont. Sicherlich war Friedrich Schlegel kein großer Dichter, eher ein genialer Kritiker, der durch seine Zusammenschau von Kunst, Geschichte und Philosophie heute

Friedrich v. Schlegel

noch Bedeutung hat. Seine Vorstellung von der »progressiven Programmpoesie«, deren Ironie die Grenzen des Herkömmlichen sprengen sollte, ist aus den Gedichten, die sich bei Schubert finden, kaum herauszulesen. Vielmehr wirken sie als begabtere Pendants zu den poetischen Miniaturbildchen seines Bruders.*

Ein Wunder an Konzentration und Beschränkung: Dieser WANDERER, der es über dem Ruhm seines Namensvetters hat erdulden müssen, völlig vergessen zu werden. Es drückt sich etwas von Schuberts »Weltfrömmigkeit«, um Sprangers Begriff hier zu gebrauchen, in diesen Notenlinien aus, etwas von seiner Verbundenheit mit dem großen Zusammenhange, die er empfindet, gerade weil er den Weg allein zu gehen hat. Wer den Text des Gedichts aufmerksam verfolgt hat, wird die Schwierigkeit ermessen können, die sich dem Willen zur musikalischen Einfachheit entgegenstellt. Aber entrückt und gewichtslos bewegt sich die Musik, jeder Mühe spottend.**

In Dur und Moll erscheint das Motiv des entzückenden Nichts DAS MÄDCHEN vom Februar 1819, dessen Liebhaber kosend ihre Beschwerde aufzuhalten sucht, er liebe sie nicht wirklich im Herzen. Eine Preziose, die es nur bei Schubert zu finden gibt. — Genial ist der Einfall im SCHIFFER, dessen Faulheit sich bis zum Gähnen versteigen darf. Ruhig schlagen die Wellen an die

---

* Beide Brüder kommen 1810 nach Wien und lesen über dramatische und Weltiteratur.
** 1826 wurde DER WANDERER als Opus 65 Nr. 2 in Druck gegeben.

Bootswand, der Sommernachmittag voller Schwüle, das Phlegma des Schiffers wird auch bei dem Gedanken an das Liebchen kaum erschüttert. Wie das Blau des Himmels wirkt über diesem Idyll das Anfangsmotiv, es kehrt so wieder, wie es Hugo Wolf dann immer wieder nachgeahmt hat. Am Schluß darf der Sänger ganz ausnahmsweise einmal summen, ein realistischer Effekt, der sich nur dieses eine Mal in Schuberts Schaffen findet. Die Musik tändelt und spielt wie die Worte. Und da es bei Wunsch und Gedanken bleibt, ist die Wiederholung des Anfangs nur natürlich, und zwar wird um jene vier Takte des ersten Teils gekürzt, die den aufregenden Oktavensprung nach unten enthalten. — DIE STERNE wollen den Strahlenschein des Oszillierens am Firmament als Echo im Gemüt wiedergeben. Vor allem ist es die erste Strophe, die Schubert bewegt:

> Du staunest, o Mensch, was heilig wir strahlen?
> O folgtest du nur den himmlischen Winken,
> vernähmest du besser, was freundlich wir blinken,
> wie wären verschwunden die irdischen Qualen!

Es ist aufschlußreich, wie häufig Schubert nicht das rein Musikalische beim Komponieren fasziniert. Man hört durch ihn das Verändernde aus den Texten heraus, auch wenn die Gedanken in dichterisch unzulänglicher Form ausgedrückt sind. Und gerade dann reizt ihn die höhere Forderung an sein musikalisches Vermögen. Wenn ein Lied so eindrucksvoll gerät wie DIE STERNE, so ist das nicht das Verdienst des simplen Gedichts. Die großartige Führung der Singstimme, besonders bei »ewigen« und »reinen«, erfährt im Klavier eine Gegenmelodie (c-as-es gegen es-as-c), die später umgekehrt wird. Wegen der etwas kurzatmigen Rückführung in die Grundtonart steht der Schluß leider seltsam unvermittelt da.

Kaum ein Dur-Lied gibt es bei Schubert, das nicht wie DER SCHMETTERLING wenigstens vorübergehend leise Mollreflexe zeigt, selbst wenn die Aussage so naiv ist. Die Naturstudie hat traumhafte Leichtigkeit, sie wird bei Hugo Wolfs »Zitronenfalter im April« Pate stehen. — Enorme Dimensionen stehen dichtem thematischem Gehalt bei Schlegels IM WALDE nicht im Wege. Dies ist vielleicht die ausgedehnteste durchkomponierte Lyrik Schuberts. Für jede Einzelheit werden Töne gefunden, die uns seine Fähigkeit zur musikalischen Schilderung bestaunen lassen. Die schweifende Phantasie bekommt durch die Wiederholung des ersten Teils am Schluß Form. Das Rauschen der Äste und Blätter in der monotonen Sechzehntelbewegung muß von dem Pianisten durch sorgsame Färbungen von der Eintönigkeit ferngehalten werden. Wie ein Blitz zuckt das zweimalige »wie zu Gott hinaufgefodert«, das von E-Dur nach B-Dur befördert. Gleich darauf im C-Dur-Teil wird auf »lockend« nach Des-Dur moduliert. Die »Liebesfülle« bekommt immer neue Wendungen. Sequenzartig wird der »schöpferischen Lüfte Wehen« wiederholt, die von melodischer und harmonischer Chromatik getragen nach D-Dur zurückleiten. In wenigen Takten erreicht Schubert dann die zum Schluß führende E-Dur-Anfangstonart. – Als Gegenstück zu solcher Weiträumigkeit erweisen sich Die Vögel, 1820 komponiert. Wie bei dem von Schlegel imitierten Aristophanes mokieren sich die Lüftesegler über die Menschen, sie sind allerdings in deutsche Volksliedsphäre übersetzt, was Schubert sogleich dazu nutzt, einen Ländler leichtesten Charakters zu musizieren, der mit seinem Zwitschern und Flattern für einen lyrischen Sopran wie geschaffen scheint. Aber auch schwerere Stimmen können an solchem Vorwurf die Leichtigkeit der Endsilbenbehandlung demonstrieren. – Gleich auf der nächsten Seite der Gesamtausgabe gibt es weiteren Stoff solcher Art, wenn Der Knabe sich wünscht, ein Vogel zu sein. – »Alles scheint dem Dichter redend«, heißt es in dem Schlegel-Lied Abendröthe, was durch folgerichtig detaillierte Schilderung von Bildern und Klängen demonstriert wird. Mit dem Verblassen des Tages setzt allgemeine Betrachtung des Zusammenklangs der Naturphänomene ein. Wie mit dunkler Silhouettenfarbe zeichnet Schubert den Schwung der Berglinien in gespreizter Baßlinie, und der Silberstrom windet sich in vielfach gebrochener Klavierfigur. – Blanka nimmt Schuberts Pendeln zwischen Dur und Moll einmal reizvoll als Timidität. Halb erwacht ist das junge Mädchen, und seine Empfindungen kleiden sich in zarteste Musik. Schwebende Triolen erhöhen die Grazie des Genrebildchens.

Am meisten entsprach und ergänzte Schlegel sein Freund Friedrich von Hardenberg (1772–1801). Er nannte sich als Dichter Novalis, studierte in Jena bei Fichte Philosophie, in Leipzig und Wittenberg die Rechte und in Freiberg Bergwissenschaften. Er ist einer der bedeutendsten Repräsentanten deutscher Romantik. Obgleich Novalis als Gegner der Revolution an den weltanschaulichen Auseinandersetzungen

Novalis (Friedrich v. Hardenberg)

teilhatte, bedeutet er uns mehr durch die Sensibilität, mit der er seinen Zusammenstoß mit der gesellschaftlichen Wirklichkeit zu schmerzlichem Ausdruck brachte, gerade auch um der fragwürdigen neuen Katholizität willen, die seine Verherrlichung christlich-feudalen Mittelalters verkündet. Schubert hat das Verdienst, als einziger Musiker auf Texte von Novalis zurückgegriffen zu haben, er schrieb 1819 fünf Hymnen und ein MARIENLIED. Wieder findet er einen besonderen Ton, den ausgefallenen Gedichten entspricht eine allen anderen Liedern unähnliche Einfachheit der musikalischen Formung, man könnte versucht sein, italienischen Einfluß zu entdecken, vor allem durch den sich gerade in Wien aufhaltenden Rossini, unter dessen Opern vor allem »Otello« großen Eindruck auf Schubert machte. Die Anregungen, die von Novalis ausgegangen waren, bevor er 1801 starb, haben ihren Ursprung in Auswirkungen von Schleiermachers Reden »Über die Religion«, die Novalis zu seinen geistlichen Liedern inspiriert hatten. Auch des Berliner Predigers »Aufsatz über Christentum«, nimmt Novalis' politische Preisung der harmonischen Christenheit in den »echt katholischen Zeiten« voraus. Allerdings schwebt den später »romantisch« genannten Dichtern, die sich seit der Freundschaft zu Novalis um die Brüder Schlegel scharten, eine Korrektur der französischen Revolution vor. Es könnte aus der Feder eines Gesellschaftsverdrossenen von heute stammen, was Novalis damals niederschrieb:

»Wahrhafte Anarchie ist das Zeugungselement der Religion. Aus der Vernichtung alles Positiven hebt sie ihr glorreiches Haupt als neue Weltstifterin empor. Ein neues Jerusalem, eine neue goldene heilige Zeit ewigen Friedens, eine neue dauerhafte Kirche . . .«

»Es wird so lange Blut über Europa strömen, bis die Nationen ihren fürchterlichen Wahnsinn gewahr werden, der sie im Kreise herumtreibt, und von heiliger Musik getroffen und besänftigt zu ehemaligen Altären in bunter Vermischung treten, Werke des

Friedens vornehmen und ein großes Liebesmal, als Friedensfest,
auf den rauchenden Wahlstätten mit heißen Tränen gefeiert
wird.«

Diese sehr unkirchliche Religionsbegeisterung des frühromantischen Kreises erfüllte auch Schubert, aber ganz abgesehen davon war das Schreiben geistlicher Lieder damals eine sehr viel mehr verbreitete und selbstverständliche Übung als späterhin. Es sei hier an die religiösen Dichtungen Gellerts bei Philipp Emanuel Bach und Ludwig van Beethoven erinnert sowie an diejenigen Klopstocks, Claudius' und Pyrkers bei Schubert.

Der Hymnus nach Klopstock Das grosse Halleluja, zu jener Gruppe von Gesängen gehörend, die kaum noch als Lieder zu bezeichnen sind, war offenbar als Chorlied gedacht, ob allerdings als Frauenchor, wie die Breitkopf-Ausgabe annimmt, ist zweifelhaft. Schubert verwendet barocke Elemente, Mendelssohns stilistische Rückgriffe gleichsam vorwegnehmend. – Den zweiten Text aus dieser Klopstock-Gruppe von 1816 Schlachtgesang faßt er 1827 auch als Doppelchor für Männerstimmen. – Nur noch mit der Strophenlänge und -schwierigkeit von Die vier Weltalter kann sich Klopstocks Die Gestirne messen. Es macht Mühe, die unterschiedlichen Textbetonungen auf den Nenner der ersten Strophe zu bringen. Und wenn Monotonie allzu vieler Repetitionen vermieden werden soll, bleibt notwendig ein unvollständiger Eindruck des Textes übrig. Viel eher spricht die durchdachte Geschlossenheit und liebenswürdige Melodie Edone an, in dem eine junge Dame nach dem abwesenden Geliebten seufzt.

Die weniger pathetische, sozusagen zur Haustür herein die Gemüter aufsuchende Art des Matthias Claudius, religiöse Empfindungen auszudrücken, findet in Bei dem Grabe meines Vaters ihre musikalische Entsprechung (komponiert 1816), die scheinbar anspruchslos, in ihrer Schlichtheit dennoch kunstvoll anmutet. Es kann kein Zufall sein, daß sich Schubert so kurz vor den Novalisgesängen mit dem Marienbild des Aloys Schreiber und mit Vom Mitleiden Mariä des Novalis-Freundes Schlegel befaßt hat (beides Ende 1818). Jeder, der zuerst mit Vom Mitleiden Mariä bekannt wird, vergißt diesen Eindruck nicht so schnell. Die polyphone Studie zu drei Stimmen in der Begleitung enthält alles, was man an Verständnis für Linearität in Schuberts Werk bei oberflächlicher Betrachtung zu vermissen geneigt ist. Das Lied steht gleich neben jener vierhändigen Fuge, die sich ein fast unbeachtetes Dasein am Schluß der Klavierbände gefallen lassen muß. — Aber zurück zu Hardenberg: Mütterliches und Jungfräuliches vereinen sich in der Gottesmutter zu Manifestationen der Liebe. So enthält das, von Schubert vertonte, bekannteste der »geistlichen Lieder« des Novalis, MARIE, die Zeilen:

> Ich sehe dich in tausend Bildern,
> Maria, lieblich ausgedrückt,
> doch keins von allen kann dich schildern,
> wie meine Seele dich erblickt.

In allen von Schubert vertonten Hymnen des Friedrich von Hardenberg steht die Überwindung des Todes im Vordergrund. Die Auseinandersetzung mit diesem Phänomen zeitigt hier eine individuell erfahrene Glaubenstatsache. Schuberts subjektive Gestaltung dieses Erlebnisses zeigt sein Vermögen, in die Tiefe menschlichen Gemüts einzudringen, um weitere Dimensionen erweitert. Aus der Botschaft von der Allgegenwart des goldenen Zeitalters, dem Zentralthema der Novalis-Dichtung, wählt Schubert die Gedanken der Todesüberwindung, seit je ein Hauptgegenstand seiner Kontemplationen. Die als erste in dem kleinen Zyklus von Novalis-Werken vertonte Hymne enthält Zeilen, die die gesamte Wesenshaltung Schuberts kennzeichnen. Sie werden mit — sonst bei ihm unüblichen — beschwörenden Wiederholungen vorgetragen: *»Hätten die Nüchternen einmal gekostet, alles verließen sie und setzten sich zu uns an den Tisch der Sehnsucht, der nie leer wird.«*

HYMNE I nimmt ebenso wie die NACHTHYMNE größeren Raum ein, während die anderen lapidar und kurz bleiben. Die HYMNEN II und III (»Wenn ich ihn nur habe« und »Wenn alle untreu werden«), beide strophisch und in der gleichen Tonart B-Dur und -Moll, unterscheiden sich im Tonfall kaum von den kleinen weltlichen Liebesliedern Schuberts. Die musikalische, bewußte Rückführung zur stilistischen Naivität der vierten, ebenfalls strophischen HYMNE (»Ich sag es jedem, daß er lebt«) läßt sich kaum überbieten.

Wie in einem Schmelztiegel vereinigt sich in Schuberts Liedwerk die Vielfalt geistiger Strömungen des deutschsprachigen Raums von damals. »Würdige und Große«, aber auch an der Welt leidende und todessehnsüchtige Dichter gewinnen durch Schuberts Musik überzeitliche Dimensionen.

In Vogl war jetzt der Dolmetscher gefunden, der die Menschen mit diesen Aussagen im Innersten treffen konnte. Bei Spaun lesen wir: »*Das Interesse, welches Vogl den Liedern Schuberts schenkte, erweiterte nun plötzlich den Kreis, in dem der junge Tonsetzer sich bisher bewegte, und der herrliche Vortrag dieser Lieder durch Vogl erwarb ihm bald laute, freudige Anerkennung. Auch vorzügliche Dilettanten fingen nun an, sich mit dem Geiste der Schubertschen Kompositionen vertraut zu machen und die herrlichen Lieder mit Eifer und Glück vorzutragen.*«

Auch sonstiger Annehmlichkeiten konnte Schubert sich jetzt erfreuen. Schober und Vogl unterstützten ihn, was er ohne Irri-

Steyr, Stadtansicht

tation annahm. Immerhin war diese Hilfe weniger erniedrigend für ihn als die Zumutung des Vaters, auf sein freies künstlerisches Schaffen zu verzichten. In den Schuldienst beim Vater trat er nicht mehr ein. Für den Sommer verzichtete er sogar auf die Musiklehrerstelle bei den Esterházys; die Familie mußte ohne ihn nach Zseliz reisen. Vielleicht spürte Schubert, wie die wachsende Aufmerksamkeit des Publikums in Wien eine längere Abwesenheit von der Stadt unzweckmäßig erscheinen ließ. Als aber seine geplante Singspielpremiere nicht zustande kam, schloß er sich dem Sängerfreund zu einer kurzen Urlaubsreise an, die sich unversehens zur Konzerttournee ausweitete.

Vogl nahm seinen jungen Freund nach Oberösterreich mit. Linz und Steyr waren Reiseziele, die geplante Salzburgfahrt mußte man aufgeben. Bei dem Kaufmann Josef von Koller bezog man in Steyr Speisequartier. Von hier schreibt Franz an Ferdinand:

»*In dem Hause, wo ich wohne, befinden sich 8 Mädchen, beinahe alle hübsch. Du siehst, daß man zu tun hat. Die Tochter des Herrn von Koller, bei dem ich und Vogl täglich speisen, ist sehr hübsch, spielt brav Klavier und wird verschiedene meiner Lieder singen.*«

Josepha, genannt Pepi von Koller, war die musikalischste der fünf Geschwister, und sie konnte die Widmung der Sonate A-Dur Opus 120, die in diesen Monaten entstand, als Dank für ihren Liedergesang entgegennehmen. In Steyr konzipierte Schubert auch das »Forellenquintett« — ein Beispiel dafür, wie des Komponisten Liedschaffen auch die anderen Bereiche seines musikalischen Wirkens beeinflußte. Gemeinsam mit dem dilettierenden Cellisten Sylvester Paumgartner faßte man den Plan dieses Quintetts. Der stellvertretende Bergwerksdirektor und Junggeselle bewohnte ein stattliches Haus am Marktplatz in Steyr, wo ja Vogl geboren war und aus dessen Umgebung Spaun, Holzapfel, Stadler und Mayrhofer stammten. In Steyr sang man Schubertlieder bereits, bevor sich ein Verleger fand. Abschriften der Freunde in Wien kursierten unter Verehrern im ganzen Land, von denen Schubert gar nichts wußte. Im zweiten Stock des Hauses Paumgartner, im kleinen Musiksaal, erlebte Stadler das Auftreten der Freunde mit: »*In diesen Räumen entzückten uns zumeist im Jahre 1819 Schuberts und Vogls Töne, die aber der gute Paumgartner von dem Letzteren, der nicht immer gleich gelaunt und disponiert war, nicht selten gleichsam erbetteln mußte. Da hätte man eine Stecknadel fallen hören, Paumgartner litt auch nie eine Unruhe während der Musik. Dafür wurden aber die Gäste an den Abenden nach der Produktion in jeder Beziehung reichlich entschädigt.*«

Die hierbei immer wieder verlangte FORELLE trug Schubert die Bestellung eines Klavierquintetts nach dem Vorbild von Johann Nepomuk Hummels gleichartig besetztem Werk ein, und im fünften Satz vor dem Finale wird Paumgartners Leiblied in fünf Variationen wiederholt, um schließlich in der Gestalt mit der springenden Begleitung zu erscheinen.

In Kollers Haus überraschte man Vogl zu seinem Geburtstag, den er ja immer in seinen Urlaubswochen feierte, mit einer Kantate, die Stadler zusammen mit Schubert verfertigte. Im Text findet sich eine Reihe von Anspielungen auf Vogls glanz-

volle Opernpartien. Die Tochter Pepi Koller sang die Sopranpartie, Bernhart Benedict und Schubert übernahmen die anderen
Soli. Vogl freute sich gewaltig über Dichtung und Darbietung.
Bei den Stellen, die die Heimat betreffen, kamen ihm Tränen in
die Augen.

> Sänger, der von Herzen singet
> und des Wort zum Herzen dringet,
> bei den Tönen deiner Lieder
> fällt's wie sanfter Regen nieder,
> den der Herr vom Himmel schickt,
> und die dürre Flur erquickt.
>
> Diese Berge sah'n dich blühen,
> hier begann dein Herz zu glühen,
> für die Künstlerhöh'n zu schlagen,
> die der Wahrheit Krone tragen;
> der Natur hast du entwandt,
> was die Kunst noch nicht verstand.
>
> Da sah't ihr Oresten scheiden,
> Jakob mit der Last der Leiden,
> sah't des Arztes Hoffnung tagen,
> Menschlichkeit am Wasser wagen,
> sah't, wie er sich Linen sucht,
> Beute holt aus Bergesschlucht.
>
> In der Reihe deiner Würde
> stehst du, aller Sänger Zierde,
> auf Thaliens Tempelstufen,
> hörst um dich des Beifalls Rufen;
> doch ein Kranz, ein Singgedicht
> ist der Lohn des Künstlers nicht.
>
> Wenn dich einst in greisen Tagen
> deines Lebens Mühen plagen,
> willst du nicht zur Heimat wandern?
> Laß die Helden einem andern,
> nur von Agamemnons Sohn
> trag' die treue Brust davon.
>
> Gott bewahr' dein teures Leben
> heiter, spiegelklar und eben,
> wie das Tönen deiner Kehle

> tief heraus aus voller Seele;
> schweigt dann einst des Sängers Wort,
> tönet doch die Seele fort.

Auf der Heimreise berührten die Freunde Linz, die Heimatstadt der Spauns. Schubert schreibt an Mayrhofer am 19. August 1819:

»Ich befinde mich gegenwärtig in Linz, war bei den Spauns, traf Kenner, Kreil und Forstmayer, lernte Spauns Mutter kennen und den Ottenwald, dem ich sein von mir komponiertes Wiegenlied sang.«

Bei Dr. Anton Ottenwalt handelt es sich um den Schwager Spauns, der als Jurist und Adjunktor bei der Kammerprokuratur in Wien tätig war und den Hofratstitel führte (1789–1854). Sein WIEGENLIED, das Schubert im November 1817 vertont hatte, zeichnet eine zierliche, wenn auch nicht besonders eigenständig dahinfließende Melodie in C-Dur aus.

Nur zweimal greift Schubert im Oktober 1819 auf Texte Goethes zurück. Das Sonett DIE LIEBENDE SCHREIBT mahnt den fernen Geliebten um ein Zeichen. Lange Zeit konnte sich Goethe nicht für die Form des Sonetts begeistern, bis er sich schließlich 1807, vermutlich während seiner Leidenschaft für Minna Herzlieb, ihrer doch bediente. Dem in pastellierten Andeutungen gehaltenen Stück gönnt Schubert nur bei der Modulation von B-Dur nach Ges-Dur einen etwas kräftigeren Strich. Das Klavier suggeriert Tränen, die auf den Wangen trocknen, ohne niederzufallen. Der zweite Teil ist vom ersten durch Tempowechsel geschieden, dessen Schlußmodulation nach Ges-Dur auf dem Wort »weinen« beachtenswert ist. »Gib mir ein Zeichen« könnte nicht flehender deklamiert sein. (Mendelssohn griff mit seinem Opus 86 ebenfalls auf das Gedicht zurück.)

Solche Miniaturen überragt die Monologszene des PROMETHEUS. Das Autograph zeigt, daß hier eine Baßstimme gefordert ist. Mehr noch als in GANYMED stellen sich der Vertonung Schwierigkeiten entgegen, da sich im Gedicht nur wenige lyrische Passagen finden. Schubert spürt sie jedoch kongenial auf und entwickelt aus ihnen seine Melodieansätze. Größe und Vornehmheit strahlt die musikalische Diktion aus, nirgends wird dem Ausdruck zuliebe verdickt oder die Klarheit verlassen. Als Vorbild dienen Mozarts und Beethovens »Recitativi accompagnati«, und hier sollte man auch die Verbindungslinien zu Verdi sehen, der dank der gleichen Anregungsquelle einen ähnlich klaren, archaischen Stil entwickelte, bereichert durch den Glanz seiner eigenen Orchestrationsweise. Wie bei ihm unterstützt der Instrumentalpart Schuberts den dramatischen Vorgang, den Vortrag des mitreißenden Aufbegehrens wesentlich und ergänzt ihn. PROMETHEUS weist in die Zukunft und hat stilistisch bahnbrechend gewirkt. Nicht nur Hugo Wolf, der später das Gedicht im Sinne Liszts vertonte, knüpfte hier an, ganz allgemein wäre der dramatische Ausdruck der kommenden Generationen ohne das Vorbild solcher Schubert-Gesänge undenkbar. Den verschiedenen Empfindungen der einzelnen Stanzen spüren die unterschiedlichen Tempi, Tonarten und Stärkegrade nach. Ein Blick auf das Harmonische und die faszinierenden Fortschreitungen macht deutlich, wie erst Wagner mit seinem »Tristan« solche Kühnheiten überbot. Und ein Vergleich mit den Aussagen der drei Szenen, die Goethe 1773/74 zum Drama des »Prometheus« entworfen hatte, aber nicht weiter ausführte, zeigt Schubert als den werkgerechtesten Deuter der Worte. Er muß sich vor Hugo Wolf, der ihm mangelndes Verständnis des Gedichts vorwarf, nicht geschlagen geben. Schuberts trotzender Neuerschaffer der Menschen als Prototyp des Künstlers steht Goethe näher als die gedachte Figur Hugo Wolfs, die sich dem Vorbild des Aischylos angleicht. Nicht nur in PROMETHEUS läßt Schubert uns bedauern, daß es ihm zeitlebens nicht gelang, ein stichhaltiges Libretto zu einer Oper aufzutreiben. Es scheint nicht ganz müßig, sich vorzustellen, was dann aus dieser Gattung geworden wäre. Man hätte wohl etwas erlebt, das, vergleichbar Schuberts Begegnung mit dem ersten Goethe-Gedicht, eine Opernrevolution vor Wagner ausgelöst haben würde. Aber nicht einmal mit dem seit 1807 auf den Wiener Bühnen erfolgreichen Volksstück- und Märchenspiel-Autor Ferdinand Raimund ist eine gemeinsame Arbeit zustande gekommen, eine Tatsache, die noch der Erklärung durch die Wissenschaftler harrt. PROMETHEUS gehört unter die vielen Unbegreiflichkeiten bei Schubert. In der Psyche dieses Musikers sind die nebeneinanderwohnenden Möglichkeiten unüberschaubar. Die Freunde, denen sich in Schuberts Persönlichkeit vornehmlich Güte und Natursinn, getragen von Bescheidenheit, die an Lässigkeit streifte, offenbart, müssen überrascht gewesen sein, bei ihrem gemütlichen Franz einen Blick in Grenzbezirke zu tun, von denen sie kaum eine Ahnung hatten. Man wollte ja dann auch, bei aller Zuneigung, den kompromißlosen Schubert der WINTERREISE oder der großen Goethe-Lieder

nicht recht gelten lassen. Die Weltläufigkeit der SCHÖNEN MÜL-
LERIN war dem großen Publikum gerade noch begreifbar. Kein
Wunder, wenn der von Komplexen Heimgesuchte an seine Sendung häufig nicht mehr glauben wollte. (Reichardts »Prometheus«
erscheint neben dem seinen geradezu armselig, aber wahrscheinlich hat ihn Schubert gekannt, denn an vielen Stellen folgt er
dem Älteren in der äußeren Form. Reichardt, Zelter und Mendelssohn zeigen sich in ihren Vertonungen übrigens nicht von
der inspiriertesten Seite. Erst nachdem der Bariton Eugen Gura
in den 60er Jahren des vorigen Jahrhunderts Schuberts PROME-
THEUS in den Konzertsaal gebracht hatte, wurde er dort heimisch.)

Nicht zufällig taucht gleich zu Beginn des Jahres 1820 die
NACHTHYMNE nach Novalis auf, die jenen Todesrhythmus an-
klingen läßt, der uns seit 1817 vertraut ist. Denn gerade dieses
Jahr wird sich für Schubert als besonders schwierig herausstellen.
»Hinüber eil' ich, und jede Pein wird einst ein Stachel der Wol-
lust sein.«

Großräumig legt Schubert das Lied an, aber die zur Füllung
vorgenommenen Wortwiederholungen kommen der Wirkung
nicht zugute. Zudem wird der Reichtum schöner musikalischer
Gedanken durch die Banalität des abschließenden Themas ohne
Nutzen verschenkt. Dennoch muß dem Schubertianer diese
Auseinandersetzung mit Novalis und ihr Unterton privater Mitteilung kostbar sein.

Fräulein von Roner, Spauns Verlobte, war die Empfängerin
der Sendung von vier italienischen Liedern nach Metastasio, die
alle im Januar 1820 entstanden. Wie immer, wenn sich Schubert
dem fremden Idiom zuliebe verpflichtet fühlte, die durch die
Worte beschworenen Begriffe und Bilder musikalisch zu über-
gehen, weil das seiner Vorstellung vom italienischen Stil entsprach, macht seine Musik einen leicht frustrierten, wenn auch
immer noch genialen Eindruck.

Daß die Verbindung nach Oberösterreich zu Pepi von Koller
und Albert Stadler aufrechterhalten wurde, zeigt die Bemerkung an, die sich von Schuberts Hand auf dem Autograph des
MORGENLIEDES findet: »NB. Der Sängerin P. und dem Clavier-
spieler St. empfehl' ich dieses Lied ganz besonders!!! 1820.«

Das von Zacharias Werner stammende MORGENLIED schlägt
wieder einmal das in anderen Liedern so oft berührte Thema
»Vögel« an. Es ist dem Patriarchen Johann Ladislaus Pyrker von
Felsö-Eör gewidmet. Der aus Königsberg stammende Zacharias

Werner (1768–1823) studierte dort Rechtswissenschaften, hörte aber auch die Philosophievorlesungen Kants. Im Laufe seines recht stürmischen Lebens kam er mit E. T. A. Hoffmann, Fichte, den Schlegels, den Humboldts, mit Iffland und Schadow in Berührung. Schiller setzte sich für ihn ein, und Goethe erwies seinen Schriften besondere Aufmerksamkeit. Auf Anregung der Schauspielerin Bethmann-Unzelmann schrieb Werner auch Dramen, von denen die Tragödie »Der 24. Februar« durch ihren

Zacharias Werner

Einfluß auf die Dramendichtung der Zeit am bekanntesten geworden ist. Das harmlose Lied und sein naives Zwiegespräch mit den Vögeln hat es heute schwer, noch Interesse zu wecken.

In diesem Frühjahr kam Schubert unvermittelt mit der »Welt« in Reibung. Man verhaftete ihn unter dem Verdacht staatsfeindlicher Tätigkeit. Im Jahr zuvor hatte ein Student den vorgeblich russischen Spion Kotzebue in Mannheim ermordet. Alle Vereinigungen, insbesondere die von jungen Intellektuellen, waren seither dem Staat suspekt. Schuberts Freund Senn ließ die Polizei nicht in seinen Papieren kramen, und da sich Franz zufällig auch in der Wohnung befand und nicht mit Verbalinjurien sparte, nahm ihn die Streife gleich mit. Er wurde allerdings bald wieder freigelassen. Dem Johann Senn sind wir ja schon im Konvikt begegnet, wo er 1809 das später berühmte Lied »Der rote Adler von Tirol« gedichtet hatte. Der Freigeist litt darunter, daß Habsburg das »Schöne Land Tirol« einfach abschrieb. Senn mußte nun eine Strafe von 14 Monaten Kerker absitzen, um dann in sein Heimatland Tirol abgeschoben zu werden, nachdem sich alle Verhöre als ergebnislos erwiesen hatten. Schubert sah seinen Freund nie wieder. Daß er mit ihm in Verbindung blieb, machen uns die Lieder SELIGE WELT und SCHWANENGESANG nach Senns Versen deutlich, auf die wir noch zurückkommen werden.

Der sich unerbittlich wiederholende Mißerfolg seiner Opern entmutigte Franz keineswegs. Daß er auf der Bühne immer wieder scheiterte, mag damit zusammenhängen, daß er in dem Willen, sie zu erobern, den Fehler beging, dem er auch weiterhin immer wieder erlag und den er als Liederkomponist längst überwunden hatte: der Text wurde vertont, obwohl er ihn eigentlich völlig kalt ließ. Aber Schubert fühlte sich von den diversen Miseren seiner Opern nicht niedergeworfen. Wenn ein Stück nicht gefallen hatte, so mochte das nächste vielleicht mehr Glück haben. So stoisch wie Schubert ertrug nicht leicht ein anderer derartige Enttäuschungen. Manchmal stellte seine Bescheidenheit die Freunde vor Rätsel. Spaun sagt:

»Sie war ohne Grenzen. Der lauteste Jubel seiner Freunde und der größte Beifall einer zahlreichen Menge konnten ihn nicht schwindeln machen. Auch die verehrendste Anerkennung, welche ihm durch große Künstler, z. B. durch Weber, Hummel, Lablache etc. etc. zuteil wurde, minderte seine stille Bescheidenheit nicht. Wenn bei einzelnen Musiken der Sänger, welcher seine Lieder vortrug, mit enthusiastischem Beifall überschüttet wurde, und niemand des kleinen Männchens gedachte, der am Klavier saß und mit seelenvollem Spiel die selbstgeschaffenen Lieder begleitete, so fand sich der bescheidene Künstler durch eine solche Vernachlässigung auch nicht im geringsten verletzt.«

Im »Wiener Konversationsblatt« konnte man spitze Bemerkungen des Barons von Schlechta über die soeben erfolgte Premiere der »Zwillingsbrüder« lesen. Er war nur eine Stimme im Chor der Ablehner. Immerhin lenkte der Schreiber damit die Aufmerksamkeit auf den zu Unrecht bisher so ausschließlich als »Liederfürsten« Bekanntgewordenen, indem er sagt: *»In seinen wunderschönen, leider zu wenig bekannten Liedern offenbart sich ein ebenso einfaches, tiefes, als poetisches reines Gemüt. Fast ängstlich mag er nun an den vorliegenden Stoffen einen Zug gesucht haben, in dem er seine Stärke kundgeben konnte. Er wird Schönes und Großes leisten. Unter dieser Hoffnung sei uns der bescheidene Künstler recht freundlich willkommen.«*

Im September 1820 wurde ein Text von Schlechta (nach dem frühen Lied AUF EINEN KIRCHHOF) von Schubert komponiert. LIEBESLAUSCHEN, ein Genrebildchen wie die Vorlage zum Gedicht, ein Gemälde des romantischen Bibelillustrators Ludwig Schnorr von Carolsfeld, ist von reizender Einfachheit und wartet mit einem köstlichen Überraschungseffekt durch Taktwechsel von drei auf zwei Viertel am Ende auf. Das Gedicht würfelt trochäische und jambische Rhythmen durcheinander. In Schuberts Geist, der jedem rhythmischen Problem gewachsen war, formt es sich zu einem ironisch-zierlichen Ständchen, das seine köstliche Wirkung gerade aus dem überraschenden Schluß gewinnt. Carolsfelds Bild zeigt einen Kavalier, der beim Mondschein unter dem Fenster der Liebsten die Zither schlägt. In den Klavierzwischenspielen kündet sich der Serenadenton des späteren STÄNDCHEN nach Rellstab an.

NACH DER TRENNUNG VON THERESE

Am 21. November 1820 mußte Schubert Therese Grob verloren geben, nachdem Auseinandersetzungen vorangegangen waren. Wenn man Hüttenbrenners Bericht folgen will, zerschlug sich die Hoffnung auf eine Ehe bereits Ende 1817. Zu den Entschlüssen in der Familie Grob mögen die Differenzen mit dem Vater Schubert beigetragen haben, der immer wieder »Hausverbote« ergehen ließ, weil sich der Sohn nicht in die Lehrertätigkeit einsperren lassen wollte. An dem Schicksalstage 1820 nun wurde Therese Grob in der Liechtenthaler Pfarrkirche mit dem Bäckermeister Johann Bergmann getraut. Anselm Hüttenbrenner erzählte 1858 Ferdinand Luib, der Material für eine Biographie sammelte: *»Von der Zeit an, als ich Schubert kennenlernte, hatte er nicht die mindeste Herzensangelegenheit.«*

Dies dürfte eine gelinde Übertreibung sein, wenn auch das hier Erzählte sicherlich die einzige große Liebe Schuberts betrifft.

»Er war gegen das schöne Geschlecht ein trockener Patron, daher nichts weniger als galant. Er vernachlässigte seinen Anzug, besonders die Zähne, roch stark nach Tabak, war sonach zu einem Kurmacher gar nicht qualifiziert und auch nicht salonfähig, wie man sagt. Doch hatte er, nach seiner Aussage, ehe er mich kennenlernte, sein Auge auf eine Lehrerstochter vom Lande geworfen, die ihm auch zugetan gewesen sein soll.« (In Wahrheit war Therese Grob die Tochter eines Seidenwebers.)

»Sie gewann sein Herz dadurch, daß sie ein Sopransolo aus einer Messe von Schubert so brav gesungen hat. Wie ihr Vater hieß und wo er lebte, ist mir entfallen.« (Er war schon gestorben.) *»— Das Mädchen konnte Schubert nicht heiraten, weil er damals zu jung, ohne Geld und Anstellung war. Sie soll dann gegen ihre Neigung sich dem Willen ihres Vaters gefügt und einen anderen geehelicht haben, der sie versorgen konnte. — Er hatte von jener Zeit an, als er seine Liebste für immer verloren sah, eine vorherrschende Antipathie gegen die Töchter der Eva.«* (Was man nach anderen Berichten nicht glauben kann.)

Thereses Name bleibt auch noch in einem anderen Bezug für unseren Bericht von Bedeutung: Die Nachkommen ihres Bruders Heinrich, eine Familie namens Meangya, zu Mödling in Wien, besaßen einen Band, der sich »Therese Grobs Album« nannte. Unter den darin enthaltenen Schubertliedern finden sich einige in der Gesamtausgabe nicht enthaltene, nämlich AM ERSTEN MAIMORGEN (Claudius), MAI-LIED (Hölty) und DER LEIDENDE (anonym), 1816 entstanden. Der unermüdlich ausgrabende und

Leopold v. Sonnleithner

ergänzende belgische Pater Reinhard van Hoorickx konnte die zur Veröffentlichung unwilligen Besitzer schließlich überreden; er gab die Lieder vor kurzem heraus.

Betonte Gesellschaftlichkeit sollte nun über die Einsamkeit hinweghelfen. Über Watteroth, Collin und Karoline Pichler kam Schubert in das Haus Sonnleithner. Leopold lernten wir schon als Studenten kennen, als er in Schuberts »Prometheus«-Kantate mitsang. Seither war er zum eifrigen Förderer von Schuberts Musik geworden. 1819 setzte er im Hause seines Vaters, des Rechtsanwalts und Handelsrechtsprofessors Ignaz von Sonn-leithner, eine Wiederholung der Kantate durch. Der Onkel Joseph von Sonnleithner, Sekretär am Burgtheater, betätigte sich als Theaterschriftsteller und bearbeitete unter anderem den Text zu Beethovens »Leonore«. Im Quartier der Sonnleithners, dem bekannten »Gundelhof« am Bauernmarkt, machte man eifrig Musik, und zunächst wöchentlich, dann 14tägig fanden vor 120 Gästen Abendunterhaltungen statt, aus denen sich später die berühmte Gesellschaft der Musikfreunde entwickelte, zu deren Mitinitiatoren die Brüder Sonnleithner gehörten. Der junge Registerbeamte August Gymnich trug hier mit seiner schönen und gut geschulten Tenorstimme, von Schubert be-gleitet, die bisher nur dem engsten Freundeskreis bekannt gewordenen Liedschätze vor. Leider starb er bereits 1821.

Sonnleithners private Konzerte fanden bald immer mehr Pendants in den Häusern des Mittelstandes. Fast alle Vortragsfolgen enthielten Schuberts Musik. Lieder, Tänze, Klavierstücke und anderes bildeten die Programme dieser »Schubertiaden«, ein besonderer Anziehungspunkt war dabei Vogls Vortrag. Die Familie Bruchmann, die Spauns, Karl Hönig oder Johann Umlauff, natürlich auch noch viele andere fungierten als Gastgeber. Es war Leopold von Sonnleithner, genannt Poldi, der Schubert in das Haus des vor kurzem in den Ruhestand getretenen Matthias Fröhlich einführte. Dieser Geschäftsmann umgab sich gern mit interessanten Leuten und hatte auch vier lustige, hübsche Töchter. Eine von ihnen, Anna, studierte gerade bei dem berühmten Beethovenfreund Johann Nepomuk Hummel Klavier.* Sie läßt uns an dem Kennenlernen teilnehmen: »Dr. Leopold Sonnleithner brachte uns Lieder, wie er sagte, von einem jungen Menschen, die gut sein sollen. Die Schwester Kathi (Grillparzers große Liebe) setzte sich gleich zum Klavier und versuchte die Begleitung. Da horchte mit einem Mal Gymnich, ein Beamter, der auch hübsch sang, auf und sagt: ›Was spielen Sie denn? Das ist herrlich, das ist 'was ganz Außerordentliches!‹ Und nun wurden den Abend einige Stunden lang die Lieder gesungen. Nach ein paar Tagen führte Sonnleithner Schubert bei uns ein. Es war noch in der Singerstraße 18, und dann kam er oft zu uns. Sonnleithner fragte ihn, warum er die Lieder noch nicht habe verlegen lassen. Als Schubert erwiderte, daß kein Kunsthändler sie angenommen und er selbst kein Geld habe, sie auf seine Kosten zu verlegen, traten Sonnleithner, Grillparzer, Universitätspedell Schönauer, Baron Schönstein, der spätere unübertroffene Schubertsänger, und Schönpichler zusammen und ließen die Lieder in einer Reihe von Heften für ihre Kosten stechen.« (Grillparzer und Schönstein beteiligten sich in Wahrheit nicht, wohl aber Josef Hüttenbrenner.)

»An einem der nächsten Musik-Freitagsabende bei Kiesewetter (richtig: bei Ignaz Sonnleithner) kam alsdann unser Sonnleithner mit dem ganzen Pack der gestochenen Liederhefte, und nachdem sie unter allgemeiner Bewunderung gesungen worden waren, stellte der Leopold das Paket auf das Klavier und verkündete, daß, wenn jemand diese Lieder zu besitzen wünsche, man selbe in diesen Heften kaufen könne. Es waren 100 Exemplare bei Diabelli gemacht worden, und zur Kontrolle gegen Unterschleif schrieb Sonnleithner auf die Kehrseite jedes

---

* Später schlug sie sich als Gesanglehrerin durch, zeitweilig gehörte sie dem Konservatorium an, das der Gesellschaft der Musikfreunde angeschlossen war.

Exemplars eigenhändig ein S.« Tatsächlich handelt es sich bei dieser Chiffre um ein Sch. oder Schbt., die jeweils von Schuberts eigener Hand stammt. Sie sind noch heute auf manchen, antiquarisch zu erjagenden Exemplaren zu sehen.

»Schubert kam nun sehr oft zu uns und war allemal überglücklich, wenn etwas Gutes von einem anderen Komponisten aufgeführt wurde. Als einmal viele seiner Lieder nacheinander in einer Gesellschaft gesungen wurden, rief er aus, als man damit fortfahren wollte: ›Nun, nun, jetzt ist's aber schon genug, jetzt wird's mir schon langweilig.‹«

Natürlich machte der erfolgreiche ERLKÖNIG als Opus 1 den Anfang der Serie, gefolgt von GRETCHEN AM SPINNRADE als Opus 2.

Der Name Hüttenbrenner erscheint auch unter den Autoren der Liedertexte, allerdings nur ein einziges Mal. Es handelt sich um Heinrich Hüttenbrenner (1799–1830), den verhinderten Lyriker, der eigentlich Jurist und Professor an der Universität Graz war. Gelegentlich arbeitete er an der »Allgemeinen Wiener Theaterzeitung« als Kritiker mit. Die Brüder Hüttenbrenner kamen aus einer wohlhabenden Grazer Familie. Anselm (1794 bis 1868) lernte Schubert durch Salieri kennen, bei dem er zum tüchtigen Musiker ausgebildet wurde. Alle drei waren mit Beethoven befreundet, der in Anselms Armen starb. — Heinrich Hüttenbrenners DER JÜNGLING AUF DEM HÜGEL scheint Schubert als Gedicht nicht sehr interessiert zu haben. Mehr mechanisch wird dem Freund zuliebe Wort für Wort in Musik gesetzt, und Gemeinplätze des Dichters werden zu musikalischen Unverbindlichkeiten, wenn man vom Mittelsatz absieht. Der melancholische Grundzug ist einheitlich festgehalten. Der eindrucksvolle Trauerzug in der Mitte läßt an Loewe, sogar an Schumann denken.

Unwiderstehlich setzte sich FRÜHLINGSGLAUBE von Ludwig Uhland seit je durch, einem Dichter, zu dessen Lyrik Schubert nur einmal im November 1820 fand, allerdings mit einem Ergebnis, das Unvergänglichkeit verhieß. Die klanggesättigte Einleitung birgt schon alle Qualitäten einer selbständigen Liedmelodie. In einer typischen Rhythmusveränderung versinnbildlicht sich die fieberhafte Erwartung des hoffnungsvollen Neuen: Anstatt daß der dritte und vierte Takt den Entwurf der ersten beiden einfach wiederholen, wird der zweite Schlag des dritten Takts noch einmal gebracht und so für eine Überraschung gesorgt. Wenn dann noch die gesteigerte Kantilene einsetzt, die in der vorletzten Phrase durch ein dem Rezitativ angenähertes Rubato den Höhepunkt vorbereitet, sieht sich der Hörer dem Strom von Wohllaut einfach preisgegeben.

Am 1. Dezember sang August R. von Gymnich bei Ignaz von Sonnleithner den ERLKÖNIG, ein künstlerischer Lichtblick nach Monaten der Enttäuschung und Entsagung. Der Vortrag fand enthusiastischen Beifall, der auch der Begleitung der Anna Fröhlich galt. Hoffentlich ist Schubert auch jene Dezember-Nummer der »Dresdner Abendzeitung« zu Gesicht gekommen, die lobend bemerkte: *»Er versteht es mit Tönen zu malen und die Lieder übertreffen an charakteristischer Wahrheit alles, was man im Liederfache aufzuweisen hat. Sie sind meines Wissens noch nicht gestochen, sondern gehen nur in Abschriften von Hand zu Hand.«*

Das trifft allerdings für die meisten Lieder aus Schuberts Feder noch immer zu. So muß es fast als ein kleines Wunder angesehen werden, wenn in der »Wiener Zeitschrift für Kunst, Theater und Musik« als musikalische Beilage die FORELLE erschien.

Die seelische Krise Schuberts begleitete ein enormer Schaffensausbruch. (Ursächliches Zusammenhängen muß aber als Norm gerade für Schubert bezweifelt werden.) So zeigt 1820 immer wieder überraschende Erprobung neuer Ausdrucksformen, die die Freunde in Erstaunen versetzten.

Zwei Lieder wurden im Dezember 1820 als Zeitschriftenbeigaben gedruckt. Baron von Schlechtas WIDERSCHEIN hatte Schubert in einem »Tagebuch zum geselligen Vergnügen« aus dem Verlag Göschen in Leipzig gefunden. Das Gedicht gab ihm Gelegenheit zu leicht ironischer Vertonung. Die zögernd gedehnten Klaviertakte des Anfangs fragen mit andeutendem Humor, wie lange denn noch gewartet werden soll. »Ein Fischer harrt auf der Brücke«, aber »die Geliebte säumt«. Ärgerlich »träumt« er in den Bach hinab, bei der Wiederholung um eine Quart nach oben gesteigert. Pianissimo heißt es noch einmal »die Geliebte säumt«, und wie auf eine Überraschung vorbereitend, antworten die Anfangstakte. Mit der lebhaften g-Moll-Bewegung ist die Erwartete dann da, sie hatte sich versteckt, um ihn zu beobachten. Aber sie hat nicht bedacht, daß sich ihr Bild, aufs schönste im F-Dur-Mittelsatz gezeichnet, im Wasser spiegelte. Das Schmollthema des Anfangs kehrt nun umgedeutet, etwa wie lange Küsse, mit freudigerem Klang wieder. Die Berechtigung des Staccato ist mit Händen zu greifen.*

Unter den vielen neuen Bekannten, die ihm der Umgang mit den Zelebritäten von der Oper bescherte, begegnen wir auch Karoline Pichler, deren übertriebene Begeisterung für seine Lieder und Person sich in einer Weise äußerte, die fast Peinlichkeit erregte. Schuberts Reaktion in solchen Fällen gibt Anselm Hüttenbrenner hübsch in den Erinnerungen wieder:

Karoline Pichler

»Sang Schubert in musikalischen Zirkeln selbst seine Lieder, so begleitete er sie gewöhnlich auch selbst. Sangen andere, so akkompagnierte ich, und er setzte sich gewöhnlich in einen Winkel des Salons oder gar in ein Nebenzimmer und hörte zu. Eines Abends sagte er mir leise ins Ohr: ›Du, diese Frauenzimmer sind mir zuwider mit ihren Artigkeiten. Sie verstehen von der Musik nichts, und was sie mir da sagen, geht ihnen nicht von Herzen. Geh', Anselm, und bring' mir heimlich ein Glas'l Wein.‹«

Des ungeachtet benutzte Schubert nun ein Gedicht der Pichler als Folie für ein erschütterndes Resumée aller im vergangenen Jahr ausgestandenen Verzweiflungen. DER UNGLÜCKLICHE wird aus anfänglichem sanftem Wiegen zu synkopischer Unruhe und Aufschrei gesteigert.

> Die Nacht bricht an, mit leisen Lüften sinket
> sie auf die müden Sterblichen herab;
> der sanfte Schlaf, des Todes Bruder, winket
> und legt sie freundlich in ihr täglich Grab.

> Jetzt wachet auf der lichtberaubten Erde
> vielleicht nur noch die Arglist und der Schmerz,

---

* Diabelli druckte später beide Lieder nach, DIE FORELLE 1825 als Opus 32, WIDERSCHEIN unter den nachgelassenen Werken 1832, in B-Dur statt D-Dur und von Schlechta auch im Text leicht überarbeitet. Brown weist nach, daß es sich hier um keine zweite Version der Musik handelt, sondern nur um eine wahrscheinlich von Schubert für die Drucklegung angefertigte Kopie.

und jetzt, da ich durch nichts gestöret werde,
laß' Deine Wunden bluten, armes Herz.

Versenke dich in deines Kummers Tiefen,
und wenn vielleicht in der zerrissnen Brust
halb verjährte Leiden schliefen,
so wecke sie mit grausam süßer Lust.

Berechne die verlor'nen Seligkeiten,
zähl' alle, alle Blumen in dem Paradies,
woraus in deiner Jugend gold'nen Zeiten
die harte Hand des Schicksals dich verstieß.

Du hast geliebt, du hast das Glück empfunden,
dem jede Seligkeit der Erde weicht.
Du hast ein Herz, das dich verstand, gefunden,
der kühnsten Hoffnung schönes Ziel erreicht.

Da stürzte dich ein grausam Machtwort nieder,
aus deinen Himmeln nieder, und dein stilles Glück,
dein allzu schönes Traumbild kehrte wieder,
zur besser'n Welt, aus der es kam, zurück.

Zerrissen sind nun alle süßen Bande,
mir schlägt kein Herz mehr auf der weiten Welt.

Wie wichtig Schubert dieses Selbstgespräch nahm, ersieht
man daraus, daß er — für ihn ungewöhnlich — zunächst eine
Skizze entwarf. Aber auch die endgültige Niederschrift ist noch
in zwei Fassungen erhalten. Das leidenschaftlich erregte Lied
mischt die Stile eigentümlich. Der Anfang ist ganz Lyrik und
erinnert an das Andante der A-Dur-Sonate. Dann geht es »etwas
geschwinder« weiter in ständiger Ausdruckssteigerung bis zur
Beschleunigung des H-Dur-Teils. Plötzlich steht ein ausgesprochenes Rezitativ da, fern vom Lied. Dann das Kernstück des
»schönen Traumbilds«, liebliche Wehmut in G-Dur. Schließlich
wie ein Anhängsel erzwungene Resignation in h-Moll, unbefriedigend, aber dem Gedicht gehorsam folgend. Das letzte
Andante erinnert an überzeugungsschwache Schlüsse nach zu
lang geratenen Stücken wie etwa der ERWARTUNG. Echtes Fühlen
am Anfang abstrahiert sich im Verlauf des Liedes immer mehr.
Aber solche Schwächen dürfen nicht daran hindern, die genialen
Züge dieses Liedes zu erkennen und zu würdigen.

Karoline Pichler, geb. von Greiner (1769—1843), erfreute sich enger Freundschaft zu Grillparzer und führte den berühmtesten literarischen Salon in Alt-Wien. In unzähligen Bänden wurden ihre Dramen, Romane und Erzählungen gesammelt. Unter den Schubert-Liedern von 1816 finden sich noch zwei Texte dieser Dame, nämlich DER SÄNGER AM FELSEN und LIED, beide allerdings kompositorisch unbedeutend.

Am 8. Februar 1821 stand Schillers SEHNSUCHT auf der Vortragsfolge der zehnten Abendunterhaltung der Gesellschaft der Musikfreunde, gesungen von Josef Götz. Es handelte sich um die zweite Bearbeitung, 1819 entstanden, wo noch zwei weitere Wiederaufnahmen bereits bearbeiteter Schillertexte zu finden sind. Die SEHNSUCHT von Schiller erscheint in der zweiten Version etwas weniger zerrissen als in der ersten, April 1813 entstandenen, obwohl sich die einzelnen Teile noch immer nur sehr lose aneinanderreihen. Das mehrteilige, der Opernszene nahe Stück erhebt sich ziemlich mühsam über die Lehrhaftigkeit der Verse. Schillers eigener Ausspruch: »Was er weise verschweigt, zeigt mir den Meister des Stils« kann nicht auf dieses sein Werk angewandt werden. Immerhin bleiben noch genug der illustrativen und besonders der von Abschnitt zu Abschnitt überleitenden Genieblitze Schuberts, die zu Bewunderung Anlaß geben. Die Verblüffung des raschen Entschlusses »Frisch hinein!«, der in nur einem Takt Fortissimo-Oktaven in die Tonart des Schlußteiles springen läßt, ist umwerfend. Und den entscheidenden Umschwung von Stimmung und Empfinden gibt nicht der Dichter, sondern der Musiker. Dem Glauben wird ein leichter Triumph über die Realität eingeräumt, aber Schuberts Sieghaftigkeit dieses (als einziges von der Erstfassung herübergenommenen) Finales wirkt doch einigermaßen aufgesetzt. Die beiden in der Gesamtausgabe abgedruckten Niederschriften zeigen nur winzige Unterschiede, wobei amüsanterweise die zweite die Singstimme im Baßschlüssel notiert, während die erste Fassung sie tiefer hinunterreichen läßt, etwa bei den »goldenen Früchten«.*

Die alljährlich am Aschermittwoch übliche »Große musikalische Akademie« im Kärntnertor-Theater fand am 7. März 1821 statt, diesmal als Wohltätigkeitskonzert durch die »Gesellschaft adeliger Frauen zur Beförderung des Guten und Nützlichen« veranstaltet. Johann Michael Vogl trat erstmals öffentlich mit

* 1826 erschien diese Fassung als Opus 39.

dem ERLKÖNIG für Schubert ein. Im Programm wirkten auch Wilhelmine Schröder-Devrient und die Wunderkind-Tänzerin Fanny Elßler mit. Von Schubert bot man noch das Männerquartett DAS DÖRFCHEN und als Uraufführung den GESANG DER GEISTER ÜBER DEN WASSERN für Männerchor mit tiefen Streichern dar, das letzte Stück erlebte allerdings einen völligen Durchfall. Vogl dagegen mußte den ERLKÖNIG wiederholen, was vielleicht auch seiner großen Berühmtheit und seiner faszinierenden Ausstrahlung zu danken war. Über das Verhältnis Vogls zu Schubert läßt sich sagen: Zunächst bedarf der Komponist der Förderung durch den Sänger und spricht nur in tunlichster Ehrfurcht von ihm. Bei näherem Kennen prallen Gegensätze aufeinander, vor allem bezüglich des Darstellungsstils. Vogl hält gewisse Bearbeitungen der Lieder für notwendig. Schubert gibt mehr als einmal nach, weniger des Liedersängers als des »K. K. Hofoperisten« wegen. Er legt sich zeitweilig mit dem alternden Sänger offen an. Das kann natürlich die einzigartige Bedeutung Vogls für das Schubert-Lied nicht verkleinern. Schubert hat die innere Übereinstimmung beider vollauf gewürdigt, und darum ging es ja beim Musizieren. Aber offensichtlich übertreibt die »Wiener Allgemeine Musikalische Zeitung«, wenn sie 1820 schreibt: *»Den jungen Tonsetzer verdankt man größtenteils der Sorgfalt und Pflege Vogls.«* Spaun befand sich wie gewöhnlich unter den Zuhörern des Konzerts und erinnert sich später:

»Nachdem schon bei mehreren öffentlichen Konzerten und insbesondere bei jenen des kleinen Musikvereins (Gundelhof!) *Schuberts Lieder jedes Mal mit dem größten Beifall gegeben waren, wurde ein größeres Publikum zuerst Anfang des Jahres 1821 durch Vogls herrlichen Vortrag des ERLKÖNIG im Hoftheater nächst dem Kärntnertore, für den jungen Tonsetzer gewonnen. Die gespannteste Aufmerksamkeit unter stürmischem Beifall des zahlreichen Publikums lohnten den Tonsetzer und auch Sänger, der das kaum beendigte, so anstrengende Lied sogleich wieder beginnen mußte. Gleichen Beifall erhielt das damals zuerst gegebene vierstimmige Lied ›Das Dörfchen‹.«*

Um den Mißerfolg des GESANGS DER GEISTER ÜBER DEN WASSERN wettzumachen, nahmen einige Freunde in gehobenen Positionen Liedwidmungen an: Dietrichstein den ELRKÖNIG, Reichsgraf Moritz von Fries (1777—1826) das GRETCHEN AM SPINNRADE und der Patriarch von Venedig, Erzbischof Johann

Ladislaus Pyrker (1773—1843) den WANDERER. Hinter all diesen Bemühungen vermuten wir als treibende Kraft vor allem Josef Hüttenbrenner, der auch für diverse Drucklegungen Schubertscher Werke sorgt. Sein Bruder Anselm sollte übrigens selbst später den WANDERER in Musik setzen. Die mit offensichtlichem Bezug auf Schuberts Bühnenpläne erfolgte Widmung des ERLKÖNIG an den Grafen Dietrichstein, der gerade Direktor der Hofoper geworden war, brachte der Vizedirektor Mosel in Hüttenbrenners Auftrag vor. Er schreibt am 17. April:

»Bekannt mit den wohlwollenden Gesinnungen Sr. Excellenz, des Herrn Grafen von Dietrichstein gegen den talentvollen Tonsetzer Herrn Franz Schubert, zweifele ich keineswegs, daß Se. Excellenz die Widmung genehmigen werde.«

18 Monate sind seit der Sternstunde des PROMETHEUS verstrichen, und jetzt im März 1821 entsteht das Gegenstück GRENZEN DER MENSCHHEIT. Ungefähr 1780 hat Goethe dieses Gedicht in Weimar geschrieben. Auf die Anmaßung des Rebellen folgt die Demut des Einsichtigen. Wieder ist ein Baß vorgeschrieben, und wieder geht die Idee der Klavierbegleitung weit über das hinaus, was sich auf dem Instrument realisieren läßt. GRENZEN DER MENSCHHEIT gehört zu den durchkomponierten, philosophisch reflektierenden Texten, die sich der Einordnung in ein formales Schema widersetzen und denen nur durch einen komplizierten Liedaufbau beizukommen ist. Was wiederum bedingt, daß diese Kompositionen im Gegensatz zum reinen Strophenlied nie populär werden konnten. Freilich findet Schuberts Genie auch hier eine lieddramaturgische Lösung: Eine Gegensätzlichkeit zur Grundempfindung des Gedichts gestaltet sich ihm mühelos zum Seitenthema, das im gegebenen Moment wieder in die anfängliche Stimmung zurückfindet. So bildet sich also auch hier eine, wiewohl nicht festgefügte, architektonische Gliederung. Das Stück verlangt nach großen Dimensionen in Stimme und Ausdrucksvermögen mit seiner versponnenen, aber durch konzentrierte Musik verklärten Einsamkeit, die bereits auf den Richard Wagner des »Nibelungenringes« vorausweist. Hugo Wolf mutet beim Komponieren des gleichen Textes seltsam genug als bloßer Nachahmer der Technik des Bayreuthers an. Es muß für Schubert ein unglaubliches Wagnis gewesen sein, dieses Gedicht zu vertonen. Nicht nur deshalb, weil es zweifelhaft erscheint, ob Musik den tieferen Sinn der philosophischen

Poesie überhaupt erreichen kann, sondern vor allem, weil hier überhaupt mehr gedacht als empfunden wird. Aber Schubert fühlt heraus, was den bewegt, der sich solchen Betrachtungen hingibt, er bringt das Wunder fertig, naiv zu bleiben, wo jeder andere versucht hätte, geistreich zu erscheinen. Wir werden ein weiteres Mal davon überzeugt, wie »monumental« Schubert zu gestalten versteht. Hört man das Stück so selten, weil der Klaviersatz mit seinen langliegenden Akkorden zu dünn klingt? Oder ist es ganz einfach die geforderte außergewöhnliche Stimme mit dem sonoren tiefen E, die so selten vorkommt? Der Gesang wartet noch darauf, ins Bewußtsein der Allgemeinheit zu dringen.

Noch intensiver als beim Vortrag des ERLKÖNIG wurden die Augen der Wiener Öffentlichkeit auf den »talentvollen jungen Komponisten« gerichtet, als nun auch in der 14. Abendunterhaltung Sonnleithners ein Schubertwerk erklang. Josef Preisinger sang Schillers GRUPPE AUS DEM TARTARUS. Grillparzer war dabei und gibt in seinem etwas schwülstigen, aber dem Ton der Zeit entsprechenden Gedicht »Als sie, Schubert zuhörend, am Klavier saß« ein Bild seiner »ewigen Braut« Katharina Fröhlich (1800–1879) während der Veranstaltung.

> Mitleidend wollt' ich schon zum Künstler rufen:
> »Halt ein, warum zermalmst Du ihre Brust?«
> Da war erreicht die schneidendste der Stufen,
> Der Ton des Schmerzes ward zum Ton der Lust,
> Und wie Neptun, vor dem die Stürme flogen,
> Hob sich der Dreiklang ebnend aus den Wogen.
>
> Und wie die Sonne steigt, die Strahlen dringen
> durch der versprengten Wetter dunkle Nacht,
> so ging ihr Aug', an dem noch Tropfen hingen,
> hellglänzend auf in sonnengleicher Pracht;
> Ein leises Ach! aus ihrem süßen Munde,
> Sah, wie nach Mitgefühl, sie in die Runde.
>
> Da trieb's mich auf: Nun soll sie's hören,
> Was mich schon längst bewegt, nun werd' ihr's kund;
> Doch sie blickt her, den Künstler nicht zu stören,
> Befiehlt ihr Finger, schlicht'gend an den Mund;
> Und wieder seh' ich horchend sie sich neigen,
> Und wieder muß ich sitzen, wieder schweigen.

Man beachte, wie dieses Gedicht den Spannungsablauf der Schillervertonung nachzeichnet.

Am 31. März 1821 erreichte es endlich auch der ERLKÖNIG, im Druck zu erscheinen. Josef Hüttenbrenner, der entscheidend bei der Drucklegung mitwirkte, äußert sich im »Wiener Sammler«:

»Die von dem rühmlichst bekannten Hofopernsänger Hrn. Vogl vorgetragene Ballade gefiel durch die Musik so sehr, daß sie auf allgemeines Verlangen wiederholt werden mußte. Dasselbe Tonstück erntete allenthalben den verdienten, d. h. rauschenden Beifall. Dem in exekutiver Hinsicht musikalischen Wien kann es daher eine nur recht willkommene Erscheinung sein, daß der Tonsatz nunmehr einer größeren Publizität übergeben worden ist.«

Für seine Bemerkung »in Schubert erstehe ein zweiter Mozart des Liedes« mußte sich Hüttenbrenner allerdings gefallen lassen, daß man ihn von Seiten des Konkurrenzverlages Steiner & Haslinger als »verrückt« bezeichnete. Die »Wiener Allgemeine Musikalische Zeitung« begrüßte das Erscheinen des ERLKÖNIG mit Begeisterung und findet, *»das Triolen-Akkompagnement erhellt das Leben durch das Ganze«,* und *»die Baßkadenz erhöht den Reiz des Wunderbaren. ... Der Schluß durch ein Rezitativ ist höchst lobenswert und beweist, daß der Tonsetzer das Goethesche Gedicht wirklich verstanden hat. Wir wünschen dem jungen Kompositeur von Herzen Glück zu diesem ersten, wohlgelungenen Versuche, der durch den unübertrefflichen Vortrag des Herrn Vogl bei mehreren Privatzirkeln und öffentlichen Akademien von dem Publikum mit lautem Beifall gekrönt wurde.«*

Im April 1821 begann Schubert die Niederschrift eines Duettes LINDE LÜFTE WEHEN für Sopran und Tenor auf den Text eines unbekannten Dichters, die mitten im vielversprechenden Anfang abgebrochen wird, der »Balsamdüfte« mit sanfter Zweiviertelbewegung wiedergibt.

Am 1. Mai 1821 war endlich auch GRETCHEN AM SPINNRADE gedruckt worden. Der Widmungsträger Reichsgraf Moritz von Fries bewies seine große Musikfreundlichkeit freilich mehr durch die Förderung des Anselm Hüttenbrenner. Dessen Bruder Josef unterließ es nicht, auch dieses Erscheinen zu preisen, ohne sich um die Zurechtweisungen Haslingers zu kümmern:

»In mehreren Privatkonzerten wurde dieses Stück mit einstimmigem Beifall ausgezeichnet, und jeder Gesangsfreund sieht dem Erscheinen einer Komposition in der Öffentlichkeit mit

Begierde entgegen, welche dem Schüler der großen Meister,
Salieri und Vogl, so viel Ehre macht. Der Eindruck, den das
musikalische Gemälde hinterläßt, kann kaum erschütternder ge-
dacht werden. Die Klavierstimme, welche in dem Ausdruck der
Bewegung des Spinnrades so glücklich nuanciert und die meister-
hafte Durchführung des Motivs ist auch vorzüglich bemerkbar.
Dem Liedchen müssen wir überhaupt so viel Originalität und
Unnachahmbarkeit zugestehen als Beethovens Adelaiden und
Mozarts Chloen und dessen Abendempfindung.«

Übrigens ist der Druck der Lieder nicht als verlegerisches
Unternehmen anzusehen. Die Kosten legte allesamt Sonnleithner
aus. Das elegante Musikalien-Etablissement Am Graben in
Wien »Cappi & Diabelli« nahm die Hefte lediglich in Kommission und kassierte die Hälfte der Einnahmen. Der Verkaufs-
preis einer Schubert-Publikation betrug 1 fl. per Heft, nur der
ERLKÖNIG brachte es auf 2 fl. Da die Noten rasch vergriffen
waren, machten nicht nur die Händler ein risikoloses Geschäft,
sondern auch Schubert kam endlich zu etwas mehr Geld und in
die Lage, ewige Schulden wenigstens vorübergehend loszuwerden. Man verkaufte zunächst 600 Exemplare des ERLKÖNIG. In
privaten und halböffentlichen Konzerten hatte GRETCHEN AM
SPINNRADE in mehreren Aufführungen Furore gemacht, und so
wurden jetzt in kürzester Zeit zwischen fünf- und sechshundert
Drucke abgenommen. Ähnliche Ziffern erreichten die sieben
Opuszahlen, mit denen Schubert 1821 und 1822 Liederhefte zum
Verkauf zusammenstellte, darunter die meisten großen Goethe-
Gesänge und DER TOD UND DAS MÄDCHEN, aber auch einiges
weniger Bedeutende.

Am 22. Mai erschien das HEIDENRÖSLEIN bei Cappi. Noch im
gleichen Jahr tönte es von einer Spieluhr, die seit 1820 im Hotel
»Zur ungarischen Krone« aufgestellt war. Sicher hat Schubert
von dem Geschäft, das da Verleger und Spieluhrenbauer machten, keine Spur von Gewinn gehabt, und doch schnellte die
Beliebtheit des Liedes derart in die Höhe, daß die Noten wie
ein Bestseller gingen.

Schubert gab im Mai 1821 das Zusammenleben mit Johann
Mayrhofer auf. In dessen Aufzeichnungen liest man: »Der
Strom der Verhältnisse und der Gesellschaft, Krankheit und
geänderte Anschauung des Lebens hatten uns später ausein-
andergehalten; aber was einmal war, ließ sich sein Recht nicht
nehmen . . .«

Es ist viel um diese Beziehung herumgerätselt worden. Auch die unbewiesene Meinung ist zu finden, Schubert habe sich mit einiger Schroffheit homosexuellen Annäherungen des älteren Freundes entziehen wollen. Aber die Charaktergegensätze überhaupt erwiesen sich als unüberwindbar. Schober sagt zu Frankl: »*Achten sich gegenseitig über alle Maßen; aber zusammen vertragen sie sich schlecht, häkeln sich fort und fort.*«

Der depressive Mayrhofer machte aus jeder geringsten Meinungsverschiedenheit einen Streit. Holzapfel schreibt: »*Bei der exaltierten, teilweise dagegen auch wieder melancholischen und bedrückten Seelenstimmung, die Mayrhofer 1836 zum Selbstmord trieb, war es wohl kein Wunder, wenn er sich dem genialen Schubert anschloß und sie zusammen wohnten; aber ebensowenig ist es kein Wunder, wenn der tägliche Verkehr, etwa durch kleine ökonomische Divergenzen, an denen Schubert wohl öfters Schuld getragen haben mag, beiden das fernere Zusammenbleiben verleidete.*«

Die Trennung konnte aber der Freundschaft auf die Dauer nichts anhaben. Schubert zog ein paar Häuser weiter. Daß er Mayrhofers Naturell leid geworden war, ihn aber nicht als Künstler abschrieb, beweist, daß er auch weiterhin dessen Gedichte vertonte, darunter das wehmutvoll der Freundschaft nachtrauernde NACHTVIOLEN im April 1822. Keineswegs nur der musikalisch so auswertbare Name, der das Thema bestimmt, bringt Schubert zu einem Meisterstück an Individualität und Neuerischem, von dem man vielleicht sagen kann, es sei das Schönste unter seinen vielen Blumenliedern. Es steht auch sonst mit seiner engen Satzweise und dem Fortschwingen des Hauptthemas im Klavier, nachdem die Singstimme zum Schweigen gekommen ist, ganz einzig da. — Das andere Blumenlied dieser Zeit nach Schlegels DIE ROSE zeichnet wieder die Zartheit der Pflanze in hochliegenden, engen Harmonien. Bald mengen die Wendung nach Moll und einige Erregungen im Klavierpart während des Mittelteils Kontemplatives in das Bild, bis erst kurz vor Schluß das anfängliche Dur wiederkehrt.*

---

* 1827 druckte Diabelli einige Zeitschriftenanhänge nach, darunter auch DIE ROSE. Die Publikation ist deshalb erwähnenswert, weil sie die erste Liste der bis dahin veröffentlichten Werke Schuberts enthält. Opus 1 bis Opus 74 umfassen auch die nicht bei Diabelli erschienenen Stücke. Bei Opus 74 weiß man nicht, um welches Werk es sich handelt. DIE ROSE wurde zweimal zu Schuberts Lebzeiten in G-Dur veröffentlicht, während beide erhaltenen Manuskripte F-Dur vorsehen.

Moritz v. Schwind

Ein junger Maler erhielt zu den »Kanevas«-Abenden Zutritt*, der dazu erkoren war, die durch das Ausscheiden Mayrhofers entstandene Lücke zu füllen. Der 17jährige Moritz von Schwind lernte als hochbegabter Malschüler, noch auf der Suche nach einem künstlerischen Zentrum, Schuberts Lieder kennen. Dem ungewöhnlich musikalischen Laiensänger und Lautenspieler gingen die Augen auf. Was ihn bisher noch ohne Konsequenz zur Romantik hingezogen hatte, die Sehnsucht nach dem Schlichten, Volkstümlichen, die Vereinigung von poetischer Märchenwelt mit dem Anspruch der Kunst, das fand er bei Schubert unnachahmlich ausgesprochen. Er machte sich zum Illustrator der Lieder, wobei ihn besonders die Goethe-Gedichte (ERLKÖNIG, SCHWAGER KRONOS, SCHATZGRÄBER) in Schuberts Klängen bewegten und anregten. Über den immer engeren Zusammenschluß der neuen Freunde berichtet Bauernfeld:

Das Verhältnis zwischen Schubert und Schwind war eigen und einzig. Moritz Schwind, eine Künstlernatur durch und durch, war kaum minder für Musik organisiert als für Malerei. Das romantische Element, das in ihm lag, trat ihm nun in den Tonschöpfungen seines älteren Freundes zuerst überzeugend und zwingend entgegen — das war die Musik, nach der seine Seele verlangte. Und so neigte er sich auch dem Meister mit seiner ganzen jugendlichen Innigkeit und Weichheit zu. Er war völlig in ihn verliebt, und ebenso trug Schubert den jungen Künstler, den er scherzweise seine Geliebte nannte, im Herzen seines Herzens. Er hielt auch große Stücke auf Schwinds musikalisches Verständnis, und jedes neue Lied oder Klavierstück wurde dem jungen Freund zuerst mitgeteilt, welchem das immer wie eine neue Offenbarung seiner eigenen Seele klang.

So gestaltete sich das Jahr 1821 verhältnismäßig glückhaft, Erfolge reihten sich an Erfolge. Aber auch die Groteske fehlte

* Schuberts erste Frage über jeden Neuankömmling in der Runde: »Kann er was?«

nicht: Am 13. August brachte Anselm Hüttenbrenner seinen »Erlkönig«-Walzer heraus. Der Titel allein versprach sicheren Erfolg. Der Verleger dachte sich wohl, eine Verbindung der beiden Gebiete Tanz und Lied, in denen Schubert es zu einer gewissen Etabliertheit gebracht hatte, könne nicht fehlschlagen, auch wenn die Komposition nicht von Schubert stamme. Ausgerechnet einer von Schuberts ältesten Freunden mußte diese Verballhornung bei Cappi & Diabelli erscheinen lassen. Es fand sich in der Person des Herausgebers der »Allgemeinen Musikalischen Zeitung« auch bald ein bissiger Kritiker, Friedrich August Kanne, der Hüttenbrenner mit einem Distichon die verdiente Abfuhr zuteil werden ließ:

Der Köder

Frage: Sage mir, lieblicher Kauz, was Du suchst in den Werken von Goethe!

Antwort: Titelchen stöb're ich mir auf! Erlkönig deutsche! — ich fand's!

Drei-Achtel-Takt

Frage: Sprich! Wie tanzt man denn deutsch der Geisterwelt furchtbaren Schauder?

Antwort: Kann man nicht jegliches Lied tanzen der heutigen Welt.

Das Gefühl

Frage: Sage mir! Strömt das Gefühl der jetzigen Welt nur den Beinen zu?

Antwort: Seit sich die Menschen geschnürt, sanken die Herzen hinab!

Diabelli ließ sich auch nicht davon abhalten, sechs Wochen nach Schuberts Tod »Erlkönig- und Wanderer-Galoppe« unter dessen Namen zu verkaufen. Natürlich hatte Schubert nicht als Spezialarrangeur für Tanzwütige fungiert. Wahrscheinlich legte Diabelli selbst Hand an, um seine Einnahmen zu steigern. »Ich wand'le still, bin wenig froh«, wie es im Wanderer heißt, wurde a schließlich bei dieser Gelegenheit nicht laut gesungen.

Joseph von Spaun, der Wien für fünf Jahre den Rücken gekehrt hatte, erhielt folgenden Brief vom 2. November 1821 von

Anton Diabelli

Schubert: »*Lieber Freund! Dein Schreiben hat mich sehr erfreut, und ich wünsche Dir, daß Du fortwährend Behagen findest. — Nun aber muß ich Dir berichten, daß meine Dedicationen ihre Schuldigkeit getan haben, nämlich der Patriarch hat 12 und der Fries durch Verwenden des Vogl 20 Ducaten springen lassen, welches mir sehr wohltut. — Du mußt also so gut sein, Deine Correspondenz mit dem Patriarchen durch eine ihm und mir angemessene Danksagung zu beschließen.*«

Am 18. Mai hatte sich der habsburgtreue, Gedichte in deutscher Sprache schreibende und zum Patriarchen von Venedig ernannte Johann Ladislaus Pyrker bei Schubert für die Widmung bedankt: »*Hochverehrter Herr! Ihren gütigen Antrag, mir das vierte Heft Ihrer unvergleichlichen Lieder zu dedizieren, nehme ich mit desto größerem Vergnügen an, als es mir nun öfters jenen Abend in das Gedächtnis zurückrufen wird, wo ich durch die Tiefe Ihres Gemüts, insbesondere auch in den Tönen Ihres* WANDERERS *ausgesprochen — so sehr ergriffen ward. — Verharre mit größter Hochachtung, Ihr ergebenster Johann L. Pyrker Patriarch. Venedig.*«

1821 entstand das letzte und beste der Lieder nach Gedichten des Schweizers Salis, DER JÜNGLING AN DER QUELLE, das zarter und langsamer als die anderen Wasserlieder Schuberts sich darstellt. Ein Genrestück über wispernder Begleitung, die von der Quinte aus den Dreiklang auf- und absteigt, seufzt der Jüngling bis zum hohen A hinauf und flüstert über gehaltenen Dominanttönen den, von Schubert dem Gedicht angefügten, so musikalischen Namen »Louise!« Schwer zu ertragen ist die Sentimentalität des Gedichts DER BLUMEN SCHMERZ des Grafen Johann Maylath (1768—1855). Der Jurist war anfangs Beamter und betätigte sich später als freier Schriftsteller. Er lebte aus politischen Gründen nach der Revolution von 1848 in München und beging aus finanzieller Not schließlich Selbstmord im Starnberger See, dem Magneten für so viele Weltflüchtige. Die unnatürlichen Pflanzen des Dichters werden in Schuberts Musik erlöst, er hört das Wehen, den leisesten Blätterhauch, als sei ihm der Sinn vertraut und zur Mitteilung in Musik geschaffen. Die Qualität des Stückes steht musikalisch hinter den Müllerliedern nicht zurück.

Cappi hatte vier Lieder als Opus 8 auf eigenes Risiko gedruckt. Nun gab Schubert im Dezember 1821 drei weitere Liedfolgen in derselben Weise zum Stich. Opus 12, 13, 14 enthält die GESÄNGE DES HARFNERS und SULEIKA I. Aber von einem Risiko konnte nun eigentlich kaum mehr geredet werden. Immerhin nennt die »Wiener Allgemeine Musikalische Zeitung« Schubert bei der Besprechung seiner Gesänge einen »genialen Tonsetzer«, wenn sie auch angebliche eigenmächtige Textänderungen in den Gedichten bemängelt. Anton Diabelli, der Inhaber des gleichnamigen Verlagshauses, hatte nach einigem Zweifel die Liederhefte und anderes in Kommission genommen. Er erledigte die Bestellungen und teilte sich mit Schubert in den Erlös. Franz wandte sich am 19. Januar 1822 an Josef Hüttenbrenner, der sich als ständiges Faktotum bewährte: »Auch wünsche ich, daß Sie sich um bisherige Rechnung bei Diabelli bekümmerten, da ich Geld brauche.«

Hat Schubert wirklich, wie oft behauptet wurde, fast seinen gesamten Verdienst vertrunken? Vielleicht sollte man dem durchaus nicht unkritischen Joseph von Spaun trauen, der Schuberts Leben von Anfang bis Ende zu beobachten Gelegenheit hatte und schreibt (anläßlich der ersten Biographie Schuberts von Ritter von Kreißle-Hellborn):

»Schubert war immer mäßig, und wäre er es nicht aus sich selbst gewesen, so würden ihn seine Finanzen dazu gezwungen haben. Ich habe durch viele Jahre täglich mit ihm im Gasthause soupiert und häufig in geselligen Kreisen, wo nach dem Liedervortrage glänzende Abendmahle folgten, mit ihm zugebracht, ohne daß Schubert auch nur einmal des Guten zuviel getan hätte. Zur Zeit des Sommers, an sehr heißen Tagen, ging er abends gerne weit spazieren, aber nicht des Weines wegen, sondern weil er ein großer Freund schöner Gegenden war, wie seine Schilderungen der herrlichen Gegenden in Oberösterreich in einen Briefen hinlänglich beweisen. Es soll sich nun einmal, als er mit seinen Brüdern und ihren Freunden in Grinzing an einem sehr heißen Tage, ermüdet von dem weiten Gange, in einem Gasthause einkehrte, ergeben haben, daß er etwas zuviel über

Eduard v. Bauernfeld

den Durst getrunken habe; von einer Unmäßigkeit war aber keine Spur an ihm.«

Am 22. Januar 1822 produzierte sich Schubert wieder einmal als Sänger seiner Lieder, wie einem Tagebuchblatt des Eduard Bauernfeld zu entnehmen ist, der einen Abend beschreibt, so wie er neben den häufigeren Tanzvergnügungen stattzufinden pflegte, bei denen Schubert als genügsamer Aufspieler bis zur Erschöpfung ausgenützt wurde. Eigentlich zog es ihn mehr zu weniger lustigen, aber dafür intellekt-anregenden Gesprächspartnern.

»Gestern mit Fick einen Abend bei Weintridt. Der Kompositeur Schubert war zugegen und sang mehrere seiner Lieder. Auch mein Jugendfreund Schwind, der den Schubert mitbrachte, Maler Kupelwieser, Professor Stein, Graf Lanchoronski, Stadion usw. waren da. Wir blieben bis Mitternacht.«

Immer einträchtiger und bestimmter gab sich die verehrende Haltung der Musikkenner, und ihnen war auch das wachsende Eingehen auf Schuberts Schaffen in den Zeitungen zu danken. Friedrich von Hentl schreibt in der März-Nummer der »Wiener Zeitschrift für Kunst« von 1822: *»Schuberts Lieder erheben sich durch immer unbestrittene Vorzüge zu dem Rang genialer Meisterwerke, die dazu geeignet sind, dem gesunkenen Geschmack wieder aufzuhelfen. Ein Genie, das in reicher Mannigfaltigkeit sich ausbreitend den Meisterwerken der deutschen Dichtkunst die höchste musikalische Bedeutung in erschöpfender, nie irrender Charakteristik zu geben weiß . . .«*

Von dieser Charakteristik muß man auch sagen, daß sie den relativ genügsamen technischen Mitteln des musikalischen Materials zum Trotz ebenso unvorhersehbar ist und immer voller Überraschungen. Der Studierende ist nie sicher, ob er nicht vor gänzlich neue Stile und Ausdrucksformen gestellt wird.

Manchmal fanden die Freunde Franz morgens im Bett, eifrig Notenblätter beschreibend, die er Papierstößen entnahm, die vor ihm aufgebaut waren. Mitunter behielt er auch nachts seine Brille auf der Nase, um beim Aufwachen gleich zu Papier und Bleistift greifen zu können. Waschen, Kleidung und Essen vergaß er über dem Komponieren häufig. Nur Tabak mußte in Mengen verfügbar sein. Besonders nachlässig war Schubert mit dem Aufbewahren seiner eigenen Kompositionen. Hüttenbrenner meint:

»Schubert war auf seine zahlreichen Manuskripte wenig achtsam. Kamen gute Freunde zu ihm, denen er neue Lieder vortrug, so nahmen sie die Hefte mit sich und versprachen, sie bald wiederzubringen, was aber selten geschah. Oft wußte Schubert nicht, wer dieses oder jenes Lied vorgetragen hatte. Da entschloß sich mein Bruder Josef, der mit ihm in seinem Haus wohnte, alle die zerstreuten Lämmer zu sammeln, was ihm auch nach vielen Nachforschungen so ziemlich gelang. Ich überzeugte mich eines Tages selbst, daß mein Bruder über 100 Lieder von Schubert in einer Schublade gut aufbewahrt und wohlgeordnet liegen hatte. Dies freute auch unsern Freund Schubert, der dann alle nachfolgenden Werke meinem Bruder zur Aufbewahrung übergab, solange sie unter einem Dach wohnten.«

Kaum einer der Freunde, die bei ihm ein- und ausgingen, erkannte in diesen Monaten seelischer Beklemmung Franzens Zustand. Nach der Trennung von Therese litt er um so mehr unter der Entfernung vom Elternhaus, denn die Beziehungen hatten sich neuerlich verschlechtert. Der Vater konnte sich nicht damit abfinden, daß Franz für sein Schaffen Freiheit anstrebte. Die Nöte dieser Jahre fanden ihren Niederschlag in der an den Stil des Novalis gemahnenden und sicherlich mit Recht Schubert zugeschriebenen allegorischen Erzählung »Mein Traum«, in der es heißt:

»Jahrelang fühlte ich den größten Schmerz und die größte Liebe mich zerteilen. Da kam mir Kunde von meiner Mutter Tode. Ich eilte, sie zu sehen, und mein Vater, von Trauer erweicht, hinderte meinen Eintritt nicht. Da sah ich ihre Leiche, Tränen entflossen meinen Augen. Wie die gute, alte Vergangenheit, in der wir uns nach der Verstorbenen Meinung auch bewegen sollten, wie sie sich einst, sah ich sie liegen. Und wir folgten ihrer Leiche in Trauer und die Bahre versank. — Von dieser Zeit an blieb ich wieder zu Hause. Da führte mich mein Vater wieder einstmals in seinen Lieblingsgarten. Er fragte mich, ob er mir gefiele. Doch mir war der Garten ganz widrig und ich *getraute mir nichts zu sagen. Da fragte er mich zum zweiten Mal erglühend, ob mir der Garten gefiele? — Ich verneinte es zitternd. Da schlug mich mein Vater und ich entfloh. Und zum zweiten Male wandte ich meine Schritte, und mit einem Herzen voll unendlicher Liebe für die, welche sie verschmähten, wanderte ich abermals in ferne Gegend. Lieder sang ich nun lange, lange Jahre. Wollte ich Liebe singen, ward sie mir zum Schmerz. Und wollte ich wieder Schmerz nur singen, ward er mir zur Liebe. So zerteilte mich die Liebe und der Schmerz.«*

In den letzten Tagen des Juni 1822 lernte Schubert die ähnlichen Zwiespalt aussagenden Gedichte des Grafen von Platen (1796—1835) kennen, die nicht zuletzt auch durch den hohen Grad formaler Vollkommenheit beeindrucken. Die Unaufdringlichkeit, mit der sich die Form bei Platen dem Gedanklichen fügt, hat Schubert denn auch zu erstaunlicher harmonischer Kühnheit herausgefordert. Du liebst mich nicht läßt bereits die Raffinesse moderner Nervenkunst voraussahnen. Unruhig führt Schubert die Modulationen, die zielloses Umherirren suggerieren. Unrast beherrscht das schöne, ohne Scheu vor den geforderten Lautstärkegegensätzen vorzutragende Stück. Fast möchte man annehmen, die Worte »Wiewohl ich dir flehend und werbend erschien und liebe-beflissen, du liebst mich nicht!« seien auf den Vater gemünzt. — Etwas von dieser bewußten Ziellosigkeit kennzeichnet auch den Mittelsatz des anderen Platenliedes Die Liebe hat gelogen, anfangs und am Ende allerdings von stillerer Verzweiflung und vielleicht deshalb noch eindringlicher. Man hat dem Meister des deutschen Sonetts, dem Grafen von Platen, oft nachgesagt, er sei ein allzu formbewußter, vom Gefühl sich distanzierender Dichter des »Parnaß«. Vielleicht behandelte er auch tatsächlich die schwierige »Ghasel«-Form aus dem Persischen mit allzu spielerischer Eleganz. Die beiden Hälften der ersten Zeile reimen sich bei solcher Gedichttechnik und die restlichen Zweizeiler müssen nun alle den gleichen Reim aufweisen. Aber die außerordentliche Intensität von Schuberts Vertonungen läßt das Formspiel vergessen. So ist die Wirkung geradezu schmerzhaft direkt, wenn im fünften Takt von Die Liebe hat gelogen Dur nach Moll eintritt. Diese Dualität verwendet Schubert immer häufiger zur Charakterisierung gegensätzlicher Stimmungen. Sequenzartig läßt der Mittelsatz dann in chromatischer Steigerung »heiße Tropfen fließen«. Das Dacapo des ersten Teils drängt die musikalische Aussage zusammen.

ohne zu kürzen, vor allem mit der letzten Modulation auf »betrogen«. Die Klage klärt sich zur unerbittlichen, trostlosen Wahrheit, kein Hoffnungsschimmer bleibt, Schubert offenbart ein Leid, das der einleitend antönende Todesrhythmus gleichsam leitmotivisch signalisiert. — Die oft festzustellende Tonartendivergenz zwischen Schuberts Manuskripten und den ersten Druckausgaben erklärt sich durch die Furcht der Verleger vor extremen Lagen. Deshalb erschien Du liebst mich nicht auch in a-Moll, während das Manuskript gis-Moll vorsieht.*

Im gleichen Jahr 1822 konnte sich Goethe bei einem Gespräch mit seinem Schulkameraden Löwenthal der Postsendung aus Wien nicht mehr erinnern, die vor einiger Zeit zu ihm gelangt war. Wahrscheinlich hatte er bis zu diesem Zeitpunkt auch die vielen anderen Schubertlieder zu seinen Texten nicht zur Kenntnis genommen. Zu seiner »Entlastung« mag hier angeführt sein, daß er nicht lange vor seinem Tode — Schubert lebte schon nicht mehr — den Erlkönig von der jungen Wilhelmine Schröder-Devrient gesungen hörte. Er küßte die Sängerin auf die Stirn und bemerkte: »Ich habe die Komposition früher einmal gehört, wo sie mir gar nicht zusagen wollte, aber so vorgetragen gestaltet sich das Ganze zu einem sichtbaren Bilde.« Bei der Sängerin handelt es sich um die Tochter der Burgschauspielerin Sophie Schröder. Weber bewunderte sie als Agathe, Wagner verehrte sie als Norma, und Beethoven war von ihr als Darstellerin seines Fidelio so hingerissen, daß er ihr eine neue Opernrolle zu komponieren versprach. Und nun bekehrte sie Goethe durch ihre Vortragskunst fast zu Schuberts Liedern.

Im September 1822 begegnet uns der Name Johann Senn aufs neue. Unter ständiger polizeilicher Aufsicht und als Atheist verrufen, fristete er, der vor zwei Jahren verhaftet worden war, ein Dasein als Kanzlist in Innsbruck und brachte den größten Teil des Tages mit dem Abschreiben von Advokatenakten hin. Einer der engsten Schubertfreunde, Franz von Bruchmann (1798—1867), unternahm eine Reise zu dem Verbannten und berichtet Franz von Schober:

»*Gestern habe ich Senn gesprochen und den halben Tag mit ihm auf den Bergen verlebt! Wir haben uns verstanden und ein freudiges Zusammensein auf dem Boden der Liebe gegründet!*

---

* Du liebst mich nicht gab man 1826 mit drei Rückertliedern zusammen in das Opus 59 und trennte so das dazugehörige Lied Die Liebe hat gelogen von ihm; es erschien 1823 als Opus 23 Nr. 1.

Johann Senn

Er ist noch immer der alte Unveränderliche, Ewige! . . . So strömte es gestern unaufhörlich von seinen Lippen, trotzdem er sah, wie meine Reise hinlänglich beweist, die ich in Ihrer und aller Namen begonnen, daß wir uns durch das alles nicht beirren ließen. Es ist das Wogen einer aufgeregten großen Seele, die so lange der Mitteilung entbehrte. — Was seine äußeren Verhältnisse, seine jetzige, nicht ideale Lage, seine Pläne zu einer Befreiung aus den österreichischen Klauen betrifft, will ich der mündlichen Mitteilung vorbehalten, da sich bei der in einigen Monaten zu erwartenden Veränderung seiner Lage eine schöne Mitwirkung für uns auftun wird, und auch jetzt sich hierüber wenig Klares schreiben ließe. Ich hoffe, Sie werden aus diesen wenigen Zeilen Befriedigung schöpfen, denn in Senns Nähe ist das Schreiben eine schwierige Sache. Leben Sie recht wohl. Grüßen Sie Schwind und Schubert. Ihr Bruchmann.«

Nur zwei Gedichte Senns hat Schubert vertont. Über das zeitliche Entstehen ist nichts weiter bekannt als das Jahr 1822. Die Reise Bruchmanns kann uns aber weiterhelfen. Es ist mehr als wahrscheinlich, daß er die Gedichte Senns nach seiner Rückkehr als Freundschaftszeichen Schubert zur Vertonung übergab. SCHWANENGESANG ebenso wie SELIGE WELT offenbaren den Charakter von Vorstudien zur WINTERREISE. Die kraftvolle Komposition des zweiten Stückes erhält ihren musikalischen Wesenszug von dem Gedanken an die unerschrockene Gestalt des Freundes. Im Revolutionsjahr 1849 schreibt Senn:

»Auch meine Gedichte, von denen Schubert einige in Noten setzte, entstanden in diesem Kreise zum Teil oder sind als Nachklänge zu betrachten, wenn auch die wechselvolle Gegenwart ihr Recht behält. So wenig würdig dieselben sind, den oben angedeuteten Erzeugnissen anderer an die Seite gesetzt zu werden, so verleugnen sie meist nicht ihren Ursprung im engeren und weiteren Sinne des Wortes, die sie häufig auch durch ihre Einkleidung bekennen . . .«

Die musikalische Lustigkeit der Vertonung von SELIGE WELT erweist sich, ähnlich wie im MUT der WINTERREISE, nur als Maske einer großen inneren Not.

> Ich treibe auf des Lebens Meer,
> ich sitze gemut in meinem Kahn,
> nicht Ziel, noch Steuer hin und her,
> wie die Strömung reißt, wie die Winde gahn.

> Eine selige Insel sucht der Wahn,
> doch eine ist es nicht.
> Du lande gläubig überall an,
> wo sich Wasser an Erde bricht.

Zusammen mit der ausdrucksgesättigten, mehr lyrischen Miniatur SCHWANENGESANG bildet das Lied das Opus 23 und kam bereits im kommenden Jahr zum Druck.

Franz von Bruchmann hat in Senns Schicksal wohl auch wahlverwandte Züge wiedergefunden, deprimiert und aus Furcht vor der Polizei zog er sich in ländliche Einsamkeit zurück, um Spinoza zu übersetzen und mathematische Philosophie zu betreiben. Dann ging er zu Schelling nach Erlangen, um schließlich, nach Wien zurückgekehrt, die Priesterweihen zu nehmen, da seine Frau gestorben war und ihm aus politischen Gründen das Studium verboten wurde. Schubert registriert den Eindruck des Eingeschüchterten und zugleich weltläufig Gewordenen so:

Franz v. Bruchmann

»Bruchmann, von seiner Reise zurückgekommen, ist nicht mehr derselbe, der er war. Er scheint sich in die Formen der Welt zu schmiegen, und schon dadurch verliert er seinen Nimbus, der meines Erachtens nur in diesem beharrlichen Hintanhalten aller Weltgeschäfte bestand.«

Vielleicht störte ihn das allzu prononcierte politische Engagement; sicher aber spielte Schobers problemlose Leichtlebigkeit hier eine Rolle, der Schubert so nahestand, die Bruchmann aber zuwider war. Hie Schober, Schu-

183

bert, Schwind — hie Bruchmann und Streinsberg. Als Schober sich heimlich mit Bruchmanns Schwester Justina verlobte, kam es zum offenen Bruch zwischen den Gruppen. Immerhin, der politische Druck auf jede höhere Form der Geistigkeit hatte seine Wirkung getan, den Kreis der Freunde auseinandergetrieben. Die Einschüchterung wurde später von Bruchmann so formuliert: »... weil wir alle zu schwach waren, den Kampf mit dieser weltlichen Autorität auszuhalten und weil wir doch für unseren Übermut, für unser wildes Entgegenstürmen, für unseren unbändigen und doch ohnmächtigen Trotz eine gerechte Strafe verdient hatten.«

Schubert gab mit dem kraftvoll dahinstürmenden DER ZÜRNENDE BARDE Bruchmanns Protesthaltung 1823 den musikalischen Ausdruck:

Wer wagt's, wer wagt's, wer wagt's,
wer will mir die Leier zerbrechen?
Noch tagt's, noch tagt's, noch tagt's,
noch glühet die Kraft, mich zu rächen.

Heran, heran, ihr alle,
wer immer sich erkühnt,
aus dunkler Felsenhalle
ist mir die Leier ergrünt.

Ich habe das Holz gespalten
aus riesigem Eichenbaum,
worunter einst die Alten
umtanzten Wodans Saum.

Die Saiten raubt' ich der Sonne,
den purpurnen, glühenden Strahl,
als einst sie in seliger Wonne
versank in das blühende Tal.

Aus alter Ahnen Eichen,
aus rotem Abendgold,
wirst Leier du nimmer weichen,
solang' die Götter mir hold.

Bei dem Gedanken, es könnte einer wagen, ihm die Leier zu zerbrechen, braust der Barde auf. Nur in Schuberts raschem g-Moll, solcher Art fast gesprochen deklamiert, kann man sich die je zweimal wiederholten »Wer wagt's« und »Noch tagt's« vorstellen. Die Es-Dur-Melodie, bei der der Baß in Terzen mit der Oberstimme mitgeht, streift allerdings die Bereiche der Trivialität. Aber der Verzicht auf Geistreichelei und die ursprüngliche Frische reißen in diesem Lied mit, das jeden Angriff auf die Individualität des Künstlers abweist.

Gleich nach dem ZÜRNENDEN BARDEN stellt sich eine Entspannung des Ausdrucks ein. AM SEE aus Freund Bruchmanns Feder fordert jedoch mit der ausgreifenden Wellenlinie seiner Kantilene Beträchtliches vom Atem des Sängers. Der Wortlaut des Gedichts ist keine dichterische Offenbarung. Es bleibt den Tönen vorbehalten, ihm erst einen Sinn zu verleihen. Des Dichters herbeigezwungenem Vergleich der Seele mit dem Wasserspiegel, in den viele Sterne »flammend-leuchtend« hineinfallen, stellt Schubert ruhiges Wogen gegenüber, das die Außenteile des Liedes ganz beherrscht. Die Bewegtheit des c-Moll-Mittelsatzes bildet den natürlichen Gegensatz dazu. Schön und typisch erweitert er die neuntaktige Anfangslinie bei der Wiederaufnahme zu den Worten »Ach, gar viele« auf 15 Takte. Zuletzt mündet ein Sechzehntel-Gang träumerisch in das »Viele, viele«.

Im Herbst sah sich Schubert nach einem aktiveren Verlag um. Am Tag nach dem letzten Federzug an der sogenannten »Unvollendeten« Sinfonie in h-Moll, dem 31. Oktober 1822, schreibt er an Josef Hüttenbrenner:

»Lieber Hüttenbrenner! Da ich an den Ihnen übergebenen Liedern sehr Wichtiges zu verändern habe, so geben Sie selbe dem H. Leidesdorf noch nicht, sondern bringen sie mir heraus. Sollten sie schon überschickt sein, so müssen sie eiligst abgeholt werden. Franz Schubert.«

Er hatte also, zunächst ohne daß Diabelli davon wußte, Verbindungen zu dem Wiener Verleger Max Josef Leidesdorf (1780–1843) aufgenommen. Im Frühjahr 1823 bestätigte sich, wie gut er daran getan hatte.

Am 7. Dezember 1822 ging aus Wien ein Brief ab:

»Lieber Spaun! Ich hoffe, Dir durch die Dedication dieser drey Lieder eine kleine Freude zu machen, die Du aber so sehr an mir verdient hast, daß ich Dir wirklich u. ex officio eine ungeheuere machen sollte und auch würde, wenn ich es imstande wäre. Auch wirst Du mit der Wahl derselben zufrieden, indem ich Dir wählte, die Du selbst angegeben hast. Nebst diesem Heft erscheinen zu gleicher Zeit noch 2 andere, wovon eines

Max Josef Leidesdorf

schon gestochen ist, und ich Dir auch ein Exemplar beigelegt habe und das andere eben gestochen wird. Das erste von diesen enthält, wie Du sehen wirst, die 3 Gesänge des Harfners, wovon das zweite: WER NIE SEIN BROT MIT TRÄNEN ASS *neu ist und dem Bischof von St. Pölten gewidmet.«*

Bischof Johann Ritter von Dankesreither bedankt sich für die ihm zur Erinnerung an seine St. Pöltener Gastfreundschaft anläßlich eines Besuches von Schubert zugedachten Lieder so:

»Wohlgeborener Herr! Empfangen Sie meinen sehr verbindlichen Dank und das Geständnis, daß ich mich als großen Schuldner von Ihnen anerkenne.«

Wie so häufig, gibt es bei dem neu gefaßten, zweiten GESANG DES HARFNERS nach Goethe mehrere authentische Lesarten des Liedes, die alle in die Gesamtausgabe bei Breitkopf aufgenommen wurden. Ähnlich vielen anderen Liedern mußte auch dieses sich von Vogl gefallen lassen, daß »Embellissements« zur effektvolleren Gestaltung angebracht wurden. Sogar noch bei der ersten Drucklegung fügte sich Schubert dem Willen des wohlmeinenden und mit seiner Berühmtheit etwas überwältigenden Freundes und ließ einige Mordente, Schleifer und dergleichen ein, die sich in den bekannten Ausgaben behaupteten. Das Manuskript bietet ein kraftvolleres, einfacheres und deshalb eindringlicheres Bild.

Was hatte denn Spaun so Dankenswertes für Schubert getan? Er hatte ihm während des Spätherbstes das tröstliche Gefühl gegeben, wieder mit dem Vater versöhnt zu sein. Spauns Geduld in der Bemühung um Wiederannäherung an den Vater kannte keine Grenzen. Dieser fügte sich schließlich zögernd in die Erkenntnis, bei Franz seien keine normalen Maßstäbe anzulegen, und man dürfe nicht von ihm erwarten, daß er seine schöpferische Kraft durch ein Beamtendasein einengen ließe.

Die Spaun gewidmeten Lieder heißen DER SCHÄFER UND DER

Reiter, Lob der Tränen und Der Alpenjäger. Die beste der drei unbedeutenden Schubert-Vertonungen von Texten de la Motte-Fouqués, des Librettisten der »Undine« von E. Th. A. Hoffmann, ist Der Schäfer und der Reiter, das die Grenzen des Liedes zur Ballade hin zu sprengen versucht. Takt und Tonart wechseln ziemlich unvermittelt, erscheinen also kompositorisch ungebunden. Bemerkenswert die Hugo Wolf vorwegnehmende dramatische Plastik und der biographisch aufgefaßte Schluß der Antwort des Ritters:

> Drum schnell mein Roß, und trabe
> vorbei, wo Blumen blühn,
> einst lohnt wohl Ruh' im Grabe
> des Kämpfenden Bemühn!

Der Autor dieses 1817 komponierten Liedes, Friedrich de la Motte-Fouqué (1777—1843), entstammte einer französischen Emigrantenfamilie. Der gebürtige Brandenburger machte als Offizier 1813 den Befreiungskrieg gegen Napoleon mit. Als Dichter gehört er zu dem konservativ-preußischen Flügel der deutschen Romantik. Seine Romane, Dramen, Epen und Gedichte weisen gelegentlich echt volkstümliche Züge auf, aber den Rang eines Brentano oder Eichendorff erreichte er nicht. Einzig mit dem Märchen »Undine« konnte er sich durchsetzen, dessen Stoff E. Th. A. Hoffmann (von Pfitzner wiederentdeckt), Albert Lortzing, Dvořák und Tschaikowsky auf die Opernbühne brachten.

Schubert fährt in seinem Brief an Spaun fort: *»Auch habe ich einige neue Lieder von Goethe komponiert, als:* Der Musensohn, An die Entfernte, Am Flusse *und* Willkommen und Abschied...«

Das Gedicht Der Musensohn, von Zelter ganz volkstümlich vertont, wird durch Schubert in die Bereiche des Kunstlieds gehoben. Bei Zelter kann die Singstimme manchmal noch der Begleitung entbehren, nun aber werden Gesang und Instrumentalpart gleichwertig und verschmelzen miteinander. Die schöne, wirbelnde Begleitung mit ihrem Schnellwalzercharakter sollte nicht überhastet werden, der Commodo-Ausdruck, der bei etwas gehaltenem Tempo den Rhythmus besonders lebendig werden läßt, verlagert sich sonst leicht zum bloß Virtuosen. Schubert mag sich diesem Musensohn wahlverwandt gefühlt haben, vor allem, wenn er bei stundenlangem Aufspielen das »junge Völkchen« mit seinen Walzern, Deutschen und Ländlern erregte, obwohl er es nur selten fertig brachte, aus der engen Begrenztheit seiner Umgebung »weit vom Haus« sich getrieben zu sehen.

Das großartige AN DIE ENTFERNTE ist noch immer nicht so verbreitet, wie es seinem Rang zukäme. Es mag interessieren, daß Goethe das Gedicht der älteren Dichtung eines gewissen Schwabe nachempfand, deren Anfang hier zum Vergleich stehe:

> So hab' ich dich gewiß verloren,
> Dich, meine Doris, meine Ruh'?
> Nein, noch glaub' ich's nicht meinen Ohren;
> die Falschheit trau ich dir nicht zu.

Goethes Anrufung einer fernen Geliebten betrifft wahrscheinlich Charlotte von Stein, die Niederschrift stammt aus dem Jahre 1789. Was Schubert, ein in jedem Detail den Ausdruck Meisternder, daraus macht, bestimmt den musikdeklamatorischen Stil des ganzen folgenden Säkulums. — Besser als dem rivalisierenden Vertoner Reichardt gelingt Schubert WILLKOMMEN UND ABSCHIED. Dabei ist der stürmische Romanzenton, von der Triolenbegleitung abgesehen, gar nicht typisch für Schubert. Aber das Lied hat in seiner drängenden Lebendigkeit und dem opernhaften Schluß viel Anziehendes, besonders für stimmkräftige Sänger. Die C-Dur-Tonart, in der das Lied zunächst als Opus 56 gedruckt wurde, empfiehlt sich für den Gebrauch. Diese Ausgabe von 1826 wurde Carl Pinterics zugeeignet, einem jener Manuskriptretter, denen wir den Hauptanteil der erhaltenen Schubertlieder verdanken. Der Beamte, Pianist und Sänger hinterließ bei seinem Tode (1831) 505 Notenhandschriften. — Das Gedicht WILLKOMMEN UND ABSCHIED geht auf Goethes Straßburger Tage von 1771 zurück, und die den Reiter ungeduldig Erwartende hieß damals Friederike Brion.

Weiter heißt es in Schuberts Brief an Spaun: »*Mir ging es sonst ziemlich gut, wenn mich nicht die schändliche Geschichte mit der Oper so kränkte. Mit Vogl habe ich, da er nun vom Theater weg ist und ich also in dieser Hinsicht nicht mehr geniert bin, wieder angebunden. Ich glaube sogar, mit ihm oder nach ihm diesen Sommer wieder hinaufzukommen, worauf ich mich recht freue, indem ich Dich und Deine Freunde wiedersehen werde.*«

Die Bemerkung über die Oper bezieht sich darauf, daß Domenico Barbaja (1778—1841) Pächter des Kärntnertor-Theaters geworden war und Franz seine Vorhaben für die Bühne bei diesem Manne in schlechten Händen glaubte. Tatsächlich hat sich dann Barbajas Beauftragter Duport mehr um Schuberts Bühnen-werke bemüht als die deutschen Vorgänger. Vogl wich dem, auch als Sänger auftretenden, neuen Direktor und begab sich in Ruhestand, was ihm allerdings nun erst recht Zeit ließ, als der Sänger Schubertscher Lieder zu wirken. Er war als Protagonist deutschen Operngesangs von der Auflösung der deutschen Oper in Wien unmittelbar betroffen. Dem Opernkomponisten Schubert zerriß damit eine ganz wichtige Protektionsschnur, dem Liederschöpfer allerdings konnte kaum Besseres widerfahren. Daß Vogl sich den Liedgesang nun so ausschließlich zur Lebensauf-gabe machte, half der Entstehung eines neuen Fachs von Sän-gern, das sich in dieser Form allerdings nicht lange behaupten konnte: das des reinen Liedersängers. Allzuoft nämlich machten Sänger aus der Not des Altwerdens oder des zu kleinen Stimm-materials eine Tugend und nahmen deshalb ihre Zuflucht zum Konzertpodium. Unsere Zeit der großen Konzertsäle und des Perfektionsanspruches setzte dem ein Ende.

Im Sommer dieses Jahres 1822 war es zu einer Verstimmung zwischen Sänger und Komponisten gekommen, an der keines-wegs nur der Erstere schuld war. Als Vogl ohne seinen Freund in Steyr ankam, gab es enttäuschte Gesichter und Fragen. In Wahrheit hatte der Sänger deutlich ausgesprochen, Schubert befinde sich mit seinen Opernversuchen nicht gerade auf dem richtigsten aller Wege. Der steyrische Spaun schreibt an seinen Bruder Joseph in Linz:

»Zu mir ist Vogl äußerst freundlich. Er erzählte mir seine ganze Beziehung zu Schubert mit der größten Freimütigkeit, und leider bin ich ganz unfähig, den Letzteren zu entschuldigen. Vogl ist gegen Schober sehr erbittert, um dessentwillen sich Schubert sehr undankbar zu Vogl benahm und der Schubert mißbrauchte, um selbst aus Geldschwierigkeiten herauszukom-men und die Kosten zu bezahlen, die bereits den größten Teil des Vermögens seiner Mutter erschöpft haben. Ich wünsche sehr, daß jemand hier wäre, der Schubert verteidigen würde, zu-mindest in den durchscheinendsten Vorwürfen. Auch sagt Vogl, daß Schobers Oper schlecht und ein vollständiger Fehlgriff sei und daß Schubert überhaupt auf falschem Wege sei.«

So viel kleinliche Eifersucht auch hinter Vogls Erbitterung gegen Schober sich verstecken mag, so ist doch nicht zu leugnen, daß Schober den Ruf seines Freundes dazu benutzen wollte, sich mit dessen Hilfe private Darlehen zu verschaffen. Er schien den Schöngeistern mit seiner frivol angehauchten Unseriosität ohnehin nicht ganz geheuer. Um ein Jahr älter als Schubert, war er nach dem Tode seines Vaters, eines deutschen Güterverwalters in Schweden, mit seiner aus Wien gebürtigen Mutter in deren Heimat zurückgekehrt, um hier Jus zu studieren. Etwas von einem Blender steckte in ihm, dessen Haltlosigkeit sich erst bei näherem Hinsehen offenbarte. Schubert kümmerte sich wenig um allen Haß, den die Freunde im Laufe der Jahre gegen Schober ansammelten, selbst seine wahrscheinlich durch Schobers Einfluß erworbene Krankheit hielt ihn nicht davon ab, den »göttlichen Kerl« bis zum Ende als Freund zu betrachten. Er vergaß Schober nicht, wie gastfreundlich der sich in der schweren Zeit des Streits mit dem Vater ihm gegenüber verhalten hatte. Auch die sogenannten Atzenbrugger Gesellschaften und die Leseabende kamen durch Schober zustande. Der Text zu so manchem Lied stammt aus seiner Feder, Einsicht in Schuberts Wesen und Bedürfnisse verratend.

Gerade jetzt, in der Bedrängung durch Vogls Zorn wegen des verpfuschten Opernbuchs, griff Schubert zu Schobers SCHATZGRÄBERS BEGEHR und machte das Gedicht zu seiner eigensten Sache. Eine ostinate Chromatikfigur im Baß suggeriert, ähnlich wie in TOTENGRÄBERS HEIMWEHE, die Penetration des Tuns und Denkens. In den Passagen des Selbstgesprächs verbleibt das Stück in Moll, sobald sich der Autor an die Umstehenden wendet, wechselt die Musik nach kurzem Verhalten auf der Dominante ins Dur über.

> In tiefster Erde ruht ein alt' Gesetz,
> dem treibt mich's rastlos immer nachzuspüren;
> und grabend kann ich and'res nicht vollführen.
> Wohl spannt auch mir die Welt ihr gold'nes Netz,
> wohl tönt auch mir der Klugheit seicht Geschwätz:
> Du wirst die Müh' und Zeit umsonst verlieren!
> Das soll mich nicht in meiner Arbeit irren,
> ich grabe glühend fort, so nun wie stets!
>
> Und soll mich nie des Findens Wonne laben,
> sollt ich mein Grab mit dieser Hoffnung graben,
> ich steige gern hinab, gestillt ist dann mein Sehnen.
> Drum lasset Ruhe mir in meinem Streben,
> ein Grab mag man wohl jedem gerne geben,
> wollt Ihr es denn nicht mir, Ihr Lieben, gönnen?

SCHATZGRÄBERS BEGEHR zeigt in Abwandlungen und auf transparente Weise den Wanderrhythmus Schuberts, wie immer, wenn er — und sei es auch nur symbolisch — auf Wandern und Wanderschaft hindeuten möchte. Der außergewöhnlichen musikalischen Kraft des Liedes spottet der bloß interessante Eindruck, den es letztlich hinterläßt.* — Ausgedehnt und mehrsätzig setzte Schubert Schobers TODESMUSIK in Töne, eingestreut sind Rezitative, die über die letzte Stunde meditieren. Die Schlußpassagen fallen etwas ab gegenüber dem konzentrierten Ansatz. Bei der im ersten Teil zitierten Kamöne handelt es sich nicht um eine Blume, sondern um die verdeutschte Schreibweise der Camena, Muse der Erhebung in der Todesstunde ihres Schützlings.

Nicht bloß in Worten, auch musikalisch schrieb Schubert seinem Freunde Spaun einen Brief. Wer nach Kuriosa unter den Schubertliedern sucht, wird bei dem MUSIKALISCHEN SCHWANK (EPISTEL) von Matthäus von Collin kaum enttäuscht werden. In den dräuenden Rezitativen steckt viel gelungene Parodie großer heroischer Oper, eine Arie in c-Moll à la Gluck bildet den Kern. Die Enden werden obstinat wiederholt, und gehaltvolle Musik ist an diese Gelegenheitskomposition gewendet. Matthäus von Collin ist der Bruder des uns schon bekannten Heinrich von Collin.

Nicht nur Joseph von Spaun war 1822 Empfänger von Widmungen, auch das Heft Opus 7, in dem sich DER TOD UND DAS MÄDCHEN findet, ging mit einer Dedikation an den Dichter der beiden anderen Stücke des Konvoluts, den Grafen Ludwig Széchényi von Savor-Felsö-Vidék (1781–1855), Bruder des bedeutenden ungarischen Staatsmannes Stephan S. Széchényi, in Druck. DER FLUG DER ZEIT, das den Wechselcharakter aller Erfahrungen besonders eindrücklich durch Dur-Moll-Überraschungen ausdrückt, verdient hervorgehoben zu werden. Beide Széchényi-Stücke gehören noch in das Jahr 1817, und auch DIE

L. Graf Széchényi

* 1823 erschien es als Opus 23,4.

ABGEBLÜHTE LINDE mit Rezitativ und Arioso mag mit der Beschwörung, Freundschaften liebevoll zu pflegen, Schubert damals von Herzen gekommen sein, so beteiligt und detailfreudig ist die Musik niedergeschrieben. Die Kritik vermerkt anläßlich der Erstveröffentlichung:

»Das Heft gibt uns die willkommene Veranlassung, sowohl diese als noch vielmehr die früheren, in der Kunsthandlung erschienenen Gesangsstücke, dieses für den lyrischen Gesang reichbegabten Tonsetzers, dem Publicum bestens anzuempfehlen und unsere Achtung für sein ausgezeichnetes Talent offen auszusprechen.«

Eine seltsame Parallele zu Beethoven stellt sich Ende 1822, wie schon früher im Fall der ADELAIDE, her, als der Vierundzwanzigjährige sich an die Komposition des WACHTELSCHLAG machte und sich nicht sehr weit vom Vorbild entfernte, das mehr als 20 Jahre früher entstanden war. In beiden Liedern bestimmt der Ruf des kleinen Vogels das akustische Bild, bei Schubert erfährt das Strophenlied lediglich eine Mollvariante, wenn von Sturm und Krieg die Rede ist, während Beethoven in farbigeren Bildern redet und predigt. Der Textdichter Samuel Friedrich Sauter (1766–1846) war seines Zeichens Schulmeister und wurde von Eichrodt* als Prototyp des »Biedermeier« karikiert. Er galt als der erste Volksdichter Badens und betätigte sich ausschließlich als Lyriker.**

* L. Eichrodt (1827–1892), Jurist, Burschenschafter, Oberamtsrichter. Humoristischer Lyriker, Mundartdichter und Satiriker; prägte in seinen »Gedichten des schwäbischen Schullehrers Gottlieb Biedermaier und seines Freundes Horatius Treuherz« den Epochenbegriff.

** Am 30. Juli 1823 erschien DER WACHTELSCHLAG als Magazinbeilage. Dann wurde das Lied als Opus 68 mit italienischem Text bei Diabelli 1827 gedruckt.

Im Januar 1823 begann ein für Schubert besonders hartes Jahr. Die beiden ersten Schubertbiographen Kreißle und Reißmann vermuten den Ausbruch einer Krankheit zwar erst 1824. Aber in der Tat hatte sich Franz bereits Ende 1822 eine schwere Geschlechtskrankheit zugezogen, die nun zum vollen Ausbruch kam. Außer Spaun, dem gegenüber Stillschweigen bewahrt wurde, wußten die nächsten Freunde darum. Niedergeschlagenheit und Unwohlsein mögen den gereizten Ton des folgenden Briefes von Schubert an Leopold von Sonnleithner bestimmt haben:

»Lieber Herr von Sonnleithner! Sie wissen selbst, wie es mit der Aufnahme der späteren Qartetten stand; die Leute haben es genug. Es könnte mir freilich gelingen, eine neue Form zu erfinden, doch kann man auf so etwas nicht sicher rechnen. Da mir aber mein künftiges Schicksal doch etwas am Herzen liegt, so werden Sie, der Sie auch daran teilzunehmen mir schmeichele, wohl selbst gestehen müssen, daß ich mit Sicherheit vorgehen muß und keineswegs mich der so ehrenvollen Aufforderung unterziehen kann; es müßte denn sein, daß der löbl. Gesellschaft mit der Romance aus der Zauberharfe von Jäger vorgetragen, gedient wäre, dann würde sich beruhigt fühlen Ihr ergebenster Frz. Schubert.«

Die Form des Männerchores, um den es in diesem Brief geht (ob solistisch oder in chorischer Besetzung, war schon seit je dem Zufall der momentanen Möglichkeiten überlassen worden), hatte Schubert bereits, weit über alle seit Michael Haydn bestehenden Vorbilder hinaus, entwickelt und Maßstäbe für das kommende Jahrhundert gesetzt. Bezeichnend ist, daß er zum Ersatz ein reichlich harmloses, bis heute ungedruckt gebliebenes Stück anbot.

Wilhelm von Chezy, Sohn der »Rosamunde«-Autorin, ein Elegant und der »jeunesse dorée« zugehörig, meint:

»Leider hatte sich Schubert mit seinen lebensdurstigen Neigungen auf jene Abwege verirrt, die gewöhnlich keine Rück-

kehr mehr gestatten, wenigstens keine gesunde. Die reizenden
Müllerlieder hatte er unter ganz anderen Schmerzen gesetzt, als
jene waren, die er im Munde des armen Mühlknappen mit seiner
verschmähten Liebe, durch seine Noten unsterblich machte.«

Diese hämische Bemerkung nimmt wenig Notiz von den seelischen Abgründen, in die Schubert durch die Krankheit geworfen war. Schober vermittelte ihm den Arzt. Die Peinlichkeit
des Ganzen hielt ihn später als Einzigen im Freundeskreis davon
ab, schriftliche Erinnerungen an Schubert niederzulegen. Nach
zwei Verlobungen, die er wieder löste, wurde Schober der Boden
heiß, und er verließ Mitte Juli Wien ganz plötzlich für zwei Jahre,
um in Breslau den »Schauspielerberuf« zu erlernen. Schuberts
Erkrankung wirkte sich erschreckend aus und spornte ihn dennoch zu größter Raffung seiner schöpferischen Kräfte und zur
Konzentration auf die Arbeit an. Die noch bleibenden sechs
Schaffensjahre brachten zwar periodische Depressionen und
wiederkehrende Stillstände, aber die Ausbrüche des Geistes zeitigten überwältigende Ergebnisse. Ende 1822 entstand die zweite
Version von Goethes AM FLUSSE. Isolation klagt aus dem
leierkastenähnlichen Gedudel der Begleitung, Endstimmung
herrscht vor.

> Verfließet, vielgeliebte Lieder,
> zum Meere der Vergessenheit.
> Kein Knabe sing' entzückt euch wieder,
> kein Mädchen in der Blütenzeit.

Von dem bloß Wehmütigen der ersten Vertonung ist Schubert nun mit dem Dichter zu resigniertem Lächeln gekommen.
AM FLUSSE ist wohl eins der einfachsten Lieder aus Schuberts
Reifezeit. Unter dem gleichmäßigen Fließen der Achtel in der
rechten Hand schafft der Baß einen bleibenden, leiernden Grund,
der im Laufe des Liedes sich etwas profiliert. Vielleicht war die
Fassung von 1815 bereits längst vergessen, in der Schubert etwas
mehr um Deutlichkeit des Ausdrucks bemüht war. Hier nun
strömt alles in den 23 Takten Melodie dahin, aber man überhöre
dieses nur Schubert eigene Fließen nicht, auch wenn es beim
ersten Hinsehen nur wenig Auffälliges zu bieten scheint.

Mit der Verschlechterung des Gesundheitszustandes zog sich
Schubert aus Schobers Haus zurück, es trieb ihn zur Familie, vor
allem zum Bruder Ferdinand, und das Schulhaus im Bezirk
Roßau sah ihn für die Dauer des folgenden Jahres als Bewohner

1823 kam es zum Bruch mit dem Haus Diabelli, vor allem wohl wegen der unnachgiebigen Verhandlungsweise des Peter Cappi, der von ersten Kontakten Schuberts mit Sauer & Leidesdorf, auch mit dem Verlag Steiner erfahren hatte. Schuberts Brief an Cappi vom 10. April schließt: »*Sie werden finden, daß meine Forderung nicht nur die größere, sondern auch die gerechtere ist, welche ich aber dennoch nicht gemacht haben würde, wenn Sie mich nicht so unangenehm daran erinnert hätten. Da die Schuld, die Sie gefälligst einsehen werden, auf diese Weise schon längst getilgt war, so kann also auch von Herausgabe von Liedern gar keine Rede sein, welche Sie abermals nicht wohlfeil genug taxieren konnten, indem ich gegenwärtig für ein Heft 200 fl. W. W. bekomme und mir Herr v. Steiner schon mehrere Male den Antrag zur Herausgabe meiniger Werke machen ließ. Zum Schlusse muß ich Sie noch ersuchen, mir meine sämtlichen Manuskripte sowohl der gestochenen als der ungestochenen Werke gefälligst zu senden. Mit Achtung Franz Schubert Compositeur.*«

Schubert befand sich in finanzieller Notlage, nie sonst hatte er einen ähnlich herausfordernden Brief geschrieben. Kurze Zeit darauf quittierte Josef Hüttenbrenner den Rückerhalt der Klaviersonate a-Moll, Opus 143, zweier Hefte Lieder und zweier Lieder auf einem losen Blatt. Nach der Trennung von Cappi erschienen übrigens später doch wieder Schuberts Stücke bei »Diabelli et Comp.«. Und Leidesdorf stellte sich bald als ebenso unbefriedigender Verlagspartner heraus, da es ihm an Kapital und fachkundiger Geschäftsführung fehlte. Das ewig trübsinnige Gehabe des Herrn ging Schubert zusätzlich auf die Nerven. Franz zog sich mehr und mehr zurück, wurde auch ein wenig teilnahmslos gegenüber den alten Freunden. Nur Josef Hüttenbrenner blieb als sein unbezahlter Sekretär in der nächsten Nähe.

Bescheiden stellte sich immerhin äußere Anerkennung ein. Der Steiermärkische Musikverein hatte aus Graz ein Ehrendiplom gesandt, das Schubert mit der, vielleicht noch zu vollendenden, h-Moll-Symphonie als Gegengeschenk beantwortete. Nun aber erschienen, bereits beim neuen Verleger Sauer & Leidesdorf, Männerchöre und fünf Hefte Lieder, darunter in Opus 22 DER ZWERG nach einem Gedicht Matthäus' von Collin. Das Liederheft zeigt, daß Schubert noch nach der Auslieferung der ersten gedruckten Exemplare Änderungen an den Stichplatten vornehmen ließ. Nachträglich fügte er dynamische Zeichen ein. Es

Matthäus v. Collin

ist also nichts an den Behauptungen, Schubert habe auf die Drucklegung seiner Lieder keinen Einfluß genommen. Vor dem Stich arbeitete er gewöhnlich seine Manuskripte gründlich durch. So gelangte kaum eines seiner Lieder unbearbeitet zum Druck. Die Änderungen betrafen den Notentext ebenso wie die Vortragszeichen und den Textwortlaut.

Wie sein Bruder Heinrich war der Dichter des ZWERG Matthäus von Collin ursprünglich Jurist um dann 1810 Universitätsprofessor für Ästhetik und Philosophie im damals zu Österreich gehörenden Krakau zu werden. 1812 übernahm er den gleichen Posten in Wien. Seine Betriebsamkeit als Wissenschaftler, Dichter und Redakteur verschaffte ihm solches Ansehen, daß ihm 1815 auch die Erziehung des nach Wien gebrachten Sohnes Napoleons, des Herzogs von Reichstadt, anvertraut wurde. Collins Produktion von historischen Dramen war enorm, aber einzig Schubert hat seinen Namen mit fünf Gesängen der Nachwelt erhalten. Eins seiner gedruckten Liederhefte ist auch Collin gewidmet. Es gibt einen Bericht Randhartingers über die Entstehung des ZWERG, in dem es heißt, Schubert habe die Komposition eilig aufs Papier gekritzelt, bevor sie beide zu einem Spaziergang aufgebrochen seien. Ob man das zu glauben bereit ist oder nicht, wir haben es beim ZWERG mit außergewöhnlich zukunftsträchtiger Musik zu tun, die über die fesselnde Schilderung menschlicher Leidenschaft hinaus eine neue Kurzthematik zur Anwendung bringt, wie sie bei Wagner dann als Selbstzweck und oft außermusikalisch erscheint. Beethovens Schicksalsmotiv, wie es vor allem für die 5. Symphonie klassifiziert wurde, geistert durch die Begleitung, ist aber hier ganz Schuberts Eigentum. Die Tremolandi im Klavier, die Schubert so häufig anwendet (so etwa in der JUNGEN NONNE, EINSAMKEIT AM MEER), sind eigentlich immer streng mensuriert zu halten, besonders aber hier nie ad libitum zu spielen. Die dramatische Kraft der Musik zum ZWERG wird über dem etwas abstrusen

Gedicht leider oft überhört, und es muß wieder gesagt werden, daß dem Franz Schubert nicht zu verdenken ist, wenn er neben den Texten großer Schriftsteller sich auch der Freundgedichte bedient, um ganz einfach Musik zu machen, wobei »dieser Schubert« musikalisch keine Wertunterscheidung gegenüber dem Vertoner literarisch wertvollerer Produkte verdient; er bleibt, ähnlich wie Bach bei seinen Kantatentexten oder Beethoven gegenüber der zusammengeflickten »Leonore«, derselbe große, überwältigende Musiker. Collin nimmt mit seinen Versen die 1822 durch Victor Hugos »Han d'Islande« in Gang gebrachte Horrormode auf, was auch die Angabe des Malers und Sängers Franz Stohl bestätigen würde, DER ZWERG sei bereits 1822 zusammen mit SCHATZGRÄBERS BEGEHR in seine Hände gekommen. Wahrscheinlich ist das Lied um die Wende 1822/23 zu datieren.

Frei sei hier wiedergegeben, wie ein berühmter Gesangspädagoge sich die Vorgeschichte des Liedes dachte: Einem König war seine Frau durch den Tod genommen. Nichts konnte ihm die Ruhe bringen, nach der er so verlangte. Im Frauengemach wuchs ein Töchterchen heran, belehrt in allem, was einer Fürstin zur Würde gereichen sollte. Der König hatte für vieles Geld einen Hofnarren übers Meer gebracht, der in der Halle Witzspiel in die Festgelage tragen sollte. Der Narr aber hatte die Welt gesehen, war von Geist und Gelehrsamkeit, und es währte nicht lange, so erkannte der König diese Vorzüge. Er führte den Verwachsenen darum hinauf zum Frauengemach und stellte ihn als Lehrenden für das Fürstenkind an. Die Nachmittage der Sommerzeit waren Gängen in den Buchenwaldungen geweiht, auf denen der Narr dem Mädchen von seiner Heimat im Süden erzählte. Ein Band des Zusammenhanges wurde zwischen den beiden Einsamen gewoben. Aber nie sah das Fürstenkind den Narren in Gewandung und Schellen, wenn er rohen Fragen antwortete. Da kam ein König von steinigen Inseln und hielt um die Hand des Mädchens an. Der Vater nahm die Werbung an, das Kind gehorchte. Der König führte sein Kind auf das Schiff, der Narr begleitete ihn. Nach langer Fahrt leuchteten die Felsen des Inselreiches. Der König beschied sein Kind zu sich, zwei ihrer Frauen und den Narren. »Nimm diese drei als Brautgabe, sie werden Dir die Heimat ersetzen.« Der Narr erzitterte wie ein treuer Hund, der eine Änderung vorahnt. In seine Züge trat der Ausdruck eines furchtbaren Entschlusses. Es kamen die Ankunft, Feierlichkeiten, Feste. Es kam der Abschied vom Vater, doch zogen sich die Festlichkeiten hin. Die junge Königin sieht den Narren zum ersten Mal in seiner Unwürde, ihn, der ihr alles Gewesene, alles Werdende ins Gemüt senkte, den sie im Stillen schon lange als Herrn erwählte. Sie erhebt sich, verläßt die Halle. Die Gäste erheben sich, es tritt Stille ein. Ganz früh des anderen Morgens entriegelt die Königin mit eigener Hand das Portal und tritt in den Schloßhof. Sie erstaunt nicht, wie sie den Narren dort antrifft, sie hat ihn erwartet. Sie schreiten langsam durch eine Seitentür ins Land hinaus. Einige vom Gesinde stecken die Köpfe zusammen. Steil führen Stufen zum Meeresstrand hinab. Mit einer Handbewegung deutet der Narr auf den Felsen, die Königin beugt ihr Haupt in vollem Verstehen. Nach einer Stunde tritt sie ins Schloß zurück und gibt dem Tag sein Recht. Dann zieht sie sich zurück. Vor sinkender Sonne tritt sie in prunkendem Gewande wieder hinaus. Der Narr, der sie erwartete, bietet ihr die Hand. Langsam schreiten sie von Stufe zu Stufe hinab. Die Königin wird vermißt. Man schickt hinauf zum Türmer. Der meldet von einem Nachen weit hinaus in der See. Es nimmt viel Zeit, einen anderen flott zu machen. An einer kleinen Felseninsel findet man den Nachen zerschellt und umgewandt. Am Morgen nach dieser Nacht haben die Wellen eine Schnur roter Seide an den Fuß der Felsen unter dem Schloß gespült.

So oder ähnlich machte Raimund von zur Muehlen (1854 bis 1931) seinen Schülern klar, daß alles, was im Lied erzählt wird, als Resultat einer Arbeit der Einbildungskraft ins Leben gerufen werden soll. Denn bevor das Lied einsetzt, ist bereits geschehen, was das Unglück hervorrief. »So soll man sich nicht in Filz und Faulheit gehen lassen«, war sein Kommentar, wenn jemand sich nicht bereit zeigte, den gleichen Weg wie der Komponist zu gehen und den Text eben abstrus sein ließ, ohne Schuberts Sinngebung gerecht zu werden. Drei Stimmen sind für den Sänger zu finden: Erzähler, Königin, Zwerg. Das Tempo ist mit »Nicht zu geschwind« bezeichnet, was immer noch geschwind heißt, nur nicht zu sehr. Schauerliche Spannung muß das Ganze von Anfang an haben. Die Worte der Königin sind weich und leise zu singen. Die Stimme des Zwerges sollte aller Leidenschaft zum Trotz in strengstem Rhythmus bleiben. »Ihm brennt nach ihr das Herz so voll Verlangen« steigert sich in jeder Bewegung, beim Dur ist der Höhepunkt erreicht. Dazu im Gegensatz sind die letzten Worte »an keiner Küste wird r je mehr landen« wie in völliger Erstarrung vorzutragen.*

Schubert fand in dem freisinnigen Haus des Dichters Collin erzliche Aufnahme. Hier musizierte er zusammen mit Anselm Hüttenbrenner seine vierhändigen Variationen, die dem Abgott Beethoven gewidmet sind. Hier sang er, sich selbst begleitend, den WANDERER. Spaun, ein Verwandter der Familie Collin, rzählt:

»Damals wurden die Schubertschen Lieder häufig in dem Hause des zu früh verstorbenen Matthäus von Collin, welcher den Kompositionen Schuberts enthusiastischen Beifall schenkte, vor einem Kreis mehrerer durch Talente und ihre Stellung ausezeichneter Menschen vorgetragen, die sämtlich über die neue Erscheinung in so trüber Zeit innig erfreut waren und dann inzeln das ihrige dazu beitrugen, die allgemeine Aufmerksameit auf Schubert zu lenken.«

Noch mehr Sternstunden verdankte Schubert der Anregung urch Matthäus von Collin. Dem Gedicht WEHMUT gibt er Intermezzocharakter. Bei »So wohl, so weh« stehen Dur und Moll nmittelbar gegeneinander. Bemerkenswert der Doppelschlag uf »Frühlingslust«, der vorher bei der musikalisch korrespondierenden »Fülle« fehlt, eine erst bei Schubert zu findende Detailfeinheit. Das Klaviertremolo steigert den zweiten Teil bis ur Hochspannung des Bogens der »Schönheit, die er schaut«, m atemberaubend still zu schließen. Schwinden und Vergehen piegeln sich in der stockenden Singstimme, der chromatischen Abwärtsbewegung des Basses und der durch das Klaviernachpiel bestätigten leisen Schlußkadenz. Das rechte Verständnis ieser »Naturhymnen« Schuberts wird sich erst dem erschließen, er hinter ihnen die Gestalt des Komponisten selbst erkennt, enes ernsten Schubert, der im Jahre 1825 dem Vater schrieb:

»Könnte er (Schuberts Bruder Ferdinand ist gemeint) *nur inmal diese göttlichen Berge und Seen schauen, deren Anblick ns zu erdrücken oder zu verschlingen droht, er würde das inzige Menschenleben nicht so sehr lieben, als daß er es nicht ür ein großes Glück halten sollte, der unbeschreiblichen Kraft er Erde zu neuem Leben wieder anvertraut zu werden.«*

Der hier der Natur tief in die Seele schaut, war ihr gegenüber hnlich aufgeschlossen wie Goethe, und er konnte deshalb, auch

---

* Während einer »Abendunterhaltung« am 13. November 1823 sang der Bassist osef von Preisinger das Lied zum erstenmal öffentlich.

von kleineren Dichtern geleitet, Landschaftsbilder schaffen, di
wie in WEHMUT das Gewaltigste und Tiefsinnigste komposito
rischer Lyrik bergen.*

Der Blumenballaden seines Freundes Schober kann sich Schu
bert eigentlich nur deshalb so ausgiebig angenommen haben
weil er die Blumen so liebte. VERGISSMEINNICHT versteckt, ebens
wie sein Pendant VIOLA, unter bloß manieristischen ellenlange
Strecken à la Schubert, einige kostbare Details, die jedoch kaun
diese etwas zu groß geratenen Nippesstücke der Musik lebendi
erhalten werden. Die 19 Strophen von VIOLA tendieren als veri
table Biologiestunde unfreiwillig zur Komik, und man kan
Schuberts Höflichkeit dem Freunde gegenüber nur bewunderr
sich eine solche Last aufzubürden. Immerhin mag den Schu
bertianer, der sich durch nichts beirren läßt, die liebliche E-Dur
Abteilung in VERGISSMEINNICHT wie ein selbständiges Kunstwer
anmuten und begeistern. Man mag aus den beiden Liedern Vor
übungen zur Form des Liederzyklus herauslesen. — Zwölfachte
und Sechsachtel-Takt bekommen in ungezählten Werken Schu
berts die Bedeutung des Kreisens in Dreiviertel-Takt und au
ihm heraus die unnachahmliche Beschwingtheit. Zweier- un
Dreier-Element, so sehr sie im Ausdruck differieren, verwebe
im Einvernehmen und geben den Sechsachteln und Zwölfachteh
vorwärts- und aufwärtsstrebende Richtung, die wie eine Spiral
zugleich kreist. In Schobers PILGERWEISE vermählen sich jeder
punktierten Viertel drei Achtel. Die Melodie bewegt sich i
geradem Wanderrhythmus, steigt dabei aufwärts und wieg
sich fast unmerklich in Tanznähe, was dem Charakter des Stücke
die lastende Schwere nimmt. Ob Schober die PILGERWEISE wol
für seinen Freund gedichtet hat? »... Doch freilich, Ihr könn
nicht wissen, was den beseligt, der entbehrt ...« Beim Vergleic
mit dem sehr verwandten, auch in der gleichen Tonart notierte
»Lied ohne Worte« des Jahres 1833 von Mendelssohn schneide
die harmonische Unternehmungslust von Schubert gut ab, di
bereits im Vorspiel von Fis- nach G-Dur abweicht. Aber vo
allem muß beeindrucken, wie er des Freundes schwachem Gedich
eine musikalische Lebensspritze nach der andern verabreich

* Zusammen mit dem ZWERG wurde die WEHMUT 1823 als Opus 22 veröffen
licht.

DIE LIEDERNOVELLE

Was weiß man heute noch von Wilhelm Müller aus Dessau (1794–1827), der nun in Schuberts Gesichtskreis trat? Hätten nicht unsere Vorväter den »Glockenguß zu Breslau« in der Schule memorieren müssen, hätte man nicht Gelegenheit, in irgendeinem verstaubten Balladenschatz den »Alexander Ypsilanti« nachzulesen oder im Kommersbuch das »Est, est« wiederzufinden — ohne Schuberts Hinzutreten wäre der Name dieses Dichters längst vergessen. Die gleichaltrigen Zeitgenossen sind sich nie begegnet. Man kann nicht Schubertianer sein und Müller ganz ablehnen. Die Feindseligen meinen, Müllers Situationen und Gefühle seien billig wie schlechtkolorierte Postkarten. Solche Beurteilung wird dem Dichter nicht ganz gerecht. Die Verse haben Form, Phantasie und vor allem die Qualität der Singbarkeit. Man führe sich auch die Zeit vor Augen, in der es nichts zu belachen gab, wenn einer weichen Herzens war und schnell in Tränen geriet. Müller verkörpert den Prototyp seiner Zeit, in jener Mischung von ungebrochener Gefühlsseligkeit und aufkommender Skepsis.

Wilhelm Müller war 1794 als Sohn eines Schuhmachermeisters in Dessau geboren worden und starb, nur um weniges älter als Schubert, 1827, knapp ein Jahr vor ihm. Mit 18 Jahren bezog er die Berliner Universität, um Philologie und Geschichte zu studieren. Als freiwilliger Jäger nahm er an den Freiheitskämpfen der Jahre 1813 und 1814 teil und setzte dann seine Studien fort. Nach einer Italienreise wurde er 1819 zum Lehrer für alte Sprachen an das Gymnasium in Dessau und als Bibliothekar an den

Wilhelm Müller

Hof des Herzogs berufen. Vornehmlich schrieb Müller Gedichte, von denen zu seiner Zeit die der Begeisterung für den Freiheitskampf der Griechen entstammenden »Lieder der Griechen« so berühmt wurden, daß man ihn nur noch den »Griechen-Müller« nannte.

DIE SCHÖNE MÜLLERIN stellte den ersten Teil einer Sammlung »Gedichte aus den hinterlassenen Papieren eines reisenden Waldhornisten« dar, von der es im Untertitel heißt: »Im Winter zu lesen«. Die Sammlung ging aus einer Art Gesellschaftsspiel hervor, das in einem Berliner Zirkel von jungen Herren und Damen als literarischer Scherz mit verteilten Rollen in Gegenwart des Dichters, ohne musikalische Untermalung, aufgeführt wurde. Das Ganze war als Parodie gemeint auf die allzu biedere, immer keusch einfältige Volkstonlyrik, die schon anfing, in den »gebildeten« Kreisen Heiterkeit zu erregen. Müller sprach selbst einen Prolog, den Schubert ebenso wie den Epilog und einige Gedichte nicht in Musik setzte, weil hier die ironische Tarnkappe ein wenig gelüftet wird. In dem länglichen Einleitungspoem heißt es:

> Ich lad' Euch, schöne Damen, kluge Herren,
> und die Ihr hört und schaut was Gutes gern,
> zu einem funkelnagelneuen Spiel
> im allerfunkelnagelneusten Stil;
> schlicht ausgedrechselt, kunstlos zugestutzt,
> mit edler, deutscher Roheit aufgeputzt,
> keck wie ein Bursch im Stadtsoldatenstrauß,
> dazu wohl auch ein wenig fromm für's Haus;
> das mag genug mir zur Empfehlung sein,
> wem dies behagt, der trete nur herein.

Und später:

> Doch wenn Ihr nach des Spiels Personen fragt,
> so kann ich Euch, den Musen sei's geklagt,
> nur eine präsentieren, recht und echt,
> das ist ein junger, blonder Müllersknecht;
> denn ob der Bach zuletzt ein Wort auch spricht,
> so wird der Bach deshalb Person noch nicht.

Man erkennt, wie sich Müller ironisch denen entgegenstellt die in der Literatur nicht wahrnahmen, was sich seit dem Wiener Kongreß von 1814/15 in den Gemütern der Menschen abspielte

»Gehabt Euch wohl und amüsiert Euch viel«, sagt der Dichter abschließend und gibt dem deutschen Michel das Wort. Am Schluß des Zyklus fügt Müller dann im Epilog die Bemerkung an:

> Doch pfuschte mir der Bach ins Handwerk schon
> mit seiner Leichenred' im nassen Ton.
> Aus solchem hohlem Wasserorgelschwall
> zieht jeder selbst sich besser die Moral.

Natürlich bleibt die Ironie hier noch zart und versteckt, ein Heinrich Heine schickt dann bissigere Töne in die gleiche Richtung. Immerhin sympathisierte Heine mit Müllers Absichten und gab dem mit der Dedikation eines Exemplars seiner »Lyrischen Intermezzi« Ausdruck.

In Verkennung von Schuberts Absichten versuchte man gelegentlich, die nicht komponierten Teile der SCHÖNEN MÜLLERIN in Konzertaufführungen mit einzubeziehen, so Hans Joachim Moser oder in einer Sendung des Reichsrundfunks der dreißiger Jahre, wo sich Julius Patzak und Mathias Wiemann in gesungene und gesprochene Partien teilten. Ich muß gestehen, daß ich in einer meiner drei Schallplattenaufnahmen des Zyklus ebenfalls Prolog und Epilog als Kuriosität gesprochen habe, aber heute erscheinen sie mir als Fremdkörper. Denn Schubert hat die Gedichte seriös aufgefaßt, um seine musikalische Idee zu verwirklichen, und seither haben ihn Generationen von Sängern und Hörern rechtens ernst genommen.

Dabei versteht sich von selbst, daß Schubert nicht etwa des Dichters Absichten verkannte. Dazu hielt er zu kritischen Abstand und verkehrte zu häufig in literarischen Gesprächsrunden. Das bezeugen auch die drei Gedichte, die er aus dem Zusammenhang nahm und unkomponiert ließ. »Das Mühlenleben« hat zehn Strophen, die für ein Durchkomponieren nicht genügend Dramatik und Vielfalt bieten, bei strophischer Vertonung zu gleichbleibender Melodie aber Langeweile hervorrufen müßten. Die Zeilen »Seh' ich sie am Bache sitzen, wenn sie Fliegennetze strickt« oder »Keiner fühlt sich recht getroffen, und doch schießt sie nimmer fehl; jeder muß von Schonung sagen, und doch hat sie keinen Hehl« sind nicht nur ungeschickt, sondern geben sich in der Parodie auch so offen, daß Schubert sie lieber ungesungen lassen wollte. »Erster Schmerz — letzter Scherz« hat nicht nur eine fürchterliche Überschrift, sondern auch wieder zehn Strophen. Die ersten Zeilen »Nun sitz' am Bache nieder mit Deinem hellen Rohr und blas' den lieben Kindern die schönen Lieder vor« wiederholen inhaltlich das am Schlusse von EIFERSUCHT UND STOLZ bereits Gesagte. Ähnlich verhält es sich mit »Blümlein vergiß mein«.

Schuberts Liedernovelle mag kein Einzellied enthalten, daß es mit den größten Goethe- oder Rückert-Stücken aufnehmen könnte. Aber das lag wohl auch nicht im Plan. Die Bescheidenheit der ineinandergreifenden und zum Einzelleben nicht bestimmten Nummern macht das Zyklische aus.

Vogls Veränderungen, die hier wie in anderen Fällen von Friedländer noch als »Fälschungen« abgelehnt worden waren, räumt Walther Dürr zu Recht eine gewisse Autorität ein; sie wiegen kaum weniger schwer als Schuberts eigene Varianten, vor allem solche, die er eigens für bestimmte Sänger und ihre Besonderheiten herstellte, so im Falle Schönstein bei RASTLOSE LIEBE oder für Esterházy in DER WANDERER. Und Dürr überlegt anhand dieser Beispiele, daß bei einer Drucklegung eigentlich auch Vogls Veränderungen neben Schuberts eigenen Varianten ihren Platz finden müßten. Bei der Herausgabe von Schuberts Werk zeigte sich immer wieder die Unmöglichkeit, in ein und derselben Ausgabe dem Interpreten der jeweiligen Zeit sich verständlich zu machen und gleichzeitig allen überlieferten Quellen gerecht zu werden. Das macht die Berechtigung und Notwendigkeit einer »kritischen« Ausgabe evident, wie sie jetzt im Bärenreiter-Verlag unternommen wird.

Große Probleme wirft im Falle der SCHÖNEN MÜLLERIN auch die gelegentliche Notwendigkeit des Transponierens auf. Die zwei in der Mitte der Klaviatur liegenden Oktaven verläßt Schubert in dem Zyklus kaum, nur zu oft murmelt der Bach im Baßschlüssel. Das schafft die große Schwierigkeit, die Lieder abwärts zu transponieren, eine kleine Terz sollte in keinem Fall überschritten werden. Am schönsten wirken die Stücke natürlich in der Tenorlage, in der sie konzipiert wurden. Übrigens meidet Schubert den Diskant des Klaviers in seinen Liedern grundsätzlich, zum Teil des dünnen Klangs der zeitgenössischen Instrumente in jenen Lagen wegen, die er fast nur in brillanten Passagen ausnutzt. Der Klangreichtum unserer Tasteninstrumente hätte ihn sicher anders verfahren lassen.

»Wanderschaft« heißt bei Müller das erste Gedicht. Wie hier und an vielen unauffälligeren Stellen verändert Schubert den Wortlaut, um musikalischer deklamieren zu können. DAS WAN-

DERN führt uns den Burschen vor, der auf die Reise geht und ein Lied von der Wanderseligkeit singt, die ihm im Blut liegt. Die erste und die letzte der fünf Strophen sprechen die Idee des Gedichts aus. Melodie und Begleitung halten sich in den schlichtesten Formen, ein Musterbeispiel für ein Strophenlied. Macht man das Experiment und improvisiert eine rhythmisch differierende Begleitung, dann wird man spüren, wie charakteristisch Schubert die Figur erfand. Der Auftakt zum Zyklus hält meisterhaft Maß und verbürgt so die Steigerung.

Das Wandern und die Fremde sind Bereiche, die Schubert immer wieder anziehen. Da gibt es noch den Schlegelschen WANDERER von 1819, die beiden Nachtlieder, die Goethe dem Wanderer in den Mund legt, den WANDERER AN DEN MOND von Seidl, ebenso wie das erste WINTERREISE-Lied »Fremd bin ich eingezogen«. Die freilich oft über Gebühr unterstrichene Tatsache, daß Schuberts Familie zu den Abwanderern aus dem schlesisch-böhmisch-mährischen Raum gehört, wäre hier zu erwähnen, was natürlich nicht zu dem Trugschluß verleiten sollte, Schubert gehöre der Landschaft Schlesiens an. Aber unterschwellig ist der »Drang in die Ferne« immer präsent.

WOHIN wird von der durchsichtigen Klarheit des Wellenspiels geprägt. Die Leichtigkeit der Melodie mit den altösterreichischen Tonwiederholungen hat so viel Unwiderstehlichkeit, daß sich niemand ihrem Zauber entziehen kann. Die Naivität wirkt hier schon nicht mehr so ungebrochen wie am Beginn, es melden sich Moll-Reflexe an. Aber die Traurigkeiten werden bald überwunden, entschlossen folgt der Wanderer dem Lauf des Baches. — Die G-Dur-Melodie von DANKSAGUNG AN DEN BACH, mit der der Bursche Dank sagt für die Führung, kommentiert der Bach mit einer zarten Begleitfigur. Auf die Fragen des Müllers, ob ihn die Müllerin geschickt habe, gibt der Bach Moll-Antworten, an die sich der Verblendete nicht kehrt. Er findet mühelos in sein G-Dur zurück. Melodisch läßt der Bach den Monolog ausklingen. — Zwei Seitensätze bilden sich in AM FEIERABEND heraus und ergeben eine Rondoform: Der Anfangsenergie, die Fanatismus des Sichregens ausdrückt, wird als Seitenthema die Ruhe des Ausspannens entgegengestellt. Streben nach formaler Gestaltung und tiefere psychologische Forderung finden sich im Zurückschnellen auf den ersten Teil, ein kompositorisches Vorgehen, das über die Absichten des Dichters klar hinausgeht. »Und das liebe Mädchen sagt allen eine gute Nacht« ist als

Passus besonders herausgehoben. Was Müller ohne besondere Emotion aussprach, gewinnt bei Schubert den Sinn: »allen« – nicht mir allein. Aus dem aufseufzenden Schluß »daß die schöne Müllerin merkte meinen treuen Sinn« spricht nicht nur Ermüdung, auch viel Sehnsucht liegt in diesem Streifen der kleinen None. — Im viertaktigen, zarten Vorspiel zum Neugierigen scheint der Müller seine Frage mit Lautengezupfe zu begleiten. Später tritt der Bach als Grundierung hinzu. Immer eindringlicher steigert sich der Gesang, gewinnt schließlich dort rezitativische Entschlossenheit, wo es sich um Tod und Leben zu handeln scheint. Die Wendung zum Sextakkord aus G bei »Nein« drückt aus, wie eine Ablehnung nicht auszudenken wäre. Die (in wirklichem Adagio zu nehmende) ruhige Reprise in H-Dur ist dann aber von sicherer Zuversicht erfüllt. — Ungeduld mit seinem hinreißenden, nach dreitaktigem Modell gebildeten Vorspiel, das zwischen Dur und Moll jongliert, mit seinem Zupacken, das sich immer noch höher hinaufschwingt, mit seinem zweimaligen Höhepunkt auf dem A und dem flexiblen Abstieg zur Schlußkadenz, ist eins der beliebtesten deutschen Tenorlieder. Das Tempo sollte der Zunge erlauben, wirklich punktierte Sechzehntel zu sprechen und sie nicht in Triolen zu verwaschen. — Die Wirkung der Frage in Morgengruss wird durch die ausgedehnte Sequenz unterstrichen, die sie begleitet; g-Moll, A-Dur, f-Moll, G-Dur wird in scheuer Zurückhaltung abwärts gefragt: »Verdrießt Dich denn mein Gruß so schwer?« Erst nach und nach erwachen begleitende Stimmen, verursachen im Mittelsatz eine leichte Molltrübung, wagen im letzten Drittel einen kleinen Kanon. Man sollte, der diversen Ausdrucksmöglichkeiten wegen, keine Strophe auslassen, wie das hie und da geschieht. Die Atemzeichen in der letzten Phrase vertragen dann allerdings eine sinngemäße Versetzung. — Ein imaginäres Cello präludiert in Des Müllers Blumen und begleitet den Herzenserguß mit leisem Figurieren. Das Tempo muß derart angezogen werden, daß sich ein deutlicher Unterschied zu dem folgenden Tränenregen ergibt, das ja in gleichem Metrum fortfährt. Hier spinnen drei Stimmen ihre Fäden, denen sich später eine vierte anschließt. In den kleinen Zwischenspielen spiegelt der Bach alles Beschriebene, und seine Sechzehntel unterbrechen die Achtelbewegungen der Umgebung (mit möglichst immer neuer Pedalisierung und Tönung). Die Zeichnung der sich nach Moll wendenden Schlußstrophe, wo es »im Spiegel so kraus« wird und sich modulatorisch Aufregendes in der Musik ereignet, zeichnet das Lied als eins der bedeutendsten in der Reihe aus, ja, es ist eins der eigenartigsten Schubertlieder überhaupt. Seine Magie setzt sich geschickt aus Tonmalerischem, szenischer Gegenwärtigkeit, momentanem Gefühl und Reflexion zusammen. Entscheidend ist aber, wie das Lied völlig lyrisch bleibt, trotz Geschichte, Bild und Gespräch zwischen Liebenden. Die Melodie scheint nicht vom jeweiligen Gefühl abhängig, wenn sie auch von ihm heraufbeschworen wurde. — In MEIN! ist die Natur trunken. Mühlbach, Räder, Waldvögel, Frühling, Sonne sollten aber vielleicht doch nicht in der gewohnten Überhetzung jubilieren, die die Ausführung der kleinen Schleifer unmöglich macht und auch der Notierung in Vierrvierteln widerspricht. Aller Triumph der Bejahung ist dem Liebenden noch zu wenig, er muß aus D-Dur nach B, schließlich in das einsame g-Moll flüchten, um sich Luft zu machen. Aber dank Schubert findet er in seinen seligen Zustand zurück, was von Wilhelm Müller nicht vorgesehen war. — Der Rückschlag kann nicht ausbleiben. Die nachdenkliche PAUSE zieht sich von B-Dur über g-Moll herunter bis nach F-Dur. Ein schreckhaftes Auffahren führt die Melodie in entlegene Harmonien und macht den Rhythmus betonter. Wieder beruhigt es sich, aber dann führen über die Saiten der Laute streifende Schauer in fremde Tonarten und bezeichnen Verwirrung, Unsicherheit, Beklommensein. Aber über alle Mollstrecken hinweg wendet sich alles noch einmal zum Guten. — Man lasse sich nicht durch den unbekümmerten, koketten Ton von MIT DEM GRÜNEN LAUTENBANDE täuschen. Die perlende Kette von Lachtönen, die jede Strophe einleitet, die banale Melodie des Mädchens, dem Müller ins Gesicht geträllert, sie werden nur unter halben Hoffnungen, ja fast schon unter Tränen von dem das Unheil Ahnenden aufgenommen. — Ein stampfendes Scherzo sagt: DER JÄGER ist die Ursache. Die anfangs noch scheue Unwilligkeit des Müllers steigert sich immer höher hinauf, bis sich die Stimme auf dem hohen G fast überschlägt. Daß sie das nicht wirklich tut, kann ein vorsichtig gehaltenes Forte verhindern, — die Musik hat Brio genug. Auch von Überhetzung halte man sich fern, die Phrasenenden brauchen einen minimalen Atmer, die Luftpausen zwischen den Stakkatotönen sind ebenso wichtig wie die Noten selbst. — Ein Aufbrausen in EIFERSUCHT UND STOLZ läßt den Bach hin und her fluten, bei »Kehr' um« geht es dann wirklich nach unten. Die Ironie des

Mittelsatzes ist mehr als nur Anstandslehre, sie hält auch nich lange durch. Der Stolz wird gebrochen und weicht der Wehmut macht der Sentimentalität Platz, die aber in dem Chaos de Gefühle sich nicht breitmachen kann. Außer dem sensiblen Übergang zu der bitteren Selbstpersiflage des Schlusses bleiben Tempo und Rhythmus straff.* — DIE LIEBE FARBE liefert ein Beispiel für die Möglichkeit, jede Strophe in eigenem Ton vor zutragen. Die Grundempfindung bleibt konstant, sie ist in de ersten Strophe festgelegt, mischt sich in der zweiten mit Ironi und Leidenschaft, klingt in der dritten wehmütig aus. »Mein Schatz hat's Grün so gern«, der so häufig wiederkehrende Re frain erfordert große Feinheit der Anpassung. Auf den Sturm ist die Resignation gefolgt. Traurigkeit beherrscht den Ent täuschten, der herausgefunden hat, wie es um die Vorliebe für die »liebe Farbe« steht. Darum durchtönt auch das Klagelied mit Unheimlichkeit das penetrante Fis der Hornstimme des Jä gers. Die übliche Verschleppung des Tempos übersieht di Notation in Halben. — Das Aufbegehren des Verschmähten immer wieder gedämpft durch Mollpassagen, klingt im H-Du der BÖSEN FARBE noch einmal leidenschaftlich durch. Die Trioler des Horns verengen sich zur Unerträglichkeit. Der Abschied is nicht mehr vermeidbar, aber er wird mit Männlichkeit getragen so groß die Depression auch ist. Hier müssen Stimme und Dra matik eingesetzt werden. Das zügige Tempo verlangt den Pianisten federnde Leichtigkeit und Klangfarbenvirtuosität ab.– Immer wieder abwärts gewandt, als Ausdruck von Traurigkei und Verzweiflung, zeigt sich die Charakteristik der Weise vor TROCKENE BLUMEN. Nur im Mollteil wird zweimal ein Auf schwung versucht. Anrührend die entrückte Verlorenheit de Flüchtlings, dessen aufgesetzter Optimismus doch am Ende schon nichts mehr mit dieser Welt zu tun hat. Hat er ausgeredet wandelt sich die nach unten geschlungene Baßfigur zu dumpfem hoffnungslosem Verzicht. Tempo und Lautstärke nehmen gra duell ab und fordern im Nachspiel vom Pianisten auch entspre chende Abstufung. (TROCKENE BLUMEN lieferte das Thema zu einer Variationenfolge, die Schubert im Januar 1824 kompo nierte. Das Lied wurde auf Bitten des Freundes Ferdinand Bogner geschrieben, der es wahrscheinlich kurz nach seiner Ent

* EIFERSUCHT UND STOLZ hat sich als Manuskript erhalten und läßt uns mit de Datierung Oktober 1823 wissen, daß die Arbeit nach der Rückkehr aus Oberöster reich fortgesetzt wurde.

stehung im Dezember 1823 hörte.) — Starr ist der Schmerz, wenn DER MÜLLER UND DER BACH anhebt. Unirdische Wellen umspielen des Baches tröstliche Antwort auf die Fragen des Müllerburschen, sie bekommt durch die leise Bewegung einen Anflug von Leichtigkeit, bis sie wie hypnotisierend den Müller ergreift, der sich in die »kühle Ruh« hinabziehen läßt. — Geheimnis und Süße liegen schließlich über dem Schlußmonolog DES BACHES WIEGENLIED, der als Epilog den Müller in Schlaf singt.

Nicht die kräftigen Akzente sind für die Müller-Lieder bezeichnend, vielmehr liegt das Wesentliche hier im Subtilen, in schmiegsamer Phrasierung und dem Einfühlungsvermögen in die verschiedenen Stadien des seelischen Erlebens, die sich weit vielfarbiger gestalten als in der WINTERREISE, die mehr zu durchkomponierten Gesängen tendiert. Zwischen den beiden Liederkreisen, deren formales Bild sie voneinander ebenso unterscheidet wie ihr Stoff und ihre Affekthaltung, kann man vorsichtig eine Entwicklungslinie in Schuberts Liedschaffen andeuten. Keine Steigerung des Wertes ist damit gemeint, denn es gibt natürlich von Schubert sowohl weniger geglückte durchkomponierte wie meisterhafte strophische Lieder. Von breiter Ausführung wird aber doch zu verdichteter Aussage fortgeschritten, die Überschau offenbart, wie die konzentrierte, von der Stimmung her formal geprägte musikalische Dichtung immer bewußter angestrebt wird. Aus den Relikten des 18. Jahrhunderts in den Frühwerken wuchs über viele Zwischenstationen ein neuartiger, symphonischer Stil mit durchführungsartigem Charakter, der zur stärksten Anregung für die Musiker der zweiten Hälfte des 19. Jahrhunderts wurde bis hin zu denen, die der Impression den Vorrang gaben und denen Schubert bereits Modelle hinterließ.

Der Zyklus wurde dem liebenswürdigen Amateur-Sänger Karl Freiherr von Schönstein (1797—1871) gewidmet, in dem Schubert einen allerdings weni-

Karl Freiherr v. Schönstein

ger gewichtigen Gegenpart zu Vogl gefunden hatte. Was von Schönstein an Kultur und überlegener Geistigkeit fehlen mochte, die der alternde Vogl im Übermaß zu bieten hatte, ersetzte er durch Unbekümmertheit und Naivität.

Im Monat Mai des Jahres 1823, den Schubert in kritischem Gesundheitszustand zeitweilig im »Allgemeinen Krankenhaus« zu Wien in Behandlung zweier Ärzte zubringen mußte, gab es eine solche Fülle fest datierter Kompositionen, daß es kaum zulässig erscheint, auch noch die ersten Arbeiten an der Schönen Müllerin in diesen Zeitraum zu verlegen, wie das häufig geschehen ist.

Allerdings bieten die in dieser Zeit entstandenen Lieder kaum Außerordentliches, es sei denn, man möchte Schobers Pilgerweise zu den Bekenntnisliedern zählen und ihm deshalb einen Sonderrang einräumen.

Den Sommer über reiste Schubert, der schwachen Gesundheit zum Trotz, wieder mit Vogl nach Oberösterreich. In Linz und Steyr wurden neue Beziehungen angeknüpft, man musizierte vor begeisterten Zuhörern. Schubert nahm Gelegenheit, sich von Dr. August von Schaeffer behandeln zu lassen. Spaun stellte ihn in Linz der Familie Hartmann vor, deren Söhnen Franz und Fritz wir als eifrigen Tagebuchschreibern und somit Chronisten noch begegnen werden. Sie hielten die fast täglichen Aktivitäten des Schubertkreises, von 1825 an, seit ihrer Übersiedlung nach Wien, getreulich in ihren Notizheften fest. Dem, vor allem von Freund Kenner, so oft mißdeuteten Franz von Schober, dem man die Hauptschuld an Schuberts Erkrankung zuschob, ging ein Brief aus Steyr zu. Gerade jetzt in der Leidenszeit erfuhr er von Franz, obwohl als Schauspieler in Breslau wirkend, besondere Zuneigung:

»Lieber Schober! Obwohl ich etwas spät schreibe, so hoffe ich doch, daß Dich dies Schreiben noch in Wien trifft. Ich korrespondiere fleißig mit Schaeffer und befinde mich ziemlich wohl. Ob ich je wieder ganz gesund werde, bezweifele ich fast. Ich lebe hier in jeder Hinsicht sehr einfach, gehe fleißig spazieren, schreibe viel an meiner Oper und lese Walter Scott. — Mit Vogl komme ich recht gut aus. Wir waren miteinander in Linz, wo er recht viel und recht schön sang. Bruchmann, Sturm und Streinsberg besuchten uns vor einigen Tagen in Steyr und wurden ebenfalls mit einer Ladung Lieder entlassen. Da ich Dich schwerlich vor meiner Rückreise noch sehen werde, so

ünsche ich Dir nochmals alles Glück zu Deinem Unternehmen
nd versichere Dich meiner ewig währenden Liebe, die Dich
uf das schmerzlichste vermissen wird. Laß, wo Du auch seist,
on Zeit zu Zeit etwas von Dir hören Deinen Freund Franz
chubert.«

Mit der Oper ist hier »Rosamunde« gemeint, die nach einem
Libretto der »Heillosen Frau von Chezy«, wie sie der 19jährige
chwind nannte, entstand. Diesem Zauberspiel mit Musik ent-
tammt die vielgesungene ROMANZE: »Der Vollmond strahlt auf
ergeshöhen«. Helmina von Chezy (1783–1856) war die Toch-
er der Schriftstellerin Luise von Klencke, von der Schubert auch
in Gedicht vertonte, und die Enkelin jener Berliner Dichterin
Anna Luise Karsch, die in der zweiten Hälfte des 18. Jahrhun-
erts von Ramler, Hagedorn, Lessing und anderen gepriesen
wurde. Nach deren »Geschichte der schönen und tugendsamen
Euryanthe«, die 1804 erschienen war, schrieb Frau von Chezy
as verunglückte Libretto zu Webers Oper »Euryanthe«. Schu-
ert lernte die beiden Damen in Wien kennen und komponierte
ie Bühnenmusik für das romantische Schauspiel von »Rosamunde von Cypern«, dessen Text man als nicht weniger miß-
ungen bezeichnen muß.

Zu der im Brief erwähnten »Ladung Lieder« gehört das wun-
ervolle Rückert-Lied GREISENGESANG. Johann Michael Friedrich
Rückert (1788–1866), der als Professor für Orientalistik in Er-
angen und Berlin wirkte, setzte den orientalischen Zug, der seit
Goethes »West-östlicher Divan«
n der deutschen Literatur spür-
ar wurde, verstärkend fort. Er
ildete sich zum Spezialisten
ieses lyrischen Genres aus, in-
em er bedeutende Werke der
stlichen Literatur ins Deutsche
bertrug. Die Beschäftigung mit
en alten Kultursprachen spie-
elt sich in seinem ausgepräg-
en Formsinn, dem einige der
chönsten deutschen Gedichte zu
anken sind. Schubert vertonte
ünf davon. Würdig ist die Re-
ignation des getragenen Moll-
tückes GREISENGESANG. Denn

Friedrich Rückert

Kraft und Geschmeidigkeit sind die rechten musikalischer Äquivalente zu diesem Geniestück aus Rückerts »Östlicher Rosen«, die gerade erst in diesem Jahr 1823 veröffentlicht worden waren. Ernst und herb die Tonart h-Moll, wie um auszudrücken, daß hier kein sich selbst Täuschender singt. Für der Text überraschend streng und laut das Klaviervorspiel. Der in den Worten beschworene Gegensatz von Innen- und Außenwel wird in H-Dur neben dem Moll musikalisches Ereignis. Zu keiner Tonmalerei aber läßt sich Schubert durch den Text verführen. Höchstens bei »all gegangen einander nach« wiederholt das Klavier die Abwärtslinie der Singstimme. »Wo sind sie hingegangen« wird gefragt, und der Baß geht geheimnisvoll in Oktaven unter der Singstimme mit. »Ins Herz hinab« führt de Trugschluß nach gis-Moll. »Nach Verlangen, wie vor so nach« »wie« und »so« sind hervorgehoben, wie um zu unterstreichen daß keine Abschwächung denkbar ist; dem muß die Tongebung folgen — keine Verzierung ist mit den Achtelnoten gemeint, die Kadenz ist ganz Ausdruck. Die Forte-Akkorde, mit denen das Lied nach solcher Verklärung sich zu enden erlaubt, sind wie ein festes Zuschließen des Tores, das den inneren Besitz vor jeder Bedrohung bewahrt. Schubert zeigt sich hier mit der Poesie des Alters tief mitfühlend und vertraut, obwohl noch jung an Jahren. Die leichten Abänderungen der zweiten Hälfte die im Prinzip die erste wiederholt, unterstreichen gleichsam daß hier eine Frage laut wird, während zunächst nur Feststellungen getroffen wurden. Der Komponist hebt die Stimme an Schluß der fragenden Melodielinien. Die von Schubert ausgelassene letzte Strophe wird dann vom reifen Richard Strauss für seine Vertonung des Gedichts mit berücksichtigt. Noch ein paar Jahre seines kurzen Lebens mehr, und Schubert hätte sicher noch viele Rückertlieder gesungen.

Am 30. November 1823 äußerte sich Schubert aus Wien über den ersten Interpreten des Liedes zu Schober:

»Vogl ist hier, und hat einmal bei Bruchmann und einmal be Witzeck (der schon erwähnte Witteczek) gesungen. Er beschäftigt sich fast ausschließend mit meinen Liedern. Schreibt sich selber die Singstimme heraus und lebt sozusagen davon. Er is daher gegen mich äußerst manierlich und folgsam. Und nun laß von Dir was hören. Wie geht es Dir? Bist Du schon vor der Wel Augen erschienen?«

Mit dem gastgebenden Dichter Franz von Bruchmann (1798

bis 1867), Sohn eines Wiener Bankdirektors, sind wir schon bekannt geworden. Die Freundschaft zu Schubert hielt lebenslang und manifestierte sich in fünf Vertonungen. Besonders harmonische Feinheit zeichnet SCHWESTERGRUSS aus, dessen Anlage groß und ernst ist. Dem ERLKÖNIG verwandt wirken unaufhörliche Begleit-Triolen. Bei Erscheinung des Geistes der verstorbenen Schwester, zu deren Gedenken Bruchmann das Gedicht schrieb, taucht aus dem Klavierbaß eine faszinierend wie ein Zeichen gesetzte Figur auf. Aber die etwas modische Kirchhofsromantik, die so oft in ihrem Manierismus den Weg zu Größerem bei Schubert verstellt, ist auch hier ein Hindernis, über das sich die künstlerische Absicht nicht hinwegschwingen kann. So unbekannt dies erste Bruchmann-Lied blieb, soviel Popularität konnte AN DIE LEIER nach Anakreon erreichen. Dieser griechische Lyriker aus Teos in Ionien (6. Jahrhundert v. Chr.) wurde als heiterer Dichter der Lieder berühmt und in manchen Epochen fleißig nachgeahmt. Vor allem in der deutschen Literatur des 18. Jahrhunderts fanden sich unter anderen Uz, Götz, Gleim und Hagedorn unter dem Sammelnamen »Anakreontiker« zusammen. Die lebens- und liebesfreudigen Züge Anakreons erkennt man auch bei Klopstock, Hölty und Goethe. AN DIE LEIER teilt sich in rhythmisch-dramatische und hymnenartige Ariososätze, die mit Bedacht nicht homogen gehalten sind, um Anakreons humoristische Akzentuierung des Rückfalls vom Pathetischen ins Lyrische zu verdeutlichen. Die dem Griechen nachempfundenen Verse profitieren gerade von diesem Gestaltungswechsel, der nach zweimaligem Aufraffen immer wieder Lyrik durchbrechen läßt, was ja auch für Schuberts eigene Seelenlage bezeichnend ist; auch er findet sich nach großen Aufschwüngen gern in die Stille zurück. In Stücken wie diesem wird auch besonders deutlich, daß Härte und Weichheit der Stimme zur Verfügung stehen müssen, die sich dem Schubertgesang verschreibt. Das Erlebnis dieses Liedes ist zugleich poetisch und musikalisch. Ein Heldengesang soll gelingen. Angestrengt wird angesetzt, das Klavier wirft energisch Akkorde hin, dazwischen hasten, beim zweiten Mal oktaviert, Sechzehntel und trotzige Punktierung auf der verminderten Sept, über die der Sänger stolz sein »ich will« ausruft, damit alle Welt aufhorcht. Das Klavier beginnt gerade sein Motiv auszubilden; aber der Einfall entgleitet, strebt abgeschwächt in andere Richtung — die Spannungspause enthüllt »nur« ein Liebeslied. Die Kraft reicht zu dem Vorhaben nicht aus. So schön die Es-Dur-Melodie auch ist, sie enttäuscht unseren Helden, der heroisch sein will und an die Grenzen der eigenen Begabung stößt. Nur zu verständlich also, daß er nach mißlungenem Ansatz einen zweiten unternimmt. Aber des Sängers Irrtum ist, daß er meint, sich nur in der Wahl der Ausdrucksmittel vergriffen zu haben. Andere Saiten, größerer Aufwand, stärkere Darstellung, erhabenster Stoff muß her. Das scheint auch zu gelingen, »Alcidens Siegesschreiten« tönt wie ein Triumphmarsch. Aber auch diesmal gleitet die Musik in das Liebeslied hinüber. Nicht Resignation macht sich jedoch breit. Selbstbesinnung bewirkt, daß der Sänger dem Heldenlied entsagt und zur Lyrik zurückkehrt, die er bewältigt. Aus dem Triller auf dem tiefen G bei »drohen« ist noch verhaltener Unmut zu hören, der aber nicht Oberhand über die Zuversicht bekommen kann.*

Schubert fährt in seinem Brief vom 30. November 1823 fort: *»Ich habe seit der Oper nichts komponiert als ein paar Müller-Lieder. Die Müller-Lieder werden in vier Heften erscheinen mit Vignetten von Schwind. Übrigens hoffe ich meine Gesundheit wiederzuerringen, und dieses wiedergefundene Gut wird mich so manches Leiden vergessen machen, nur Dich, lieber Schober, Dich werde ich nie vergessen, denn was Du mir warst, kann mir leider niemand anderer sein. Und nun lebe recht wohl, und vergesse nicht Deines Dich ewig liebenden Freundes Franz Schubert.«*

»Ein paar Müller-Lieder« — bezeichnend die Bescheidenheit des immer untertreibenden Schubert. Drei Dutzend Gesänge waren 1823 entstanden! Darunter Goethes WANDERERS NACHT-LIED, das wieder einmal deutlich macht, wie unwichtig die Länge oder Kürze eines Musikstücks für seine Aussagekraft ist. Die musikalische Substanz allein ist entscheidend. Dieses Nachtlied des Wanderers wird von Alfred Einstein zu Recht als die »schönste der Hunderte von Vertonungen dieses Gedichts« bezeichnet. Wie hier die Darstellung der Szene und die Bedeutung der Empfindungen übereinstimmen, analysiert Georgiades in seinem Schubertbuch überzeugend und eindringlich. Überhaupt sei diese Veröffentlichung des Münchener Gelehrten zur Erhel-

---

* Zusammen mit IM HAINE wurde AN DIE LEIER 1826 als Opus 56 gedruckt, einem Liedgefährten, dessen fröhliche Neunachtel keine Sorgen seines Schöpfers verrät. Entspannung spricht aus dem kleinen Strophenlied. Alle Bruchmann-Gesänge stammen aus dem Jahr 1822.

lung des Verhältnisses von Wort und Ton bei Schubert wärmstens empfohlen.* Hier bleibt nur zu sagen, daß die Einleitungstakte auf den Todesrhythmus, in diesem Falle die Sehnsucht nach Ruhe, hindeuten. Bemerkenswert, daß sich die Komponisten dem Nachtlied auf den verschiedensten formalen Wegen zu nähern versuchten: die Vertonungen präsentieren sich als einstimmiges Lied, als Duett, Terzett, Soloquartett, Chorquartett oder Männerchor. Goethe schrieb die acht kurzen Gedichtzeilen am 6. September 1780 auf die Wand einer Hütte auf dem Kickelhahn in Thüringen. 33 Jahre später erneuerte er die Inschrift, und als Greis las er sie dort unter Tränen wieder. Schuberts Epigramm hat in seiner Konzentration auf 14 Takte nicht seinesgleichen. Friedländer streicht den Doppelschlag auf »balde« als später zugefügtes »embellissement« fort, den Mandyczewsky in seiner Gesamtausgabe noch abdruckt. »Ein Gleiches«, wie das Gedicht in Goethes Werken als auf einen gleichen Titel folgend überschrieben ist, erschien zweimal zu Schuberts Lebzeiten im Druck (zunächst als Zeitschriften-Anhang 1827, dann, zusammen mit drei anderen Liedern, 1828 mit Widmung an die Fürstin Kinsky). Einen Monat vor Schuberts Tode druckte es ein Leipziger Verlag nach. Die Opuszahl 96 steht seltsamerweise auch auf Schumanns Komposition des gleichen Gedichts. Auch Loewe und Liszt gehören zu der großen Zahl derer, die sich von Goethes Nachtlied musikalisch inspirieren ließen.

1823 begegnet uns erstmals Friedrich Leopold Graf zu Stolberg (1750—1819) unter den Autoren, deren Texte Schubert vertonte. Zusammen mit seinem Bruder Christian studierte Friedrich Leopold Stolberg in Göttingen moderne und antike Literatur. Beide wurden Mitglieder des »Hainbundes«, einer Gruppe junger Dichter, die sich den freiheitlichen Ideen anschlossen, die in Frankreich die Revolution vorbereiteten. Stolbergs LIED (»Des Lebens Tag ist schwer«) datiert vom April 1823 und leidet an seiner weltschmerzlichen Aufmachung, an einer gewissen Unbeteiligtheit von Schuberts Musik. Vielleicht mangelte dem Text die zwar angestrebte, aber nicht erreichte Imaginationskraft. Entschiedener machte sich Schubert das nächste Stolberg-Gedicht AUF DEM WASSER ZU SINGEN zu eigen! Die Genialität drückt sich hier vornehmlich in der Konzeption aus. Durchgehend liegt unter

* Schubert, »Musik und Lyrik« von Thrasybulos Georgiades. Göttingen 1967.

der Melodie eine Sechzehntelfigur, die nach aufspringender Oktave beziehungsweise kleiner None abwärtstropft. Vielleicht ist dies die prägnanteste unter den vielen Wasserstudien Schuberts, wohl herausgefordert durch die Eigenartigkeit des Gedichts, das je zwei Zeilen ähnlich, wenn auch nicht identisch, wiederholt und damit eine traumhafte Stimmung verbreitet. Das Lied offenbart die schönsten Reize Schubertscher Lyrik, nämlich das Zusammengehen schwelgerisch österreichischer Singseligkeit mit allen Instrumentalvorzügen der gleichzeitig entstandenen Klavierwerke von seiner Hand, wie hier der Impromptus und Moments musicaux. Das as-Moll des Lied-Ausgangs wird so lange beibehalten, bis die Szenerie von Abendrot durchflutet ist und Schubert nach As-Dur aufhellt. Nichts wurde ersonnen, das so innig und sorglos, so warmherzig und gelöst zugleich wäre.*

Ein letztes Mal beschäftigte Schiller 1823 den Komponisten. DER PILGRIM erzählt von der fruchtlosen Fahrt zu den goldenen Toren. Schuberts Lied schreitet stetig, ja monoton sieben Strophen vorwärts, bis plötzlich unerwartete Modulationen den vollständigen Zusammenbruch bedeuten, die Berührung mit der Wirklichkeit scheint unterbrochen. Die allegorischen Bilder des berühmten Gedichts bemüht sich der Komponist nicht musikalisch abzupausen, die choralartige Melodie des Anfangs wandelt sich nur geringfügig zu weiteren Gliedern einer Kette von einander verwandten Melodien. Der bis dahin festgefügte Rhythmus lockert sich in der achten Strophe, wenn es resigniert heißt:

> Hin zu einem großen Meere
> trieb mich seiner Wellen Spiel;
> vor mir liegt's in weiter Leere,
> näher bin ich nicht dem Ziel.

Der Widmungsträger des Liedes, der sich vielfach in Allegorien ergehende Maler Ludwig Schnorr von Carolsfeld, erscheint als ein gemäßer Empfänger für dieses Opus 37, das der Mühe wegen, die Hindernisse der Dichtung zu umgehen, nicht zu den Höhepunkten unter Schuberts Gesängen zählt. Unmittelbar vor diesem Alleingang zugunsten seines Jugendidols Schiller entstand noch DAS GEHEIMNIS, eine Adresse des Dichters an seine Verlobte Charlotte von Lengefeld. 1815 hatte das Lied eine erste,

---

* Ende 1823 erfolgte wieder einmal in einem Zeitschriftenanhang die erste Veröffentlichung, dann wurde 1827 das Lied in die Opuszahl 72 aufgenommen.

rein strophische Fassung durch Schubert erhalten. Aber wahrscheinlich sagte ihm nun die Anspruchslosigkeit der Melodie nicht mehr zu, die besonders der zweiten Strophe nicht gerecht wird:

> Von ferne mit verworr'nem Sausen
> arbeitet der geschäft'ge Tag,
> und durch der Stimmen hohles Brausen
> erkenn' ich schwerer Hämmer Schlag.

Die mehr hochtönende Singweise der neuen Vertonung kann allerdings das Aussparende der Erstfassung auch nicht vergessen machen. — Der Abschied Schuberts von Schillers Dichtung ist ein fröhlich energisches Tanz- oder Studentenlied, das wienerische Züge nicht verleugnet. Der dicke Klaviersatz von DITHYRAMBE allerdings rollt derart, daß selbst in der Tiefe kräftige Stimmen an den Strophenenden ihre Mühe haben, den Klangschwall zu übertönen. Ob nun die Rhetorik Schillers durch die strophische, geschwinde Behandlung als gnädig überspielt empfunden wird oder ob man die Wortausdeutung vermißt, bleibe dahingestellt. Man sollte darauf achten, daß die dritte Strophe als von Zeus gesprochen aufgefaßt ist, daher in Ausdruck und Tongebung gesteigert werden kann.*

Schuberts Gemütsverfassung zu Beginn des Jahres 1824 war weitaus weniger bestimmt-fröhlich als dieses Lied. Am 20. Februar wurden die Musikabende bei Sonnleithner unter fadenscheinigen Vorwänden eingestellt. Man gab vor, es hätte Krankheitsfälle in der Familie gegeben, aber in Wirklichkeit waren Schuberts gesundheitliche und finanzielle Mißlichkeiten der Grund. Außerdem fühlte sich Ignaz von Sonnleithner vor die vollendete Tatsache gestellt, daß Schubert (»in einer schwachen Stunde«, wie es Kreißle ausdrückt) dem Verleger Diabelli Platten und Eigentumsrecht der bisher gedruckten Hefte (Opus 1—7, Opus 12—14) für eine Pauschalsumme von 800 Gulden Konventionsmünze abtrat und sich dadurch die Hoffnung auf eine finanzielle Sicherung verspielte. ERLKÖNIG allein hatte 1821 800 Gulden eingebracht, am WANDERER sollten dann 1851 27 000 Gulden

---

* Im Besitz der Familie Friedländer befand sich die handschriftliche Skizze einer weiteren Komposition Schuberts auf den gleichen Text für Chor, Solo und Orchester. Schillers Gedicht, das auch den Titel »Der Besuch« hat, ist unter anderem auch von Zelter, Reichardt, Kreutzer, David, Taubert, Ritz, Dorn und Max Bruch vertont worden.

verdient werden. Sonnleithner als Initiator der Drucklegungen mußte sich hintergangen fühlen.

Wenn sich auch ein Kopfausschlag, der Schubert zeitweise zum Tragen einer »sehr gemütlichen« Perücke zwang, inzwischen gebessert hatte, so gab es doch auch im Freundeskreise einige Verdrießlichkeiten, wie Kupelwiesers Verlobte Johanna Lutz zu berichten weiß. Es ist kein Zufall, wenn Schubert im Streichquartett a-Moll, das Ende Februar/Anfang März entsteht, mit dem Thema des Menuetts auf das Schillerlied DIE GÖTTER GRIECHENLANDS vom November 1819 nach einem Fragment aus dem umfänglichen Schillergedicht zurückgreift. Der viermal wiederholte Klagruf auf die Worte »Schöne Welt, wo bist du?« trägt sein Teil zur Durchdringung der zyklischen Kammermusik mit poetischen Gedanken aus den Liedern bei, wie das so oft geschah. Schubert vermißte Schönheit in seiner Umgebung, das heißt, was er unter Einfachem, Natürlichem verstand. Er beklagt sich bei Schober, daß die »Kanevas«-Abende zu verfallen drohen:

»Stundenlang hört man unter der obersten Leitung des Mohns nichts anderes als ewig von Reiten und Fechten, von Pferden und Hunden reden. Wenn es so fort geht, so werd' ich's vermutlich nicht lange unter ihnen aushalten.« Schwind fügt an:

»Das Leben ist so übertäubt durch Kassageschäfte und Schwänke, daß einem nicht einmal ein ungestörtes Beisammensein möglich ist. Wenn Du oder der Senn plötzlich hineinkämen, wir müßten uns wahrlich dieser Kompagnie schämen. Schubert wird mit mir halten.«

Und nun klagt das Lied:

> Schöne Welt, wo bist du? Kehre wieder,
> holdes Blütenalter der Natur!
> Ach, nur in dem Feenland der Lieder
> lebt noch deine fabelhafte Spur.
> Ausgestorben trauert das Gefilde,
> keine Gottheit zeigt sich meinem Blick,
> ach, von jenem lebenwarmem Bilde
> blieb der Schatten nur zurück.

Wir haben die 12. Strophe der langen Ode Schillers an die Gottheiten der Alten vor uns. Es unterstreicht den persönlichen Bezug der Zeilen auf Schubert, daß in diesem Abschnitt des

Gedichts kein Göttername erwähnt ist. Und eine vollständige Vertonung des Gedichts hätte ihm auch die Gelegenheit zum Stehenlassen der offenen Frage am Schluß genommen, die in der ersten von den beiden, bei Mandyczewsky abgedruckten, Niederschriften dem Quartsextakkord nicht einmal das abschließende A folgen läßt.

Auch im Tagebuch schlägt sich der Schmerz über die Isolation nieder. Am 27. März 1824 lesen wir:

»Keiner, der den Schmerz des Andern, und Keiner, der die Freude des Andern versteht! Man glaubt immer, zueinander zu gehen, und man geht immer nur nebeneinander. O Qual für den, der dies erkennt! Meine Erzeugnisse sind durch den Verstand für Musik und durch meinen Schmerz vorhanden; jene, welche der Schmerz allein erzeugt hat, scheinen am wenigsten die Welt zu erfreuen.«

Hinter diesem Bekenntnis steht die Frage nach dem Tod, der er nie auswich. Viele seiner Lieder befassen sich mit ihr, besonders in den letzten Jahren. Zunehmende Verschlossenheit und gelegentliche Verachtung von Welt und Menschen kamen hinzu, ganz im Gegensatz zu manchen Schilderungen der Freunde, denen er sein Fühlen und Befinden nur noch selten offenbarte. Eine sozusagen liebevolle Umarmung der Todesgedanken (auch in der musikalischen Gestik) bedeutet das vor Jahresfrist nach einem Text des Grafen von Stolberg entstandene LIED:

> Des Lebens Tag ist schwer und schwül,
> des Todes Atem leicht und kühl,
> er wehet freundlich uns hinab,
> wie welkes Laub ins stille Grab.
>
> Es scheint der Mond, es fällt der Tau
> aufs Grab wie auf die Blumenau;
> auch fällt der Freunde Trän' hinein,
> erhellt von sanfter Hoffnung Schein.
>
> Uns sammelt alle, klein und groß,
> die Mutter Erd' in ihren Schoß;
> O, säh'n wir ihr ins Angesicht,
> wir scheuten ihren Busen nicht!

Die von der Anfangszeile getragene breite Melodie geht durch neuerische, aber mit großer technischer Selbstverständlichkeit vorgebrachte Harmoniefortschreitungen. Und es drückt sich im

Lied aus, was Schubert durchgemacht hatte. Wenn auch die krisenhafte Situation seiner Krankheit vorüber zu sein schien, so wußte er doch, daß er nie mehr ganz gesund werden würde.

In den Monat März 1824 fiel auch der künstlerische Abschied von Mayrhofer, in dessen AUFLÖSUNG es heißt:

> Verbirg dich, Sonne,
> denn die Gluten der Wonne
> versengen mein Gebein;
> verstummet, Töne,
> Frühlings Schöne,
> flüchte dich und laß' mich allein!

Abschiedsstimmung steigert sich zur Ekstase. In geschwungenen Figurationen und Melodiebögen ertönen die »ätherischen Chöre«. Der Schluß, das »Geh' unter, Welt«, macht durch sein Stammeln völlige Entrücktheit deutlich. Man hat das Gefühl, Schubert denke nicht an die nach Mayrhofers Rufen fortgewünschte Welt, sondern er suche in diesem Gefühlsausbruch die eigene Welt, die keineswegs die eines Todessuchers um jeden Preis ist. Vieles in diesem Lied kennzeichnet die Kunstauffassung jener Epoche: die zur Figur auseinandergenommenen Akkorde verschleiern mit ihrer gleichbleibenden Abfolge die einzelnen formalen Umrisse. Trugschlüsse und häufiges Abbiegen in terzverwandte Tonarten spielen oszillierend um den tonalen Kern. »Geh' unter, Welt« formt am Ende ein von den Worten bedingtes zusätzliches Thema, das so lange von den nach oben hin diminuierenden »himmlischen Chören« unterbrochen wird, bis endlich der Akkord allein bleibt, in den die Stimme noch ersterbend hineinspricht. — DER SIEG gibt deutlich das Vorgefühl einer »besseren Welt«, womit Mayrhofer den Selbstmord drastisch ankündigt. »O unbewölktes Leben« in Schuberts ausgeglichener Melodie weist auf nichts Unheimliches und Ungewisses, sondern auf die innere Welt, die das Außen umzugestalten berufen ist. Der Theatralik des Mittelteils geht etwas der Atem aus, wieviel Mühe auch daran verwendet wird, die Stimmung des Freundes nachzuempfinden. Die vier Takte freilich, die nach »und meine Hand, sie traf« wieder in das friedliche F-Dur überleiten, bringen eine harmonische Verwandlung, welche die Melodie nach oben, die Harmonie aus Schlechtwetterspannung in wolkenlose Geborgenheit zurückfinden läßt, so wie sie der Freund dem Freunde wünscht.

Ein aufgewühlter, verzweifelter Brief ging in diesen Wochen an Leopold Kupelwieser, der sich in Rom befand. Folgende Sätze stehen darin:

»Mit einem Wort, ich fühle mich als den unglücklichsten, elendsten Menschen auf der Welt. Denk' Dir einen Menschen, dessen Gesundheit nie mehr richtig werden will, und der aus Verzweiflung darüber die Sache immer schlechter statt besser macht, dessen glänzendste Hoffnungen zu Nichts geworden sind, dem das Glück der Liebe und Freundschaft nichts bieten als höchstens Schmerz, dem Begeisterung (wenigstens anregende) für das Schöne zu schwinden droht, und frage Dich, ob das nicht ein elender, unglücklicher Mensch ist? ... Freude- und Freundelos, verbringe ich meine Tage, wenn nicht manchmal Schwind mich besuchte und mir einen Strahl jener vergangenen, süßen Tage zuwendete. Unsere Lesegesellschaft hat sich wegen Verstärkung des rohen Chores in Biertrinken und Würstelessen, den Tod gegeben.«

Die Lesegesellschaften waren vom alten Konviktsfreund Franz von Bruchmann eingeleitet und beherbergt worden, von Homer über die Klassiker bis zu den gerade Modernen wurden Texte vorgelesen und über sie diskutiert. Das bedeutete für den seit Jahren leidenschaftlichen Literaturfreund Schubert ein Labsal. Überhaupt zählt er zu den ersten Musikern, die man aus heutiger Sicht als allgemein gebildet bezeichnen würde. Auch unter Freunden war ihm ein inhaltsvolles Gespräch, frei von intellektueller Geistreichelei lieber als das übliche Anekdotengeschwätz. Jedoch auch diese Anregung fiel nun fort, und ihr Fehlen ließ ihn die Vereinsamung nur noch stärker empfinden. Anhand des Gedichts von Mayrhofer ABENDSTERN gab er sich Rechenschaft über Abkehr und Alleinsein:

> Was weilst du einsam an dem Himmel,
> o schöner Stern? und bist so mild;
> Warum entfernt das funkelnde Gewimmel
> der Brüder sich vor deinem Bild?
>
> »Ich bin der Liebe treuer Stern,
> sie halten sich von Liebe fern.«
>
> So solltest du zu ihnen gehen,
> bist du der Liebe, zaud're nicht!
> Wer möchte denn dir widerstehen?
> Du süßes, eigensinnig Licht.

>»Ich säe, schaue keinen Keim,
und bleibe trauernd still daheim.«

Auf kleinem Raum, mit wenigen Noten und, außer einem
zaghaften Sprung in die obere Terz, harmonisch ganz bescheiden, enthüllt sich hier eins der wundervollsten Mayrhofer-
Lieder. So wie der angesprochene Stern befindet es sich auf einem
einsamen Platz, der erst noch aufgefunden sein will. — Mehrteilig
ist Mayrhofers GONDELFAHRER, nicht zu verwechseln übrigens
mit der Chorkomposition auf das gleiche Gedicht. Besonders
fesselnd die Stelle »Vom Markusturme tönt der Spruch der Mitternacht« mit den fernen Glockenschlägen. In diesen geisterhaf-
ten Spiegelungen von Mond und Sternen im Wasser verschwindet das Bild des merkwürdigen Dichters aus dem Kreis der
Schubertlieder; es ist das letzte Mayrhofer-Gedicht, das durch
Schuberts Musik geadelt wurde.

Fünf Wochen nach jenem traurigsten Brief seines Lebens an
Kupelwieser, aus dem gleichen Geist wie Beethovens Heiligen-
städter Testament geschrieben, fand die erste Aufführung der
Neunten Symphonie des anderen Einsamen statt. Wenn wir
auch nicht wissen, ob Schubert unter den Zuhörern war, so kann
es doch angenommen werden, da er Kupelwieser das Konzert in
dem erwähnten Brief ausdrücklich angekündigt hatte. Außerdem
wirkten zwei Freunde, Josef Hüttenbrenner und Fritz von Hartmann, als Chorsänger mit. Die Botschaft von der Verbrüderung
aller Menschen mußte Schubert zutiefst treffen, seine frustrierte
Begeisterung für das Schöne aufrichten. Auch wird er wehmütig
an den Mai 1815 zurückgedacht haben, wo er den gleichen Text
als klavierbegleitetes Lied mit Männerchor in fröhlich unbekümm-
erter Manier, alle Strophen zur gleichen Melodie, hatte singen
lassen. Beethoven wünscht sich, »die Menschen frei zu machen
von all dem Elend, mit dem sie sich plagen«. In der Tat hat das
Leiden Schubert stark gemacht in Bejahung von Schönheit und
Menschlichkeit. Schillers Hymnus ist ganz entschieden als Ge-
sellschaftslied gedacht, für einen Vorsänger und einfallenden
Chor, deutlich durch Taktwechsel dargetan. Und Schubert ist wie
immer der Forderung des Liedes an die Form gefolgt.

*»Schillers herrliches Lied an die Freude hat seit seiner ersten
Erscheinung unzählige Compositionen veranlaßt (hat man doch,
selbst von Gedrucktem, ganze Sammlungen zusammengestellt),
und auch nicht Eine hat befriedigt. Es wird es auch keine; das*

liegt am Gedichte, seinem Stoff und seiner Form nach. Als Lied muß es doch behandelt werden: Hält sich nun da der Komponist an das Gemeinsame aller Strophen, so wird er so allgemein, daß er hinter dem begeisterten und doch scharf gezeichneten Fluge des Dichters weit zurückbleibt. Schließt er sich an Einzelnes, so paßt seine Musik, bei der großen Verschiedenheit des Stoffes der Strophen untereinander, kaum für einige gut, für noch einige notdürftig, für die andern gar nicht, und widerspricht ihnen wohl gar.«

So kann man in der »Leipziger Allgemeinen Musikalischen Zeitung« vom April 1818 lesen, und natürlich sind hier die Probleme des Strophenliedes ganz allgemein angesprochen. Das Urteil wurde vor Beethovens Komposition niedergeschrieben, die alle übrigen Vertonungen auslöschte. Ob Schubert sein Jugendwerk je für die Veröffentlichung ausgewählt hätte, ist mehr als fraglich.

Inzwischen fanden die Zeitungsrezensenten viel Stoff, über das Neuartige in Schuberts romantischer Ausdruckswelt zu staunen, über die Freiheit und Ungebundenheit, mit der er seine Texte verarbeitete. In der »Leipziger Zeitung« lesen wir am 24. Juni 1824:

»Der Komponist beurkundet ein achtungswertes Talent, das sich im frischen Jugendmut, verachtend die alten, ausgetretenen Wege, eine neue Bahn bricht und dies konsequent verfolgt. — Schubert schreibt keine eigentlichen Lieder und will keine schreiben (einige nähern sich ihnen jedoch), sondern freie Gesänge, manche so frei, daß man sie allenfalls Kapricen oder Phantasien nennen kann. Die neuen Gedichte, deren Wert jedoch sehr verschieden ist, sind günstig gewählt und die Übertragung derselben in Töne im allgemeinen zu loben ... Der Gesang, meist deklamatorisch, ist zuweilen wenig sangbar, nicht selten unnötigerweise schwierig, die Harmonie ist meist rein. Die Modulation frei, sehr frei und oft noch etwas mehr.«

Der Herr aus Leipzig erkannte sehr früh etwas, das noch heute nicht allen bewußt ist. Die Grenzen des »Liedes« im engeren Sinn werden bereits bei seinem ersten Erfüller oft und gern überschritten, und keineswegs kann purer Schöngesang, der immer wieder als alleiniger Maßstab für richtige Schubert-Interpretation herangezogen wird, den Forderungen des Komponisten genügen. Der Welt seiner Töne ist nichts Menschliches fremd, und schon die ersten Takte von DASS SIE HIER GEWESEN etwa, immateriell hauchende Lüfte mit tristanschwangeren Klängen zaubernd, mögen die Ohren der Zeitgenossen verschreckt haben.

Im Juni 1823 entstand dieses zauberhafte Lied nach Rückert. Nur dem Tieferdringenden enthüllt sich die Schönheit des praktisch immer noch vernachlässigten Stückes. Der Sänger ist gehalten, sich ebenso vor dem Schmachten wie vor dem Verschleppen der Tempi zu hüten, wenn das zarte Gebilde zur Geltung kommen soll. Über die Tonart, in der wir uns befinden, sagt Schubert in den ersten Takten nichts aus. Unerklärbare, wie zufällige Akkorde lassen die vorbereitenden Andeutungen des Dichters in der Schwebe, bis eine Tonalität in C-Dur auf die Worte »Daß sie hier gewesen« antwortende Sicherheit gibt *.

Rückerts orientalisch angehauchte Sprachmystik hielt Schubert in DU BIST DIE RUH sogleich zur einzig möglichen Zurückhaltung des Stils an. Der langsame Aufstieg »Dies Augenzelt, von Deinem Glanz allein erhellt — o füll' es ganz« in crescendo und decrescendo ist wertvollere und zugleich schwierigere Gesangslektion als alle Vokalisen in den Instruktionsbüchern für Sänger. Diese Schlußwendung ist nicht reim-, sondern sinngemäß geteilt: ein großer Aufschwung bis nach »erhellt«, und dann nach einer Pause, wie in Erschöpfung von solcher Emphase, die demütige Bitte »o füll' es ganz«. In DU BIST DIE RUH vollendet sich die Form des Strophenliedes mit Abgesang. Schubert nimmt je zwei der Vierzeiler zusammen, so daß sie wie eine Zeile wirken, der Mittelreim verschwindet in ihnen. Das Resultat weiter, viertaktiger Melodiebögen macht diese Methode nur zu einleuchtend. Das Klavier beginnt zweistimmig, wird im vierten Takt dreistimmig, im folgenden vierstimmig. Der Abgesang knüpft an die Melodie der ersten Strophen an, aber der Himmel des Entzückens wird über eine ganze Leiter von Akkorden erklommen. Das hohe G schwillt bei der Wiederholung ab, was, der Schwierigkeit des Ausführens wegen, oft gern übersehen wird. Aber Schubert singt nicht über den Souffleurkasten, sondern nach innen. — Tiefe wird in der Einfachheit von LACHEN UND WEINEN, der Nr. 4 des gleichen Opus 59, nicht angestrebt. Aber in dem knappen Rahmen werden beide Stimmungen virtuos, diesmal humoristisch die Dur-Moll-Polarität simplifizierend, voneinander geschieden, und die Deklamation ist wunderbar flüssig. Dem letzten der Rückert-

---

* Zusammen mit anderen Rückertliedern kam DASS SIE HIER GEWESEN 1826 als Opus 57 in Druck.

Lieder, GREISENGESANG, das zusammen mit DITHYRAMBE das Opus 60 bildet, sind wir schon begegnet.

Zu Schuberts Freunden zählte sein nächster Textautor, der Wiener Dichter Johann Gabriel Seidl (1804–1875). Er hatte Gedichte, Singspiele, Novellen und niederösterreichische Dialektdichtung produziert. Allerdings drang die Ausstrahlung seiner gefühlswarmen Verse nicht über die Grenzen Österreichs hinaus. Der Jurist, Gymnasiallehrer, Kustos, Bücherzensor, Hofschätz-

Johann Gabriel Seidl

meister und Regierungsrat arbeitete an literarischen Zeitschriften mit, verfaßte Epik, folkloristische Gedichte sowie Bühnendichtungen für das Burgtheater. Vorwiegend trat er aber als Lyriker hervor. Jetzt reihte er sich in die Schar derer, die Schubert ein Libretto zur Vertonung vorlegten. »Der kurze Mantel« hieß das Opus; Schubert konnte sich jedoch zunächst nicht damit befassen, und später ließ er es liegen. Dafür entstand das schönste der fünf von Schubert vertonten Seidl-Gedichte DER WANDERER AN DEN MOND. Jener Wegmüde, der mit dem Mond vertraute Zwiesprache hält, beneidet den Wandergefährten schwärmerisch um seine ewige Heimat. Bezaubernd der nur bei Schubert so getroffene Schlenderschritt. Die Gitarre des Wanderers sollte mit gehöriger Trockenheit vom Klavier wiedergegeben werden. Die notierten Halben wollen vor Verschleppung des Tempos warnen, allerdings dürfte bei der Apostrophe an den Mond ein unmerkliches Nachgeben in das sphärische Dur hinein erlaubt sein. Aus den Zwischenspielen sollte der Begleiter nicht zu viel herausholen wollen, sie ergreifen gerade durch ihre Volksliednähe. Wieder, und hier besonders profiliert, begegnet uns Schuberts ureigenster musikalischer Wesenszug, den er wie kein anderer bereichert hat, der durch ihn aus bloßer musikalischer Funktion zur Aussage-Gültigkeit erhoben wurde: die Polarität Dur-Moll. In dieser Beziehung liegt die Keimzelle aller musikalischen Spannung, sie stellt Männliches, Weibliches, Hartes und Weiches, Licht und Schatten, Tag und Nacht gegeneinander. Aber erst

Schubert schenkt dieser Urdramatik musikalisches Leben, für ihn ist sie Himmel und Erde (wobei der Himmel durchaus auch das Moll beanspruchen kann), er vereint sie miteinander. Und im Übergang vom einen zum anderen liegt eine Essenz der Kunst Schuberts. In solchem, oft kaum meßbar kurzem Augenblick vollzieht sich eine Wandlung, ein Hinübergleiten in eine andere Sphäre. Dieser Wandlung wohnt geistige Kraft inne, eine konzentrierte Dramatik, die sich zu Freiheit und Gelöstheit entfaltet wie beim Hinaufschauen zum Gestirn in »Du aber wandelst auf und ab«, das wohl nicht nur als ästhetische Verzauberung erklärt werden kann.

Ganz diesseitig dagegen schreibt Schubert ausnahmsweise einmal Chansons zu Seidls schnippischer UNTERSCHEIDUNG und zu dem anzüglichen DIE MÄNNER SIND MECHANT. Aber wohl des mangelnden Tiefgangs wegen überzeugen beide Lieder nur mäßig, obwohl sie zu Lieblingen zahlloser Sopranistinnen wurden; besitzen diese allerdings den Charme einer Elisabeth Schumann, können auch sie natürlich aus diesen Beiläufigkeiten etwas machen. Alle vier Refrain-Lieder, die im August 1824 veröffentlicht wurden, sind dem Dichter gewidmet, der in diesem Jahr auch einen Staatspreis für Verse zu Haydns Kaiserhymne gewann.

Im Mai fuhr Schubert zum zweiten Mal mit der Familie Esterházy nach Ungarn. Hier nun spielte sich jene angebliche Romanze mit der Komtesse Karoline ab, von der man eigentlich

Karoline Esterházy

nichts als ein paar Andeutungen und die Widmung der f-Moll-Phantasie für vier Hände weiß. Franzens Neigung zu der inzwischen Neunzehnjährigen dürfte von der Betroffenen kaum geahnt worden sein, jedenfalls wurde sie nicht erwidert.

Bruder Ferdinand, mit dem sich Schubert seelisch völlig eins wußte, teilte nach Ungarn mit, er habe Ludwig Mohn zehn Lieder übergeben. In der Anwort heißt es:

»Über die dem Mohn übergebenen Lieder tröste ich mich,

a nur einige davon mir gut erscheinen, als: die bei dem Ge-
eimnis enthaltenen Wanderers Nachtlied und Der entsühnte
icht aber entführte Orest, über welchen Irrtum ich sehr lachen
uußte. Suche wenigstens diese genannten sobald als möglich
urückzubekommen.«

Der kleine Orest-Zyklus von zwei Liedern gehört dem Jahre
820 an. ORESTE AUF TAURIS bringt uns die Begeisterung des
ugendlichen Schubert in Erinnerung, mit der er den Opernstar
'ogl in Glucks Bühnenfigur beschreibt. Und wir stoßen uns auch
icht an dem bloß fragmentarischen Einblick, den uns das Gedicht
n das Schicksal des verfolgten Helden erlaubt, denn allzu be-
.annt ist die Sage. Noblesse, Farbenreichtum und Knappheit der
prache geben uns einen Geschmack von der Art, in der Schubert
.lassischen Opernstil verwirklicht haben würde. Seltsam mutet
ei dem Pendant DER ENTSÜHNTE OREST die Vorahnung der Wag-
ierschen Sprache an, der Tonfall und die Harmonik des Wotan
ıssoziieren sich wie von selbst mit den Worten »Schwert« und
Speer«.

Die zurückgehaltene Neigung zu Karoline wandelte sich im
.aufe der Jahre zu herzlicher Freundschaft, die die aristokratische
Dame ehrlich erwiderte. Bauernfeld hat wohl recht, wenn er
chreibt: »*Der Kampf zwischen ungestümem Lebensgenuß und*
astlos geistigem Schaffen ist immer aufreibend, wenn sich in der
Seele kein Gleichgewicht herstellt. Bei unserem Freunde wirkte
zum Glück eine ideelle Liebe vermittelnd, versöhnend, aus-
gleichend.«

Dem verleiht jener Mittelvers des in diesen Tagen komponier-
:en GLAUBE, HOFFNUNG UND LIEBE nach einem Text von Christoph
Kuffner Ausdruck, den Schubert zum Unterschied von den feier-
ichen Randstrophen in vorwärtsstrebendem Tempo aussprechen
äßt:

> Edel liebe, fest und rein!
> Ohne Liebe bist Du Stein.
> Liebe läut're Dein Gefühl,
> Liebe leite Dich an's Ziel.
> Soll das Leben glücklich blühen,
> muß der Liebe Sonne glühen.

Christoph Kuffner (ungefähr 1780—1864) war Beamter im
Wiener Hofkriegsrat, Zensor und später Hofsekretär, er veröffentlichte Erzählungen, vermischte Aufsätze, Lieder, Dramen
und Übersetzungen des Plautus.

Neben dem Zauber der 19jährigen Karoline war Schubert das Temperament des Baron Schönstein sicherlich am anziehendsten. Schon in Wien hatten sie, wenn sie sich bei den musikversessenen Esterházys trafen, lebhaft über Wert oder Unwert der Italianisierung der Oper gestritten. Schubert ließ, bei aller Verteidigung des deutschsprachigen Musiktheaters, den Vorzügen Rossinis Gerechtigkeit widerfahren, was bei einem Blick auf das im März 1820 entstandene Lied DER FLUSS nach einem Gedicht von Friedrich Schlegel deutlich wird. Die absolut italienisch geführte Singstimme könnte auch einem Opus des ganz in Rossini-Verehrung aufgewachsenen Giuseppe Verdi entnommen sein. Und wieder wird uns die wenig beachtete Nähe dieses anderen Melodikers par excellence zu Schubert bewußt, dem Verdi sich in nie nachlassender Bewunderung verpflichtet fühlte. Natürlich spiegelt auch der Text des Liedes wider, warum die Melodie hier eine solche Verherrlichung erfährt:

> Wie rein Gesang sich windet
> durch wunderbarer Saitenspiele Rauschen,
> er selbst sich wiederfindet,
> wie auch die Weisen tauschen,
> daß neu entzückt die Hörer ewig lauschen.

Schönstein dagegen teilte die aristokratische Voreingenommenheit gegen deutsche Kunst. Der Gesangsadept Vogls hatte eine vorzüglich geschulte Singstimme. Von Sonnleithner erfahren wir, daß er »einen schönen edel klingenden Tenorbariton, hinreichende Gesangsbildung, ästhetische und wissenschaftliche Bildung und ein lebhaftes Gefühl« sein eigen nannte. Was in Gesprächen nicht gelungen war, gelang nun um so besser auf dem Weg über die Lieder. Für das deutsche Lied war Schönstein bald völlig gewonnen. Besser: für das Schubertlied. Vor den 20 Müllerliedern, deren erste Hefte gerade so mühselig herausgegeben wurden und zur Enttäuschung der Freunde »kein Aufsehen« machten, bekannte sich der voreingenommene Baron geschlagen. Der Opernbesucher, Ballettschwärmer und Pferdeenthusiast machte sich nun zum Pionier von Schubertliedern. Wenn Schubert die Müllerlieder Schönstein widmete, dann war das wohl die mit größter Berechtigung ausgesprochene Zueignung in seinem kurzen Leben.

Dreimal war der Opernkomponist Schubert 1823 bei seinen Anläufen zur Bühne gescheitert. Über Nacht aber gelang es ihm, ein neues Kapitel der Kammermusik aufzuschlagen: den Lieder-Zyklus, die musikalische Novelle. Immer wieder, wenn er und Schönstein nach der Rückkehr Lieder aus dem Zyklus gemeinsam vortrugen, waren die Zuhörer von diesem unbeschreiblichen Eindruck zu Tränen gerührt. Sonnleithner nennt Schönstein »einen der besten, vielleicht den besten Schubert-Sänger«.

Wenige Tage nach der 25. Aufführung des »Freischütz« in Wien waren mit der Berufung Barbajas die Aussichten der deutschen Partei in der Oper geschwunden, das Ehepaar Rossini kam nach Wien, und die Begeisterung der Wiener Anhänger steigerte sich zu modischer Euphorie. Man trug Rossini-Hüte und Rossini-Krawatten, man aß Rossini-Speisen, man hörte auf den Vorstadtbühnen Rossini-Parodien. Dem »Barbier von Sevilla« folgte ein »Barbier von Sievering«, und Nestroy schrieb nach Rossinis berühmter Melodie »Di tanti palpiti« sein nicht minder berühmtes Couplet »Die Tante, dalkete«. Schubert komponierte zwei Ouvertüren im Rossini-Stil und spiegelte dessen Einflüsse nun auch im Lied. In komischer Verzweiflung rief Weber aus: »Wenn es diese verfluchten Kerls schon so weit bringen, daß solches nichtswürdiges Zeug mir zu gefallen anfängt, da mag der Teufel dabei aushalten.« Die Wiener saßen, nach dem Bericht eines Augenzeugen, in jeder Rossini-Aufführung »wie Heringe in der Trommel«. Schubert, der sich auch von Paganini hinreißen ließ, räumte Rossini »außerordentliches Genie« ein.

Die vollständige Folge der Schönen Müllerin wurde in der amtlichen »Wiener Zeitung« am 12. August 1824 angezeigt. Am 2. Februar hatte Schwind in einem Brief an Schober die Andeutung gemacht, Schubert habe sich zu einer Naturheilkur entschlossen. Bereits am 22. Februar schreibt er dann:

»Schubert ist sehr wohl, er hat seine Perücke abgelegt und zeigt einen niedlichen Schneckerlanflug. Er hat wieder die schönsten Deutschen eine Menge. (Es sind die deutschen Tänze gemeint.) Von den Müllerliedern ist das erste Heft heraus.«

Tatsächlich hatten Sauer & Leidesdorf das erste Heft Nr. 1—4 herausgebracht. Nr. 5—9 wurden für acht Tage später angekündigt. Sie kamen dann am 24. März heraus. Zugleich mit einem Brief des Vaters nach Ungarn, aus dem eine wesentliche Besserung des Verhältnisses zum Elternhaus klingt, wohl auch durch Schuberts Diplomatie gegenüber der jungen Stiefmutter beschleunigt, erfuhr Franz, die Müllerin sei nun als vollständige

Reihe bei Sauer & Leidesdorf als Opus 28 erschienen. Schwinds angekündigte Vignetten fehlten allerdings.

Der Maler beantwortete einen Brief, den ihm Schubert (auch über die Verzögerung der Müllerlieder-Ausgabe stöhnend) geschrieben hatte, nicht direkt, sondern wandte sich an den als Schauspieler in Breslau weilenden Schober: *»Es geht ihm wohl, und er ist fleißig. Soviel ich weiß, an einer Symphonie. Ich habe Gelegenheit, öfters Sachen von Schubert, was mich sehr erheitert, bei einem gewissen Herrn Pinderitz anzuhören, den ich beim Vogl kennengelernt habe. Er ist ein sehr guter und rühriger Mann, zutraulich, rührig und voll altdeutscher Kunstsachen.«*

Der gute Bekannte Beethovens und ausgezeichnete Laienpianist Karl Pinterics (gestorben 1831) residierte im sogenannten »Zuckerbäckerhaus«, in dem sich der Freundeskreis häufig traf. Pinterics hatte sich, die meist achtlos liegengelassenen Autographen oder Abschriften sicherstellend, eine umfangreiche Schubert-Sammlung angelegt, die nach seinem Tod in den Besitz des anderen Werk-Retters Hofrat Witteczek überging. Seien wir dankbar für dessen Sorge, der die Sammlung sogar ins Amt mitzunehmen pflegte, weil er sich nicht von ihr trennen wollte.

Am 8. November 1824 schreibt Schwind an Schober: *»Schubert ist hier, gesund und himmlisch leichtsinnig, neu verjüngt durch Wonne und Schmerzen und heiteres Leben.«*

Die einigermaßen bedrückende Einförmigkeit des ungarischen Aufenthaltes scheint also überwunden. Zagen und Klagen, die sich noch in einem Brief Franzens an Schober offenbart hatten (*»Was sollten wir auch mit dem Glück anfangen, da Unglück noch der einzige Reiz ist, der uns übrigbleibt«*), zeitigten immerhin das einzigartige Lied IM ABENDROTH nach einem Gedicht des Pommern Carl Lappe (1773—1843), aus dessen schwungvoller Flut von Gedichten zwei den Weg zu Schubert fanden, auf die wir noch zurückkommen.

Am 2. Dezember 1824 schreibt Schober aus Breslau an Schubert: *»Du mein guter, ewig teurer Freund, Dir hat meine Liebe ihren Wert behalten, Du hast mich um mir selbst willen geliebt, wie mein Schwind und auch Kupelwieser wird treu sein. Und sind denn wir nicht gerade die, die unser Leben in der Kunst fanden, wenn die andern sich damit nur unterhielten, die gewiß und allein unser Innerstes verstanden, wie es nur der Deutsche verstehen kann?«*

Schubert hatte seinem Freund geklagt: »*Mit Leidesdorf geht es bis dato schlecht, er kann nicht zahlen, auch kauft kein Mensch etwas, weder meinige noch andere Sachen außer miserable Mode-Waare.*«

Darauf bezieht sich nun Schober, wenn er schreibt: »*Also mit Leidesdorf geht es schlecht? Das ist mir doch sehr leid, und auch Deine Müllerlieder haben kein Aufsehen gemacht? Die Hunde haben kein eigenes Gefühl und keinen eigenen Gedanken und überlassen sich blind dem Lärm und fremder Meinung; wenn Du Dir nur ein paar Lärmtrommeln von Rezensenten verschaffen könntest, die immerfort ohne Ende in allen Blättern von Dir sprächen, es würde schon gehen; ich weiß ganz unbedeutende Leute, die auf diese Weise berühmt und beliebt geworden sind, warum sollte es denn der nicht benützen, der es in höchstem Maße verdient. Castelli schreibt in ein paar auswärtigen Blättern. Du hast eine Oper von ihm gesetzt; er soll's Maul aufmachen. Moritz hat uns die Müllerlieder geschickt, schicke Du mir doch, was sonst erschienen ist. Wie freue ich mich, daß Du wieder ganz gesund bist. Ich werde es auch bald sein.*«

Am 12. Dezember 1824 beehrte die »Königlich Preußische erste Hoftheater- und Kammersängerin« Anna Milder-Hauptmann Franz Schubert mit einem Schreiben, in dem sie bedauert, daß sich ihr Wunsch, während des letzten Wien-Gastspiels mit dem Komponisten zusammen-zutreffen, leider nicht habe verwirklichen lassen. Sie gesteht, daß seine Lieder sie entzücken. Sie fügt ein ausladendes Gedicht Goethes zur möglichen Vertonung bei: »Verschiedene Empfindungen an einem Platz«, das Schubert dann nicht berücksichtigt. Sie macht ihm große Hoffnungen, eine seiner Opern beim Berliner Intendanten anzubringen, woraufhin er ihr »Alfonso und Estrella« anvertraut, allerdings ohne den gewünschten Effekt. Auch widmet er ihr Goethes SULEIKA II.

Anna Milder-Hauptmann

Alle vier Kompositionen nach Gedichten aus Goethes Gedichtsammlung »Der West-östliche Divan« entstanden 1821. 1812 hatte der Dichter eine deutsche Übersetzung des Hafis von Hammer gefunden, 1814 schrieb er durch deren Lektüre angeregt die ersten Verse für diesen »Divan«. Der Begriff meint ursprünglich eine Sammlung der Werke eines Poeten in alphabetischer Reihenfolge. Aber fern von Imitation des Hafis dachte er nicht daran, sich an diese Bedeutung zu halten, und schuf einen Zyklus, der Weltpolarität, Weltliebe und Weltweisheit aus Orient und Okzident zu einer Einheit verschmilzt. Am 25. Juli 1814 fährt Goethe ins Land seiner Jugend an den Rhein. Erste Gedichte entstehen noch im Wagen, sie sind Ausdruck allumfassender Lebensfreude. In Wiesbaden schreibt er nach der Begegnung mit der »Halbzigeunerin« Marianne Jung »Geheimnis« nieder. Er besucht sie dann am 18. September im Hause Willemers auf der Gerbermühle. Als er sie im Oktober wiedersieht, ist sie nach überstürzter Heirat Frau Geheimrat Willemer. Am 20. Oktober nimmt Goethe Abschied und kehrt verwandelt nach Weimar zurück. Dort wächst der »Divan«, aber erst die zweite Rheinreise, am 24. Mai 1815, läßt die zentralen Stücke reifen, die Suleikalieder. Marianne antwortet auf die Briefgedichte, sie geht mit ihren lyrischen Antworten gleichrangig in den »Divan« ein. Goethe fährt nach Heidelberg und kehrt, ohne Marianne wiederzusehen, nach Weimar zurück. Der ganze weitere »Divan« ist Nachklang dieser Begegnung und wird in Weimar zu Ende gedichtet. Das scherzhaft ausklingende »Abglanz« ruft ein letztes Gedicht Mariannes hervor: »Suleika«. Alle ihre Beiträge haben im Buch Suleika Aufnahme gefunden. Der Sänger begegnet durch Mendelssohn, Schumann, Wolf, Schoeck oder Reutter einer ganzen Reihe aus den 200 Gedichten der zwölf Bücher. Schubert ist mit VERSUNKEN der erste Vertoner. Dies ist eins der wenigen erotischen Gedichte mit Schuberts Musik. Man kann im Hören die fallenden Haare des Mädchens sehen, die Begleitung fängt das prickelnde Leben, die kaum unterdrückte Erregung brillant ein. Schubert schwelgt in realistischen Einzelheiten und bringt es doch fertig, unaufhaltsam vorwärts zu drängen, nicht ohne die gewagtesten, dabei treffsichersten Modulationen auf dem Wege zu überwinden. Bei der Komposition im Februar 1821 ließ Schubert zwei Verse des Gedichts aus.

Dieses Lied und GEHEIMES lagen der Sendung an Frau von

Milder bei. Das dem Franz von Schober 1822 gewidmete GEHEIMES ist in der persönlichen Textausdeutung einzigartig. Wie im Flüstern wird die Melodiestimme des Klaviers durch Pausen luftig aufgelockert, kurz vor dem Höhepunkt stets ins Pianissimo zurückgenommen, als ob schon zu viel geäußert worden sei. Der kokette Schnörkel am Ende jedes Verses nimmt der etwa zu offen gewordenen Mitteilung mit einem Lächeln die Direktheit. Die kurzen, sehr graziösen Trochäen unterbrechen den liebenswürdig-schnippischen Charakter. Wir befinden uns in der Nähe von Rückerts DASS SIE HIER GEWESEN, nur liegt hier beglückendere Intimität vor uns, und die Deklamation ist vielleicht noch meisterlicher getroffen. Der Einfall, die Zeilen »Weiß recht gut, was das bedeute« und »Ihm die nächste süße Stunde« zu wiederholen und sie mit einer zierlichen Koloratur zu versehen, darf keinesfalls als äußerliche Gestik mißverstanden werden. Vor- und Nachspiel zeigen das gleiche Sichvorwagen, das schnell mit dem Piano zurückgenommen und verschleiert wird. Nach den atmenden Perioden der Begleitung, denen die Singstimme zunächst folgt, wirken die sich aufschwingenden, langgehaltenen Töne um so mehr. Die Ähnlichkeit der Schlußphase mit der Stelle aus Beethovens Florestan-Arie »Ist das Glück von mir gefloh'n« berührt eigenartig, da bei Schubert das künftige, große Glück ausgedrückt werden soll, während bei Beethoven die scheinbar ewig verlorene Seligkeit Gegenstand der Aussage ist.

Es mag interessieren, daß Goethe durch Marianne von Willemer Kenntnis von der Komposition erhielt, wenn auch nicht von ihres Schöpfers Namen. Der Brief an Goethe vom 26. April 1825 enthält die folgenden Zeilen:

»Am frühen Morgen schickte ich in einen Musikladen und ließ mir das herrliche Lied »Herz, mein Herz« von Beethoven holen, und man sendete mir zugleich eine recht artige Melodie auf den Ostwind (was bedeutet die Bewegung) und GEHEIMES im Divan.«

Dieses andere Suleika-Gedicht, SULEIKA I, dessen Komposition seiner Autorin zusagte, ist in der Musik ganz von Lebensdrang, Verlangen und Leidenschaft erfüllt. Kühlung und Erfrischung wehen aus dem immer gleichen Rhythmus der säuselnden Sechzehntel des Ostwindes. Was Beethoven in »Adelaide«, »An die ferne Geliebte« und seiner Pastorale anschlug, nämlich den Naturton der Romantik, das findet hier seine Fortsetzung. Nach den drängenden Synkopen der Leidenschaft, dem Jubel des Glücksgefühls folgt die Beruhigung des immer gleichbleibenden, unzählige Male angeschlagenen Fis, die die Schlußmelodie »Ach, die wahre Herzenskunde« durchziehen. Robert Franz hat einmal in einem Brief geäußert: »*Ich für mein Teil würde es auch dem größten Genie verdenken, das Lied der Suleika neben Schubert noch einmal zu komponieren, denn er hat ja dem Gedicht das musikalische Mark bis auf den letzten Rest ausgesogen.*«

Ziemlich selten kommt die Form zweier oder dreier koordinierter Hauptsätze vor, wie wir sie in SULEIKA I UND II finden. Jedes der Lieder teilt sich in quantitativ gleichbedeutende Hälften und ist also gewissermaßen aus zwei Stücken gebildet. Die Kontinuität der inneren Spannung hält sie zusammen. Im ersten folgt der ruhigen Betrachtung über gleichmäßiger Bewegung eine schwärmerisch-lyrische Meditation. Umgekehrt gibt es im zweiten bei der letzten Hälfte eine temperamentvolle Steigerung des Ausdrucks. Hier im g-Moll-Zwischensätzchen wird orientalisches Kolorit ganz zart angedeutet. Die sparsamen Einleitungstakte zum ersten Lied bringen die Bewegung des Windes, der von Osten her aus der Stadt, in der Goethe wohnt, Mariannens Empfindsamkeit streift. Sie schaffen so die Atmosphäre, in der sich das Lied entfalten kann. »Die Bewegung« wird in Schuberts Deutung gleichzeitig der Atem von Mariannens Liebe. Die aufsteigenden Sechzehntel fängt er in zwei arpeggierenden Akkorden auf, deren erster sich als Seufzer öffnet, um in den zweiten Akkord einzumünden, in das Lächeln derer, die über die Unzulänglichkeit hinaus lieben. — In SULEIKA II überschreiten die gebrochenen Oktaven der rechten Hand die gewöhnliche Weite des Schubertschen Klavierliedsatzes, und die Stimme klettert bis zum hohen B.*

Etwa zur gleichen Zeit des Jahres 1821 begann Schubert mit der Niederschrift der heroischen Ballade JOHANNA SEBUS. Das Gedicht bezieht sich auf ein aktuelles Ereignis, von dem die Zeitgenossen noch immer sprachen. Ein 17 Jahre altes Mädchen war 1809 bei einer Überflutung des Rheins ertrunken, als sie nach der Rettung ihrer Mutter sich wieder in Gefahr begab, um einige bedrohte Kinder zu bergen. Jagendes d-Moll beherrscht die sechs fertiggestellten Seiten, bricht dann aber plötzlich ab. Vielleicht ist Schubert vor der Länge des Projekts zurückgescheut, das, ähnlich dem MAHOMET von 1817, bereits den Umfang des ERLKÖNIG angenommen hatte.

Nach kurzem Aufenthalt im Elternhaus über den Jahreswech-

---

* Es kam 1825 mit der Widmung an Frau Milder-Hauptmann als Opus 31 zur Veröffentlichung.

el hinweg, wohnte Schubert nun bei einem Ölverschleißer, Vorstadt Alte Wieden, im Frühwirthschen Hause in direkter Nachbarschaft Schwinds, was die Zusammenkünfte beider natürlich förderte. Sie verliebten sich auch in das gleiche Mädchen »Netti« Hönig, Tochter des juristischen Fakultätsdekans der Wiener Universität. Am 14. Februar teilt Schwind dem Schober mit: »Schubert ist gesund, und nach einigem Stillstand wieder fleißig. Es ist alle Wochen bei Enderes (Hofrat Karl von Enderes, 1787 bis 1861) Schubertiad, das heißt, der Vogl singt.«

Viele der Schubertianer, die gewöhnlich mehr vom Schönen und von der Kunst berauscht waren als vom Wein, haben ihren Namen erst in der kommenden Generation zu Ansehen gebracht: der Dichterphilosoph Feuchtersleben (von dem Mendelssohn einige Texte vertonte), Grillparzer, Lenau und die Maler Schwind, Kupelwieser, Danhauser, Schnorr von Carolsfeld. Schubert schrieb einmal an den Bruder Ferdinand, daß sie alle die Gnade hätten, »immer wieder die miserable Wirklichkeit durch die Fantasie zu überwinden«.

Am 24. Februar 1824 waren Vogl und Schwind zum ersten Mal bei der hübschen, jungen und hochbegabten Burgschauspielerin Sophie Müller zum Essen eingeladen. Vogl sang Schubertlieder. Sophie war zu jener Zeit die bedeutendste Tragödin am Wiener Burgtheater, aber sie verfügte auch über beachtliche sängerische Begabung, und Anselm Hüttenbrenner bestätigt ihr, daß sie »die Schubertschen Lieder nach Schönstein am herzlichsten sang«. Am gleichen Abend nun kam in der 13. Abendunterhaltung der Musikfreunde Schuberts DER ZÜRNENDEN DIANA ebenso wie SEHNSUCHT nach Mayrhofer zum Vortrag, beide bereits 1820 entstanden. SEHNSUCHT zeigt ein wenig von den möglichen Diskrepanzen zwischen Poet und Musiker. Der erste Vierzeiler mit seiner Schilderung des Frühlings und der dem Winter nicht nachtrauernden Lerche ist ganz nach Schuberts Geschmack. Melodie und Lerchentriller tanzen. Der Dichter fährt aber fort, indem er seine Unfähigkeit beklagt, irgendeinen seiner Wünsche auf dieser so feindlichen Erde in die Wirklichkeit umzusetzen, er zieht in Gedanken mit den Kranichen in ein freundlicheres Land. Schubert kämpft sichtlich mit dem Abbruch der eben noch so fröhlich begonnenen Frühlingsverherrlichung. Er tut das mögliche, um dem Freund in seine hoffnungslose Melancholie zu folgen, aber die Intensität des Liedes läßt nach. — Freilich: Wieviel ärmer wären wir ohne die vielen Mayrhofer-Lieder

mit ihren verschiedenartigen Färbungen! Da ist das ähnlich arios
wie IPHIGENIA sich gebärdende DER ZÜRNENDEN DIANA, nicht nur
die größte, sondern wohl auch die lebendigste unter den Mayr-
hofer-»Arien«. Reicher, leidenschaftlicher Ausdruck muß über
die langen Strecken wohldosiert verteilt werden, um die Spannung bis zuletzt zu erhalten, das lustvolle Sterben des Schlusses
trägt alle Graduierungen des Hinschwindens geradezu schau-
spielerisch vor.

DER ZÜRNENDEN DIANA war eben, zusammen mit dem NACHT-
STÜCK von Mayrhofer, erschienen und Frau von Laszny, geb.
Buchwieser (1789–1828) gewidmet, in die Schwind verliebt war,
die auch Schubert schon einige Zeit kannte. Sie scheint so etwas
wie eine Lebedame gewesen zu sein, die Freunde wunderten sich
darüber, daß eine Frau so geistvoll aussehen konnte, »die in der
ganzen Stadt verrufen ist«. Das bei ihr zuerst und seither häufig
gesungene NACHTSTÜCK gründet sich auf einen geschwollen-
romantischen Text Mayrhofers. In der Einleitung Schuberts begegnet uns ungewohnte Polyphonie. Die Lyrik des Hauptteils erzählt von der Willigkeit des Musikers, mit dem nebulosen »guten
alten Mann« ebenso mitzufühlen wie mit dem Harfner oder dem
Wanderer. Die Melodie in Blätterlispeln und Bäumerauschen
wird — eine Seltenheit — vollständig und unverändert wiederholt
und verliert dabei nichts von ihrem Zauber. Der Alte hebt an
sich in den Tod zu singen. Bedächtig ist er zunächst ins Bild ge-
schritten, tonmalerisch vom Klavier eingeführt. Dann beginnt
er seinen Hymnus zu singen, für den alles bisher Gehörte nur
Einleitung war. Ausdrucksvoll steigert Schubert die Wiederholung des Wortes »erlöst« durch Alteration einer einzigen Note.
Plötzlich wechselt der Charakter der Weise. Im Klavier beginnt
es zu schwanken wie in den »grünen Bäumen«, die den Greis in
den Schlaf rauschen. Dieses Einlullen setzt sich bis zum Schluß
fort, auch wenn der Hymnus selbst längst zu Ende ist — »der
Alte horcht, der Alte schweigt«. Die Wirkung ist unbeschreiblich,
vor allem würde man vergeblich versuchen, die Modulationen
des Hinschwindens in ihrer Ausdruckskraft mit Worten wiederzugeben.

Sophie Müller, die Schauspielerin, die mit ihrer Weiblichkeit
weniger freizügig waltete als Frau von Laszny vom Kärntnertor-
Theater, vielmehr Schubert durch ihre Bildung und Feinheit bezauberte, schreibt in ihr Tagebuch:

»Vogl und Schubert kamen nachmittags und brachten neue

Lieder. Vogl sang herrlich. 2. März. Nach Tisch kam Schubert.
Bis gegen sechs Uhr sang ich mit ihm, dann fuhr ich ins Theater.
3. März. Schubert brachte ein neues Lied: DIE JUNGE NONNE. *Spä-*
ter kam Vogl, ich sang es mit ihm. Es ist schön komponiert.«

DIE JUNGE NONNE, der erste von drei stilistisch überraschenden Gesängen nach Jacob Nicolaus Baron von Craigher de
Jachelutta (1797—1855), die gerade eben entstanden waren und
weit in die Zukunft weisen, zeigt in der Sturmnachtschilderung
des Klavierbasses viel Verwandtschaft zu Carl Loewe, wenn-
gleich der Nachahmer in der Kraft künstlerischer Formung nicht
an den Urheber heranreicht. Ein finsteres Sturmmotiv, in das sich
geheimnisvolle Glockentöne mengen, ein Gesangsthema, das
halbtonweise vorrückt und in den seltsamen Hemmungen Hyste-
rie ausdrückt, um am Schlusse in religiösem Wahn, »Halleluja«
flüsternd, auszuklingen — so stellt sich die Hochdramatik der
JUNGEN NONNE dar. Hier wird wieder einmal bewußt, was
Schubert aus einem geeigneten Opernbuch zu gestalten fähig
gewesen wäre. Am Schluß des Liedes scheint die Luft sich wieder
etwas zu klären, obwohl die Wettermusik sich behauptet, und
wenn die Glocke der Klosterkapelle ihre F und C herüberklingelt,
deuten die Tremoli in der rechten Klavierhand den erlösenden
Regen an.*

Am 7. März 1825 lesen wir weiter in Sophie Müllers Tagebuch:
»*Vogl und Schubert brachten neue Lieder, worunter eine Szene
aus dem Aischylos,* IHR GRAB, DIE FORELLE *und* DER EINSAME
vorzüglich sind.«

Bei dem FRAGMENT AUS DEM AISCHYLOS (um 525—456 v. Chr.)
handelt es sich um ein Bruchstück aus den »Eumeniden«. Der
große Dramatiker der Griechen hat uns mit den »Persern« wohl
das erste überlieferte Zeitstück hinterlassen. Den Tragödienstoff
fand er nicht im Mythos, sondern in der jüngsten Geschichte
seiner Zeit. Dieser Bruch mit den Traditionen des antiken Thea-
ters bedeutete Abwendung vom Mysterienspiel. Von den etwa
90 Tragödien des Äschylus sind sieben auf uns gekommen,
deren Wiederaufführung von Max Reinhardt durch seine In-
szenierung der »Orestie« eingeleitet wurde. Schubert bediente
sich bei dem »Eumeniden«-Fragment einer Neuübersetzung von
Freund Mayrhofer und schrieb 1816 zwei kaum voneinander

---

* DIE JUNGE NONNE gesellte sich bei der Drucklegung als Opus 43 dem anti-
podisch-ruhigen NACHT UND TRÄUME.

abweichende Fassungen nieder. Wieder betritt Schubert also »klassisches« Gebiet. Die eigentlich als Chor gedachte Stelle erscheint hier als Solodeklamation. Es beginnt in bedeutendem Rezitativton, den das Klavier bereits ankündigt. Realistisch vollzieht sich das »Versinken« über die Septime C-Des abwärts. Den Strom der Zeit hört man im Klavier tremolieren, der Sprung Es-Des-C führt hinab ins Verderben. Wenn es dann von Schubert »im Takt« heißt, setzt das gedachte Arioso ein. Die szenische Anschaulichkeit erreicht Schubert durch die Staccato-Achtel der Hilferufe, die »verstrickenden« vier Sechzehntel bei den »Banden der Not« und dem nicht auf dem Grundton, sondern in die unbestimmte Terz hinein endenden »versinkt er«. — Das mit Recht auch von Sophie Müller hervorgehobene IHR GRAB stammt von Richard Roos, einem Pseudonym für Karl August Engelhardt (1769–1834). Der sächsische Archivar wurde später Sekretär im Kriegsministerium und verkehrte vor allem im Dresdener Lyrikerkreis. Geographische und historische Arbeiten, Erzählungen und Gedichte finden sich unter seinen Veröffentlichungen. Das Vorspiel zu IHR GRAB läßt Schubert außerhalb der Haupttonart Es-Dur beginnen. An dem Tonfall der sich mehrfach wiederholenden Phrase »dort ist ihr Grab« richtet sich die Melodie aus. Wieder sehen wir, wie sich der Künstler Schubert nicht nach der Schattenseite des Lebens, dem Tode, sehnt. Es ist bezeichnend, wie wenig der Hörer solcher Gesänge wie DER TOD UND DAS MÄDCHEN, AM GRABE ANSELMOS, TOTENGRÄBERS HEIMWEHE, TOTENGRÄBERLIED, AUF DEN TOD EINER NACHTIGALL, GRABLIED, DIE FRÜHEN GRÄBER, TOTENOPFER, DIE STERBENDE, TOTENKRANZ FÜR EIN KIND, FAHRT ZUM HADES, DAS GRAB, EINE LEICHENPHANTASIE, AUF EINEN KIRCHHOF, TOTENGRÄBERWEISE, TODESMUSIK, AN DEN TOD und DER JÜNGLING UND DER TOD eigentlich traurig gestimmt wird. Vielmehr stellt sich erhebende Zuversicht und Tröstung als zentrales Erlebnis her.

Am 8. März 1825 schickte Anna Milder endlich die Antwort auf Schuberts Sendung vom vergangenen Jahr:

»Mein verehrtester Herr Schubert! Ich eile Ihnen zu melden, daß ich Ihre Estrelle u. den Gesang der Suleika mit unendlichem Vergnügen erhalten habe. Der Gesang ist himmlisch und bringt mich jedesmal zu Tränen. Es ist unbeschreiblich. Allen möglichen Zauber und Sehnsucht haben Sie da hineingebracht.«

Über die Opernpläne kann sie allerdings nichts Näheres berichten, denn *»man ist hier die große, hochdramatische Oper,* *oder die französisch-komische Oper gewöhnt«.* Die zunichte gewordene Hoffnung, der allgewaltige Spontini könne sich seiner Oper annehmen, hinderte Schubert aber nicht daran, schon bald wieder neu fürs Theater zu planen. Dabei half Eduard von Bauernfeld (1802–1890), der ihm bereits 1822 begegnete und jetzt in freundschaftlichen Kontakt zu Franz kam, was er sicher auch seinem guten Klavierspiel verdankte. Der geschickte Lustspieldichter betätigte sich hauptamtlich bis 1848 bei der österreichischen Lottodirektion unter Joseph von Spaun. Nun empfahl er sich auch noch als möglicher Librettist. Bauernfelds Tagebuch verzeichnet: *»Viel mit Schwind und Schubert zusammen. Er sang bei mir neue Lieder. Letzthin schliefen wir bei ihm. Er will einen Operntext von mir und schlug mir die ›Bezauberte Rose‹ vor. Ich meinte, ein ›Graf von Gleichen‹ gehe mir durch den Kopf.«*

Franz Schubert

Dieses Projekt gelangte jedoch nie zur vollständigen Ausführung, da Schubert über der Arbeit starb.

Im Mai 1825 vollendete Wilhelm Rieder sein berühmt gewordenes Schubert-Porträt, das als Kupferstich die Titelblätter der meisten Publikationen in den kommenden Jahrzehnten zierte. Den Maler hielt Schwind seinem Freund Franz immer wieder als Beispiel vor und meinte, es würde sich wohl lohnen, ihm in der Eroberung des »Hoforganismus« nachzueifern.

»Rieder ist an der Ingenieur-Akademie als Professor mit 600 Gulden angestellt, dafür aber in dem Verdacht, daß er heiraten will. Wenn Du Dich ernstlich um die Hoforganistenstelle bewirbst, so kannst Du's auch so weit bringen. Es wird Dir nichts übrigbleiben, als ordentlich zu leben, da Du im widrigen Falle, bei der entschiedenen, gänzlichen Armut Deiner Freunde, Deine fleischlichen und geistigen Bedürfnisse von Fasanen und Punsch in einer Einsamkeit wirst befriedigen müssen, die einem wüsten Inselleben oder Robinsonade nichts nachgeben wird.«

Aber die meisten Gelegenheiten, einen solchen Posten zu

bekommen, ließ Schubert vorbeigehen. Im Grunde wich er festen Anstellungen aus.

Der Manuskriptsammler Karl von Pinterics gab Hauskonzerte für Schubert und trug durch sein Interesse wesentlich dazu bei, die Werke des Unpraktischen en vogue zu bringen. Als Solist beteiligte sich eifrig Freiherr von Schönstein; er verbreitete die Lieder in den Feudalkreisen.

Diabelli & Companie zeigten Schuberts Werk 19 Anfang Juni 1825 an: AN SCHWAGER KRONOS, AN MIGNON und GANYMED von Goethe, »Dem Dichter verehrungsvoll gewidmet«. Diesmal wartete Franz eine Zustimmung aus Weimar nicht erst ab, er widmete die Stücke ungefragt dem Meister. In doppelter Ausfertigung schickte er das prächtig ausgestattete Heft an Goethe und legte folgende Zeilen bei:

»Euer Exzellenz! Wenn es mir gelingen sollte, durch die Widmung dieser Composition Ihrer Gedichte meine unbegrenzte Verehrung gegen E. Exzellenz an den Tag legen zu können und vielleicht einige Beachtung für meine Unbedeutenheit zu gewinnen, so würde ich den günstigen Erfolg dieses Wunsches als das schönste Ereignis meines Lebens preisen. Mit größter Hochachtung Ihr ergebenster Diener Franz Schubert.«

Zwar finden wir in Goethes Tagebuch: *»Sendung von Felix Mendelssohn von Berlin, Quartette. Sendung von Schubert aus Wien: Von meinen Liedern Compositionen.«*

Aber eine Antwort nach Wien ging nicht ab. — Daß zur gleichen Zeit Jean Paul auf dem Sterbebett dringend und wiederholt nach Schuberts Liedern verlangte, vor allem nach der »herrlichen Komposition des Erlkönigs«, erfuhr Schubert nie.

Im Sommer 1825 war Schubert durch Vogl wieder eine längere Reise vergönnt. Nach Aufenthalten in Kremsmünster, St. Florian bei Linz, Steyr und Umgebung sowie in Gmunden am Traunsee zogen die beiden durch das Salzkammergut. Die Tochter des Hauses auf Schloß Ebenzweyer schwärmt in einem Brief: *»Es ist ein göttlicher Genuß, Vogl singen und Schubert spielen zu hören.«*

Anton Ottenwalt erzählt in einem Brief an den Schwager Joseph von Spaun in Lemberg von Schuberts Aufenthalt bei ihm: *»Schubert sieht so gesund und kräftig aus, er ist so gemütlich heiter, so freundlich mitteilend, daß man innige Freude daran haben muß. Er bezieht heute das Zimmer, wo Du eine Zeitlang Dein Nachtquartier aufgeschlagen hattest. Da wird heute sein*

Koffer hingebracht, ein Tisch zum Schreiben eingerichtet, er wird mit Büchern versehen u. dgl. Ich bin Dir ordentlich stolz auf diesen Gast, und jede Liebe und Ehre, die wir ihm erzeigen, gilt zugleich Dir . . .«

Spaun hatte Linz gerade vor Schuberts Ankunft verlassen, und Franzens Enttäuschung, ihn verfehlt zu haben, war natürlich groß. So heißt es denn in einem Brief Schuberts an Spaun vom 21. Juli 1825: »Da sitz' ich in Linz, schwitze mich halbtot in dieser schändlichen Hitz', habe ein ganzes Heft neuer Lieder, und Du bist nicht da! Schämst Dich nicht? . . . In Steyr hielt ich mich nur 14 Tage auf, worauf wir (Vogl und ich) nach Gmunden gingen, wo wir sechs volle Wochen recht angenehm zubrachten. Wir waren bei Traweger einlogiert, der ein prächtiges Pianoforte besitzt, und wie Du weißt, ein großer Verehrer meiner Wenigkeit ist. Ich lebte da sehr angenehm und ungeniert.«

Im malerischen Gmunden am Traunsee wohnte — ähnlicher Glücksfall wie damals in Steyr — ein wohlhabender Kaufmann, in dessen behäbigem Stadthaus viel musiziert wurde. Herr Traweger war schon seit Jahren Schuberts Verehrer. Er hatte sich 1818 durch Schuberts Bruder Karl, den sein Malerberuf in die Gegend führte, vier- und achtstimmige Männerstimmenensembles in Wien bestellt. Trawegers Sohn Eduard erinnert sich später an die Hochstimmung, die die sechs Wochen von Schuberts und Vogls Dortsein erfüllte: »Mein guter Vater, der viel Unterhaltungsgabe besaß und es gut verstand, etwas zu arrangieren, war ganz selig. Er sprach von Schubert stets mit Begeisterung und hing ihm mit ganzer Seele an.« — Der kleine Eduard mußte mit Hilfe eines Silbergroschens das Lied »Guten Morgen, schöne Müllerin«, von Schubert selbst einstudiert, fein auswendig lernen, und dann hörte er immer wieder: »Komm Eduardl, sing Guten Morgen und Du bekommst den schönen Kreuzer!«

Als regelmäßiger Zuhörer kann sich Eduard an Vogls und Schuberts Musizieren so erinnern: »Zu diesen Genüssen waren mehrfach Verwandte und Bekannte geladen. Solche Kompositionen, so vorgetragen, mußten die Empfindungen zum Ausbruch bringen, und war das Lied zu Ende, so geschah es nicht selten, daß die Herren sich in die Arme stürzten und das Übermaß des Gefühls in Tränen sich Bahn brach.«

Trawegers Haus war nicht das einzige Musikzentrum in Gmunden. Schubert sagt darüber: »Bei Hofrat von Schiller *wurde viel musiziert, unter anderen auch einige von meinen neuen Liedern aus Walter Scotts ›Fräulein vom See‹, von welchen besonders die Hymne an Maria allgemein ansprach.«*

Der K. K. Salzoberamtmann Ferdinand von Schiller veranstaltete musikalische Abende, bei denen sich Gmundens Hautevolee versammelte, um Vogl und Schubert zu hören. Als tägliche Tischgäste lernten sie auch Annette Wolf, die Tochter des Stadtschullehrers kennen, in die sich Schubert verliebte. Später sollte sie Nikolaus Lenau ähnlich begeistern. Franz begleitete Nannette, die übrigens selbst ausgezeichnet Klavier spielte, wahrscheinlich zur ersten Aufführung der Mädchen-Gesänge aus dem »Fräulein vom See«.

Unter den 22 Liedern, die 1825 entstanden, nehmen die sieben Gesänge aus Walter Scotts »Fräulein vom See« eine wichtige Stelle ein, denn Schubert setzte für sein Bekanntwerden in England große Hoffnungen auf sie. Die Einrichtung der deutschen Übersetzung durch P. A. Storck auf eine möglichst gleichlautende englische Originalversion bereitete keine geringen Schwierigkeiten. Storcks Übertragung war außerordentlich frei und ließ nicht bloß die Metren Scotts gelegentlich außer acht, sondern hing manchem Gedicht eigene Zusätze an. Der Verleger Artaria setzte dann, in der Ausgabe von 1826, den Text in beiden Sprachen unter die Noten.

Sir Walter Scott (1771–1832) begründete den englischen historischen Roman. Die geschichtliche Romanschriftstellerei in Deutschland wurde durch ihn naturgemäß nachhaltig beeinflußt.

Sir Walter Scott

Andererseits brachte er aber durch Übersetzungen aus dem Deutschen, vor allem Bürgers und Goethes, Anregungen der deutschen Literatur nach Großbritannien. Scotts Versepos »Das Fräulein vom See« machte auf dem Kontinent die Runde, war auch schon 1822 in Rossinis Vertonung über die Wiener Opernbühne gegangen. Der Traunsee lieferte Schubert eine ideale Hintergrundlandschaft für das Entstehen fast aller Gesänge

dieses Zyklus, der sich allerdings nicht als lyrischer Roman an-
bietet, sondern eher einer Folge von Buchillustrationen im Stile
des Freundes Schwind gleicht. So sind die Lieder auch ganz
unterschiedlich besetzt. Die drei weit ausholenden Gesänge der
Heldin sind Frauensololieder, die Klagen Normans und des
Grafen Douglas sind der Baritonstimme Vogls zugedacht. Der
Schiffsgesang der Krieger und die Klage der Frauen um Duncan
sind für Männerquartett respektive Frauenterzett mit Klavierbegleitung notiert. In ELLENS ERSTEM GESANG singt der Sopran
dem rastenden Krieger ein ausgedehntes Wiegenlied. Ebenso
unbekannt wie diese Komposition blieb ELLENS ZWEITER GESANG,
den romantische Hornklänge in ein eigentümliches Zwielicht
stellen. Strophisch breitet ELLENS DRITTER GESANG, das berühmte
»Ave Maria«, über Harfensextolen einen Hymnus von über-
wältigender Innigkeit. Das Stück hielt sich nicht nur im Repertoire der meisten Sängerinnen, sondern ist auch Opfer unzähliger
Bearbeitungen für verschiedenartigste Instrumentalbedürfnisse
geworden. Es erweist sich als technischer Prüfstein, denn technische Meisterschaft gehört dazu, die langen Atembögen der
Phrasen zu füllen. Die ehedem von manchem Kritiker als zu
weltlich angesehene Harfenbegleitung entspricht genau dem dich-
terischen Vorwurf, der Ellen das Lied ja zur Harfe singen läßt. —
Das wohl charakteristischste Stück aus dieser Serie ist das im
Polonaisenrhythmus gehaltene LIED DES GEFANGENEN JÄGERS, das
auf zutreffende Weise die polnische Tanzform ins Schottische
verlegt, wie das auch tatsächlich häufig in schottischen Liedern
geschieht. Im Mollteil verbirgt sich hinter der polternden Außen-
seite männlicher Schmerz. In der Dur-Hälfte wacht eine Erinnerung verklärend auf, die das Nachspiel sofort wieder zurück-
drängt. Geringer Umfang der Stimmführung (eine Oktave),
sehr enger Klaviersatz und völlige Abwesenheit interessanter
Modulationen charakterisieren einerseits Müdigkeit und Ausdruck sehr zutreffend, aber sie standen dem Bekanntwerden
des Liedes auch andererseits im Wege.

Am 8. Juli erhielt Franz in Steyr einen Brief seines Vaters, in
dem er ihm mitteilt:

*»Der Vater der Madame Milder überbrachte mir diesen Brief
an Dich, und ließ mich aus den Berliner Zeitungsblättern sehr
viel Rühmliches über die am 9. Juni d. J. von seiner Tochter
gegebene Abendunterhaltung lesen, wo auch Deine Kompositionen sehr erhoben werden.«*

Unter den merkwürdigerweise nicht mitgeschickten Rezensionen findet sich auch folgender Beitrag der »Berlinischen Zeitung« vom 11. Juni:

»*Reichen Genuß gewährte die Abendunterhaltung der Madame Milder, welche zahlreich und glänzend besucht war. Wir hören von der grandiosen Stimme dieser Sängerin, am liebsten ist uns aber ihr einfach edler, getragener Gesang, wie Mme. Milder in den beiden von Goethe:* SULEIKA II *und* ERLKÖNIG *mit wahrer Meisterschaft aus dem Herzen, zum Herzen widerhallen ließ. Franz Schubert in Wien ist ein sinniger, Modulationen liebender Gesang-Komponist . . . Wenn auch seine Tondichtung über die Liedform hinausgeht — ist dennoch der orientalische Geist auch in der Musik gelungen aufgefaßt. Die ganz eigentümliche Pianofortebegleitung erhält das Kolorit der Singstimme. Die Sehnsucht zarter Liebe wird in diesen Tönen treffend versinnbildet. Der* ERLKÖNIG *ist höchst originell, mit tragischem Ernst behandelt. Nacht und Graus, Sturm und Schrecken ist in diesem Nachtstück schauerlich-phantastisch gemalt.*«

In den Briefen, die Frau Milder 1825 an Schubert schrieb, erweist sich wieder, daß er sich durchaus nicht unkritisch seinen Textvorlagen gegenüber verhielt. Die Diva bittet um die Vertonung von Karl Leitners (des sonst häufig bei Schubert auftauchenden Autors) »Der Nachtschmetterling« und von Goethes »Verschiedene Empfindungen an einem Platz«. Schubert kümmerte sich nicht um diese Vorschläge. Dem entspricht die Ablehnung von Rochlitzens »Der erste Ton« und Zedlitz's »Nächtliche Heerschau«. Auch Seidl mußte sich 1828 damit abfinden, daß eines seiner Gedichte als nicht geeignet zurückgewiesen wurde.

Schubert antwortet dem Vater am 25. Juli auf seine Epistel und den beigelegten Brief der Milder:

»*Ich war bei Traweger wie zuhause, höchst ungeniert. Bei nachheriger Anwesenheit des Herrn Hofrath von Schiller, der der Monarch des ganzen Salzkammergutes ist, speisten wir (Vogl und ich) täglich in seinem Hause und musicirten sowohl da, als auch in Trawegers Hause sehr viel. Besonders machten meine neuen Lieder, aus Walter Scotts Fräulein vom See, sehr viel Glück. Auch wunderte man sich sehr über meine Frömmigkeit, die ich in einer Hymne an die Hlg. Jungfrau ausgedrückt habe, und wie es scheint, alle Gemüther ergreift und zur Andacht stimmt. Ich glaube, das kommt daher, weil ich mich zur Andacht*

nie forciere, und, außer wenn ich von ihr unwillkürlich über-
mannt werde, nie dergleichen Hymnen oder Gebete komponiere,
dann aber ist sie auch gewöhnlich die rechte und wahre An-
dacht. — In Steyereck kehrten wir bei der Gräfin Weißenwolf
ein, die eine große Verehrerin meiner Wenigkeit ist, alle meine
Sachen besitzt und auch manches recht hübsch singt. Die Walter
Scottschen Lieder machten einen so überaus günstigen Eindruck
auf sie, daß sie sogar merken ließ, als wäre ihr die Dedication
derselben nichts weniger als unangenehm. Mit der Herausgabe
dieser Lieder denke ich aber doch eine andere Manipulation zu
machen als die gewöhnliche, bei der gar so wenig herausschaut,
indem sie den gefeierten Namen des Scott an der Stirne tragen,
und auf diese Art mehr Neugierde erregen könnten, und mich
bei Hinzufügung des englischen Textes auch in England be-
kannter machen würden. Wenn nur mit den - - - von Kunst-
händlern etwas Honnetes zu machen wäre, aber dafür hat schon
die weise und wohlthätige Einrichtung des Staates gesorgt, daß
der Künstler ewig der Sklave jedes elenden Krämers bleibt. —
Was den Brief der Milder betrifft, so freute mich die günstige
Aufnahme der Suleika sehr, obwohl ich wünschte, daß ich die
Recension selbst zu Gesicht bekommen hätte, um zu sehen,
ob nicht etwas daraus zu lernen sei; denn so günstig, als auch
das Urtheil sein mag, ebenso lächerlich kann es zugleich sein,
wenn es dem Recensenten am gehörigen Verstande fehlt, wel-
ches nicht gar so selten der Fall ist.«

Zwei Tage nach Schuberts Brief an die Eltern berichtet Anton
Ottenwalt an Joseph von Spaun über die Anwesenheit Schuberts
und Vogls in seinem Hause und sagt über die Wiedergabe der
Scott-Gesänge:

»Kann ich's gleich auch nicht, würdig von seinen letzten Lie-
dern nach Scott, so kann ich auch nicht davon schweigen. Es
sind vorzüglich fünf: 1. Ave Maria, Ellens Abendgesang und Ge-
bet für ihren Vater in der Einöde, wo sie verborgen leben. 2. Krie-
gers Ruhe. Einschmeichelnder Schlafgesang, wie ihn etwa Armida
zur Zauberharfe Rinaldens singen möchte. 3. Jägers Ruhe. Auch
ein Schlummerlied, einfacher und inniger, wie mich dünkt. Die
Begleitung: Hörnergesang, möcht' ich sagen, wie Nachklang des
Jagdliedes in schönem Traume. 4. Der gefangene Jäger. »Mein
Roß im Stalle so müde sich steht . . .« Begleitung — — ja, wie soll
ich die zürnenden, zuckenden, kurz abgebrochenen Akkorde
bezeichnen! Fast schäme ich mich schon wieder, daß ich mir ein-

fallen ließ, darüber zu schreiben. Liebster, wie wünschten wir jedesmal, daß Du es hörtest! Könnten wir doch die Weisen in Deine Träume bringen, wie sie uns bis in die sinkende Nacht umklingen! — Schubert war so freundlich, so mitteilend ... wie er von der Kunst sprach, von Poesie, von seiner Jugend, von Freunden und anderen bedeutenden Menschen, vom Verhältnis des Ideals zum Leben ... dgl. — Ich mußte immer mehr erstaunen über diesen Geist, dem man nachsagte, seine Kunstleistung sei so unbewußt, ihm selbst oft kaum offenbar und verständlich u. so weiter. Und wie einfach das alles. — Ich kann nicht reden von dem Umfang und einem Ganzen seiner Überzeugungen — aber Blicke einer nicht bloß angeeigneten Weltansicht waren das, und der Anteil, den edle Freunde daran haben mögen, benimmt der Eigentümlichkeit nichts, die sich darin verkündet.«

Im September trafen die Freunde in Bad Gastein ein; Schubert beschäftigte sich mit einer Symphonie und zwei Liedern Ladislaus Pyrkers, den man hier getroffen hatte. Vor der Abfahrt am 4. September trug er sich in das Ehrenbuch des berühmten Wildbades als »Abgereist« ein.

Der katholische Geistliche Johann Ladislaus Pyrker von Felsö-Eör (1772—1842), der noch bis zum Erzbischof aufstieg, entfaltete lebenslang rege soziale Tätigkeit. In Karlsruhe und Gastein hatte er während der Kriege mit Frankreich Erholungshäuser für kriegsverletzte und kranke Soldaten gegründet. Die allgemeine Bildung des Lehrerstandes suchte er durch Errichtung eines

Johann Ladislaus Pyrker

Seminars zu heben. In seinen Epen ist der Einfluß von Klopstocks »Messias« spürbar. Schubert hatte ihm den WANDERER gewidmet und vertonte zwei seiner Gedichte. Der Priester hatte Schubert einmal geschrieben: »Ich bin stolz darauf, mit Ihnen ein und demselben Vaterland anzugehören!« — DAS HEIMWEH war vor der ersten Ausgabe des Liedes nicht gedruckt, so daß angenommen werden darf, daß Pyrker es eigens für Schubert niedergeschrieben hat. Wie selbstverständlich die Komposition den

Liedton der Gebirgler trifft, geht aus der Annahme der »Allgemeinen Musikalischen Zeitung« in Leipzig hervor, die am 23. Januar 1828 die Behauptung aufstellt, das Lied sei auf einem Thema aus dem Ranz des Vaches aufgebaut. Das sogenannte Emmentaler Lied, das hier gemeint ist, zeigt in Wahrheit wenig Ähnlichkeit mit Schuberts Komposition. Das spätere Opus 79, dem Dichter gewidmet, gehört zu den kantatenähnlichen Stücken, aber es hebt sich weit über den Zumsteegschen Schwulst der Anfangswerke. Die Sehnsucht des Gebirgssohnes, der »mit kindlicher Lieb'« an der Heimat hängt, nach seinen Bergen, ist ein um jene Zeit in ganz Europa beliebtes Gedichtmotiv (Robert Burns!). Schubert gestaltet das Lied in den Außenteilen zum Scherzo, das bei der Wiederkehr des Schlußteils in der zweiten, bei Mandyczewsky wiedergegebenen, Niederschrift auf ganz ungeahnte Weise radikal erweitert und neu entwickelt wird. Vornehmlich in der Passage »Sieht das dunkele Föhrengehölz, die ragende Felswand über ihm, und noch Berg auf Berg in erschütternder Hoheit aufgetürmt, und glühend im Rosenschimmer des Abends«, überwindet Schubert die etwas altmodische Tonsprache des Anfangs, um die Aufmerksamkeit des Zuhörers mit einer an SCHWAGER KRONOS erinnernden Kraft zu aktivieren. Im HEIMWEH spiegelt sich der überwältigende Eindruck seiner Heimatlandschaft.

Während Vogl seine steifen Gelenke in den heißen Bädern zu heilen suchte, genoß Schubert die Höhenluft von den Gletschern der nahen Hohen Tauern. Die Weisen der Sennen und Bergbauern entzückten ihn und fanden Eingang in die Musik, auch die kunstvollste Harmonik kann sie nicht ganz verdecken.

Nun zu dem anderen Lied nach Pyrker, das sicher unter allen religiösen Werken Schuberts das intensivste ist: DIE ALLMACHT. Freunde und Familie haben sich oft an der unorthodoxen Glaubensform gestoßen, in der sich sein Verhältnis zur Transzendenz offenbarte. Pyrkers Hymne an den Gott in der Natur spricht Schubert an der Stelle seines Wesens an, an der ihn kein Zweifel plagt. Gern mag er solche Gelegenheiten ergriffen haben, um sich ganz auszusagen. Dabei steht es keinesfalls in Widerspruch zu Schuberts unkirchlichem Denken, wenn er immer wieder Texte komponiert, die den Allmächtigen besingen. »Groß ist Jehova, der Herr!« läßt Biedermeier und Kirchendunkel hinter sich. Der Anblick des Gebirges, wie er sich in einem breit angelegten Reisebericht an den Bruder Ferdinand widerspiegelt, stellt die Verbindung zum Göttlichen her. Es weckt Bewunderung, mit welch dichterischer Kraft Schubert auch in Worten seine Eindrücke in der Natur vermittelt:

»Wir fuhren also weiter über Golling, wo sich schon die ersten, hohen, unübersteigbaren Berge zeigten, durch deren fürchterliche Schluchten der Paß Lueg führt. Nachdem wir dann über einen großen Berg langsam hinaufkrallten, vor unserer Nase, sowie zu den beiden Seiten schreckliche Berge, so daß man glauben könnte, die Welt sei hier mit Brettern vernagelt, so sieht man plötzlich, indem der höchste Punct des Berges erreicht ist, in eine entsetzliche Schlucht hinab, und es droht einem im ersten Augenblicke einigermaßen das Herz zu schüttern. Nachdem man sich etwas von dem ersten Schreck erholt hat, sieht man diese rasend hohen Felswände, die sich in einiger Entfernung zu schließen scheinen, wie eine Sackgasse, und man studirt umsonst, wo hier der Ausgang sei. In dieser schrecken-vollen Natur hat auch der Mensch seine noch schreckenvollere Bestialität zu verewigen gesucht. Denn hier war es, wo auf der einen Seite die Baiern, und die Tyroler auf der anderen Seite der Salzach, die sich tief, tief unten brausend den Weg bahnt, jenes grauenvolle Morden vollbrachten, indem die Tyroler, in den Felsenhöhlen verborgen, auf die Baiern, welche den Paß gewinnen wollten, mit höllischem Lustgeschrei herabfeuerten, welche getroffen in die Tiefe herabstürzten, ohne je sehen zu können, woher die Schüsse kamen. Dieses höchst schändliche Beginnen, welches mehrere Tage und Wochen fortgesetzt wurde, suchte man durch eine Capelle auf der Baiern Seite und durch ein rothes Kreuz auf der Tyroler Seite zum Theil zu bezeichnen und zum Theil durch solche heil'gen Zeichen zu sühnen. Du herrlicher Christus, zu wieviel Schandthaten mußt du dein Bild herleihen, Du selbst das gräßlichste Denkmal der menschlichen Verworfenheit, da stellen sie dein Bild auf, als wollten sie sagen. Seht! Die vollendetste Schöpfung des großen Gottes haben wir mit frechen Füßen zertreten, sollte es uns etwa Mühe kosten, das übrige Ungeziefer, genannt Menschen, mit leichtem Herzen zu vernichten?«

Die gewaltige doppelte Schlußhuldigung der ALLMACHT, die den Sinn der Dichtung befestigt und erweitert, vermag, wie fast ausnahmslos die gesteigerten Wiederholungen Schuberts, besondere Wirkung zu erzielen. Mit unbeirrbarem Griff sind unterschiedlichste Ausdrucksnuancen wie Pathetik, Schwärmerei und dramatische Hochspannung zusammengezwungen. Bei allen

Berechtigung, die besonders große Stimmen immer zu diesem Lied gezogen hat, sollten die häufigen Lyrismen und vorgeschriebenen Pianissimi nicht vergessen werden. Denn nur allzu schnell pflegt das Stück den Brünnhilden-Stimmen zum Opfer zu fallen. Natürlich wird ein großes, umfangreiches Organ gefordert, aber eindringlicher noch Intensität des Ausdrucks und sinnerfüllte Belebung. Es ist nicht damit getan, die Größe Jehovas und seine Offenbarung in der Natur posaunenhaft tönen zu lassen. Schon bald nach Beginn taucht nämlich jenes liebliche As-Dur des »sternbesäten Himmels« auf, und die Allmacht »noch fühlbarer« zu künden, ist entscheidend. Auch der Schluß ist nach innen gewandt, und wenn das Flehen »empor« dringt, so soll der Spitzenton nicht aufdringlich schmettern, sondern aus der Tiefe der Empfindung stammen, um »Huld und Erbarmen« zu erhoffen. Dann wirkt das letzte »Groß ist Jehova, der Herr« in seiner kolossalen Steigerung um so überzeugender. Nicht bloß geschaut ist Gott hier, sondern auch vom ganzen Menschen erfüllt.

In dem von Bruder Ferdinand gewünschten Reisebericht erfahren wir noch von der Station Salzburg und zugleich von der Ahnung des Vorrückens nachschaffender Musiker in die Region schöpferischen Gestaltens. Franz schreibt:

»Und nun geht es durch einige herrliche Alleen in die Stadt selbst hinein. Festungswerke aus lauter Quadersteinen umgeben diesen so berühmten Sitz der ehemaligen Churfürsten. Die Thore der Stadt verkünden mit ihren Inschriften die verschwundene Macht des Pfaffenthums. Lauter Häuser von vier bis fünf Stockwerken erfüllen die breiten Gassen und an dem wunderlich verzierten Hause des Theophrastus Paracelsus vorbei, geht es über die Brücke der Salzach, die trüb und dunkel mächtig vorüberbraust. Die Stadt selbst machte einen etwas düsteren Eindruck auf mich, indem ein trübes Wetter die alten Gebäude noch mehr verfinsterte, und überdies die Festung, die auf dem höchsten Gipfel des Mönchsberges liegt, in alle Gassen der Stadt ihren Geistergruß herabwinkt. Da leider gleich nach unserer Ankunft Regen eintrat, welches hier sehr oft der Fall ist, so konnten wir, außer den vielen Palästen und herrlichen Kirchen, deren wir im Vorbeifahren ansichtig wurden, wenig zu sehen bekommen. Durch Herrn Pauernfeind, ein dem Herrn v. Vogl bekannter Kaufmann, wurden wir bei dem Grafen von Platz, Präsident der Landrechte, eingeführt, von dessen Familie, indem ihnen unsere

*Namen schon bekannt waren, wir freundlichst aufgenommen
wurden. Vogl sang einige Lieder von mir, worauf wir für den
folgenden Abend geladen und gebeten wurden, unsere sieben
Sachen vor einem auserwählten Kreise zu produzieren, die denn
auch unter besonderer Begünstigung des schon in meinem ersten
Briefe erwähnten Ave Marias allen sehr zu Gemüte gingen. Die
Art und Weise, wie Vogl singt und ich accompagniere, wie wir
in einem solchen Augenblicke Eins zu sein scheinen, ist diesen
Leuten etwas ganz Neues, Unerhörtes.«* *

Auch in Linz ereigneten sich rührende Szenen unter den Hörern.
Einmal sogar mußte das Konzert abgebrochen werden, »*da nach
dem Vortrag einiger wehmütiger Lieder der gesamte Frauen-
und Mädchenkreis in Tränen schwamm und selbst die Männer
die ihrigen kaum zurückhalten konnten*«. Spaun spricht hier von
der großen Novität der sieben Scott-Gesänge, für die sich inzwischen sogar ein debütierender Wiener Verleger interessierte,
der Schubert um einen »Anfänger«-Preis bat. Es handelt sich
um den Geschäftsführer des soeben eröffneten Musikverlages
Tennauer, dem Schubert, bevor er nach Oberösterreich abreiste,
noch Suleika II, Nacht und Träume, Die junge Nonne sowie
die a-Moll-Sonate überlassen hatte. Nach Lachners Aussage
bezog Schubert den »Anfänger« verärgert auf seine Person, und
die Firma hatte, was den Scott-Zyklus angeht, das Nachsehen.
Die kommerziell ja nicht uninteressante, zweisprachig zu singende Liedersammlung erschien nun bei Artaria.

Auf der Reise erhielt Die junge Nonne ihre endgültige Fassung. Aber vor allem das, unsinnigerweise in manchen Ausgaben Schiller untergeschobene, Gedicht von Collin Nacht und
Träume erweist sich als eines der bezauberndsten Adagio-Lieder
Schuberts. Hier handelt es sich nicht um das einzige Schubert-
lied, in dem der Atem zu solchen Weiten sich ausspannt, daß
der Vierviertaltakt die Langsamkeit kaum mehr fassen kann.
Sie sind von Heimweh nach dem Reinen und von Hingabe erfüllt, und nur der maßhaltende Rhythmus bewahrt vor dem
Überfließen ins Grenzenlose. Melodie und Rhythmus ziehen
gemeinsam die Linie, die nachzuvollziehen jedem Hörer innere
Befreiung schafft. Aus den ruhigen, tief gelegenen Begleitakkorden führt die langgesponnene Gesangsmelodie im zweiten
Teil in das lauschende (»die belauschen sie mit Lust«) G-Dur und

---

* Mozarts Name taucht kurioserweise in dem Bericht nicht auf.

kehrt mit unwirklicher Schönheit in die Anfangstonart H-Dur zurück, bis die Musik raunend verstummt. Im Ausklingen scheint der meditierende Sänger betend niederzuknien. Der erste Teil wird vom zweiten durch die Terzrückung abwärts geschieden, zugleich aber durch Verwandtschaft von H-Dur und G-Dur verbunden. Der Schluß klingt an den des ersten Teils an, so daß Geschlossenheit gewahrt ist. Keine andere Lautstärke als pp ist vorgeschrieben, was nicht heißen soll, daß die Stimme nicht in kaum merklichem Anwachsen, etwa bei der »Lust« des Belauschens der Träume in der Mittelstrophe, dem Text folgen dürfte. Schubert hat solche interpretatorischen Möglichkeiten in vielen Fällen offengelassen. Nach jahrzehntelangem Verschollensein entriß der Baritonist Johannes Messchaert das herrliche Musikstück, das einen würdigen Nachruf Schuberts auf den im Vorjahr verstorbenen Freund Matthäus von Collin darstellt, der Vergessenheit.

Im gleichen September 1825 las Schubert das Schauspiel »Lacrimas« des Wilhelm von Schütz (1776—1847) und komponierte zwei der eingestreuten Singnummern. Die beiden Gesänge DELPHINE und FLORIO werden in der Peters-Ausgabe irrtümlich dem älteren Schlegel zugeschrieben, ein Fehler, der sich bereits in der ersten Drucklegung von 1829 findet. Der Landrat von Schütz war seit 1811 Privatier und gab sich literarhistorischen Studien und politischer Schriftstellerei hin, wurde aber vor allem als Herausgeber der ersten deutschen Casanova-Ausgabe (F. A. Brockhaus, Leipzig 1822—1828) bekannt. Daß er später in unheildrohenden Zeiten Gegenstand der Doktorarbeit eines gewissen Joseph Goebbels werden sollte, mutet grotesk an. — Dem leichtfüßigen Ständchen FLORIO, das den wehmütigen Tönen des Gedichts wenig Raum gibt, folgt ein als unaufführbar verschrienes, auf steter Bewegung im Klavier basierendes Liedmonstrum. DELPHINE, dieser Liebesgesang eines dramatischen Soprans, wird als zu gleichförmig in Gestik und Ausdruck gefürchtet. Aber bei der einzigen Begegnung in einem Liederabend der Eleanor Steber, einer Sängerin, die stets auf der Suche nach Ausgefallenem ist, hatte ich den Eindruck, daß einer voluminösen Stimme hier besondere Wirkungsmöglichkeiten geboten werden. Die interessantesten musikalischen Bildungen finden sich dort, wo es um das Ausschöpfen einer in sich kontrastreichen Stimmung geht, um Verwirrungen des Affekts oder Sinnestrübungen. »Wie kann mich mit Schmerz so bestreuen die Freude?« Bevor sich der vorangegangene Septakkord lösen kann, wird auf »Freude« der neapolitanische B-Dur-Akkord wie ein Keil hineingetrieben, dessen eigenes »Fürsichleuchten« der Freude ein grelles Licht gibt. Das Tonalitätsgefühl weitet sich, die Kadenz streckt sich und der Klang wird selbständig. Für solche in die Neuzeit gerichtete Romantik gibt es bei Schubert noch weit kühnere Belege

Am 29. Oktober 1825 zahlte der Verleger Artaria Schubert eine ansehnliche Summe (etwa 100 Mark heutiger Währung) für die Scott-Lieder, die tatsächlich wunschgemäß der Gräfin Sofie von Weißenwolf, geb. von Breunner (1794—1847), als Opus 52 gewidmet wurden. Der englische Text stand an erster Stelle, nur bei NORMANS GESANG scheiterte der Übersetzer an den Versmaßschwierigkeiten, und man entschloß sich zu einer selbständigen deutschen Neufassung, die sich mit dem englischen Rhythmus deckt. Die durchgehend galoppierenden, punktierten Rhythmen in NORMANS GESANG sind eine harte Anforderung an die Handgelenke des Pianisten und eine lohnende Aufgabe für die Sprechtechnik des Sängers. Der Wortreichtum wird durch diesen brisanten Galopp geschickt aufgefangen, und das Lied huscht im Nu vorüber. Kein Wunder, wenn Ottenwalt an Spaun berichtet: »*Vogl trägt es selbst schwer, doch herrlich vor, auf jede Note eine Silbe, häufig ein Wort.*«

Man nimmt an, daß die wahrscheinlich von Schober stammende Karikatur auf dieser Reise entstand, die so viel aussagt: Der Sänger setzt sich in Szene, hinter ihm verschwindet fast der scheue, bescheidene Liederlieferant und Klavierspieler.

Am 3. Oktober feierte man bei Anton von Spaun die letzte Linzer Schubertiade, um sich dann zu trennen: Vogl fuhr in Begleitung eines alten Freundes nach Italien, Schubert ging mit Gahy nach Wien zurück, wozu der gemietete Einspänner drei Tage benötigte. Franz sollte die geliebten Gegenden nie wiedersehen.

Nach der Rückkehr aus Oberösterreich verbrachte Schubert lange Abende mit den Freunden, sträubte sich aber gegen das Anerbieten Bauernfelds oder Schwinds, eine gemeinsame Behausung mit ihnen zu haben. Er wollte sein altes Zimmer Auf der Wieden nicht verlieren:

»*Was unser Zusammenleben betrifft, so wäre mir's zwar sehr angenehm, da ich aber dergleichen Junggesellen- und Studenten-pläne schon kenne, so möchte ich nicht gerne, daß ich am Ende zwischen zwei Stühlen auf der Erde säße.*«

Das Bedürfnis, nun nicht mehr völlig in Geselligkeit aufzugehen, sich in die eigenen vier Wände zurückziehen zu können, noch freier und konzentrierter seiner Arbeit zu leben, hatte sich schon im Februar dieses Jahres bei der Vertonung von Baron Schlechtas Gedicht DES SÄNGERS HABE ausgesprochen. Mit trotzig abwehrender Gebärde setzt die Anrufung an die Umstehenden ein, um sich immer mehr in das träumerische Anhören der symbolischen Zither zu vertiefen, die hier das Sinnbild des Komponierens verkörpert.

> Schlagt mein ganzes Glück in Splitter,
> nehmt mir alle Habe gleich,
> lasset mir nur meine Zither,
> und ich bleibe froh und reich.
>
> Wenn des Grames Wolken ziehen,
> haucht sie Trost in meine Brust,
> und aus ihrem Golde blühen
> alle Blumen meiner Lust.
>
> Will die Liebe nicht gewähren,
> Freundschaft brechen ihre Pflicht,
> kann ich beide stolz entbehren,
> aber meine Zither nicht.
>
> Reißet meines Lebens Sehne,
> wird sie mir ein Kissen sein,
> lullen mich die süßen Töne
> in den letzten Schlummer ein.
>
> In den Grund des Tannenhaines
> senkt mich leise dann hinab;
> und statt eines Leichensteines
> stellt die Zither auf mein Grab,
>
> daß ich, wenn zum stillen Reigen
> aus des Todes dunk'lem Bann
> mitternachts die Geister steigen,
> ihre Saiten rühren kann.

Aber wenn er mit den Freunden zusammen war, ließ er keinen Abstand merken. Jetzt, da er aus dem Verkauf der neuen Scott-Lieder zum ersten Mal einen zufriedenstellenden Erlös erreicht hatte, wurde das Geld, wie im folgenden Bauernfeld erläutert, geteilt:

»Natürlich, daß Schubert unter uns die Rolle des Krösus spielte und ab und zu in Silber schwamm, wenn er etwa ein paar Lieder an den Mann gebracht hatte oder gar einen Zyklus, wie die Gesänge aus Walter Scott, wofür ihm Artaria 200 Gulden bezahlte, ein Honorar, mit welchem er höchlich zufrieden war, auch gut damit haushalten wollte, wobei es aber, wie stets bisher, beim guten Vorsatz blieb. Die erste Zeit wurde flott gelebt und traktiert, auch nach rechts und links gespendet — dann war wieder Schmalhans Küchenmeister! Kurz, es wechselte Ebbe und Flut!«

In einem Brief vom 27. November 1825 bemerkt Ottenwalt an seinen Schwager: »Von Schubert wüßte ich nichts Dir und uns Neues zu sagen; in seinen Werken offenbart sich der Genius, der Göttliches schafft, unverwüstlich durch die Affektationen einer lebhaft begehrenden Sinnlichkeit, und für Freunde scheint er ein wahrhaft treues Gemüt zu haben. Er ist heiter, und so hoff' ich, auch gesund.«

Häufiger Gastgeber Schuberts war der Hofrat Raphael von Kiesewetter. Der Vizepräsident der Gesellschaft der Musikfreunde — einige Zeit Schüler Salieris — lockte nicht allein mit seinem dilettierenden Singen, er hatte auch eine ihn hervorragend begleitende Tochter Irene, die Franz gebührend anschmachtete. Allerdings dürfte kaum etwas Wahres an der schon von den Zeitgenossen aufgebauschten Romanze sein, die so willkommen den mangelnden Sentimentalstoff in Schuberts Leben aufzufüllen geeignet scheint. Vielmehr waren die Beziehungen sehr wahrscheinlich ebenso artig wie die Irene gewidmeten Werke, ein Chorstück und eine italienische Kantate. Immerhin könnte die pulsierende Vertonung des Gedichts von Ernst Schulze AN MEIN HERZ eine versteckte Aufwallung andeuten. Der tragische Ton des Unerfüllten klingt hier verhalten aus der Kleinvariation der unruhigen Begleitung zu »Was schlägst du so unruhvoll? Es ist ja des Himmels Wille, daß ich sie lassen soll«. Wenn eine kurze Auflichtung nach Dur eintritt, wird dennoch die Erregung kaum gemeistert.

Auch Sophie Müller erhielt wieder Schuberts Besuch, und die Schauspielerin schreibt am 6. Dezember 1825 in ihr Tagebuch:

»Schubert kam auch, so ward musiziert bis halb zehn Uhr. Eine vierhändige Ouvertüre und seine letzten Compositionen aus W. Scotts ›Fräulein vom See‹ gefielen mir sehr.«

Am 1. Januar 1826 notiert sich Bauernfeld ins Tagebuch: »*Silvester bei Schober ohne Schubert, der krank war . . .*«

Schubert hatte sich zwar nach der anfänglichen Neurasthenie wieder gefunden, aber er litt auch weiterhin an heftigen Kopfschmerzen und anderen Störungen, deren venerischen Ursprung er nur zu gut kannte.

In dieser Zeit nun setzte Schubert zum vierten und fünften Mal Goethes Lied der Mignon aus »Wilhelm Meister« in Töne. Vier andere Versuche sind, wie wir wissen, im Laufe der Jahre vorausgegangen. Zwei einstimmige Gesänge, ein Männerquintett und die dem Original am nächsten kommende Duett-Fassung. Denn »als unregelmäßiges Duett« wird es im »Wilhelm Meister« »mit dem herzlichsten Ausdrucke« gesungen, was denn auch als zutreffendste Vortragsbezeichnung für dieses Lied empfohlen werden sollte. Das Gedicht mag einiges von der Intimität seiner Mitteilung verlieren, wenn zwei es singen, und sicher entstand das Gedicht, bevor es in den Roman eingegliedert wurde. Aber die Schönheit der Musik des Zwiegesangs übertrifft alles, was Schubert in den Sololiedern zu diesen Worten erfunden hat. Sicher empfand er den Text aus eigenstem Erleben nach. Die letzte Solofassung nun von »Nur wer die Sehnsucht kennt«, im Hauptteil rührend einfach, im Mittelsatz dramatisch angehoben, drückt die Schwermut in äußerster Schlichtheit aus. — Zurückhaltender und mit keuscher Verschlossenheit gibt sich das Moll-Stück »Heiß' mich nicht reden«. Bei dem Wort »Geheimnis« macht die Melodie eine Wendung nach Dur, verweilt aufatmend und kehrt dann resigniert in die Grundfarbe zurück. Flutende Melodik belebt die mittlere Partie, im Dur der letzten Strophe »ein jeder sucht im Arm des Freundes Ruh'« spricht sich Schuberts Eigenstes aus. Rezitativische Pathetik hebt das Lied dann in geheimnisvolle Größe. Die müde Sehnsucht der Schlußworte verlangt eine Gestalterin, die ihre Kopfresonanz ohne Koketterie ganz in den Dienst der Worte zu stellen vermag. Die strophische Form scheint Schubert zu eng geworden, und obwohl sich die Musik ganz nach innen wendet und auch die Zeilen des Dichters klar nachvollzieht, fällt die zweite Strophe anders als die erste aus. Die dritte erinnert sich nur von fern an die erste und macht auch Ausflüge in entschieden deklamatorischen Stil. Der Todesrhythmus geistert durch das Lied und deutet auf die dunkle Beziehung zwischen Tod und Liebe. — Mignons Abschied So lasst mich scheinen drückt einfacher in der Struktur als variierter Strophengesang das Halbjenseitige mit kindlichem Ton aus. Nichts von Todesbangen ist zu spüren. Die Mollwendungen erscheinen vorübergehend wie ein Schwinden trüber Erinnerung vor beglückendem Ausblick.

Es ist charakteristisch, daß auch diesmal die Gesänge Mignons und des Harfners die leichteren und lockeren Philine-Lieder ausklammern. Schubert erreicht nur die Grenzen des Anmutigen, höchstens Schalkhaften, aber er geht nicht darüber hinaus. Darin haben seine romantischen Zeitgenossen und Nachfolger, so Loewe, Schumann und Wolf, die Welt seiner Lieder vervollständigt. Schubert hat die Lieder nach eigenem Urteil beim ersten Mal nicht bewältigt oder sie seither überholt gefunden. Jahre liegen zwischen den früheren und diesen Fassungen. Man hat den Eindruck, er hätte auf die rechte Stunde gewartet, um sie mit Gültigkeit zu singen, um das Geheimnis aufklingen zu lassen, das »nur ein Gott aufzuschließen vermag«.

Schubert sang am 25. Januar 1826 bei Sophie Müller, in deren Hietzinger Villa er häufiger Gast war, »Lieder aus Ernst Schulzes Gedichten«. Die junge Schauspielerin und Sängerin las solche Lieder wie DIE JUNGE NONNE, DIE ROSE, LIED DER ANNE LYLE und ELLENS GESÄNGE vom Blatt; sie müssen ihrer Stimme sehr gut gelegen haben, wenn man Hüttenbrenners Zeugnis liest, sie habe gerade diese »am herzlichsten« gesungen. Sophie Müller starb bereits ein Jahr nach Schuberts Tod.

Der erwähnte Ernst Schulze (1789—1817) aus Celle hatte zahlreiche Gedichte veröffentlicht, obwohl sein eigentlicher Beruf der eines Privatdozenten der Philologie in Göttingen war. Er hatte 1814 an den Befreiungskriegen teilgenommen.

Ernst Schulze

Schubert war in diesen Frühlingstagen 1826 von Schulzes Versen so angetan, daß er dann in seiner Wohnung in der Nähe der Karlskirche neun Lieder und ein Ensemble zu ihnen komponierte. Der Name Ernst Schulze war ihm längst vertraut und in guter Erinnerung. Erst im Vorjahr hatte er sich von Bauernfeld ein Opernbuch nach Schulzes »Bezauberter Rose« gewünscht, das nie geschrieben wurde. Unauffindbar ist das Libretto, das Schuberts Arzt, Dr. J. Bernhardt, dazu verfaßte. Diese Bearbeitung des Stoffes hatte Schubert 1824 mit nach Ungarn genommen, aber wahrscheinlich wieder beiseitegelegt. Bauernfeld, der mit Sicherheit um die Schwächen des Stückes im Dramatischen wußte, mag aufgeatmet haben, als Franz von Schober ihm im Juni 1826 schrieb: »*Die Zauberrose ist Dir schon weggenommen, der Bürgermeister von Teplitz hat sie operalisch verarbeitet.*«

Der Name dieses Liebhaberkomponisten war Joseph Matthias Wolfrum, dessen Opus noch bis in unser Jahrhundert hinein über die Bühnen ging.

Schuberts Lieder nach Schulze sind zumeist lang, nicht in der reihenden Manier aus den Tagen seiner Jugendkantaten, sondern in einer Art schonungslosem Durchziehen eines musikalischen Gedankens über lange Strecken, ohne formale Rücksicht auf Wechsel der Stimmung. »Und mit mir wandert meine Qual, will nimmer von mir scheiden«, heißt es im Munde des einsamen Wanderers bei IM WALDE, und die verhältnismäßig milde Reflexion des Poeten verwandelt Schubert in ein, von Nachdenklichkeit fernes, vorwärtsstürmendes Verzweifeln. Ähnlich wie bei des »Winterreisenden« ERSTARRUNG hören die eilenden Triolen nie auf, und wenn dort nach Blumen als Zeichen der Wärme gesucht wird, bleibt die Pflanze hier unbeachtet am Wegesrand; sie kann den erhofften Trost nicht spenden.

Alle Schulze-Gedichte sind dem »Poetischen Tagebuch« entnommen, das am Beginn des dritten Bandes der bei Brockhaus erschienenen Gesamtausgabe zu finden ist. »Ich wand're über Berg und Tal« hat unter dem Datum des 22. Juli 1814 die Überschrift »Im Walde über Falkenhagen«. Es ist wohl der Wald von Seulingen bei Göttingen gemeint, wo der Dichter unruhvoll die Wiesen und Felder durchstreift. Und es ist natürlich kein Zufall, daß die Textzeilen »Wo find' ich eine Blume, wo find' ich grünes Gras« aus dem WINTERREISE-Lied ERSTARRUNG den Schlüssel zu den verwandten, wie eine Vorstudie anmutenden Klängen dieses Liedes nach Schulze bieten.

Dessen dichterisches Schaffen wurde entscheidend durch die Liebe zu der schönen, klugen Caecilie Tychsen bestimmt, die unter der Anleitung von Forkel viel Bach auf dem Klavier spielte und Schulze zu den 27 Strophen seines Gedichts »Sebastian Bachs Apotheose« und zu einem Hymnus an die Heilige Cecilie und zu Versen über »Musikalische Phantasie« anregte, die der Dichter mit der Bemerkung begleitet: »*Es ist ein Versuch, die verschiedenen Eindrücke, die eine reiche musikalische Komposition auf unser Gefühl macht, in Gedanken und Worte zu kleiden. Zur Vollkommenheit läßt sich freilich ein solcher Versuch nie bringen, weil die Tonkunst zu mystisch für die klare Anschauung ist. Die Veranlassung gab die chromatische Phantasie von Sebastian Bach, einem Künstler, den die einsichtsvollsten Beurtheiler für den größten Harmonisten aller Zeiten anerkennen.*«

Zu bedauern ist, daß sich Schubert und Schulze nicht kennenlernten. Der Dichter folgte seiner kaum 18jährig verstorbenen Geliebten bereits 1817 als Opfer einer Lungenschwindsucht in den Tod. Wie sehr seine Dichtung Schuberts eigener Welt entsprach, erhellt nicht zuletzt daraus, daß Schubert diese Lyrik heranzog, um den Typ des variierten Strophenliedes zu vervollkommnen, das eine so wesentliche Rolle in seinem letzten Schaffensabschnitt spielt. Noch kurz vor seinem Tode empfahl Schubert dem Verlag Schott in Mainz neben Liedern nach Goethe, Schiller, Schlegel gerade die Schulze-Lieder zum Druck.

In dem stürmischen d-Moll von ÜBER WILDEMANN, dessen Titel ein Bergstädtchen am Harz bezeichnet, brechen sich Akkorde tosend, und eigenwillige Sforzati streifen dämonische Bezirke. »Ich muß vorüber mit wildem Sinn und blicke lieber zum Winter hin« macht auch vom Text her die musikalische Nähe zur WINTERREISE verständlich. Satzweise und Singart des Johannes Brahms klingen bereits an. — Von großer Beseelung ist das B-Dur in UM MITTERNACHT. Die Zeilen »Keine Stimme hör' ich schallen, keinen Schritt auf dunkler Bahn« stehen für die sanfte, tonmalerische Ekstatik, der auch ein Nonensprung in der Singstimme dienstbar gemacht wird. Es mögen die vielen Strophen sein, die diese Hymne nicht ganz frei von Monotonie erscheinen lassen. — Immer näher kommen wir dem großen Spätzyklus: Da ist AN MEIN HERZ, in dem die synkopisierten a-Moll-Akkorde das aufgewühlte Herz schildern. Jedem Verehrer der WINTERREISE sei dies gänzlich unbekannt gebliebene Juwel zur verspäteten Bekanntschaft empfohlen. — Noch mehr aus den Innenbezirken des Zyklus scheint TIEFES LEID zu stammen. »An einem Ort nur find' ich Frieden, das ist der Ort, wo alles ruht.« Die Ähnlichkeiten zu RÜCKBLICK erstrecken sich auch auf Wortbezüge, wenn der Dichter etwa von der »Unbeständigen Welt« spricht. So muß Schubert die Musik von TIEFES LEID wieder in den Sinn gekommen sein, als er in RÜCKBLICK an die Stelle von der »Stadt der Unbeständigkeit« gelangte. — Etwas weniger pathetisch und leidvoll geht es im LIEBLICHEN STERN zu. »Wohl und Wehe« mögen sich vielleicht etwas zu schematisch in Dur und Moll voneinander scheiden. — Das anmutigste der Schulze-Lieder ist IM FRÜHLING, dessen ruhig-fließende Bewegung vom Zauber der Naturstimmung durchdrungen ist. Zwei der bekanntesten Melodien verwirklichen hier, mehrfach ausdrucksvoll verändert, die deutsche Romantik. Feingliedrig ist die Zeichnung. Das Prinzip der Variation tritt hauptsächlich in Kombinationen der Begleitfiguren, der Rhythmik und besonders des harmonischen Lebens hervor. Die sechs Strophen fügt Schubert paarweise zusammen, wobei jede der so gewonnenen Abteilungen zwei miteinander verwandte Melodien enthält, die immer wiederkehren. Besonderen Reiz hat es, daß das Klaviervorspiel die zweite des ersten Melodiepaares vorankündigt, eine Methode, von der später ungezählte Chansons in den Salons profitierten. Nicht der klagend sentimentalische Ton des Dichters ist in die Musik herübergenommen, Stille und Beglückung eines Frühlingsmorgens wird vielmehr durch Schubert Klang.* Es kam Schulzes Gedichten zugute, daß sich Schubert gerade in jenen Jahren 1825/26 dieser lyrischen Texte annahm, in den Jahren also, in denen kaum eine Notenzeile den genialen Zugriff vermissen läßt. Wurde in IM FRÜHLING völliger Zusammenklang von Wort und Musik Ereignis, so bleibt es verwunderlich, daß das Zwiegespräch von BLUME UND QUELL unvollendet blieb.

Schubert und Schulze nahmen beide an den politischen Spannungen ihrer Zeit Anteil, beide fanden sich im Ton der Resignation, wenn Schubert die Gedanken

> Gewagt und gewonnen!
> schrieb mancher aufs Schwert;
> gewagt und zerronnen!
> ist mir nur beschert

für einen seiner schönsten Männerchorsätze nutzte.

Im April 1826 fand eine große Schubertiade mit Musikanten und Malern statt, bei der man das im Vorjahr entstandene Lied TOTENGRÄBERS HEIMWEHE nach einem Gedicht des Jakob

* Einen Monat nach seinem Tod erschien IM FRÜHLING als Anhang zur Wiener Zeitschrift für Kunst.

Craigher erstmals darbot. Jakob Nikolaus Reichsfreiherr von Craigher de Jachelutta (1797—1855) war Kaufmann und wurde später belgischer Konsul in Österreich. Zu seinem Vergnügen bereiste er den Orient und schrieb Gedichte oder Übersetzungen aus dem Englischen. Der Lyriker stand Friedrich Schlegel, Zacharias Werner und anderen Romantikern nahe. Alle drei Craigher-Kompositionen entstanden 1825. TOTENGRÄBERS HEIMWEHE sollte einen besonderen Ehrenplatz unter den deutschen Liedern einnehmen — aber es mußte sich bereits mit der Drucklegung bis nach des Meisters Tod gedulden, ehe man ihm die sozusagen kommerzielle Lebensfähigkeit zusprach. Bis heute erinnert man sich nur selten daran, was uns diesen Ausdrucks-Gefährten der Symphonien Bruckners kostbar macht. Der Eindruck stößt sich auch etwas an der Schwierigkeit, den Singenden, also Schubert, mit dem selbst damals schon nicht mehr modischen Totengräber und seinem Wehe zu identifizieren. Was musikalisch vorgeht, ist von mitreißender Gewalt, schaufelnde Baßbewegung im Dunkeln durch Akzente schon in der Notenschrift dem angebrachten, dem geforderten Rubato nähergeführt, schafft die Grundierung, aus der das Lied sich entwickelt. Dieses unstete Vierachtel-Motiv wandelt sich im Verlauf zur entrückten Mystik des Todesrhythmus, so die Vereinigung des so ungern Lebenden mit den Vorausgegangenen versinnbildlichend.

Verwiesen sei hier auf die knappe Formanalyse, die Hans Joachim Moser in seinem »Deutschen Lied seit Mozart« von

Jakob Nikolaus Freiherr v. Craigher

diesem und einigen anderen Schubert-Liedern gibt, sie könnten nicht übersichtlicher und einleuchtender sein. Bei den Interpretationshinweisen, die er im »Sängerstudio« dem Studierenden mit auf den Weg gibt, ist die Gefahr der Mißverständlichkeit nicht ausgeschlossen, was uns auch dazu veranlaßte, hier weitgehend auf derartige Vortragswünsche oder Hinweise zu verzichten. Weder die Schallplatte noch das gedruckte Wort können ein individuell auf den lernenden Sänger eingehendes

Studium unter der Überwachung des Lehrers oder des Begleiters ersetzen.

Die Stelle des schwer erkrankten Antonio Salieri hatte inzwischen Joseph Eybler als Hofkapellmeister eingenommen. Schubert beabsichtigte nun, sich um den Posten des Vizekapellmeisters zu bewerben, nachdem schon vergeblich mit zwei auswärtigen Kandidaten verhandelt worden war. Sein Gesuch wandte sich unmittelbar an Kaiser Franz II. und enthält unter anderem folgende Begründungspunkte:

»4. Ist sein Name durch seine Gesangs- und Instrumental-Kompositionen nicht nur in Wien, sondern auch in ganz Deutschland günstig bekannt ... 6. genießt er endlich gar keine Anstellung und hofft, auf dieser gesicherten Bahn sein vorgestecktes Ziel in der Kunst erst vollkommen erreichen zu können. Der allergnädigsten Bittgewähr vollkommen zu entsprechen, wird sein eifrigstes Bestreben sein. Unterthänigster Diener Franz Schubert.«

Schubert kann dieses Angebot, seine Freiheit gegen eine Staatsstellung einzutauschen, wohl nur mit halbem Herzen gemacht haben. Nachdem er vor nicht langer Zeit erst das Amt des Vize-Hoforganisten ausgeschlagen hatte, das ihn leicht zu der jetzt gewünschten Position geführt hätte, erscheint seine Bewerbung jedenfalls in einem eigenartigen Licht. Immerhin: eine mehr nüchtern-kritische Lebensauffassung schien bei ihm Platz gegriffen zu haben, denn er hatte sich Josef Hüttenbrenner gegenüber auch so geäußert: *»Mich soll der Staat erhalten, ich bin für nichts als das Komponieren auf die Welt gekommen.«*

Bis zum Januar 1827 wartete Schubert, um dann zu erfahren, daß unter den zwölf Bewerbern der bereits pensionierte Josef Weigl erwählt wurde, dem man nur eine geringe Summe zuschießen mußte und so Geld einsparte. Eine typisch wienerische Lösung. Schubert meint dazu lakonisch: *»Da ein so würdiger Mann wie Weigl es geworden ist, muß ich mich wohl zufrieden geben.«*

Ein Text, den er sich unter den Gedichten Ernst Schulzes zur Vertonung heraussuchte, LEBENSMUTH, mag seine Stimmung dieses Augenblicks wiedergeben:

> O, wie dringt das junge Leben
> kräftig mir durch Sinn und Herz!
> Alles fühl' ich glüh'n und streben,
> fühle doppelt Lust und Schmerz.

> Fruchtlos such' ich euch zu halten,
> Geister meiner regen Brust!
> Nach Gefallen mög't ihr walten,
> sei's zum Leide, sei's zur Lust.
>
> Dieses Zagen, dieses Sehnen,
> das die Brust vergeblich schwellt,
> diese Seufzer, diese Tränen,
> die der Stolz gefangen hält,
>
> dieses schmerzlich eitle Ringen,
> dieses Kämpfen ohne Kraft,
> ohne Hoffnung und Vollbringen
> hat mein bestes Mark erschlafft.

Die scheinbar gesunde Kraft, wie sie die Anfangsverse suggerieren, trügt, auch hier stehen zwei der fünf Strophen in der Mollparallele. (Die Liedertitel bei Schulze stammen meist von Schubert, da über den Gedichten lediglich Datenangaben stehen.)

Die beiden letzten Lieder nach August Wilhelm Schlegel sind sicher nur schöpferische Randergebnisse dieser Zeit. »Der Freude leises Aufgebot« in WIEDERSEHEN kann wenigstens seinen Charme entfalten, wenn dem reinen Strophenlied ein oder zwei der unbrauchbaren Wiederholungen weggenommen werden. Aber die länglichen acht auskomponierten Strophen des ABENDLIED FÜR DIE ENTFERNTE muß man tolerieren, da Schubert nur eine einzige Strophe aus Schlegels ermüdenden Meditationen fortließ. Selbst der graziöseste Nachempfinder muß da in Verlegenheit geraten. Der letzte Vierzeiler mag es Schubert angetan haben, denn er könnte selber gesagt haben:

> Mit hohem Trotz im Ungemach
> trägt es, was ihm beschieden,
> so schlumm'r ich ein, so werd' ich wach,
> in Lust nicht, doch in Frieden.*

Nicht nur beruflich gab es Enttäuschungen. Seit 1816 existierte in Wien eine Tischgesellschaft, in der sich Dichter, Zeitungsleute, Musiker, Maler und Gelehrte ein Stelldichein gaben. Die geschlossene Gesellschaft traf sich fast allabendlich im Gasthaus »Zum Blumenstöckl«, später zog man ins »Pfuntnersche Bier-

---

* 1827 erschien ABENDLIED als Opus 88 Nr. 1.

haus« um. Die Gesellschaft gab sich den märchenhaften Namen »Ludlams-Höhle« und bezog sich dabei auf ein 1817 im Theater an der Wien gespieltes Märchen des Dänen Oehlenschläger. Was sich hier an Humor und Intelligenz zusammentat, kann getrost die geistige Elite Wiens genannt werden. Und da auf den Herrenabenden auch mehrere Dichter verkehrten, die Schubert vertonte, wie Castelli, Grillparzer, Zedlitz, Rückert, Seidl und Rellstab, ganz abgesehen von den Musikern Beethoven, Gyrowetz, Moscheles, Weber oder Salieri, lag es nahe, daß sich Schubert zusammen mit Bauernfeld um Aufnahme bewarb. Aber man verfaßte in dem Vereinslokal auch Zeitschriften, die an einem bestimmten Wochentag der Versammlung vorgelesen wurden, und deren Titel etwa »Fliegende Blätter für Magen und Herz«, »Der Wächter«, »Die Arschwische« lauteten. Die Polizei wurde argwöhnisch und witterte eine Verschwörung. Im April 1826 regnete es bei den Mitgliedern Hausdurchsuchungen, alle Schriften und das schmale Vereinsvermögen fielen der Polizei in die Hände. Nach Schließung der »Ludlams-Höhle« stellte sich heraus, daß man sich gründlich geirrt hatte. Lediglich einige pornographische Karikaturen gaben den Polizeibehörden den fadenscheinigen Vorwand, dem Club das Odium eines »erotischen Geheimbundes« anzuhängen. Schubert und Bauernfeld sahen sich um die Möglichkeit betrogen, von dem geistigen, gesellschaftlichen, vielleicht sogar wirtschaftlichen Auftrieb dieser Eliteversammlung zu profitieren.

Im Sommer 1826 ließ sich Schubert gehen; er faulenzte und trank viel. Er wartete auf sein Operntextbuch »Graf von Gleichen«, mit dem Bauernfeld auch endlich fertig wurde. Am 6. Juni setzten die regelmäßigen Tagebucheinträge der Brüder von Hartmann ein. Man liest: »Nach Walding abgekratzt. Auf dem Weg dorthin die schönsten Schubertischen Lieder gesungen.«

Sophie Müller, die sich in letzter Zeit viele Schubertlieder kopiert hatte, konstatiert am 26. Juni in ihrem Tagebuch, der 57jährige Johann Michael Vogl habe sich mit einer gewissen Kunigunde Rosa verehelicht. Tatsächlich scheinen dem Sänger die Quellenbäder in Gastein und die Italienreise so gut bekommen zu sein, daß er seine Umwelt durch eine späte Heirat in Erstaunen setzen konnte. Die Wahl des reuigen Hagestolzes war auf die Tochter des Hofmalers Rosa gefallen, die gleichfalls nicht mehr die allerjüngste Dame war und auf Schwinds Schubertiade-Bild anmutig verewigt ist. Die Flitterwochen verbrachte

William Shakespeare

das Paar in Steyr, natürlich ohne Schubert, und so kam Franz um die herrliche Musizier-Sommerreise.

Nie hat Schubert eine Fahrt ins Land aus eigenen Mitteln bestritten. Um nun nicht in der Stadt bleiben zu müssen, zog er mit Schwind und Schober nach Währing, wo letzterer ein Häuschen gemietet hatte, da ihm seine Stadtwohnung durch die Einquartierung eines Diplomaten gekündigt worden war. Währing war im Juli 1826 noch ein Dorf außerhalb Wiens. Wie ein Sinnbild des romantischen Wiener Freundschaftsbundes lag das Flieder- und Holunder-Paradies in den Auen des Wienflüßchen am Rande der Stadt, mit Hof und Laube und einem wundervollen Ausblick auf die Berge an der Donau. Man schwärmte, turnte, träumte und schaffte. In schönen Nächten schlief man im Freien. Die neue Freundschaft mit Bauernfeld hatte Schubert zwar nicht zu dem erhofften Opernerfolg verholfen, aber der Dichter machte ihn jetzt mit den Dramen von Shakespeare bekannt.

Man schreibt die Verbreitung der Werke des englischen Dramatikers in Deutschland rechtens den Übersetzern August Wilhelm Schlegel und Ludwig Tieck als historisches Verdienst zu. Aber nicht alle Stücke des Briten waren ins Deutsche übertragen. Mit Hilfe einiger junger Literaten (so Ferdinand Meyerhofer von Grünbühel und Bauernfeld) betrieb der unternehmungslustige Trentsensky, dem auch schon Schwind seine beliebten »Mandlbogen«-Lithographien geliefert hatte, eine »Wiener Ausgabe« von Shakespeares Werken. Bauernfeld vertraute er »Antonius und Cleopatra« und »Die beiden Veroneser« an.

Das Pagenlied AN SYLVIA aus den »Zwei Edelleuten von Verona«, das von Bauernfeld mehr schlecht als recht übersetzt wurde, wollte man schon oft mit anderen, der Musik entsprechenderen Worten versehen, seltsamerweise (auch im Falle Hans Joachim Mosers) ohne den gewünschten Erfolg. Zum Glück konnte der hölzerne Text der Verbreitung des bezaubernden, völlig unprätentiös und improvisiert wirkenden Gesangs nicht ernsthaft hinderlich sein. Dieser bezieht aus dem Reiz des Gegensatzes von gemütvollem Legato des Gesangs und dem Pizzicato der Begleitung seine Wirkung. — Aus »Antonius und Cleopatra« vertonte Schubert das TRINKLIED, dem der Schauspieler Friedrich Reil zum praktischen Gebrauch für die erste Ausgabe noch einen Vers anfügte, der aber in der Gesamtausgabe nicht aufscheint — sicher zu Recht, denn Shakespeare be-

schränkte sich nun einmal auf sechs Zeilen. Ein wenig haben Händel und Mozart (Osmin) bei der Musik Pate gestanden. Das lustige C-Dur-Stück wäre eine dankbare Zugabe. Man kann mühelos das originale Englisch zu Schuberts Musik singen. — »Cymbeline« enthält das berühmte STÄNDCHEN in Schlegels Übersetzung. Die beiden hinzugefügten Verse von Bauernfeld sind entbehrlich. Der entzückende Gitarreneinfall Schuberts gewinnt nur durch die Kürze. Das Lied voll jauchzenden Übermuts zu lachender Begleitung ist um die ganze Erde gegangen, auch in mehreren Orchesterfassungen, so der von Franz Doppler. Nur in diesen drei Fällen forderte Shakespeare den Komponisten Schubert schöpferisch heraus. Eine eigenartige Scheu vor dem großen Dramatiker mag ihn davon abgehalten haben, die »Narrenlieder« oder »Die Gesänge der Ophelia«, eben in Wiener Volksausgaben erschienen, zu vertonen. (Kurz nach Schuberts Tod erschien AN SYLVIA mit drei anderen Liedern von 1827 als Opus 106, der liebenswürdigen Grazer Gastgeberin Marie Pachler gewidmet.) Die Mär, Schubert habe das bekannteste der drei Shakespeare-Lieder AN SYLVIA als Einfall auf die Rückseite einer Speisekarte im Garten der Gastwirtschaft »Zum Biersack« festgehalten, dürfte in den Bereich der Erfindungen gehören. — In dem kleinen, kostbaren Heft mit den bleistiftgezogenen Notenlinien, in dem die Shakespeare-Lieder stehen, findet sich als viertes Stück HIPPOLITS LIED. Der Name der Autorin unter dem Liedtitel, Johanna Schopenhauer (1766—1838), verweist auf die Mutter des großen Philosophen. Aber die Gedichte, die ihrem Roman »Gabriele« eingefügt sind, stammen gar nicht von ihr selbst, wie sie später gestand, sondern von Friedrich von Gerstenbergk. Eine obligate, eintönige Stimme im Klavier begleitet mit reizvollem Mordent den Gesang des einsamen Liebenden. Die Nähe zur WINTERREISE in Inhalt und Ausdruck ist unverkennbar.

Über Bauernfeld soll Schubert nun auch den jungen Wiener Übersetzer Nikolaus Craigher aus Friaul kennengelernt haben, den er bald durch ein regelrechtes Abkommen dazu verpflichtete, Lieder aus dem Englischen, Spanischen, Französischen und Italienischen zu übertragen, und zwar, wie es heißt: »in originalgetreuer Übersetzung«. Ähnlich wie im Falle des Walter Scott, sollten die Texte zweisprachig gedruckt werden — ein seltsam geschäftstüchtig anmutender Plan, der allerdings nicht verwirklicht werden konnte. Für die Vertonung von Scott benutzte Schubert andere Übersetzungen, und das Abkommen mit Craigher hatte keine realen Konsequenzen.

Auch Pläne um den frühverstorbenen Ernst Schulze kamen nicht zur Ausführung, da Bauernfeld in richtiger Einsicht Schubert dazu bewegte, den geplanten Opernstoff »Die bezauberte Rose« fallenzulassen. Aber neben den bereits ausgeführten Gedichten hob Schubert nun auch diesen Lyriker durch seine Vertonung von AUF DER BRUCK ins Zeitlose; es gelang ihm eines der besten seiner vielen Reiterlieder mit leidenschaftlich dahinstürmender Oktavenbegleitung, in der technischen Schwierigkeit dem ERLKÖNIG verwandt.

Auch mit auswärtigen Verlegern scheiterten Schuberts Vorhaben. Er hatte mit dem Schweizer Nägeli Kontakt wegen des Drucks einiger Klavierwerke aufgenommen, aber seine geforderte Vorauszahlung ließ die andere Seite verstummen, nie wieder hörte er etwas darüber. Das kam ungelegen, weil nun wirklich kein Geld mehr verfügbar war. Deshalb ging auch am 10. Juli 1826 eine Absage an Bauernfeld:

»Lieber Bauernfeld! Ich kann unmöglich nach Gmunden oder irgend woanders hinkommen, ich habe gar kein Geld, und geht mir überhaupt sehr schlecht. Ich mache mir nichts daraus und bin lustig. Übrigens komme sobald als möglich nach Wien. Weil Duport von mir eine Oper wünscht, demselben aber die Opernbücher, welche ich gesetzt, gar nicht gefallen, so wäre es herrlich, wenn Dein Opernbuch günstig aufgenommen würde.

*Dann gäb' es wenigstens Geld, wo nicht gar Ehre! Schwind ist
ganz auf den Hund, in Hinsicht Nettels! Schober ist privil. Ge-
schäftsmacher. Vogl hat geheurathet!!! Ich bitte Dich, komme
sobald als möglich!«*

Ende des Monats waren alle Freunde wieder beisammen; aber
außer dem fertigen Opernbuch, das endlich in Schuberts Hände
kam, gab es kaum einen Lichtblick. Die Armut wurde drückend,
einige kleine Zwistigkeiten kamen hinzu. Am 12. August versuchte Schubert gleich bei zwei Verlagen sein Glück. An Breitkopf & Härtel, die im übrigen bei dem Vorschlag von kostenlos
zu übernehmenden Freistücken verharrten, und an den Leipziger
Musikverleger Heinrich Albert Probst ergingen zwei fast gleichlautende Schreiben:

*»Euer Wohlgeboren! In der Hoffnung, daß mein Name Ihnen
nicht ganz unbekannt ist, mache ich hiermit höflichst den Antrag,
ob Sie nicht abgeneigt wären, einige von meinen Compositionen
gegen billiges Honorar zu übernehmen, indem ich sehr wünsche,
in Deutschland soviel als möglich bekannt zu werden. Sie können
die Auswahl treffen unter Liedern mit Pianoforte Begl. — unter
Streich-Quartetten — Klaviersonaten — vierhändigen Stücken
etc. etc. Auch ein Octett habe ich geschrieben für zwei Violinen,
Viola, Violoncello, Contra-Basso, Clarinett, Fagott und Corno.
In jedem Falle es mir für eine Ehre schätzend, mit Ihnen in
Correspondenz getreten zu sein, verbleibe ich, in Hoffnung
einer baldigen Antwort, mit aller Achtung Ihr ergebener Franz
Schubert.«*

Herr Probst antwortete am 26. August: *» . . . bin ich sehr gern
erbötig, zur Verbreitung Ihres Künstlerrufes nach meinen Kräften beizutragen. Nur gestehe ich Ihnen offen, daß der eigene,
sowohl oft geniale, als wohl auch mitunter etwas seltsame Gang
Ihrer Geistesschöpfungen in unserem Publikum noch nicht ge-
nugsam und allgemein verstanden wird. Deshalb bitte ich bei
Übersendung Ihrer Mspte. gefälligst darauf Rücksicht zu nehmen. Lieder mit Auswahl . . .«*

Aber allen Bemühungen Schuberts zum Trotz änderte sich an
seiner Lage nur wenig. Er verehrte dem österreichischen Musikverein seine Gasteiner Symphonie und erhielt eine Vergütung
ehrenhalber von 100 fl. (»ohne Bezug auf dieses Anerbieten«)
zur weiteren »Aneiferung«. Im Oktober vermerkte Bauernfeld:
*»Der Operntext von der Zensur verboten. Schubert will sie
trotzdem komponieren.«*

Am 23. Oktober sang nun der Tenorist Ludwig Tietze (1789 bis 1850) in einer Abendunterhaltung der Musikfreunde das Lied Der Einsame nach einem Gedicht von Carl Lappe (1773—1843). Der pommersche Gymnasiallehrer und spätere Landwirt wurde zum bedeutendsten Lyriker Pommerns. Die beiden Vertonungen nach seinen Gedichten haben den Schüler des Priesters Kosegarten und späteren Eremiten der Vergessenheit entrissen. Der Einsame wird durch Schubert zu einem Loblied der Behaglichkeit. Wie von einem Fagott gespielt, kommt eine biedermeierliche Figur der Singstimme zuvor. Unter fallenden Achtelakkorden des Klaviers rollt die Baßlinie wie die schürende Feuerzange, und gegen Schluß zirpt das Heimchen im gleichen musikalischen Material. Aber neben dem Wohlbehagen wohnt auch verstecktes Leid und Sehnsucht, Schubert betont nicht umsonst »bin ich nicht ganz allein«, und er investiert seine persönliche Grundstimmung in die harmlosen Zeilen. Die hohen Noten der letzten Seite waren eine Version, die erst 1826 bei der Drucklegung durch Diabelli hinzugefügt wurde, denn in der ein Jahr zuvor erschienenen Beilage zur »Wiener Zeitschrift für Kunst« war sie noch nicht enthalten. Das Lied wurde von dem Sänger Alexander Heinemann »wiederentdeckt«. — Die andere Lappe-Vertonung, Im Abendroth ist Ausdruck einer Andacht, die sich der Vergänglichkeit des Lebensglückes ergreifend demütig bewußt wird. Ein Blick auf die simplen As-Dur-Arpeggien, auf die Baßführung zwischen Tonika und Dominante, gibt nur oberflächlichen Aufschluß über den künstlerisch-handwerklichen Entstehungsprozeß solcher Schönheit. Das Gefühl selbst gewinnt auf rätselhafte Weise Gestalt. Der religiöse Geist in dieser Musik ist der eines Naturkindes. Sterne, Berge, Jahreszeiten und Blumen sind ihm Gott. Das Gefühl des entzückten Lebens mit diesen Naturphänomenen teilt sich auch beherrschend in jenen Liedern mit, die rein religiösen Inhalts sind, wie bei den leisen Seufzern hier im Angesicht des Abendrots.

Auch die Burgschauspielerin Antonie Adamberger, beliebt und wegen ihrer Spielkultur gerühmt, sang Schubert-Lieder. Kurz bevor sie sich von der Bühne zurückzog, machte sie Bauernfeld als Mitglied des Schubertkreises mit Grillparzer bekannt. Sie, die selber zu Schubert in keiner näheren Beziehung stand, sang im Oktober 1826 dem Dichter unter anderem den Gesang des Harfners »Wer nie sein Brot mit Tränen aß« und das »Ave Maria« vor. Grillparzer befand sich nach einem Besuch bei

Goethe auf der Rückreise nach Wien, und man traf sich im Kloster St. Florian.

Auch die Schubertiaden nahmen ihren Fortgang. Der aufmerksame Beobachter Franz von Hartmann zeichnet uns in seinem Tagebuch ein Bild davon. Am 8. Dezember schreibt er:

»Ich begab mich um 8 1/2 zu Spaun (der nach fast fünf Jahren nach Wien zurückgekehrt ist), wo erst die zwei Gebrüder und Fritz waren. Dann kam Schubert und spielte ein herrliches, aber melancholisches Stück von seiner Komposition. Endlich auch Schwind, Bauernfeld, Enderes und Schober. Nun sangen Schubert und Schwind die herrlichsten schubertischen Lieder.«

Bei dem Klavierwerk handelt es sich um die Fantasie in G-Dur, die Spaun zum Willkommen gewidmet wurde. Am gleichen Abend erklang auch DAS ZÜGENGLÖCKLEIN nach einem Gedicht Johann Gabriel Seidls, das Joseph Witteczek gewidmet ist. Erst der schon bejahrte Karl Erb hat sich dieses lieblichen Gesangs im Ländlerton wieder angenommen, der bange Fragen beim Anhören des Friedhofglöckleins laut werden läßt. Es war herzbewegend, aus dem Munde des 80jährigen zu hören:

> Aber ist's ein Müder,
> den verwaist die Brüder,
> dem ein treues Tier
> einzig ließ den Glauben
> an die Welt nicht rauben,
> ruf' ihn, Gott, zu Dir!

Und ahnungsvoll klingt die Bitte aus Schuberts Munde:

> Ist's der Frohen einer,
> der die Freuden reiner
> Lieb' und Freundschaft teilt,
> gönn' ihm noch die Wonnen
> unter dieser Sonnen,
> wo er gerne weilt! —

Nach dem vorausgegangenen WANDERER AN DEN MOND folgten im Jahr 1826 zehn weitere Seidl-Vertonungen. Es ist zu hoffen, daß das bisher lediglich als Geheimtip unter Schubertianern beliebte AM FENSTER bald auch weiteren Kreisen bekannt wird. Konzentriert und verinnerlicht folgt Schubert den schönen Zeilen des Dichters, die auf das Anrührendste besonders bei jener Erinnerung zu Musik werden, »als ich in mir allein mich sah und keiner mich verstand«. — Nur ersehnte Bewegung drücken die Triolen in Sehnsucht aus, denn der winterlich im Haus Eingeschlossene kann nur in Gedanken zu seiner fernen Liebe fliegen. Winterreise-Kälte durchweht das Lied, das sich erst gegen den Schluß hin zu rechter Formung bequemen will, wie ja auch der Text sagt:

> Da quält' ich mich so manchen Tag,
> weil mir kein Lied gelingen mag,
> weil's nimmer sich erzwingen läßt
> und frei hinsäuselt wie der West.
>
> Wie mild mich's wieder grad durchglüht!
> Sieh' nur, das ist ja schon ein Lied!
> Wenn mich mein Los vom Liebchen warf,
> dann fühl' ich, daß ich singen darf.

Selbstbekenntnis und Werkstattbericht sprechen aus dieser Vorstudie, die in Erstarrung ihre beste Verwendung finden soll.

Ganz anders die vier »Refrain-Lieder« nach Seidl. Als sie 1828 als Opus 95 der Öffentlichkeit übergeben wurden, pries sie der Verleger Thaddaeus Weigl den Käufern als eine neue und heilsame Bekehrung Schuberts zu volkstümlicheren Tönen an. In der Tat komponierte Schubert die beiden Frauenlieder Die Unterscheidung und Die Männer sind mechant in komischem Coupletton, ob das Mädchen nun dem Burschen keine Treue zusagen kann und dessen Herz dennoch ganz für sich allein haben will, oder ob sie ihrem Zorn über den flatterhaften Liebhaber Luft macht. Die Männerstimme darf in Bei dir allein schwärmen, in kompositorischer und stimmlicher Expansion. Und schließlich erfahren wir am Beispiel von Irdisches Glück, wie eine Singspieleinlage im Stile der Raimund-Stücke bei Schubert ausgesehen hätte. Der Romanzenton des ersteren und die freche Marschmelodie dieses letzteren sind wohl mehr aus Versehen nicht bekannter geworden.

Am 15. Dezember 1826 veranstaltete der Freundeskreis dem heimgekehrten Spaun zu Ehren eine ausgedehnte Schubertiade, von der Franz von Hartmann zu berichten hat:

»Ich gehe zu Spaun, wo eine große, große Schubertiade ist. Beim Eintritte werde ich von Fritz unnachsichtig und von Haas (Schuberts Freund) sehr naseweis empfangen. Die Gesellschaft ist ungeheuer. Das Armetische, Witteczekische, Pontische Ehe-

*paar, die Mutter der Frau des Hof- und Staatskanzleikonzipisten
Witteczek, die Doktorin Watteroth, Betty Wanderer, der Maler
Kupelwieser und seine Frau* (die ihm eben angetraute Johanna
Lutz), *Grillparzer, Schober, Schwind, Mayrhofer und sein Haus-
herr Huber, Derffel, Bauernfeld, Gahy, der herrlich mit Schubert
à 4 mains spielte, Vogl, der fast 30 herrliche Lieder sang, Baron
Schlechta und andere Hofkonzipisten und -sekretärs waren da.«*

Der einsame Mayrhofer hielt die Treue, und Franz von
Schlechta schrieb Franz sechs Liedtexte. Es ist wohl möglich, daß
seine im gleichen Jahr komponierte, lustige Köstlichkeit FISCHER-
WEISE auf Vogls Programmauswahl des Abends stand. Das
Lied wurde im März geschrieben und erschien auch bereits im
Jahr 1826 als Opus 96. Die Naivität des sorgenfreien Fischers
charakterisiert das Klavier witzig durch Halbtaktrhythmen (die
übrigens das flüssige Tempo markieren). Die Verse des Jugend-
freundes und wohlwollenden Kritikers Baron Schlechta spiegeln
ganz ungetrübte Heiterkeit und regen Schubert zu der deklamatorisch geistreichen Zäsur in der Schlußstrophe an, die dem
Text nachgeht und die Musik nicht stört, indem sie ironisch mit
langem Finger auf die »Hirtin« zeigt und danach fast lachend
mit dem schnell hingesprochenen »schlauer Wicht« die verlorene
Zeit wieder einholt. Eine Strophe Schlechtas, die nicht in das
a-b-a-b-Wechselschema der Musik passen wollte, ließ Schubert
aus. — Oft verzichtet Schuberts Melodie darauf, sich ausschließlich an sich selbst zu halten. Wie in Schlechtas TOTENGRÄBER-
WEISE ist sie häufig mit den Figuren und Harmonien der »Begleitung« so verzahnt, daß die Einheit der Konzeption augen-
scheinlich wird. Die Singstimme hat dann keine Eigenständigkeit, sie bleibt ganz auf die Harmonie bezogen. Vielleicht macht
auch der harmonische Reichtum die etwas einförmige rhythmische Trauermarschstruktur des Stückes wett.

Bei der von Hartmann geschilderten Schubertiade handelte es
sich um den gleichen Abend, den Schwind in seiner allberühm-
ten Sepia-Zeichnung später aus der Erinnerung festhielt. Der
bereits 64jährige brachte allerdings, um das Typische hervorzuheben, einige Korrekturen an, indem er manchen, der zu
dieser Zeit noch am Leben war, nicht aufnahm und andere, die
nicht dabei sein konnten, wie Karoline Esterházy oder den Dichter Senn, den Schwind gar nicht kannte, mit von der Partie sein
ließ. Spaun bemerkt in seinem Tagebuch, Vogl habe bei dieser
Gelegenheit »nicht ohne Geckerei« gesungen und das Nachlassen

seiner Stimme durch Gestik auszugleichen gesucht. Schwind soll sich dem Sänger gegenüber deshalb geringschätzig geäußert haben.

Vogl trug hier auch die ROMANZE DES RICHARD LÖWENHERZ nach Walter Scott vor, in der punktierter Rhythmus durch die von zwei imaginären Trompeten geblasene Begleitung unwiderstehlichen Lebensmut ausdrückt. Das Lied hätte sich jedoch wohl besser zu instrumentaler Verwendung geeignet, seine über acht Seiten hingezogene Länge kann Schubert hier nicht ohne Monotonie bewältigen.

Im Januar 1827 entstand das einzige Lied nach Ignaz Franz Castelli. Dem liebenswerten Wiener Schriftsteller (1781—1862) zwischen Aufklärung und Biedermeier ist ein kürzlich erschienener Band des Winkler-Verlags gewidmet, in dem die »Memoiren meines Lebens« als ergötzliches Zeitgemälde enthalten sind. Auch von einer pornographischen Verulkung der »Glocke« des erhabenen Schiller wird gemunkelt, die man unter die klassischen Erotika einstufte. Schuberts harmloses Bauernmädchengeständnis an die Mutter heißt DAS ECHO. Castelli stammt aus dem Kreis der Wiener Komödiendichter, die derbe Komik vor phantastischen Hintergrund zu stellen liebten. So ist auch das der »Lysistrata« des Aristophanes nachgestaltete Singspiel »Die Verschworenen« beschaffen, das sich Schubert 1823 zur Komposition vorgenommen hatte und das, seines von der Zensur für zu politisch gehaltenen Titels wegen, in »Der häusliche Krieg« umbenannt werden mußte, ohne jedoch vor 1861 aufgeführt zu werden.

Einen Monat vor Beethovens Tod, im Februar 1827, fielen Schubert neue Gedichte von Wilhelm Müller in die Hand. Er fand sie in dem Leipziger Almanach »Urania« von 1823, zusammen mit Wilhelm Müllers »Ländlichen Liedern«, Rückerts »Liebesfrühling« und zwölf Sonetten des vom Schubertkreis so verehrten Grafen von Platen. Das innerliche Zusammenstimmen mit dem Dessauer Müller hatte sich schon bei den Müller-Liedern offenbart; die einfachen, lebenswahren Empfindungen, deren poetische Fassung fast kunstlos sich ansieht und dementsprechend einer Komposition viel Spielraum läßt, stellen eine ideale Ausgangssituation für die Vertonung dar. Die ironischen oder revolutionären Untertöne bei Müller übersieht Schubert wohl mit Absicht, so, wenn etwa in EINSAMKEIT über die europäische Friedhofstille gesungen wird:

Ach, daß die Luft so ruhig, ach, daß die Welt so licht!
Als noch die Stürme tobten, war ich so elend nicht.

Spaun erzählt von der Erregung, mit der Schubert an die
Arbeit ging und innerhalb weniger Wochen die ihm vorliegenden
zwölf Gedichte in Musik setzte:

*»Schubert war durch einige Zeit düster gestimmt und schien
angegriffen. Auf meine Frage, was in ihm vorgehe, sagte er nur:
›Ihr werdet es bald hören und begreifen‹.«*

Die Spuren des intensiven Arbeitsprozesses schlugen sich mit
faszinierender Deutlichkeit im Autograph nieder. Mayrhofer, der
sich dem Kreis nach der Rückkehr Spauns wieder etwas genähert
hatte, meint in seiner Beschreibung:

*»Die Ironie des Dichters, in Verzweiflung wurzelnd, sprach
ihn an, und er gab ihr schneidenden Ausdruck. Ich wurde
schmerzlich ergriffen.«*

Den Literaten hat hier wohl sein musikalisches Ohr im Stich
gelassen, denn diese Ironie kommt bei Schubert nur in geradezu
verschwindender Andeutung zum Ausdruck. Heine meint von
dieser Seite der Romantik, der er selber ungleich plastischer zur
Geltung verhalf, sie sei *»der einzige Ausweg, welcher der Ehrlichkeit noch übriggeblieben, und in der ironischen Vorstellung
offenbart sich diese Ehrlichkeit noch am rührendsten.«*

Aber ein die ganze Musikwelt erschütterndes Ereignis drängte
sich zunächst vor die Arbeit. Am 29. März 1827 trägt Bauernfeld
in sein Tagebuch ein:

Beethoven auf dem Sterbebett

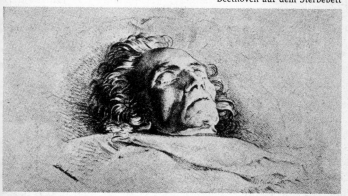

»Am 26. ist Beethoven gestorben, 56 Jahre alt. Heute war sein Leichenbegängnis. Ich ging mit Schubert. Anschütz hielt vor dem Währinger Kirchhof eine Leichenrede von Grillparzer.«

Eine Zeitung berichtet, Schubert habe sich unter den 38 Fackelträgern befunden, die den Sarg begleiteten. Schubert stand also am Grabe Beethovens und mußte die Worte mitanhören, die Grillparzer dem Toten nachrief:

»Noch lebt zwar — und möge er lange leben! — der Held des Sanges in deutscher Sprache und Zunge (gemeint ist Goethe). *Aber der letzte Meister des tönenden Liedes, der Tonkunst holder Mund . . . hat ausgelebt.«*

Aber was wußte im Grunde Grillparzer, was wußte Wien, was die Welt von Schubert? Hartmanns Tagebuch erzählt weiter: *»Ich ging zum ›Schloß Eisenstadt‹, wo ich mit Schober, Schubert und Schwind bis 1 Uhr nachts blieb. Selbstverständlich sprachen wir nur von Beethoven, seinen Werken und den wohlverdienten Ehren, die heute seinem Andenken bezeigt wurden.«*

Schubert hat Beethoven, indem er ihn fast erschauernd verehrte, in schier göttliche Fernen entrückt. Ein wenig spielte dabei wohl die Scheu eine Rolle, die des Meisters Unwirschheit und seine Ertaubung bei der Umwelt hatten entstehen lassen. Die Idolisierung Beethovens, die Schubert betrieb, ging so weit, daß der Große einen Schatten über den bescheidenen Liedsänger warf, dem er zeitlebens nicht mehr entrinnen sollte. Und diese Zeit war ohnehin nur noch kurz. Zwar weist der breite Strom beglückenden Musizierens Schubert als den Gleichrangigen aus, aber wie wäre erst bei längerer Lebensdauer das Jahrhundert durch dieses Genie geprägt worden! — Neben Goethe war der Einfluß Beethovens auf Schuberts Entwicklung der entschiedenste. Der Mut zur Äußerung kraftvoller Ideen, der unvergleichliche Gestaltungswille, der die ersten Eingebungen unter Qualen in die endgültige Form zwang, der auch im Leben allzeit kämpferische Geist Beethovens — alles, was Schubert an ihm bewunderte —, mögen ihm, der so anders geartet war, immer etwas hinderlich zu Bewußtsein gekommen sein. Die Zweifel des Jünglings: »Ich glaube auch schon, es könnte etwas aus mir werden; aber wer vermag nach Beethoven noch etwas zu machen?« hatten nichts von ihrer Gegenwärtigkeit verloren, er empfand das Endgültige und zugleich Zukünftige in Beethovens Werk. Noch dazu lebte er in der gleichen Stadt mit dem Bewunderten, dem während des Wiener Kongresses und in den nachfolgenden Jahren von seinem Anhängerkreis mächtig gehuldigt wurde. Schuberts eigene Zartheit, sein unscheinbares Äußere, seine Scheu, seine Weichheit, seine träumerische Natur drängten ihn, Beethoven das Große, Herausragende, Positive zuzusprechen, das ihm selbst zu mangeln schien. Der junge Lehrer suchte also auch nicht die Bekanntschaft des »Titanen«; beim einzigen Besuch traf er ihn nicht an und hinterließ ein dem Meister gewidmetes Variationenwerk.

Auf seinem Sterbebett hat Beethoven dann noch einige Lieder Schuberts zu Gesicht bekommen, denn im Februar hatte Beethovens Adlatus Anton Schindler dem Meister einen ganzen Packen von Liedern des Franz Schubert auf die Bettdecke gelegt, einige davon gedruckt, andere in Kopien, die von Schindlers Hand stammten. Man kann dem Ausspruch zustimmen, den Beethoven getan haben soll, auch wenn er vielleicht von Schindler erfunden ist: »Wahrlich, in diesem Schubert wohnt der göttliche Funke!«

In einem Zeitungsartikel und in seiner Beethoven-Biographie berichtete Schindler, dem allerdings als einem nicht allzu vertrauenswürdigen Reporter immer wieder rechtens mißtraut wurde, von Beethovens Interesse, das sich in Äußerungen über die Zahl, die Länge und die Verschiedenartigkeit der Lieder kundtat. Er soll gesagt haben: »Hätte ich dies Gedicht gehabt, ich hätte es auch in Musik gesetzt!«

Das braucht nicht unbedingt Zustimmung zu bedeuten. Die Kopien von Schindlers Hand haben sich erhalten, sie befinden sich in der Universitätsbibliothek Lund, Sammlung Taussig. Unter den 26 Liedern hebt Maurice J. E. Brown als bemerkenswert heraus, daß die von Mandyczewsky als Verleger-Zutat bezeichnete Klaviereinleitung zum AUGENLIED von Schubert stammt, und daß in den Liedern derart viele Verzierungen erscheinen, daß es sich wohl um eine der von Vogl ausgeschmückten Fassungen handeln muß.

Das Verhältnis der Personen und der Künstler Schubert und Beethoven zueinander ist heute immer noch so verschleiert und ungeklärt, wie es sich nach ihrem Tode darstellte. Es fällt schwer, sich durch das Wirrsal von Hypothesen hindurchzuarbeiten, das der Ergründung dieses Geheimnisses wegen entstand. Die Zeugnisse aus zweiter Hand, die allein als schriftliche Nachweise gelten können, rufen eher den Eindruck des Verwischens als den des Klärens hervor. Vielleicht waren es die eifersüchtigen Anhänger, die sich um jede der beiden überragenden Persönlichkeiten scharten, denen das Interesse an jeglicher Fühlungnahme abging, die außerdem verschiedenartige Gesellschaftsschichten repräsentierten. Beethovens Schüler, Verehrer und Mäzene sind im vormärzlichen Adel und Hochadel Wiens zu suchen. Schuberts Freunde, die Künstler, Beamte oder freiwillig dem Adel Absagenden repräsentieren bereits das neue Bürgertum, dem das Jahr 1848 nicht rasch genug erscheinen konnte. Jedenfalls läßt sich keiner unter ihnen, die da Lebenserinnerungen schreiben, näher auf das Verhältnis Beethoven–Schubert ein. Authentisch ist die August 1823 in den Konversationsheften Beethovens anzutreffende Bemerkung des Neffen Karl: *»Man lobt den Schubert sehr, er (Mosel) sagt aber, er soll sich verstecken.«*

Das könnte man natürlich ebensogut der Scheu Franzens als den vereinsamenden Wirkungen seiner Krankheit zuschreiben.

Aber noch einige Freuden waren seinem Leben gegönnt.

Aus Weimar, wo er Goethe aufgesucht hatte, kam der Kapellmeister im Dienst des Großherzogs Karl August, Johann Nepomuk Hummel, den Beethoven als Komponist und Freund hoch schätzte, in das Haus der Mme. Laszny. Vogl und Schubert führten ihm zu seinem Entzücken einige Lieder vor, und der glänzende Improvisator am Klavier fühlte sich dazu inspiriert, eine allgemein akklamierte Phantasie über das besonders beeindruckende Lied DER BLINDE KNABE zum besten zu geben. Schubert hatte das Gedicht von Craigher, der es einem englischen Vorwurf des Colley Cibber nachgestaltete, 1825 in zwei Fassungen niedergeschrieben. Das etwas billig um die Mitleidsträne werbende Gedicht überhöht Schubert beträchtlich. Eine traumwandlerisch tastende Figur beherrscht das rhythmische Bild, deren weite Intervallspannung unter der natürlich fließenden Melodiestimme treffsicher Melancholie und Unsicherheit zeichnet.

Hummels 16jähriger Schüler Ferdinand Hiller war ebenfalls nach Wien gekommen, um die Bekanntschaft Beethovens zu machen. Wie stark ihn die Begegnung mit Schubert beeindruckte, schildert er in seinen Erinnerungen:

»Ich hörte zum ersten Mal die Gesänge von Franz Schubert. Eine Freundin meines Meisters von alten Zeiten her, die ehedem berühmte Schauspielerin Buchwieser, damals die Gattin eines reichen ungarischen Magnaten, lud Hummel und mich in ihrem Gefolge ein paarmal zu Tisch ein. Noch trug die liebenswürdige Frau Spuren ihrer früheren Schönheit, aber sie war äußerst

kränklich, kaum noch mobil; ihr Gemahl empfing die Gäste mit Güte und Freude. Die Räume, in welchen man sich aufhielt, waren stattlich und glänzend, und es herrschte in denselben eine tiefe, echt aristokratische Stille. Niemand war mit uns eingeladen als Schubert, der Liebling und Schützling der Wirtin, und sein Sänger Vogl. Eine kurze Weile, nachdem man die Mittagstafel verlassen, setzte sich Schubert ans Klavier, Vogl zur Seite, wir andern machten es uns in dem großen Salon bequem, wo es jedem am besten schien, und nun begann ein einziges Konzert. Ein Lied, ein Gesang folgt dem andern — unermüdlich waren die Spendenden, unermüdlich die Genießenden. Schubert hatte wenig Technik, Vogl hatte wenig Stimme, aber beide hatten so viel Leben und Empfindung, gingen so gänzlich auf in ihren Leistungen, daß es unmöglich gewesen wäre, die wunderbaren Kompositionen klarer und zugleich verklärter wiederzugeben. Man dachte weder an Klavierspiel noch an Gesang, es war, als ob die Musik gar keines materiellen Klanges bedürfe, als ob die Melodien wie Geistererscheinungen vor vergeistigten Ohren sich offenbarten. Von meiner Rührung, meinem Enthusiasmus darf ich nicht sprechen — aber mein Meister, der doch schon fast ein halbes Jahrhundert Musik hinter sich hatte, war so tief ergriffen, daß Tränen auf seinen Wangen perlten.«

Es kann nicht verwundern, wenn beide Vortragenden sich mit technischen Schwierigkeiten abplagten, denn immerhin interpretierten sie SCHIFFERS SCHEIDELIED nach einem Gedicht von Schober, das im Februar entstanden war. Wellenpeitschen und Windessausen in unermüdlichem Tremolando und die über das Gebraus hinweg deklamierende Stimme des Seemanns, der sich von seinem Mädchen losreißt, erfordern höchste Überlegenheit der Mittel, um eine derart lange Strecke der Anspannung durchzuhalten. Dem Lied fehlt ein wenig die Entwicklung. Die geringfügigen Veränderungen der sich fünfmal wiederholenden Mollmelodie und der viermal wiederkehrenden Durmelodie bieten dafür keinen vollgültigen Ersatz, so sehr sich auch die Ehrlichkeit und Intensität des Stückes von allem Zeitgenössischen absetzt. Wieder finden wir eine Strophe, die Schuberts eigenes Denken auszudrücken scheint:

O laß mich im Bewußtsein steuern,
daß ich allein auf Erden bin,
dann beugt sich vor'm Ungeheuern,

vor'm Ungehörten nicht mein Sinn.
Ich treibe mit dem Entsetzen Spiel
und stehe plötzlich vielleicht am Ziel.

Und charakteristisch ruft Schubert am Schlusse aus: »Entsagung ist leichter als Verlust!« — Zu Beginn des Jahres 1827 deklamiert Schubert mit dem Gedicht JÄGERS LIEBESLIED einen einst sehr bekannten Text Schobers, der auch in das Kommersbuch Eingang fand, allerdings dort zu einer anderen Melodie. Bei Schubert bekommt der Gesang bezaubernd schwebende Qualität, die Vor- und Zwischenspiele machen mit fernen, pianistisch angedeuteten Hörnerchören besonderen Effekt.

Am 23. April 1827 fand eine Zusammenkunft im Hause Witteczeks statt, und Schubert widmete dem treuen Freund als Dank seine drei Vertonungen von Gedichten des Joh. G. Seidl IM FREIEN, DAS ZÜGENGLÖCKLEIN und DER WANDERER AN DEN MOND. (Sie erschienen als Opus 80 im Mai 1827 bei Tobias Haslinger.) Mit dem Nachtstück IM FREIEN ist ein Stimmungsbild gelungen, das seine zärtliche Melodie ganz in (manuell äußerst schwieriges) Flimmern taucht. Das Stück gehört zu den einheitlich durchgeführten Liedern, die das Begleitmotiv konstant beibehalten. Obwohl »himmlisch lang«, gehört es zum besten Schubert.

Nach einer längeren Pause ließ sich Schubert am 24. April 1827 wieder einmal dazu bewegen, eine Widmung in ein Stammbuch zu schreiben. Albert Sowinsky dachte er das Lied AN DIE MUSIK zu. Vom Mai bis Anfang Juni reiste er dann mit Schober nach Dornbach, einem Dorf westlich Wiens, und stieg im Gasthaus »Kaiserin von Österreich« ab. Man befand sich inmitten der Hügel des Wiener Waldes, und wo wäre die Entstehung des LIED IM GRÜNEN nach Friedrich Reil (1773—1843) besser vorstellbar? Der Dichter war seit 1801 am Burgtheater als Schauspieler tätig, später wurde er Kammerdiener des Kaisers Franz. Als Dramatiker und belletristischer Mitarbeiter, auch als Übersetzer publizierte er in einigen Zeitschriften. Beim LIED IM GRÜNEN wird Schuberts Liebe zum durchbrochenen Dreiklang besonders deutlich, der für seine Schreibweise so charakteristisch ist und meist wie auf sanften Wellen hingleitet. In der Tat veranschaulicht das Klavier, daß es sich hier um ein Lied am Bach handelt, und in seinen unaufhörlichen Bewegungen verstecken sich viele berückende Melodien. Was die Stimme zu sagen hat, geschieht mit behender, improvisatorischer Freiheit, und dem sollte auch der

Vortragsstil entsprechen. Das Lied in einfacher Rondoform singt man gewöhnlich aus der kürzeren Fassung in der Friedländerschen Ausgabe, und es mag wohl zutreffen, daß bereits Schubert darauf verzichtete, alle Verse des Burgschauspielers singen zu lassen. Aber was da, dem Vernehmen nach, von einem anderen Schreiber oder dem Verleger hinzugefügt wurde, macht das Lied keineswegs zu lang und birgt so viel, was auf Schuberts Leben Bezug nimmt, daß sich niemand diesem Zauber trotz der Länge wird entziehen können.*

Moritz von Schwind verließ Wien am 7. August 1827, um in München bei Peter Cornelius, dem Maler und Onkel des gleichnamigen Komponisten, zu studieren. Bauernfeld notiert: »*Lücke im Freundeskreis. Was wird aus uns allen? Werden wir zusammenhalten?*«

Immerhin tauchten wieder neue Gesichter im Umkreis Schuberts auf. Der Sektionschef im österreichischen Ministerium des Äußeren Johann Vesque von Püttlingen war ein Liederkomponist, der in ganz Europa unter dem Pseudonym J. Hoven geschätzt wurde. Als Kompositionsschüler von Leidesdorf, Moscheles, Worzischek und Sechter kam er auch zu Vogl, um sich im Gesang ausbilden zu lassen. Schon wenig später sollte man nichts mehr von ihm wissen. Er hatte sich nun Schubert genähert und besuchte im Sommer 1827 mit ihm zusammen seinen Gesanglehrer Vogl. Da wurden die neuesten Lieder, noch frisch vom Schreibtisch, dem Vesque vorgesungen. Vogl kommentierte den Gesang mit Bemerkungen über Auffassung und Vortrag des deutschen Liedes und hob besonders die Wichtigkeit deutlicher Textaussprache hervor. Dabei fielen die geflügelten Worte: »Hast Du mir nichts zu sagen, so hast Du mir auch nichts zu — singen . . .«**

Bei einem solchen Zusammentreffen mögen die beiden im Januar 1827 entstandenen Lieder nach Friedrich von Rochlitz (1769—1842) erstmals vorgetragen worden sein. ALINDE, die Geschichte von einem fast verunglückten Stelldichein, gründet sich auf den etwas schwachen Einfall des wenig überzeugenden Dichters, der als einsichtiger Musikkritiker und langjähriger Herausgeber der Leipziger »Allgemeinen Musikalischen Zeitung« in

* Nach dem Tode des Freundes versahen die erschütterten Gefährten das Lied mit der rührseligen Überschrift »Traueropfer dem Verklärten«. Als Opus 115 erschien IM GRÜNEN 1829, zusammen mit zwei früheren Gesängen.
** Vesque von Püttlingen widmete sein Opus 10 auf Gedichte von Sposetti dem Sänger.

Friedrich v. Rochlitz

der Achtung Beethovens stand und darauf hoffte, sein Biograph zu werden, was sich dann zerschlug. In ALINDE paßt Schubert mit geringfügigen Änderungen ganz anspruchslos die Strophen dem jeweiligen Text an und erreicht charmante Wirkung, wobei der Barkarolenton ein wenig an das FISCHERMÄDCHEN erinnert. — Desselben Dichters AN DIE LAUTE ist erst spät bekannt geworden, stellt aber ein zierliches Kabinettstück dar und entzückt durch die wienerische Färbung immer wieder. Die bereits 1816 komponierten Lieder wurden jetzt als Opus 81 im Mai 1827 veröffentlicht, zusammen mit dem von einem Chor begleiteten Baritonsolo ZUR GUTEN NACHT, dessen Text ebenfalls von Rochlitz stammt.

Am 2. September kam Schubert mit Freund Jenger in Graz an, er folgte einer Einladung der musikliebenden Frau Marie Pachler. Dem Ehrenmitglied der Grazer Musikfreunde Franz Schubert wurde »bei doppelter Wachsbeleuchtung« ein Konzert gegeben, in dem er selbst mitwirkte. Das Haus der Frau Pachler galt als Zentrum der Musikpflege. 1816 hatte sie den Rechtsanwalt und Bierbrauer Dr. Karl Pachler geheiratet, der sich als heimliche Hauptbeschäftigung die Leitung der Grazer Theatergeschäfte auserkoren hatte. — Wer aus Wien kam, pflegte bei Pachlers abzusteigen, so auch Sophie Müller und Heinrich Anschütz des öfteren. Marie Pachler galt schon in jugendlichem Alter als beste Klavierspielerin der Stadt. Ihr enger Herzensfreund Julius Schneller, Geschichtsprofessor am Grazer Lyzeum, vermittelte die Einladung an Schubert und Jenger, dem er freundschaftlich zugetan war. Seiner Begeisterung ist auch später noch das in Deutschland geschriebene Gedicht zuzuschreiben »An Franz Schubert vom Rheinstrome«, in dem er enthusiastisch dessen Liedern huldigt. Auf den WANDERER anspielend, schließt das Poem: »Dort, wo du, Harfner, bist — dort ist das Glück.« Marie Pachler erfreute sich der Zuneigung Beethovens, der ihr Klavierspiel so beschrieb: »*Ich habe noch niemand gefunden, der meine*

Kompositionen so gut vorträgt wie Sie, die großen Pianisten nicht ausgenommen, sie haben nur Mechanik und Affektation. Sie sind die wahre Pflegerin meiner Geisteskinder.«

Kein Wunder also, daß sich Schubert hier wohlfühlte und sich später herzlich für die Einladung bedankte. Das Konzert im Grazer Ständetheater nun enthielt, nach kurzfristiger Programmänderung zugunsten des gefeierten Gastes, ein Sololied. NORMANNS GESANG, ein Männerquartett und einen Frauenchor. Zwei

Marie Pachler

Tage später arrangierte das Haus Pachler eine dreitägige Wagenpartie, die zu dem rund 20 Meilen entfernten Schloßgut Wildbach bei Deutsch-Landsberg führte, wo eine neue Überraschung auf Schubert wartete. Die 24jährige Maria Masegg trug zur großen Befriedigung des Meisters, von ihrem Musiklehrer begleitet, einige Lieder vor. Schubert revanchierte sich mit unzähligen improvisierten Ländlern, Deutschen, Galoppen und Ecossaisen. Die schönsten Schubertiaden gab es aber im Hause Pachler selbst, wo Schubert in Ermangelung des Vogl oder des Schönstein sein eigener Sänger war, gelegentlich auch mit Jenger vierhändig spielte.

In Graz entstand auch die ALTSCHOTTISCHE BALLADE für zwei Singstimmen und Klavier nach dem berühmten Text aus Herders »Stimmen der Völker«, der aus dem Englischen des Bischofs Percy übertragen ist. Es hat den Anschein, als hätte Frau Pachler dem Komponisten das Gedicht in der Vertonung Loewes vorgelegt, die drei Jahre zuvor bei Schlesinger in Berlin herausgekommen war, denn alle Textabweichungen, die Loewe vorgenommen hat, tauchen auch bei Schubert wieder auf. Balladen, die die »Reliques« von Percy aus dem Jahre 1765 imitierten, waren im literarischen Deutschland große Mode. Johann Gottfried Herder hatte die Bewegung ausgelöst mit der Absicht, eine Verbindung des neuen literarischen Ausdrucks mit der mittelalterlichen deutschen Literatur herzustellen. Seine Übersetzungen enthielten auch den »Edward«, den Schubert als EINE ALTSCHOTTI-

SCHE BALLADE vertonte. Man hat sich zu fügen, wenn Schubert selbst abwechselnd männliche und weibliche Stimme für den Vortrag angibt. Der Dialog ersetzt die Erzählung. Sieben Strophen lauten auf eine zweiteilige, volkstümlich einfache Melodie. Auf jegliche Interpretation ist verzichtet. Wie man sieht, legte Schubert die einfachste strophische Form nicht ad acta, und daß er noch 1827 diese Form so rein verwendete, hat seinen Grund in dem natürlichen Erzählcharakter dieser Ballade. Dem Sänger wird die Melodie gleichsam als unbehauener Block zugespielt, und entsprechend interessant muß dann die Gestaltung Licht und Schatten herausarbeiten. Der »Auszug aus einem Briefwechsel über Ossian und die Lieder alter Völker«, in dem sich die altschottische Ballade zum erstenmal wiedergegeben findet, war 1773 in den »Blättern für deutsche Art und Kunst« erschienen. Sie stellt eine Frucht der Gespräche Herders mit Goethe dar. Herder gibt hier Beispiele für die Volkspoesie: schottische Balladen, nordische Göttergesänge, lettische, englische und deutsche Volkslieder. Besonders durch Shakespeare bekam Herder den Blick für den Reiz unserer Ballade, die er »recht schauderhaft« nannte. Die Anweisung, das Stück sei im Schottischen mit »einer rührenden Landmelodie« zu begleiten, rechtfertigt Schuberts Auffassung.

Einen weiteren Liedtext empfahl Frau Pachler: Karoline von Klenkes HEIMLICHES LIEBEN. Das Stück flutet in etwas überschwenglichem Klangreichtum dahin und mag, des Textes wegen, zu lang geraten sein. Die Überspanntheit des Gedichts verwundert bei der Baronin Klenke insofern nicht, als sie, wie wir schon erfuhren, die Mutter der »Euryanthen«- und »Rosamunden«-Dichterin Helmine von Chezy war. Reichardt hatte den gleichen Text 1780 vertont und schwärmte von seiner Dichterin: *»Von einem Weibe. Nach der ich lange schon vergeblich forschte, um ihr mit ganzer Seele für dieses herrliche sapphische Lied zu danken.«*

Den Rokokostil des Textes versucht Schubert durch Änderung des Gedichtbeginns zu moderieren; bei Reichardt noch heißt es: »Myrtill, wenn Deine Lippen mich berühren.« Aber Schuberts Kantilene schmachtet dafür in einer italienisierten, romantischen Süße, die eigentlich seine Sache gar nicht ist und viel eher Carl Loewe (etwa in »Gruft der Liebenden«) zu Gesicht steht. Auch bringt sie nicht eigentlich schubertsches Gefühl zum Ausdruck, alles bleibt biedermeierlich, etwa so, wie die musikliebenden

Damen in Graz musiziert haben mögen. Nur eben weht auch durch diese Noten ein Hauch Genie, der Frau Pachler gezeigt haben mag, daß auch musikalische Süßspeise künstlerisch gestaltet werden kann, dazu noch äußerst dankbar für die Singstimme. Unverständlich deshalb, daß das Lied von den Sängern bisher unentdeckt blieb.

Nach der Heimkehr dankte Schubert den Gastgebern Pachler: »Euer Gnaden! Schon jetzt erfahre ich, daß ich mich in Grätz zu wohlbefunden habe, und Wien will mir noch nicht recht in den Kopf, 's ist freilich ein wenig groß, dafür aber ist es leer an Herzlichkeit, Offenheit, an wirklichen Gedanken, an vernünftigen Worten, und besonders an geistreichen Taten. Man weiß nicht recht, ist man gescheit oder dumm, so viel wird hier durcheinander geplaudert und zu einer innigen Fröhlichkeit gelangt man selten oder nie. 's ist zwar möglich, daß ich selbst viel daran schuld bin mit meiner langsamen Art zu erwarmen.«

Der Brief steht noch ganz unter dem Eindruck des Dur-Moll-Gegensatzes, der den Aufenthalt in Graz bestimmte. Nach Vornotizen im Februar fielen in die Grazer Tage auch die ersten Niederschriften der WINTERREISE, sie wurden nach der Rückkunft fortgesetzt. Das zügige Arbeitstempo ließ an Intensität nicht nach, aber die körperliche Beweglichkeit begann nachzulassen. Schubert ging nur noch selten aus, auch wenn er seine Darbietung eigener Werke anhören sollte, blieb er meistens zu Hause. Als sein Lied STÄNDCHEN (von Grillparzer) von den Schülerinnen der Anna Fröhlich uraufgeführt wurde, war er nicht einmal dabei, obwohl es zu Ehren der Braut Leopold Sonnleithners gesungen wurde und Pepi Fröhlich als Solistin auftrat.

Wenn man ihn nicht ständig zum Aufspielen drängte, ging er noch am liebsten mit den Freunden zum »Picknicken«. Da heißt es im Februar bei Fritz von Hartmann: »Picknick. Ein Herr Kandler spielte viel am Klavier und sang auch einige Lieder von Schubert.« Oder im März: »Wir gingen zu Schober, weil Schubert uns eingeladen hatte, seine neuen Kompositionen anzuhören. Alles war versammelt, nur Schubert kam nicht. Endlich übernahm es Schwind, einige ältere Lieder zu singen, die uns entzückten. Um halb 10 gingen wir alle zum ›Schloß Eisenstadt‹ (Das gleiche Bierlokal, in dem man sich nach Beethovens Tod versammelte), wo bald auch Schubert hinkam und alle Herzen durch seine Schlichtheit bezwang, wiewohl er unsere Hoffnungen durch seine geniale Lässigkeit betrogen hatte.«

Vor dem Ende des Jahres entstand auch noch die brillante Violin-Klavier-Phantasie über das Rückert-Lied SEI MIR GEGRÜSST. Man kennt das Entstehungsdatum nicht genau. Zusammen mit FRÜHLINGSGLAUBE und dem weniger bedeutenden HÄNFLINGS LIEBESWERBUNG, einem Ländler auf Worte des »Freischütz«-Librettisten Friedrich Kind, wurde es 1823 als Opus 20 Justina von Bruchmann, der Mutter des Konviktfreundes Franz von Bruchmann zugeeignet. SEI MIR GEGRÜSST, neuerlicher Ausgangspunkt für technisch brillante Instrumentalmusik, war der Beginn der beglückenden Rückert-Serie gewesen.

Nach den hymnischen Steigerungen der Liebesgedanken mildert sich dort die Huldigung zu sehnsüchtiger Bescheidenheit, die Schuberts Wesen treulich widerspiegelt. Der Orientspezialist Rückert, nur wenige Jahre in Schuberts Schaffen bedeutsam, um dann bei Schumann, Loewe oder Mahler ganz entscheidende Impulse auszulösen, benutzt hier wieder einmal die lyrische Form des Ghasel. Nach einem erlesenen Vorspiel steigert Schubert allmählich die Innigkeit des Tones zum Dithyrambus, der anfängliche Romanzenton wird zurückgedrängt, die Melodik stürmt ähnlich schwärmerisch nach vorn, wie später bei Giuseppe Verdi. Sentimentaler Vortrag kann freilich, wie im Falle des Italieners, das herrliche Stück zur Trivialität hinabziehen. Innigkeit und Noblesse müssen ihm den eigenständigen Rang erhalten; nach dem leidenschaftlichen Fortissimo des Schlusses verklingt das Schwärmen im — ausdrücklich vorgeschriebenen — Pianissimo.

Schuberts Klavierbegleitungen sind bereits durch ihren Schöpfer manchen Veränderungen unterzogen worden. Die Fähigkeiten des Begleiters gaben da den Ausschlag oder das Nichtvorhandensein eines Klaviers. So sind sehr viele Lieder gleich nach ihrem ersten Erscheinen auch mit einer Gitarre-Begleitung herausgekommen, die nicht unbedingt von ihm selbst stammen muß, aber doch von ihm gebilligt wurde. Bei SEI MIR GEGRÜSST nun berichtet Walther Dürr in der »Neuen Schubert-Ausgabe« vom Gebrauch einer Harfe. Der Sänger und Regisseur Ludwig Josef Cramolini schreibt auf einem Tagebuchblatt: *»Es war im Anfang der Zwanziger-Jahre, als Capus von Pichelstein eines Morgens zu mir kam und mir Schuberts göttliches Lied* SEI MIR GEGRÜSST *aus Rückerts östlichen Rosen brachte und mich ersuchte, es einige Tage später bei einer Serenade ... zu singen; er selbst wollte mich auf der Harfe, die er ausgezeichnet spielte, accompagnieren. Ich zeigte mich bereitwillig, und wir studierten unter Franz Schuberts Lei-*

tung das Lied in meiner Wohnung.« Nach dem Vortrag, heißt es in dem Bericht weiter, habe Schubert ihn umarmt und ausgerufen: *»Kein Mensch kann das Lied so singen wie du, du hast uns allen Tränen entlockt.«*

Schubert fand auch noch Zeit, alte Versprechen einzulösen. Der Sohn der Grazer Gastgeberin, genannt Faust, hatte sich ihm besonders angeschlossen. Am 12. Oktober 1827 steht nun folgendes auf einem Notenmanuskript, das an seine Mutter abgeschickt wird:

»Hiermit überschicke ich Euer Gnaden das 4händige Stück für den kleinen Faust. Ich fürchte, seinen Beifall nicht zu erhalten, indem ich mich für dergleichen Compositionen eben nicht sehr geschaffen fühle. Ich hoffe, daß sich Euer Gnaden besser befinden als ich, da mir meine gewöhnlichen Kopfschmerzen schon wieder zusetzen.«

Frau Marie Pachler wurde auch das Lied DAS WEINEN zugedacht, in dem sich Schuberts Gemütszustand nach dem Wiederauftreten der Begleiterscheinungen des alten Leidens ausdrücken mochte.

> Gar tröstlich kommt geronnen der Tränen heil'ger Quell,
> recht wie ein Heilesbronnen, so bitter, heiß und hell.
> Darum, du Brust voll Wunden, voll Gram und stiller Pein,
> und willst du bald gesunden, so tauche da hinein.

Den Dichter Karl Gottfried Ritter von Leitner, einen Freund der Pachlers, der von Marie sehr bewundert wurde, nannte man damals den »österreichischen Uhland«. Seine Gedichte beschäftigten Schubert in der nächsten Zeit achtmal in fast ununterbrochener Folge. Auch Konradin Kreutzer und Schuberts alter Freund Lachner haben ihn gelegentlich vertont. DAS WEINEN preist die heilende Kraft der Tränen zu einer choralartigen, endlosen Melodie, deren Begleitung sich der Polyphonie in jener Form der Hingebung nähert, wie wir das bereits bei AN DIE FREUNDE und VOM MITLEIDEN MARIÄ beobachten konnten .— Als nächstes wurde VOR MEINER WIEGE in Angriff genommen. Richard Capell hat in seinem Schubertbuch sicher nicht allzu genau hingesehen, als er das Stück musikalisch unkontrolliert nannte und sich von dem, zugegebenermaßen unmöglichen, Text blind machen ließ. Das dreiteilige Stück bindet fünf Strophen zusammen, in den Außenteilen nach Moll, im Mittelstück nach Dur variierend. Tiefer, gelegentlich von einem Lächeln erhellter

Ernst spricht aus der Musik. Die Schlußstrophe gehört zu Schuberts Lieblichstem, wobei die »tiefe Ruh'« es der mezza voce auf dem hohen Ton erschwert, noch eine angedeutete Schwellung auszuführen. So weit die Verse mit all ihren Unwahrscheinlichkeiten die Grenze der Sentimentalität überschreiten, Schubert ist ihr nicht verfallen. Besonders, wenn die Mutter von »Rosen und Engeln« singt, vernimmt man eine Melodie, wie sie nur Schubert erfinden konnte. — Schuberts erste Komposition nach Leitner war 1823 entstanden: DRANG IN DIE FERNE. Man wird in den 24 Präludien Chopins den Samen dieses Liedes aufgegangen finden.

> Ach, von Gewölk und Flut
> hat auch mein wildes Blut
> heimlich geerbt den Drang,
> stürmet die Welt entlang!

Da spricht sich Unterschwelliges aus, was auch den Franz Schubert, das Kind böhmischer Eltern, einen heimlichen »Wanderer« sein ließ, auch wenn er sich ganz seinem geliebten Wien zugehörig fühlte. Und Leitner gibt ihm auch die Worte:

> Sorgt nicht, durch welches Land
> einsam mein Weg sich wand,
> Monden- und Sternenschein
> leuchtet auch dort hinein.

Mit ihnen beruhigt er die sorgenden Fragen seiner letztlich von seinem innersten Leben ausgeschlossenen Freunde. Die Delikatesse, mit der Schmerz und Fröhlichkeit in Tönen zusammengeführt werden, ist so nur Schubert eigen.*

Schubert tat die Leitner-Gesänge mit dem anderen in Graz entstandenen Lied HEIMLICHES LIEBEN und dem 1826 entstandenen Lied AN SYLVIA (nach Shakespeare) zusammen, um sie zu veröffentlichen und Maria Pachler zu dezidieren. Die Noten wurden vom Wiener Lithographischen Institut gestochen. Dieser Druck erhielt nach Schuberts Tod die Opuszahl 106. Jenger berichtete Frau Pachler über das Liederkonvolut und versprach, es selbst nach Graz zu bringen. Das geschah jedoch nie, auch

---

* 1823 kam DRANG IN DIE FERNE in einer Zeitschrift heraus und erreichte seine Opuszahl 71 im Jahre 1827.

Schubert sandte ihr kein Exemplar, so daß sie es sich später selbst kaufen mußte.

Aus der Beschaffenheit eines Manuskriptbandes, der 1969 anläßlich eines Depotumbaus in der Musiksammlung der Nationalbibliothek Szechenyi, Budapest, zutage kam, geht klar hervor, daß es sich um die Vorlage der vom Lithographischen Institut, Wien, gedruckten Ausgaben dieser Lieder handelt. I. Kecskemeti berichtet in der Oktober-Ausgabe 1969 der »Österreichischen Musikzeitschrift« über den Fund. Demnach war es wahrscheinlich Franz von Schober, der die Manuskripte nach Ungarn mitnahm, als er 1839 für einige Zeit dorthin reiste, um Gesellschafter und Verwalter bei adeligen Familien zu spielen und vorübergehend auch als Franz Liszts Privatsekretär zu fungieren.

Auch im November beschäftigte sich Schubert mit dem von Frau Pachler geschenkten Band der Gedichte Leitners und komponierte DER WALLENSTEINER LANZKNECHT, DER KREUZZUG und DES FISCHERS LIEBESGLÜCK. DER WALLENSTEINER LANZKNECHT BEIM TRUNK verwirklicht das Strophenlied auf selbstherrliche Weise: je zwei Strophen sind zu je vier Verszeilen in eine achtzeilige Strophe zusammengefaßt, die dreimal gesungen wird. Ursprünglich existierten aber nur fünf kurze Strophen. Um eine sechste zu bekommen, wiederholt Schubert die fünfte in der dritten; zugleich ironisiert er mit diesem dramaturgischen Kniff die Trinkfreudigkeit des Kriegers. Die Aufforderung, den Wein in seinen Helm einzuschenken, wirkt in der Wiederholung noch nachdrücklicher. Nicht nur durch den altertümelnden Ton, eine bei Schubert seltene Charakterisierungsmethode, wird Feldlagerstimmung beschworen. Der zwischen g-Moll und B-Dur hin und her schwankende Sechsachteltakt wirkt behäbig, und die rauhe Poesie tönt aus dem einen Atemzug, indem er von dem Schweden singt, der im Staub verendet, und von der Pickelhaube, die sein Leben beschützte und ihm nun als Pokal dient. — FISCHERS LIEBESGLÜCK, viel zu wenig gesungen, nimmt durch seine komponierten Rubati, seine verschattete Lieblichkeit gefangen. Die fast jodelnd emporschnellenden Oktaven am Ende der Liedstrophen signalisieren immer wieder neue Bedeutung, am anrührendsten bei dem Schlußgedanken »Schon oben, schon drüben zu sein«. Schubert zwingt eine ganze Reihe von Ereignissen zwischen erstem Hoffnungsschimmer des Liebhabers und der Erfüllung seiner Wünsche in seine musikalisch so knappe Barkarole hinein. Es scheint für ihn kein anderes Interesse als den

Naturlaut und die Nachtfarben zu geben, in denen sich die Konturen des Fischers eher verwischen dürfen.

Vom 7. November 1827 ist ein dicker Brief aus Leipzig datiert, den Hofrat Johann Friedrich Rochlitz an Schubert schrieb, ein von seinem Adressaten schon ganz früh mit dem KLAGLIED als Gedichtautor Geehrter. Dessen ungeachtet hatte der Leipziger mancherlei Unverständnis in seinen Äußerungen über Schubert bekundet. Zwar erwähnte er in seiner Epistel nichts von früher geäußerten Hilfeversprechen, legte ihm aber, weil ihm durch Tobias Haslinger zu Ohren gekommen war, Schubert wolle ein viertes Gedicht von ihm in Musik setzen, sein Opus »Der erste Ton« nahe, das ihm Carl Maria von Weber nicht zu Gefallen komponiert hatte. Bei Beethoven war er auch vorstellig geworden, jedoch ohne Erfolg. Schubert erhielt nun eine Art Gebrauchsanweisung, wie sie in dieser penetranten Form selten geliefert wird. Es sollte sich um ein halbdeklamiertes, halbgesungenes, orchesterbegleitetes Stück handeln. Schuberts Antwort spricht für sich:

»Den Vorschlag in Hinsicht Ihres Gedichtes: Der erste Ton habe ich reiflich überdacht, und glaube zwar, daß Ihre angegebene Behandlung desselben wohl eine schöne Wirkung machen könnte. Doch, da es auf diese Art mehr Melodram als Oratorium oder Cantate ist, und jenes (vielleicht mit Recht) nicht mehr geliebt wird, so muß ich offenherzig gestehen, daß mir ein Gedicht, welches als Oratorium zu behandeln wäre, weit angenehmer sein würde, nicht nur, weil nicht immer ein Deklamator wie Anschütz zu haben ist, sondern auch, weil es mein sehnlichster Wunsch ist, ein reines Musikwerk ohne alle andere Zutat, außer der erhebenden Idee eines großen, durchaus in Musik zu setzenden Gedichts zu liefern.«

Es scheint, als sei er in der Tat auf der Suche nach einer neuen Form gewesen. Die starken Anregungen, die nach Berichten von Hüttenbrenner, Spaun oder Kathi Fröhlich durch Händels Oratorien auf ihn zukamen, dürften bei der Suche nach einem groß angelegten Text den Maßstab gesetzt haben. Auch Schuberts bald erfolgende Anmeldung zum Kontrapunkt-Unterricht bei Simon Sechter mag mit solchen Plänen Zusammenhang gehabt haben.

Eduard von Bauernfeld las am Neujahrstage 1828 in dem Hause, das Schubert und Schober bewohnten, den zusammengekommenen Freunden ein eigenes Gedicht vor, in dem es die folgende, düster prophetische Strophe gibt:

> Der Zauber der Rede, der Quell der Gesänge,
> auch er vertrocknet, so göttlich er ist;
> nicht rauschen die Lieder, wie sonst, im Gedränge,
> denn auch dem Sänger ward seine Frist: —
> die Quelle eilt zum Meere wieder,
> der Liedersänger zum Quell der Lieder.

Ob der Sprecher wohl ahnte, daß Franz binnen Jahresfrist den Freunden nur noch in den Liedern fortleben konnte?

Inzwischen hielt wohl hauptsächlich die Arbeit an der WINTER-
REISE Schubert davon ab, den unvermindert beliebten Schuber-
tiaden beizuwohnen, so auch am 10. Januar, zu welchem Datum
Marie von Pratobevera vermerkt:

»Der Schubert ließ zwar vergebens auf sich warten, aber der
Tietze sang zum Ersatz so rührend und seelenvoll viele von
seinen Liedern, daß wir seine Abwesenheit nicht so schmerzlich
vermißten.«

Mayrhofer verwechselt später Ursache und Wirkung, wenn er
sich erinnert:

»Die Wahl der Winterreise beweist, wie der Tonsetzer ernster
geworden. Lange und schwer krank gewesen — für ihn war der
Winter eingetreten.«

Spaun schildert die erste Begegnung der Freunde mit der un-
geheuerlich neuen Schöpfung:

»Schubert wurde durch einige Zeit düster gestimmt und schien
angegriffen. Auf meine Frage, was in ihm vorgehe, sagte er nur:
›Nun, Ihr werdet es bald hören und begreifen.‹ Eines Tages sagte
er zu mir: ›Komme heute zu Schober. Ich werde Euch einen
Zyklus schauerlicher Lieder vorsingen. Ich bin begierig zu sehen,
was Ihr dazu sagt. Sie haben mich mehr angegriffen, als dieses je
bei anderen Liedern der Fall war.‹ Er sang uns nun mit bewegter
Stimme die ganze WINTERREISE durch. Wir waren über die
düstere Stimmung dieser Lieder ganz verblüfft, und Schober
sagte, es habe ihm nur ein Lied, DER LINDENBAUM, gefallen. Schubert sagte hierauf nur: ›Mir gefallen diese Lieder mehr als alle,
und sie werden Euch auch noch gefallen.‹ Und er hatte recht, bald
waren wir begeistert von dem Eindruck der wehmütigen Lieder,
die Vogl meisterhaft vortrug.«

Schubert muß die WINTERREISE unter ungeheurer physischer
Anspannung geschrieben haben. Aber die Energieleistung hatte
für ihn wohl auch etwas Befreiendes angesichts der Tatsache,
daß sich sein fortschreitendes körperliches Leiden mehr und mehr
in starken Kopfschmerzen bemerkbar machte. Die Intensität der

pausenlos geschaffenen Werke dieses Jahres mutet geradezu unheimlich an. Spauns Annahme, die Anstrengung der WINTER-REISE-Komposition habe Schuberts frühen Tod mit veranlaßt, wird von Schubert selbst widerlegt. Das Klaviertrio Es-Dur in strahlender Lebensfreude folgt unmittelbar auf die Komposition des Liederzyklus, eine zweite Serie Impromptus entsteht gleich danach, dazwischen werden neue Lieder nach Leitner und italienische Gesänge für Luigi Lablache, den bewunderten Solisten aus

Luigi Lablache

Barbajas Operntruppe, geschrieben. Der Bassist bezeigte seine Hochachtung durch häufige Interpretationen auch der deutschsprachigen Gesänge Schuberts. Unter den neuvertonten Texten des Metastasio finden sich die hübsche Kavatine L'INCANTO DEGLI OCCHI, die dramatische Arie IL TRADITOR DELUSO und die Buffoarie frei nach Rossini IL MODO DI PRENDER MOGLIE. Drei wundervolle Studien für die Baßstimme, drei ganz aus dem Schubertstil fallende, gekonnte Außenseiterstücke.

Bereits die erste Probe des neuen Zyklus vor den Freunden ließ keinen Zweifel daran, daß die WINTERREISE den krassen Gegensatz zur sentimental herztausigen Zufriedenheit der übrigen Liederproduktion jener Zeit markierte. Deshalb gab Schubert die Lieder nun auch nur ungern aus der Hand, bevor sie ihre endgültige Gestalt gefunden hatten. Denn an keinem seiner Liedwerke hat Schubert so viel gefeilt und verändert wie an den Gesängen der WINTERREISE. Das konnte aber nicht verhindern, daß er sie schließlich doch fortgeben mußte, denn Geldnot und Krankheit machten die Trennung von den Manuskripten notwendig. Die ersten Lieder, darunter den LINDENBAUM, ließ er Lachner zu Verleger Haslinger tragen mit der dringenden Auflage, doch in jedem Falle etwas bares Geld dafür mit nach Hause zu bringen, um Arznei und Suppen bezahlen zu können. Lachner berichtet: »Der Verleger übersah die Situation und zahlte — einen Gulden für jedes Lied.«

Im Vorjahr hatte Schubert zu Bauernfeld gesagt: »Ich sehe

Dich schon als Hofrat und berühmten Lustspieldichter! Aber ich?
Was wird aus mir armem Musikanten? Ich werde wohl im Alter
wie Goethes Harfner an die Türen schleichen und um Brot betteln
müssen!«

Das tragisch-ironische Selbstporträt, das diesem Bild nun hinzugefügt wird, heißt DER LEIERMANN:

> Drüben hinter'm Dorfe steht ein Leiermann,
> und mit starren Fingern dreht er, was er kann.
> Barfuß auf dem Eise schwankt er hin und her;
> und sein kleiner Teller bleibt ihm immer leer.
> Keiner mag ihn hören, keiner sieht ihn an;
> und die Hunde knurren um den alten Mann.
> Und er läßt es gehen, alles wie es will.
> Dreht, und seine Leier steht ihm nimmer still.
> Wunderlicher Alter, soll ich mit dir geh'n?
> Willst zu meinen Liedern deine Leier dreh'n?

Des Dichters Wilhelm Müller eigene materielle Lage kann
nicht mit Schuberts Armut verglichen werden. Müller geht
nichtsdestoweniger in seinem ironischen Anspruch wesentlich
weiter als der Komponist, indem er den Dichter als Almosen-
empfänger in der kunstfeindlichen Gesellschaft darstellt. Es berührt seltsam, wie sich der sorgenfrei lebende Dichter und Bibliothekar in Dessau politisch engagiert, während der spottarme
Schubert sich nichts als den Menschen in seiner Herzensnot zum
Gegenstand nimmt.

Am 14. Januar 1828 kündigte Tobias Haslinger das Erscheinen
der ersten zwölf Lieder aus der WINTERREISE an. Vier Tage zuvor
hatte der erwähnte Herr Tietze während einer Abendunterhaltung das erste Lied GUTE NACHT gesungen. Dieser Sänger zählte
zu jenen Beamten, die häufig in den Vokalquartettaufführungen
während der Abendunterhaltungen bei der Gesellschaft der
Musikfreunde mitwirkten. Wahrscheinlich müßte mancher Be-
rufssänger von heute beim Vergleich mit solchen Dilettanten vor
Neid erblassen. Barth und Tietze hatten vorzügliche Tenor-
stimmen; Barth war stolz darauf, daß 1826 in seiner Wohnung
das Streichquartett d-Moll »Der Tod und das Mädchen« zum
erstenmal, noch vor der Aufführung bei Lachner, erklang. Tietze
war allein in den ersten fünf Monaten des Jahres 1827 sechsmal
vom Komponisten begleitet als Sänger von Sololiedern in den
Abendunterhaltungen zu hören. Der Kuriosität halber sollte hier

auch Johann Nestroy genannt werden. Der volkstümliche Wiener Komödiendichter wirkte in Schuberts Quartetten als Bariton mit, schied allerdings nach zwei Jahren aus, um sich ganz dem Theater zu widmen. Nestroy hatte als Baritonist seine Laufbahn begonnen und war durch sein rettendes Einspringen als Minister in der »Fidelio«-Premiere aufgefallen.

Auf dem Manuskript der ersten Hälfte der WINTERREISE ist das Entstehungsdatum Februar 1827 angegeben. Dies ist der Zeitpunkt, zu dem sich Schubert an die erste saubere Abschrift des Einleitungslieds GUTE NACHT machte. Wieder handelt es sich um ein Lied im Rhythmus des Wanderschritts wie bei dem ersten der Müller-Lieder. Aber welcher Kontrast! Nur die Andeutung einer Vorgeschichte wird gegeben, wir stehen eigentlich bereits am Schluß des Geschehens. Warum nimmt der junge Mann Abschied? Er hat ein Mädchen geliebt und sich ihrer Liebe sicher geglaubt. Da kam ein Reicherer und wurde vorgezogen. Und nun ist alles aus, das Leben ist wertlos geworden, er sehnt sich nach dem Ende. GUTE NACHT ist dessen Anfang. Das Klavier intoniert ein Vorspiel, über dem Schuberts Vorschrift »Mäßig, in gehender Bewegung« zwar geschrieben steht, aber nur selten wird beachtet, daß sich der Schritt an den Halben orientiert. Das Fallende des inneren Geschehens unterstreicht Schubert durch die Emphase auf dem sich wiederholenden, hochliegenden Auftakt. Die Wendung nach F-Dur spricht aus, wie anders es einmal ausgesehen hat. »Das Mädchen sprach von Liebe«, die Wiederholung in B-Dur färbt sich ironisch, aber die Bitterkeit löst sich in Tränen, wenn es im Klavier e-f-e und a-b-a klagt. Der gänzlich veränderte Ausdruck der letzten Strophe stellt sich durch die unvermittelte Rückung von Moll nach Dur her. Alles erscheint nun gemildert, aber Schubert dichtet das Lied zu Ende. Mit der Rückkehr in die Herbheit des anfänglichen Mollcharakters während des Nachspiels schiebt er bereits den Riegel vor eine Selbstbespiegelung, vor süßliches Selbstmitleid. Keine Schwärmerei hat das letzte Wort, sondern Wahrhaftigkeit. Und solche Illusionslosigkeit, die das Klaviernachspiel weitergehen läßt zur nächsten der düsteren Stationen, sollte auch die Interpretation während des ganzen Zyklus vor der Larmoyanz bewahren, die manchmal zu hören ist. Das wird demjenigen schon dadurch leicht fallen, der sich der Zwiespälte liebevoll annimmt, die zwischen schmerzlicher Klanggebung und gelegentlicher bitterer Ironie aufbrechen.

Der Almanach, in dem Schubert die zwölf ersten Gedichte fand, betitelte sich »Urania« und war 1823 in Leipzig veröffentlicht worden. An der Begeisterung, mit der der Komponist an die Arbeit ging, kann man ablesen, wie genau die Gedichte seinem augenblicklichen Schaffensbedürfnis entgegenkommen. Im Spätsommer 1827 dann, wohlgemerkt nach der Vollendung der ersten zwölf Gesänge, fand Schubert Müllers vollständige Fassung des Zyklus in den »Gedichten aus den hinterlassenen Papieren eines reisenden Waldhornisten« als zweiten Teil der Gedichtsammlung. Allerdings reihten sich die fehlenden zwölf Lieder nicht als Fortsetzung, sondern tauchten an verschiedenen Stellen auf, waren neu geordnet worden. Der Dichter dachte das Buch dem »Meister des deutschen Liedes, Carl Maria von Weber, als Pfand für seine Freundschaft und Bewunderung« zu, der 1826 gestorben war, ehe Schubert sein Werk vollendet hatte. Da dieser die Gedichte nun vertonte, wie sie kamen, und sie den bereits vorhandenen anfügte, konnte die Vermutung aufkommen, er habe die Müllersche Reihenfolge absichtlich verändert. Das trifft höchstens für den Wortlaut der einzelnen Gedichte zu; manche der Verbesserungen, wenn auch nicht alle, sollte man von Schubert übernehmen. Für die Stellung der Lieder im Zyklus gelten allerdings andere Gesichtspunkte. Hans Joachim Moser oder Günther Baum haben gelegentlich versucht, die Müllersche Reihenfolge im Konzert zu rekonstruieren, aber die Tonartenabfolge, die übrigens auch bei der Transposition möglichst beibehalten werden sollte, und die von Schubert proponierte Dramaturgie werden dabei auseinandergerissen. Die Nummern der Schubert-Ausgabe würden dann so umgestellt erscheinen: 1—5, 13, 6—8, 14—21, 9—10, 23, 11—12, 22, 24. Nicht anders sieht es mit dem Text aus: Die meisten Änderungen Schuberts, selbst wenn sie auf Gedächtnislücken zurückzuführen wären, sind derart mit der Musik verwachsen, daß man sie nicht rückgängig machen darf. Auszunehmen wäre hier in Nummer 4: Mein Herz ist wie *erfroren*, Nr. 9: Unsere Freuden, unsere *Wehen*, Nr. 20: Weiser stehen auf den *Straßen*.

Die beiden vollständigen Manuskripte des Zyklus blieben erhalten, deren erstes derart von Korrekturen und Zusätzen unleserlich geworden war, daß man sich, als Schubert krank zu Bette lag, zu einer Abschrift entschließen mußte, die dann der Komponist korrigierte, nicht ohne nochmals einschneidende Änderungen anzubringen, besonders in Nummer 2. Diese verbesserte Kopie verschwand für viele Jahre von der Bildfläche, und die Haslinger folgenden Herausgeber Friedländer, Mandyczewsky und Schaeffer wiesen auf die verbliebene erste Handschrift und erklärten vieles für Fehler, was in Wahrheit von Schubert für den Erstdruck geändert worden war.

Es mag von Interesse sein, daß die Melodie von Täuschung auf ein Gedicht am Anfang des zweiten Aktes von »Alfonso und Estrella« zurückgeht, das von Schober stammt und sehr ähnlichen Inhalt hat. Natürlich fiel Schubert seine frühere Interpretation der gleichen Gedanken wieder ein. Täuschung exemplifiziert den unregelmäßigen Gebrauch von drei Taktphasen. Umherirren und Unruhe des verlockenden, eingebildeten Lichts werden deutlich gemacht, während das Klavier am Ende jeder Zeile wiederholend die Worte des Singenden gleichsam parodiert.

Die Winterreise steht für alle Werke des letzten Jahres, was Steigerung, Einfühlung und Erweiterung der Kompositechnik betrifft. Was schon vorher in Ansätzen deutlich geworden war, offenbart sich nun in einer beherrschenderen Beteiligung des Intellekts am Kompositionsverfahren, besonders in den durchkomponierten Strecken. Der Stil von Wetterfahne oder Irrlicht etwa bringt absolut Neues und vorher Unentdecktes. Die Wetterfahne auf des Liebchens Dach scheint den Flüchtling zu höhnen und gestaltet sich ihm zum Sinnbild der Flatterhaftigkeit. Unrast kennzeichnet das gesamte Bild der Komposition, der man am besten wohl mit dem ungeschriebenen, aber im Notenbild sich deutlich abzeichnenden Rubato gerecht wird, wobei ein zu hastig genommenes Tempo hier gerade hinderlich sein könnte. (»ziemlich geschwind«!) Die provozierende Neuartigkeit solcher Erfindungen oder etwa der des Liedes Die Krähe läßt den frühen Tod Schuberts um so tragischer erscheinen. Seine Seelen- und Landschaftsbilder übertreffen an Eindringlichkeit und Dämonie alle Malerei seiner Zeitgenossen, wie uns die düstere Vision der Krähe verdeutlicht, die auf den Tod des Wanderers harrt, der sich dem Wahnsinn »entgegenduldet«. Man muß schon bei Altdorfer, Rembrandt oder Goya suchen, um Gemälde von solcher Intensität, aufs Optische übertragen, wiederzufinden, obwohl jegliche realistische »Klangmalerei« geflissentlich vermieden ist. *»Aber auf welchem Gebiet hat Schubert die Erde nicht musikalisch neu erschaffen?«* (Witeschnik)

Wilhelm Müller starb im gleichen Jahr (1827), in dem Schuberts Musik entstand; ein Jahr später korrigierte der Komponist die

Druckvorlage, selbst auf dem Sterbelager. Aber wohl kaum gab der Eintritt in den Winter des Lebens mit 30 den Ausschlag für die Komposition durch einen Mann, der 1827 und 1828 einer solchen Fülle lebensprühender, frühlingsnaher Töne in anderen Werken fähig war. Es gibt eben keine handgreifliche Erklärung des Phänomens WINTERREISE, wir müssen uns damit begnügen, daß Schubert die Gedichte fand, daß sie wieder von seinem MÜLLERIN-Autor stammten, wieder von einem leidenden Herzen Zeugnis gaben, nur mit dem Unterschied der jahreszeitlichen Einstimmung, und daß es nun ein Mann und kein Jüngling ist, der am Leben verzweifelt. Haben wir es überhaupt nötig, nach äußerlichen Motivationen Umschau zu halten, da wir doch schon von Schuberts Jugendtagen her den Aufschrei der Hagar, der jungen Nonne, des Gretchen und die grenzenlose Verzweiflung des Harfners im Ohr haben?

Nicht Depression allein kann das kränkliche Aussehen Schuberts, von dem die Freunde sprachen, verursacht haben, denn dieser schöpferische Leidensprozeß faßte ja Entdeckungen und Vorstöße in sich, wie sie bisher noch außerhalb der Möglichkeiten gelegen hatten. Selbst wenn alle Begleitumstände der Krankheit und der Lebensentmutigung berücksichtigt werden, bleibt noch eine übermenschliche Freude zu konstatieren über den so glücklich sich fügenden Stoff, über die unerwartete Begegnung mit einem Partner, dessen Wort ihn schon einmal beflügelt hatte, und über die zahllosen musikalischen Anregungen in diesen Gedichten. Jetzt gab es auch keinen Grund, einen Text auszulassen, alle 24 Gedichte wurden vertont, so sehr die andauernde Düsternis der Stimmung auch der Bewältigung trotzte. Selbst dieser Schubert, von dessen Ausspruch man weiß, daß es für ihn eigentlich keine lustige Musik gab, hatte zuvor noch keine solche Variationenkette über das Leid in Angriff genommen. In der SCHÖNEN MÜLLERIN gab es doch Stimmungsumschwünge, lichtere Strecken. Und der Held war dort nicht der einzige Handelnde, kleine Seitenblicke auf die Angebetete, deren Vater und auf den Rivalen waren erlaubt. Hier aber ist die Verbindung zu anderen Menschen von Anbeginn unterbrochen, und der Anlaß für die Dichtung wird uns nicht nur nicht vorgeführt, sondern auch mit keinem Wort erwähnt.

Auch die Hauptperson ist hier nur unscharf umrissen. Um so eindringlicher tritt jedoch die Natur vor den Blick. Das winterliche Land mit seinem Schneesturm, den vereisten Flüssen, den

kahlen Bäumen und dem sie durchwandernden Opfer der Unwirtlichkeit und Kälte formt sich zur immer wiederholten Klage.
Schubert hörte ja so gern auf die Sprache der Natur; vornehmlich
leises, fast unhörbares Rauschen erhöhte er in Tönen. Rütteln
der Stürme, Raunen des Waldes, Flüstern der Pflanzen, Weben
der Wiesen, sie werden in seiner Sprache vernehmbar. Und nicht
nur im LINDENBAUM befreit er die Pflanze zum musikalisch
sprechenden Wesen. So wenig ehrgeizig oder kompliziert sich
Müllers Verse präsentieren, so wenig geht Schubert über die
Einfachheit musikalischer Textur hinaus. Sein ungeteiltes Interesse gilt der Tiefe der Empfindung, nicht psychologischer Über-
feinerung. Entbehrung, Verzicht. Träume bedrängen den Liebenden. Lang und verzweifelt dauert der Kampf mit seinen Gefühlen
an. 16 der Lieder stehen in Moll, die Agonie nimmt kein Ende,
bevor nicht der Wahnsinn erreicht ist. In der Abfolge von Emo-
tionszuständen beweist Schubert mehr als je sonst seine Einfachheit. Wer unter den nachgeborenen Komponisten hätte hier wohl
so konsequent jegliche Sentimentalität einerseits und überfeinerte
Charakterisierung zuungunsten der Musik andererseits vermieden? Nicht einmal motivische Wiederaufnahme von musikalischen Gedanken erlaubt er sich und bannt so jede Gefahr allzu
selbstherrlichen Eingriffs in die Gedichtaussagen. Nicht senti-
mentalisch miteinander verbunden werden die Zustände, völlig
unvorbereitet wird man mit der Überwältigung durch jede neue
Verzweiflung konfrontiert.

In den Liederzyklen leitete Schubert den Gedanken der höheren Einheit, wie er bis dahin nur in größeren instrumentalen
Formen Platz hatte, in die Liedform über. Er weitete das Klein-
format des Liedes nun auch in der äußeren Dimension zur großen
Form. Der andere Hauptakzent der Zyklen aber liegt auf dem,
was sie als Spiegelungen von ihres Schöpfers Persönlichkeit
bedeuten. Die Aussage, daß wir in ihnen den ganzen Schubert
finden, wird man nicht mehr als Banalität empfinden, denn es
läßt sich ein Einsatz in ihnen entdecken, wie er so in den anderen
Werken des Meisters nicht oder nicht so scharf graviert deutlich
wird. Dazu gehören vornehmlich Züge einer fast schon hysteri-
schen Empfindsamkeit, die nicht selten das Pathologische
streifen. DER WEGWEISER, DER LEIERMANN, IM DORFE stoßen bis
zur äußersten Grenze des Visionären vor, wo der Seher Schubert
nicht weniger heimisch ist als Novalis, E. T. A. Hoffmann oder
Justinus Kerner. Man nehme nur die oft recht langen Triller wie

in Im Dorfe, mit denen Schubert mehr auszusagen fähig war, als man es von diesem scheinbar nur verzierenden Element erwarten konnte. Im Dorfe zeigt uns den Triller in Sechzehntelbewegung aufgeschrieben, sie macht neben den realistischen Geräuschen tiefe Aufwühlung hörbar. Die zugrunde liegende Idee, der Gegensatz von satter Herde und Todesverlangen des Einsamen, wird hier nicht beschrieben, sondern durch symbolische Motive angedeutet. Aber im Gegensatz zu den wirklichkeitsnah rauschenden und klappernden Grundcharakteristika der Müller-Lieder durchklingt das Motiv der Schritte aus dem einleitenden Gute Nacht der Winterreise die Gesänge nur angedeutet. Alle Verbindungslinien liegen jetzt im Inneren, im Psychologischen.

Die Forderung an einen einheitlichen Darstellungsstil, die ebenso an den Sänger der Schönen Müllerin wie an den der Winterreise gestellt ist, läßt sich im zweiten Zyklus naturgemäß leichter erfüllen, verbleibt doch der Umschwung des Affekts jeweils in der gleichen Richtung des persönlichen Ausdrucks. Um so mehr ist auf Vertiefung der Darstellung hinzuwirken, denn eine mittlere Norm des Schönklangs für alle 24 Lieder könnte hier nur Einförmigkeit aufkommen lassen.

Zu Schuberts originellsten Schöpfungen gehört die musikalische Ausdeutung der letzten »Leidensstation«, Der Leiermann. Die Szene wird in zwei gleichen Strophen geschildert, die ganz kurze dritte stellt die Frage, die ohne Antwort bleibt. Das Motiv der rechten Klavierhand, die liegenden Dudelsackquinten in der linken Hand (es handelt sich um die ältere Form der Leier und nicht etwa den Leierkasten!), die in Einförmigkeit gefesselte Deklamation der Stimme, alles könnte kaum charakteristischer getroffen sein. Die musikalische Trivialität des Alten, der sein Elend nicht mehr zur Kenntnis nimmt, weist auf Mahler voraus. Und doch — Realistik bleibt hier immer formal gebunden, es wird nicht aus dem Rahmen der musikalischen Dichte des Ganzen ausgebrochen. Mit dem Leiermann ist nicht nur der Stimmungstiefpunkt des Zyklus, sondern überhaupt alles dessen erreicht, was Schubert zu Papier gebracht hat, denn kein Ausbrechen wie in Doppelgänger ist dieser Not gegönnt, das Leben hat kaum noch eine Chance in diesen Zeilen. Die Wirkung auf den Hörer ist lähmend.

Und da berühren wir ein Thema, das vor Jahren vielfach diskutiert wurde: Soll man die Winterreise überhaupt öffentlich singen, ein so intimes Tagebuch der Seele vor den unterschiedlich interessierten Ohren der Hörer ausbreiten? Es hat sich inzwischen erwiesen: die Sorge vor dem Teil des Publikums, der von einem Liederabend nur gepflegte ästhetische Unterhaltung erwartet, darf nicht vorherrschen. Man sollte keine Scheu vor dem vereisenden Eindruck haben, den diese Lieder in der richtigen Wiedergabe, ohne alle Konzessionen an österreichischen Charme oder Tränenseligkeit, hervorrufen, und sich gegebenenfalls auch dafür tadeln lassen. Wenn diese Stücke nicht mehr als Genuß, Rührung oder Schauer in uns wecken, ist das Ideal der völligen Offenheit gegenüber Schuberts Aussage noch nicht erreicht.

DIE WINTERREISE geht über nur lyrische Anforderungen weit hinaus, bis zur Dramatik reicht die Skala des Ausdrucks. Michael Vogl als erster Interpret und die nachfolgenden Protagonisten haben den Zyklus weitgehend der baritonalen Stimmlage zugeordnet; um so mehr ist es zu begrüßen, daß in jüngster Zeit auch einige Tenöre sich der Originaltonarten erbarmt haben, so Julius Patzak und Peter Pears, dessen Plattenaufnahme den zusätzlichen Reiz aufweist, daß in ihr die erste Fassung zu hören ist.

Es folgen hier Auszüge einer Besprechung aus der »Theaterzeitung«, die bereits am 29. März 1828 anläßlich des Erscheinens der ersten Hälfte des Zyklus großes Verständnis seitens des Rezensenten zeigt:

»WINTERREISE. *Von Wilhelm Müller, in Musik gesetzt für eine Singstimme mit Begleitung des Pianoforte von Franz Schubert, 39. Werk. I. Abteilung. Eigentum des Verlegers. Wien, bei Tobias Haslinger, Musikverleger im Hause der Sparkasse Am Graben. Auf etwas Gelungenes aufmerksam zu machen, ist das angenehmste Geschäft, dem sich ein Kunstfreund unterziehen kann. Sehr gern sprechen wir daher von dem vorliegenden Werke, das von Seite des Dichters, des Tonsetzers und Verlegers seinem Ursprunge Ehre macht. Schubert hat seinen Dichter auf eine genialste Weise aufgefaßt, die ihm eigentümlich ist. Er hat die Empfindungen, welche die Gedichte aussprechen, tief nachgefühlt und diese Gefühle so in Tönen wiedergegeben, daß kein Herz sie ohne innige Rührung singen und hören kann. Schuberts Geist hat überall einen kühnen Schwung, indem er alle mit sich fortreißt, die sich ihm nahen, und der sie durch die unermeßlichen Tiefen des Menschenherzens in weite Ferne* trägt, wo ihnen die Ahndung des Unendlichen in dämmerndem Rosenlicht sehnsüchtig aufgeht, wo aber auch zur schaurigen Wonne eines unaussprechlichen Vorgefühles der sanfte Schmerz beschränkender Gegenwart sich gesellet, der die Grenze des menschlichen Seins umstellt. Hierin liegt das Wesen der Romantik deutscher Art und Kunst und in dieser konsequenten Herstellung der Harmonie des Äußern und Innern liegt eben das Hauptverdienst beider Dichter, des sprechenden und singenden. Mit der Auseinandersetzung der technischen Schönheiten kann man sich in diesem Blatte nicht befassen, das nicht der Theorie gewidmet ist, aber auf den Standpunkt hinzuweisen, auf welchem Wege dies schöne, edle Werk recht innig und völlig genossen werden kann, ist in unseren Tagen ein um so dringenderes Bedürfnis, da es fast Manie wurde, sich in der Tonkunst nur den materiellen Eindrücken zu überlassen.«

Nicht überall schlug man Töne der Zustimmung an. Am 16. Januar 1828 hatte der Tenorist Bader zur Begleitung Felix Mendelssohn-Bartholdys den ERLKÖNIG (immer wieder das gleiche, bevorzugte Wirkungsstück) in Leipzig gesungen. Die »Leipziger Zeitung« erkannte die Größe des Schubert-Werkes nicht, *»welche Vertonung Schuberts nach Ansicht des Rezensenten weder die Reichardtische, noch Zeltersche erreicht, obgleich an Modulationen und Bizarrerie überreich, von Herrn Bader, zur fertigen und kraftvollen Klavierbegleitung des jungen Mendelssohn gesungen wurde«.* Bemerkenswert, daß der von Goethe geliebte Mendelssohn sich nicht um die von dem Meister über alles gepriesenen Reichardt und Zelter kümmerte, vielmehr nur Schubert des öffentlichen Vortrags für würdig befand. Wie weit Schuberts Musik über das den Zeitgenossen Gewohnte hinausging, mag die am 23. Januar erschienene Besprechung der bei Haslinger herausgebrachten Lieder erweisen. Wieder schreibt die »Leipziger Zeitung«:

»Schubert ist fähig und es gelingt ihm meistens, aus jedem das herauszuhören, was für die Empfindung und mithin für die Musik, darin vorherrscht. Seine Begleitung ist aber selten bloße Begleitung, er läßt die Melodie ausmalen, zeigt oft Eigenthümlichkeiten der Erfindung und Ausführung, tüchtige Kenntnis der Harmonie und treuen Fleiß. Dagegen greift er öfters und zuweilen weit über die Gattung hinaus. Um neu pikant zu sein, liebt er es über die Maßen in der Klavierbegleitung viele Noten zu machen, über- oder nacheinander.«

Unter den hier besprochenen Liedern findet sich das Lied IM FREIEN von J. G. Seidl, Joseph Witteczek gewidmet. Wenn man sich die auf Schumann vorausweisende Oktaven-Repetierfreudigkeit in der Begleitung ansieht, ist das Erstaunen der Kritiker wohl zu verstehen.

Sehr zum Ärger der Wiener Verlagshäuser hatte Schubert zwei Lieder dem im Sommer kennengelernten Grazer Verleger Kienreich überlassen, dessen Namen er allerdings schnell wieder

vergaß. An Anselm Hüttenbrenner, mit dem alte Freundschafts-
bande wieder angeknüpft wurden, erging am 18. Januar 1828
nebst einer Vermittlungsbitte für Bruder Carl, dem er eine
Zeichenlehrerstelle in Graz wünschte, folgende Frage: »*Hast Du
nichts Neues gemacht? Apropos, warum erscheinen denn die
2 Lieder bei Greiner, oder wie er heißt, nicht? Was ist denn das?
Sapperment hinein!!*«

Unter einer Anzahl von Sologesängen, die dem Verlag
B. Schott's Söhne, Mainz, angeboten werden, befindet sich das
weit ausgesponnene, melodisch und harmonisch bezaubernd
reizvolle Lied nach Leitner DER WINTERABEND. Durch die zu
Herzen gehende Interpretation des 80jährigen Karl Erb wurde
vielen erst die Schönheit des Liedes bewußt. Das sieben Seiten
füllende Stück durchlaufen ununterbrochene Sechzehntel. Und
doch verdichtet Schubert die friedliche Stimmung des Abends
bis zu persönlichster Anteilnahme an den Seufzern des Dichters. Kritiker der »Undefiniertheit« eines solchen Schlusses, wie
R. Capell, haben sich wohl kaum die Mühe gemacht, das Stück
einmal wirklich erklingen zu lassen. Ein flüchtiger Blick auf die
gleichförmig aussehenden Noten kann hier nicht genügen.

Schott hatte an Schubert geschrieben: »*. . . Wir sind nun so
frei, Sie um einige Werke für unsern Verlag zu ersuchen. Klavierwerke oder Gesänge für eine oder mehrere Stimmen mit
oder ohne Pianobegleitung werden uns stets willkommen sein.
Das Honorar belieben Sie zu bestimmen, was wir Ihnen in Wien
bei H. Franck & Cie. werden auszahlen lassen. Bemerken müssen
wir Ihnen, daß wir auch ein Etablissement in Paris besitzen, wo
wir auch jedesmal Ihre Kompositionen bekanntmachen . . .*«

In seltsamer Duplizität kam am gleichen 9. Februar ein Brief
von Probst mit weiteren Angeboten an. Schubert antwortete
Schott am 21. Februar 1828: »*Euer Wohlgeboren! Ich fühlte
mich durch Ihr Schreiben vom 8. Febr. sehr geehrt und trete mit
Vergnügen mit einer so soliden Kunsthandlung, welche ganz
geeignet ist, meine Werke im Auslande mehr zu verbreiten, in
nähere Verbindung.*«

Unter den angebotenen Werken nennt er dann: »*f) Gesänge
für eine Stimme mit Begl. des Piano, Gedichte von Schiller,
Göthe, Klopstock cc. cc. und Seidl, Schober, Leitner, Schulze
cc. cc.*«

Schott's Söhne wünschten, Schubert möge ihnen alle genannten Stücke zusenden, Streichquartette und Sologesänge wurden

allerdings ausgenommen. Die sich in die Länge ziehenden Verhandlungen blieben schließlich ohne Ergebnis, da es Schubert satt war, zu klein bemessene Honorare zu akzeptieren.

Die letzte große Schubertiade nach langer Pause am 28. Januar 1828 galt Joseph von Spaun, der seiner Vermählung wegen aus Wien schied. Franz von Hartmann schreibt: *»Das Fest brachte alle außer sich vor Entzücken. Bocklet küßte dem Tondichter die Hand und meinte, die Wiener wüßten gar nicht, welchen Schatz sie an Schubert besäßen.«*

An die Stelle der Schubertiaden rückten nunmehr Leseabende, bei denen man sich ausschließlich mit der zeitgenössischen Literatur beschäftigte. Goethes »Faust«, Kleists Bühnenwerke und Novellen, Tiecks Novellen wurden gelesen, ebenso wie Heines »Buch der Lieder«, das Schubert zu seinen letzten Offenbarungen in SCHWANENGESANG anregte. Schubert kannte die Werke der Romantik, die damals stark diskutiert wurden, sehr wohl. Um so mehr freilich überrascht es, daß er nie eins der Volkslieder vertont hat, die Arnim und Brentano in »Des Knaben Wunderhorn« gesammelt hatten. Sie wären seinem Genius besonders entgegengekommen.

Am Tag der einjährigen Wiederkehr von Beethovens Sterbedatum, dem 26. März 1828, ließ Schubert nach langem Zögern und schwierigen Vorbereitungen sein erstes und einziges eigenes Konzert stattfinden. Schon 1825 waren Pläne dazu mit Kupelwieser geschmiedet worden. Schließlich hatte Bauernfeld 1827 auf Schubert eingeredet, er solle sich doch endlich zu einem Konzert entschließen:

»Dein Name klingt in aller Munde, und jedes Deiner Lieder ist ein Ereignis; Du hast die prächtigsten Streichquartette und Trios verfaßt, der Symphonien nicht zu gedenken! Deine Freunde sind davon entzückt, aber kein Kunsthändler will sie vor der Hand kaufen, und die Öffentlichkeit hat noch keine Ahnung von der Schönheit und Anmut, die in diesen Werken schlummern. So nimm Dir einen Anlauf, bezwinge Deine Trägheit, gib ein Konzert, nur von Deinen Sachen natürlich. Vogl wird Dir mit Vergnügen beistehen, Bocklet, Böhm und Linke werden sich's zur Ehre schätzen, einem Meister wie Du in ihrer Kunstfertigkeit zu dienen. Die Besucher werden sich um die Eintrittskarten reißen, und wenn Du nicht mit einem Schlage ein Krösus wirst, so genügt doch ein einziger Abend, um Dich für's ganze Jahr zu decken. So ein Abend läßt sich alle Jahre

wiederholen, und wenn die Neuigkeiten Aufsehen machen, wie ich gar nicht zweifele, so kannst Du Deine Diabellis, Artarias und Haslingers mit ihrer schäbigen Bezahlung bis ins Unermeßliche hinauftreiben! Ein Konzert also, folge meinem Rat, ein Konzert!«

Franz scheute sich davor, um die Bereitstellung des Saales der Gesellschaft der Musikfreunde einkommen zu müssen, und er machte Bauernfeld gegenüber daraus kein Hehl: *»Wenn ich die Kerls nur nicht bitten müßte!«* Nach erfolgtem Gesuch mußte die Veranstaltung auf den 26. März verschoben werden, dafür war der Erfolg um so größer.

Die Wiener Presse hüllte sich in Schweigen. Erst am 12. Juni findet man in der Dresdner Abendzeitung eine Notiz, und in der reserviert reagierenden Berliner Allgemeinen Musikalischen Zeitung steht am 2. Juli:

»Franz Schubert, welcher in einem Privat-Konzerte lauter eigene Arbeiten, meistens Gesänge, zu Gehör brachte; ein Genre, worin er vorzugsweise Gelungenes lieferte. Die zahlreich versammelten Freunde und Protektoren ließen es an rauschendem Beifall bei jeder Nummer nicht fehlen und mehrere derselben wiederholen.«

Franz von Hartmanns Tagebuch verzeichnet: *»Mit Louis und Enk in Schuberts Konzert. Wie herrlich das war, werde ich nie vergessen. Zur Schnecke, wo wir bis 12 Uhr jubelten.«*

Bauernfeld trägt ein: *»Am 26. war Schuberts Konzert. Ungeheurer Beifall. Der Saal war vollgepfropft, jedes Stück wurde mit Beifall überschüttet, der Kompositeur unzählige Male hervorgerufen. Das Konzert warf einen Reinertrag von beinahe 800 Gulden ab.«*

Der Erfolg des Konzerts muß aber doch eher als begrenzt und mehr privater Natur angesehen werden. Das, was man »Musikwelt« nennt, blieb von der Veranstaltung unberührt. Der Widerhall fiel nur schwach und indifferent aus. Schubert war noch immer kein Anerkannter, man stempelte ihn als romantischen »Lieder-Compositeur« ab, der, wie bei solchen Musikern üblich, sich mit dem kleineren Ausstrahlungsradius begnügen mußte. Bis zum Himmel der Titanen würde er nie gelangen. Paganinis wenige Tage darauf stattfindendes Wiener Gastspiel macht erschreckend klar, wie relativ der Erfolg des im 300-Personen-Saal stattgehabten Schubert-Konzerts anzusetzen ist. Paganini spielte im großen Saal, und Zuhörer aller Schichten drängten hinein. Entsprechend unterschieden sich die Erträge. Schubert gab sein erobertes Geld sogleich wieder aus, führte Bauernfeld in das Paganini-Konzert, kaufte sich endlich, anstelle des mühsam immer wieder gemieteten, ein eigenes Klavier und fing an, Schulden zu begleichen. Aber in wenigen Wochen war der Ausgangszustand wieder hergestellt.

Das Programm, der Einladungskarte entnommen, sah so aus: »*Einladung zu dem Privat-Konzerte, welches Franz Schubert am 26. März, abends 7 Uhr im Lokal des Österr. Musik-Vereins Unter der Tuchlauben No. 558, zu geben die Ehre haben wird. Vorkommende Stücke:*

1. *Erster Satz eines neuen Streichquartetts, vorgetragen von den Herren Böhm, Holz, Weiß und Linke.*
2. *a)* DER KREUZZUG *von Leitner.*«
   b) DIE STERNE *von demselben,*
   c) DER WANDERER AN DEN MOND *von Seidl,*
   d) FRAGMENT AUS DEM AISCHYLOS, *Gesänge mit Begleitung des Pianoforte, vorgetragen von Herrn Vogl, kk. pens. Hofopernsänger.*

Leitners DIE STERNE malen ebenso wie DER WINTERABEND musikalisch, was sich mit Worten über den nächtlichen Himmel kaum aussagen läßt. Der schwingende Rhythmus ist durchgehalten, aber die Modulationen am Schluß jeder Strophe schmiegen sich dem Sinn an. Die dritte Zeile einer jeden Strophe erfährt jeweils eine andere Modulation aus der Grundtonart Es-Dur, wenn zunächst nach C, dann nach Ces und schließlich nach G-Dur ausgewichen wird, bis erst die Schlußstrophe die ursprüngliche Führung wieder aufnimmt. Ohne falsches Pathos wendet sich Schubert den Sternen zu, und die durchgehende Bewegung fängt das Flimmern und Glitzern ein. Die Modulationen wirken, wie durch Improvisation am Klavier, fast unfreiwillig und doch logisch auseinander entstanden.

Der seither vielgesungene KREUZZUG nach Leitner ist so einfach gehalten, daß man sich darunter ein Wallfahrerlied vorstellen könnte. Schuberts Einfall ist ergreifend, die Worte des Mönchs in der Schlußstrophe mit dem begleitenden Baß unisono singen zu lassen, während die rechte Klavierhand die Melodie übernimmt, so als sollte der Betrachter in die Pilgerweise sekundierend einzustimmen versuchen.

Im Programm folgten dann:

3. STÄNDCHEN *von Grillparzer, Sopran-Solo und Chor. Vorgetragen von Frl. Josephine Fröhlich und den Schülerinnen des Konservatoriums.*

4. *Neues Trio für das Pianoforte, Violine und das Violoncello. Vorgetragen von den Herren von Bocklet, Böhm und Linke.*

5. AUF DEM STROME *von Rellstab. Gesang mit Begleitung des Horns und Pianoforte. Vorgetragen von den Herren Tietze und Lewy, dem Jüngeren.*

6. DIE MONDNACHT, *von L. Pyrker. Gesang mit Begleitung des Pianoforte. Vorgetragen von Herrn Vogl.* (Wahrscheinlich handelt es sich um einen Druckfehler, und die ALLMACHT ist gemeint. Eine MONDNACHT von Pyrker konnte ich nicht eruieren.)

7. SCHLACHTGESANG *von Klopstock, Doppelchor für Männerstimmen.*

Sämtliche Musikstücke sind von der Komposition des Konzertgebers. Eintrittskarten f. 3 fl. W. W. sind in den Kunsthandlungen der Herren Haslinger, Diabelli und Leidesdorf zu haben.

Die Gesangsszene AUF DEM STROM war eigens für das Konzert komponiert worden, und wenn es wahr ist, daß der jüngere Bruder Lewy, Rudolf Lewy-Hoffmann, das Waldhorn blies, und nicht, wie Deutsch herausgefunden haben will, eine provisorische Cello-Begleitung gespielt wurde, handelt es sich hier um den Erfinder des Ventilhorns. AUF DEM STROM stellt das einzige Gegenstück zum HIRT AUF DEM FELSEN dar. Eine Hornstimme sekundiert eindrucksvoll den Tenor. Populär wurde das Stück durch Louis Savart, der, früher Hornvirtuose und dann Konzertsänger, beide Partien beherrschte, einmal sogar eine Bearbeitung vortrug, die es ihm möglich machte, abwechselnd zu singen und zu spielen.

Am 28. April 1828 widmete Schubert dem aus Schlesien stammenden Musiker und Gesangslehrer Heinrich Panofka (1807 bis 1887), mit dem der Dichter Hoffmann von Fallersleben im Frühsommer 1827 in Wien und Umgebung auf die Suche nach Schubert gegangen war, das Lied HERBST mit folgenden Worten ins Album: »Zur frdl. Erinnerung Frz. Schubert«. Der Autor des Gedichtes ist Ludwig Rellstab (1799–1860), der aus einer Musikerfamilie stammte und bereits in jungen Jahren einer der führenden Musikkritiker Berlins an der »Vossischen Zeitung«

wurde. Der streitbare Mann, dessen Fleiß auch Romane, Dramen und das Libretto zu Meyerbeers Preußenfestspiel »Ein Feldlager in Schlesien« entstammen, kann keiner besonderen literarischen Wertschätzung begegnen, obwohl sein Name mit dem Schuberts für alle Zeiten verbunden sein wird. Wegen seiner betont patriotischen Haltung in Kunstfragen mußte er mehrmals Gefängnisstrafen absitzen. Unter den zehn von Schubert vertonten Texten blieb eine Komposition unvollendet. —

Ludwig Rellstab

HERBST zeichnet sich durch eine bemerkenswerte Ähnlichkeit von Terzen-Tremulandi und Melodieführung im Vorspiel-Baß mit Brahms' »Herbstgefühl« aus, das völlig verwandten Ausdrucksgehalt hat. Die Bewunderung des Nachfahren und Mitherausgebers ist offenkundig.

> Es ziehen die Wolken so finster und grau;
> verschwunden die Sterne am himmlischen Blau!
> Ach, wie die Gestirne am Himmel entflieh'n!
> So sinket die Hoffnung des Lebens dahin!

Wieder erlebt man die Begleitung bei Schubert als eine musikalische Aussage, in der sich die Natur souverän ausspricht und die sich so verselbständigt. Häufig auch macht sich die Klavierstimme zum Gegenspieler der Singstimme, so daß das Bild eines zwar nicht regelstrengen, aber innerlich gesetzmäßigen Kontrapunktes entsteht. In HERBST hat die Wehmut der Jahreszeit musikalische Durchsichtigkeit, Durchlebtsein, ja den Duft mitbekommen, wie nur das Genie des brüderlich Mitfühlenden sie erschaffen kann. Sommerliche Stimmungen, im Sinne von Beethovens Pastorale, finden sich übrigens selten in Schuberts Werk.*
Es bleibt eine offene Frage, weshalb nicht die Schüler des Herrn

---

* Der erste Entwurf zum Lied ging verloren. Aber als der Liederteil der Gesamtausgabe vor dem Abschluß stand, fand man die Abschrift vom April 1828 im Album des Panofka und veröffentlichte die Fassung 1895 im letzten der Liederbände.

Panofka dieses kleine Meisterstück der Vergessenheit entrissen haben.

Aber es mag wohl ebensolche Sorglosigkeit im Spiel gewesen sein wie die der Gönnerin Fürstin Kinsky, die da meinte, der harmlose Schubert, der ja ohnehin nicht so aufs Geld schaut, könne mit milden Gaben abgespeist werden, wenn er nur artig Musik machte. Der Konzertgeber des recht prunkvollen Musikabends vom 7. Juli 1828 begleitete den Baron von Schönstein zu eigenen Liedern und erhielt von der Witwe des Beethoven-Verehrers einen huldvollen Dankesbrief für die Widmung des Opus 96 und etwas Kleingeld im Umschlag.

Im August 1828 entstanden unter demselben Titel GLAUBE, HOFFNUNG UND LIEBE zwei verschiedene Werke: ein modifiziertes Strophenlied nach einem Gedicht von Christoph Kuffner und – anläßlich der Einweihung der neuen Kirchenglocke der Dreifaltigkeitskirche im Alsergrund – ein Vokalensemble mit Bläsern nach einem Text von Friedrich Reil, ein musikalisch sehr viel simplerer Prozessionschor in Sechsachteln.

Es hing jedenfalls mit Schuberts verschlechtertem Gesundheitszustand zusammen, daß sich die Freunde jetzt nur noch so selten trafen. Der Hofarzt Dr. Rinna riet, das Zusammenleben mit Franz von Schober aufzugeben, der selber mit Krankheitssorgen belastet war. Schubert zog es zu Bruder Ferdinand in die gerade fertiggestellte Wohnung Vorstadt Neue Wieden 694. Zwar lag die grüne Natur näher als bisher für den Kranken, aber das Haus war noch feucht und wenig zuträglich. Das Notenschreiben ließ er allerdings trotzdem nicht sein, wie man aus dem Brief an Johann Baptist Jenger erfährt:

»Den zweiten Teil der Winterreise habe ich bereits Haslinger übergeben. Mit der Reise nach Graz ist's heuer nichts, da Geld und Witterung gänzlich ungünstig sind. Die Einladung zu Dr. Menz nehme ich aber mit Vergnügen an, da ich Baron Schönstein immer gerne singen höre.«

Franz Lachner behauptete später, Schubert habe vom Verleger für jedes Lied der WINTERREISE einzeln 50 Pfennige in heutiger Währung bekommen, was der Wahrheit nicht entspricht. Man hat den zweiten Teil des Zyklus mit dem Oktober 1827 datiert, womit aber eigentlich nur das Entstehungsdatum der POST als erstem Lied der Serie gemeint sein kann. Es ist also durchaus möglich, daß die letzten Gesänge gleichzeitig oder später als die Heine-Gedichte niedergeschrieben wurden. Einige Wochen nach

Schuberts Tod erschien dann der zweite Teil der WINTER-REISE.

Neben den letzten Klavierstücken für zwei und vier Hände entstanden verschwenderisch neue Meisterlieder, darunter die sieben Rellstab-Gesänge aus dem SCHWANENGESANG. Ludwig Rellstab hatte die Gedichte, zusammen mit anderen, kalligraphisch aufgeschrieben, Beethoven zur Vertonung angeboten. Der Meister starb, ohne die Zusendung berücksichtigt zu haben. So hielt Rellstab seine Chance für verspielt. Als aber ein Jahr nach Schuberts Tod Haslinger die letzten 13 hinterlassenen Lieder unter dem Sammeltitel SCHWANENGESANG herausbrachte, stellte der überraschte Rellstab fest, daß sich seine vermißten Geisteskinder darunter befanden. Er beschreibt, wie er seine handgeschriebenen Blätter aus Beethovens Nachlaß von Schindler zurückerhielt:

»Einige waren mit Bleistiftzeichen versehen, von Beethovens eigener Hand; es waren diejenigen, welche ihm am besten gefielen und die er damals an Schubert zur Komposition gegeben, weil er selbst sich zu unwohl fühlte. In dessen Gesangskompositionen finden sie sich auch, und einige davon sind ganz allgemein bekannt geworden. Mit Rührung empfing ich die Blättchen zurück, die einen so eigentümlichen, aber der Kunst fruchtbar gewordenen Weg gemacht hatten, bis sie wieder zu mir zurückkehrten.«

Ob Beethoven Schindler wirklich mit der Weitergabe betraute oder ob der Sekretär eigenmächtig handelte, ist nicht mehr auszumachen. Sicher ist, daß Schubert die sieben Lieder als Bestandteil eines nächsten Zyklus herausbringen wollte. Ein achtes, herrlich kräftiges Lied mit dem Titel LEBENSMUT sollte dem Heft vorangestellt werden, blieb aber Fragment. Auch die Heine-Lieder plante Schubert, um einige vermehrt, als eigenständigen Zyklus. Haslinger verband beide Fragmente unbesehen, nicht ohne die wunderschöne, aber einigermaßen aus dem Rahmen fallende TAUBENPOST hinten anzuhängen, so daß die Reihe SCHWANENGESANG unzusammenhängende Titel vereinigt. Spaun bemerkt in seinen Erinnerungen, Schubert habe sich mit dem Gedanken getragen, die Sammlung »seinen Freunden« zu widmen. Die Zusammenführung der Gesänge kam dann durch die geschäftliche Verbindung zustande, die nach Schuberts Tod zwischen Bruder Ferdinand und Haslinger entstand. Der Zyklus erschien ohne Opuszahl im April 1829.

Der erste der Rellstab-Gesänge, die anmutige LIEBESBOTSCHAFT, wird von gleichmäßiger Wellenbewegung getragen und ist ganz auf leichte Tongebung gestellt. Ein letztes Mal plätschert Schuberts Bach. Der Pianist sollte ihm sein angenehmes, von jeder Hast freies Widerspiegeln des glücklichen Liebhabers nicht nehmen. Denn fast wie zu sich selbst gesprochen fließen die drei Melodien, deren erste der Schluß wieder aufnimmt. Echoartige Eintakter werden nach den ersten vier Zeilen eingeschoben; um nicht zu ermüden, läßt Schubert sie aber feinfühlig aus der zweiten Strophe heraus und fügt sie dann am Schluß noch einmal bekräftigend an. Es existiert eine Skizze zu einer ganz andersartigen Fassung des gleichen Textes im Neunachtel- und Viervierteltakt. — KRIEGERS AHNUNG offenbart nach anfänglicher Schwüle schwärmerische Lyrik. Melancholie behält aber die Oberhand und auch das Schlußwort in diesem Chaos der Gefühle. Wieder nehmen wir Abschied von einer Schubertschen Form des Liedes, diesmal ist es die kleine Opernszene vom Typ der ariosen Reihungen, wie sie der junge Anfänger oft verwendete. Und genau wie in früheren Fällen verhindert auch hier gelegentliche, bloß äußerliche Anpassung an den Text, wie in dem sanften As-Dur-Teil, daß das Lied ungebrochene Überzeugungskraft ausstrahlt. Durch den großen Umfang und die stetig wechselnden Gefühle sollte sich die Baritonstimme, der das Stück zugedacht ist, nicht zu dauernder Lautstärkeentwicklung verführen lassen. Trotz der vielen hohen f des originalen c-Moll handelt es sich um ein ausgesprochenes Baßbaritonstück, das uns inhaltlich an Schuberts Freundschaft zu Theodor Körner zurückdenken läßt. — Die Viertakt-Sätze von FRÜHLINGSSEHNSUCHT werden immer wieder durch stimmungsvolles Zögern unterbrochen. Das Drängen der Leidenschaft krönt Schubert mit einer energischen Schlußkadenz. Auf dem Konzertpodium mag sich das Fortlassen der Wiederholungen (also des zweiten und vierten Verses) empfehlen, um die Wirkung der ungewissen Frage nicht abzunutzen. Ein Beispiel liegt vor uns, wie auch in Schuberts letzter Schaffenszeit das strenge Strophenlied, hier mit kleinen Mollvarianten, noch angewandt wird. Von der Stimmung her und in der formähnlichen Führung der linken Klavierhand scheint das Lied der LIEBESBOTSCHAFT eng benachbart zu sein. — Das populäre STÄNDCHEN bedarf wohl kaum noch eines hinweisenden Akzents. Die Sinnlichkeit dieser Mollklage drängt in der dritten Strophe leidenschaftlich, der Gesang ist von Mandolinenspiel umsäumt. Die Anmut des Stückes garantierte ihm weite Verbreitung, nicht immer zum Nutzen des Vortrags. Fluende Lyrik darf auch hier nicht mit ständigem Forte verwechselt werden. Immerhin wurde auch dieses Werk vor der Folie der Tränen geschrieben. Charakteristisch ist Schuberts ausdrucksvolles Spiel mit den Zäsuren, die ja in der Musik noch weit mehr als in der Sprache vieldeutigen Charakter haben. Immer wenn das Echo auf die Kadenz der Singstimme im Klavier erscheint, glaubt man den Ständchenbringer, angestrengt lauschend, seinen Atem anhalten zu hören. — AUFENTHALT verdeutlicht, wie sich in Schuberts letzten Jahren immer häufiger kraß gegeneinandergesetzte, nicht miteinander verwandte Tonarten zu Akkorden verbinden, wie hier beim Höhepunkt »starrender Fels«. Das Lied gehört zu den stürmischen Gesängen, was betont werden muß, da die Bezeichnung »nicht zu geschwind« gewöhnlich zum Schleppen verleitet und dem Temperament der Musik Schaden zufügt. Auch der aufrauschende, frei zu singende Schluß verträgt kein ausgesprochenes Ritenuto. Schuberts Lautstärkeanweisungen vermeiden vorsichtig ein Vorwegnehmen des Ausbruchs der drei f auf der letzten Seite. — Den säuselnden Lüften und gekräuselten Wellen, den sympathischen Naturerscheinungen gilt die Dur-Wendung des Weltflüchtigen in dem Lied IN DER FERNE. Der poetische Grundgedanke könnte dem Komplex der WINTERREISE entstammen: Wehe dem Liebesenttäuschten, der in Unmut seine Heimat hinter sich läßt. Schubert gibt dem dunklen Gesang imposante Breite, Milde im Dur-Teil, gesteigert und ausgreifend in der Schlußwendung. — Das letzte der Reiterlieder Schuberts ist ABSCHIED. Die allzu bewußte Artigkeit des Gedichts wendet der Komponist in graziöse Natürlichkeit, das Pferd trottet leicht (und gibt im übrigen das Tempo ziemlich genau an). Die Ade-Rufe bekommen immer neue Färbung, am Schluß verdunkelt sich die Laune. Die sechs Strophen setzt Schubert zu sich abwechselnden, aber einander ähnlichen Melodien in Es- und As-Dur, bis die letzte, deutlich unterschiedene, in dem weit entfernten Ces anhält. Schubert liebt es, eine Stimmung abklingen zu lassen, und so scheint sich hier das Getrappel des Pferdes am Schluß in der Ferne zu verlieren.

Am 2. Oktober 1828 bat Schubert die Verleger Schott und Probst dringend um die Herausgabe der Werke, die sie angenommen hatten. An Probst schreibt er:

»Euer Wohlgeboren! Ich frage mich an, wann denn endlich das Trio erscheint? Sollten Sie das Opus noch nicht haben? Es

Heinrich Heine

ist das 100. Ich erwarte das Erscheinen desselben mit Sehnsucht. Ich habe unter andern 3 Sonaten fürs Pianoforte allein komponiert, welche ich Hummel dedicieren möchte. Auch habe ich mehrere Lieder von Heine aus Hamburg gesetzt, welche hier außerordentlich gefielen, und endlich ein Quintett für 2 Violinen, 1 Viola u. 2 Violoncello verfertigt. Die Sonaten habe ich an mehreren Orten mit vielem Beifall gespielt, das Quintett aber wird dieser Tage erst probiert. Wenn Ihnen vielleicht etwas von diesen Compositionen conveniert, so lassen es wissen mit aller Achtung gezeichneten Frz. Schubert.«

Am 12. Januar hatte sich der Freundeskreis erstmals in einer Lesung mit Heine beschäftigt. Man besprach seine »Reiseideen« und war ziemlich übereinstimmend der Meinung, daß es »manches Gemütliche, viel Witz und falsche Tendenz« darin gäbe. Das soeben erschienene »Buch der Lieder« hatte sich Franz mitgenommen, um zunächst sechs Gedichte daraus zu komponieren. Der Neuartigkeit von Heines antipathetischer, die Goethe-Nachfolger verspottender Schreibweise entspricht die Kühnheit der sechs Neuschöpfungen. Eine erste Aufführung der Gesänge scheint bei einer Abendgesellschaft im Hause des Dr. Ignaz Menz stattgefunden zu haben, und zwar mit starkem Widerhall. Die Titel zu den Gedichten steuerte Schubert selbst bei. Der Geist, aus dem die Heine-Gesänge entworfen werden konnten, stellt sich als lebhaft und von der Krankheit ungebrochen dar. Textsicht und Umsetzverfahren mögen sich gleich geblieben sein, aber wie neu ist alles im Detail, wie anders ist der Intensitätsgrad und an einem ganz andern Ort ästhetischen Bewußtseins angesiedelt! Erstaunen und Bedauern halten sich bei der Betrachtung dieser Wunder die Waage, wenn man des künstlerischen Aufbruchs inne wird, der in diesen Gebilden angekündigt ist. Keiner unter den jung Gestorbenen der Kulturgeschichte hat in seinen letzten Lebensmonaten etwas so völlig Neues ans Licht der Welt gebracht.

312

Tragisch groß ist das symphonische Anfangsthema des ATLAS. Zugleich unter der Last stöhnend und schleppenden Schrittes stellt es sich dar. Die Wiederholung der ersten Strophe durch Schubert trägt in die Schmerzbeladenheit einen Triumph der Selbstzerfleischung. Das Auftrotzen, die rezitativische Spannung, der Nachklang von Stolz im Mittelsatz und der negative Triumph des Endes gestalten sich zu einer Szene, in der ein Vabanquespieler sein Bekenntnis ablegt. — Das Symbol der Einsamkeit, ein gespenstisches Unisono trägt in IHR BILD Mollcharakter; es wandelt sich sogleich nach Dur, wenn das Bild der Geliebten Leben gewinnt. Auf den ersten b-Moll-Teil folgt das Lächeln in Ges-Dur. Aber beim Bewußtwerden der Tatsache, daß der Liebende sie verloren hat, erklingt wieder düster bestätigend die Anfangsmelodie, jedoch keineswegs einfach wiederholt, sondern intensiviert. Sparsamer konnte die Notation wohl kaum sein, und nicht eine Note zuviel birgt diese im Ausdruck zurückgenommene Liebesklage. — Wer behaupten wollte, Schubert habe den ironischen Ton Heines in DAS FISCHERMÄDCHEN nicht getroffen, der hat sich die Noten nicht genau angesehen. Leichter kann man die graziöse Schwüle des Gedichts kaum in Siziliano-Form fassen. Und wie steht es mit jenen verschmitzten Septschleifern am Ende jeder Strophe, die sich selbst so gar nicht ernst nehmen? Genau dann, wenn jeder den Schluß der Melodielinie erwartet, läßt Schubert die Stimme nach oben springen in einer Art nonchalanter Kosebewegung. Einer der drei Vierzeiler rutscht ziemlich abrupt von As-Dur nach Ces-Dur. So entsteht, ebenso wie durch die Wortwiederholungen, die ja bei Heine nicht stehen, ein Anhauch von Impertinenz. — Nun folgen die drei reinsten Meisterwerke. Finsteres Naturabbild gibt Schubert in DIE STADT. Der monotonen Wellenfigur tappen zwei Akkordschläge nach, als senke der Schiffer »mit traurigem Takte« die Ruder ins Wasser. Beispiellos ist die Melancholie. Das ostinate Motiv, der anklagende Schluß stehen der WINTERREISE nahe. Im Mittelsatz wird das Motiv des Vorspiels im Klavier tonmalerisch durchgeführt. Die Wiederholung verändert dann den ruhigen ersten Teil und verschärft ihn im dritten und siebenten Takt. Schließlich wiederholt sich das Vorspiel im Nachspiel, um in jene einsamste aller Einzelnoten zu münden, die den Schluß bezeichnet. — AM MEER zeigt meisterhafte Form frei gebildeten Strophenbaus und verschmilzt Lyrik und Rezitative miteinander, auch dramatische Tremoli werden angewandt. Die reine Gesangslinie, die sich im Adagio so schwierig singen läßt, hat viel zur Volkstümlichkeit des Liedes beigetragen. Der Schluß verdämmert zwar, bringt aber doch mit dem Schleifer auf den »Tränen« jene Ironie ins Spiel, die man Schuberts Heine-Deutung so gerne absprechen möchte. — In DER DOPPELGÄNGER wird ein für die Nachfahren nicht ungefährlicher Weg beschritten. Die Singstimme übernimmt allein die dramatische Funktion der Rede, und sowohl Melodie als auch Rhythmus haben sich dem Atmosphärischen und der Schilderung der Konfliktsituation zu beugen. Nur Schuberts Genie konnte die amusikalische Technik des Sprechgesangs der Musik völlig dienstbar machen. Die Nachfolger auf diesem Wege sind nicht ganz den Gefahren entronnen, die in dieser Methode lauert. Den drei Steigerungen des Liedes zum Trotz wird die Einheitlichkeit gewahrt, die parallel von Oberstimme und Begleitung ausgeführten Unisono-Bewegungen beschreiben bildhaft, wie Mensch und Schemen identische Bewegungen ausführen. Wie der ATLAS steht der DOPPELGÄNGER an der Grenze zur Szene. Beide sind nicht schlechthin durchkomponiert, sondern textlich entwickelt. Für den dramatischen Gesangsstil, besonders den Richard Wagners, hatten sie größte Bedeutung. Man wundert sich, daß noch niemand auf die engen Bindungen des Bayreuthers an die Errungenschaften des Wieners hingewiesen hat, die nur bei oberflächlicher Betrachtung nichts miteinander gemeinsam zu haben scheinen. 14 Jahre des Entbehrens stehen vor diesem Ausbruch am Ende von Schuberts Dasein, mit dem er sich die lebenslange Sehnsucht von der Seele schreit. Aber selbst dieses Bekenntnis schließt in Dur, er verliert sich nicht in Selbstmitleid. Das Thema eines Agnus Dei, zwei Monate zuvor entstanden, liegt dem Lied zugrunde, bezeichnender Hinweis darauf, um welche hintergründigen Verbindungslinien zwischen Liebesentbehrung und Hadern mit Gott es hier geht.

Dem DOPPELGÄNGER liegt ein System von Viertakt-Phrasen zugrunde, das an die klassische Passacaglia erinnert. Die Echo-Wiederholung nach »wohnte mein Schatz« etwa erscheint bei Schubert fast schon als eine formale Manier, aber dennoch verfehlt sie eigentlich nie den anrührenden Effekt, und es liegt immer etwas von Herzenszartheit und Mitfühlen in solchem Wiederaufnehmen von Teilen der Melodie.

In dem später hinzugefügten Schlußlied des Heftes DIE TAUBENPOST wird gleichsam der seelische Angelpunkt für Schuberts musikalische Aussage angesprochen:

Sie heißt die Sehnsucht! Kennt ihr sie,
die Botin treuen Sinns?

DIE TAUBENPOST gehört nach Inhalt und Gehalt weder zur
Heine- noch zur Rellstab-Gruppe, ist aber nichtsdestoweniger
großartiger Schubert. Die Synkopen der Begleitung lassen das
Herz des Sehnsüchtigen ohne Bedrückung ungeduldig schlagen.
Stimme und Klavier teilen sich manche Phrasen miteinander.
Wir fühlen, daß hier auf den Stil der Müller-Lieder zurückgegriffen ist, und das erweist nur einmal mehr, wie neuerisch
und umformend Heines Sprache auf den Komponisten einwirkte,
gemessen an dem konventionellen Gedicht Seidls. Aber es bedeutet zugleich auch Rückführen auf die Erde, Wiedergewinnen
der Sehnsucht, die Schubert, wenn sie auch schmerzt, sich nicht
scheut auszusprechen. Die kaum merkbare Veränderung bei der
Wiederholung der Frage: »Kennt ihr sie?« verdeutlicht, welche
innere Entwicklung sich vollzieht. Zunächst leichthin auf zwei
gleichen Noten und einfach harmonisiert, später aber mit dem
Absteigen vom Es zum D und in verdunkelter Harmonie offenbart sich Illusionslosigkeit. Die Komposition widersetzt sich mitunter der Deklamation, aber dies entspricht einer inneren Notwendigkeit. Nichts von einer Endstimmung ist hier zu spüren,
vielmehr sprechen Hoffnung und Erwartung kommender Erfahrungen aus dieser Musik. Aber die Zeit künftiger Gedanken und
ihrer Ergebnisse wird sich allerdings nicht mehr erfüllen.

Kurz vor dieser letzten Liedoffenbarung dachte Schubert beim
Schreiben des HIRT AUF DEM FELSEN (nach dem »Berghirten« von
Wilhelm Müller) an die Stimme der Anna Milder-Hauptmann,
die vor drei Jahren seine SULEIKA mit Erfolg öffentlich gesungen
und den ERLKÖNIG auf ihre Konzertreisen mitgenommen hatte.
Sie war Inbegriff der Bühnensängerin, die erste Leonore, eine
erschütternde Medea und großartige Iphigenie. Beethoven verehrte sie, Napoleon soll sie geliebt haben. Für uns bleibt ihre
Vielseitigkeit erstaunlich, denn welche Leonore würde sich heute
an die Koloraturen des HIRT AUF DEM FELSEN wagen? Schubert
wollte sie nun mit diesem Lied für die Übernahme einer Rolle
in der erhofften Aufführung seines »Graf von Gleichen« gewinnen; aber er erlebte weder die Vollendung dieser Oper noch
den Vortrag des Liedes mit der obligaten Klarinette. Ferdinand
Schubert ließ nach Franzens Tod das Manuskript in Vogls Hände
gelangen, der es der Sängerin dann übergab. Es mag verwunder-

lich sein, daß Schubert sich mehr als drei Jahre Zeit ließ, der Milder den Wunsch nach einer Bravournummer zu erfüllen. Auch die Tatsache ihrer angekündigten Konzertreise trieb ihn nicht zur Eile. Wahrscheinlich konnte ihn auch das verlockende Angebot nicht von seinem Weg ablenken, der eben nicht von der Glanznummer italienischen Stils, sondern vom lyrischen Lied deutscher Zunge vorgezeichnet war. Was Anna Milder zunächst in Berlin von Schuberts Werken dargeboten hatte, waren die formal kühnen durchkomponierten und motivisch durchgestalteten Lieder, deren Begleitung an der Aussage gleichrangig beteiligt war und in denen Gesangsstimme und Instrument zu einer Einheit verschmelzen. Das herkömmliche, schlicht von der Begleitung gestützte Strophenlied konnte sich über mangelnde Pflege in der preußischen Hauptstadt nicht beklagen. Man denke nur an die Reihe der Namen, die ihm hier zur Blüte verhalfen: Johann Peter Schulz, Carl Friedrich Zelter, Johann Friedrich Reichardt, Ludwig Berger, Bernhard Klein und der junge Mendelssohn. Aber Schubert scheint sich der Neuartigkeit seiner Schöpfungen bewußt gewesen zu sein, indem er so lange zögerte. Vielleicht wäre ohne die Hoffnung auf einen Gegendienst in der Oper der Auftrag überhaupt nicht erfüllt worden. In seiner Gesangsszene nun verbindet er Brillanz und die gewünschten »passenden Passagen« mit Natürlichkeit. Auch dem Verlangen der Sängerin nach Wechsel der Empfindung wird er poetisch gerecht. Er entschließt sich sogar zu einem — bei ihm höchst seltenen — Eingriff in das Gedicht, das ihm unter den »Ländlichen Liedern« des Wilhelm Müller begegnet war. Die Umdichtung des Mittelteils besorgte Wilhelmine von Chezy. Als Vogl dann das Stück in den Besitz der Bestellerin gelangen ließ, konnte sie sich nicht mehr dafür bedanken, denn Schubert war, als sie es zum ersten Mal 1830 in Riga vortrug, bereits gestorben. — Der Hirte begrüßt den Frühling auf seiner Flöte, die hier um des pastoralen Effekts willen auf eine Klarinette übertragen wird. Aus dem Paradestück entwickelt sich ein zutiefst ausdrucksvolles Kunstwerk. Erst in den letzten 40 Jahren ist es durch solche Interpretinnen wie Elisabeth Schumann, Lotte Schöne, Adele Kern, Erna Berger, Rita Streich und Elly Ameling zu seinem vollen Recht gekommen.*

Ein Versuch, den Wiener Konzerterfolg Schuberts in Ungarn

* Die Kopie, die Frau Milder-Hauptmann für ihre Uraufführung benutzte, stellte Ferdinand nach dem Tod seines Bruders her.

zu wiederholen, scheiterte leider. Beethovens Sekretär hatte nach dessen Tode Wien verlassen und sich in Budapest angesiedelt. Schindler brachte es fertig, dort Lachners erstes Bühnenwerk anzubringen. Die Oper hieß »Die Bürgschaft« und war der gleichen Schillerballade nachgeformt, die Schubert 1815 in Musik gesetzt hatte. Schindlers Einladung zum Besuch der Premiere und sein Lockmittel, ein ähnliches Konzert wie in Wien zu veranstalten, mußten vergeblich sein. Schwindelanfälle und Blutstürze hatten sich bei Franz eingestellt; und eine Reise war gänzlich unmöglich geworden. Aus Schindlers unzartem Brief sei hier folgendes zitiert:

»Sintemal und alldieweil Ihr Name hier einen guten Klang hat, so haben wir folgende Spekulation mit Ihnen vor, nämlich: daß Sie sich entschließen mögen, hier ein Privatkonzert zu geben, wo größtenteils nur Ihre Gesangsstücke vorgetragen werden sollen, man verspricht sich einen guten Erfolg, und da man schon weiß, daß Ihre Timidität und Kommodität bei einem solchen Unternehmen nicht viel selbst Hand anlegt, so mache ich Ihnen kund und zu wissen, daß Sie hier Leute finden werden, die Ihnen auf das Willfährigste unter die Achseln greifen werden, so schwer Sie sind. Jedoch müssen Sie auch etwas dazu beitragen, et quidem daß Sie sich in Wien fünf bis sechs Briefe aus adeligen Häusern an wieder solche hier geben lassen. Lachner meint auch zum Beispiel aus dem Grafen Esterházyschen Hause und ich meine auch: zum Beispiel sagen Sie ein Wort unserem biederen Freunde Pinterics, der Ihnen gewiß einige von seinem Fürsten besorgen wird ... Also frisch! Nicht lange judiziert und keine Mäuse gemacht! Unterstützt werden Sie aufs beste und nach Kräften. Es ist hier ein junger Dilettant, der Ihre Lieder mit sehr schöner Tenorstimme gut, recht gut singt, der ist dabei, die Herren vom Theater detto, also darf er sich mit seinem dicken Ranzen nur hinsetzen und, was vorgetragen werden soll, begleiten.«

Schubert fühlte sich zu schwach, um zu antworten. Der Genuß verdorbenen Wassers in dem neuen Hause ohne sanitäre Einrichtungen, in das ihn sein Bruder Ferdinand gebracht hatte, zeitigte bereits katastrophale Folgen. Man kann sich nur schwer die Trostlosigkeit seines Gemütszustandes vorstellen. Hinzu kommt, daß sich die Wiener Öffentlichkeit immer noch weitgehend gleichgültig verhielt und von seiner Existenz kaum Notiz nahm, so daß dieses ungarische Konzert wirklich einen Schritt nach vorn bedeutet hätte. Als ihn das Typhusfieber anfiel, hatte er der Infektion nichts als einen verbrauchten, widerstandslosen Organismus entgegenzusetzen.

Durch Vermittlung Spauns hatte Schubert dem Frauen-Cäcilien-Verein in Lemberg seinen 23. Psalm übergeben lassen. Der Dirigent des Chores, Franz Xaver Wolfgang Mozart, Mozarts zweiter Sohn, schickte Spaun mit einer Dankadresse zum Komponisten zurück, der sich darüber freute. Spaun schreibt:

»Er sagte mir: ›Schreibe auch das Ständchen von Grillparzer ab und schicke es den Damen in Lemberg.‹ Ich tat es und ging mit der Abschrift zu Schubert, damit er sie durchsehe. Ich fand ihn krank im Bette, allein sein Zustand schien mir ganz unbedenklich. Er korrigierte meine Abschrift im Bette und freute sich, mich zu sehen und sagte: ›Mir fehlt eigentlich gar nichts, nur fühle ich mich so matt, daß ich glaube, ich solle durch das Bett fallen‹.«

In den letzten Lebenstagen stellten sich immer häufiger Delirien ein, wobei Schubert unaufhörlich sang. In den wachen Momenten ruhte der Geist nicht, der Kranke korrigierte den zweiten Teil der WINTERREISE, die ihm von Haslinger vor der Drucklegung nochmals zur Revision vorgelegt wurde. Der Todeskampf vollzog sich in einem bereits geschwächten Körper, der verzehrt war durch Rastlosigkeit des Geistes und eine schöpferische Leistung, die alles menschliche Maß überschritten hatte. Nervenfieber nannte man den Bauchtyphus, der zu dieser Zeit in Wien eine häufige Todesursache war, hervorgerufen durch die mangelhafte Wasserversorgung der Stadt. Am 19. November erlag Schubert, durch seine Stiefschwester Josefa und den Bruder Ferdinand liebevoll umsorgt, seinen Leiden.

POST MORTEM

Am 22. November setzte man ihn, seinem Wunsch entsprechend, in der Nähe Beethovens bei, nachdem Ferdinand die Mehrkosten zur Überführung nach dem Ortsfriedhof von Währing beigesteuert hatte. Auf Bitten der Familie Schubert erfand Schober neue Worte zu dem Lied PAX VOBISCUM, die bei der Einsegnung in der St. Josefskirche in der Vorstadt Margareten gesungen wurden. Von Amts wegen nahm man den Bestand seines Nachlasses auf:

»Das Vermögen besteht nach Angabe des leiblichen Herrn Vaters und leiblichen Bruders blos in folgendem:

3 tuchene Fräcke, 3 Gehröcke, 10 Beinkleider, 9 Gilets	*37 fl.*
1 Hut, 5 Paar Schuhe, 2 Paar Stiefel	*2 fl.*
4 Hemden, 9 Hals- und Sacktücheln, 13 Paar Fußsocken, 1 Leintuch, 2 Bettziechen	*8 fl.*
1 Matratze, 1 Polster, 1 Decke	*6 fl.*

Außer einigen alten Musikalien, geschätzt auf 10 fl. befindet sich vom Erblasser nichts vorhanden.«

Bei den erwähnten Musikalien handelte es sich in der Tat nur um gebrauchte Noten, die Manuskripte hatten Schober und der Vater an sich genommen. Die erheblichen Schulden, die nach allen Seiten zu begleichen waren, beeilten sich Ferdinand und die Geschwister loszuwerden; allerdings war dies nur in Raten möglich. Unter den nachgelassenen Manuskripten fanden sich die Werke des letzten und vieler früherer Arbeitsjahre.

Als die Freunde und Verehrer um sein offenes Grab standen, war ihnen wohl bewußt, was sie verloren hatten. Aber wenn auch einige Lieder und Kammermusikwerke, die vierhändigen Klavierstücke und Tanzweisen dem engen Kreise vertraut waren, so ahnte doch niemand die tatsächlichen Dimensionen dieser kompositorischen Hinterlassenschaft. Von den über 600 Liedern sind zum Beispiel heute noch viel zu viele unbekannt. Zum wirk-

Bruder Ferdinand Schubert

lichen Besitz breiter Hörerschaft wurde im vorigen Jahrhundert ohnehin nur weniges, und das in vereinfachenden Bearbeitungen, wie sie die Umformung des LINDENBAUM für Männerchor durch Friedrich Silcher zum strengen Strophenlied exemplifiziert. Die »holde« Eingebung der Melodie tat noch immer die stärkste Wirkung, und es bleibt verwunderlich, wie wenig Bereitschaft und Bedürfnis im Lauf der Jahre bestand, sich auch die spröderen Einzigartigkeiten des »unbekannten« Schubert, also fünf Sechstel etwa des gesamten Liedwerkes, zu eigen zu machen.

Ferdinand verkaufte, um den Namen Franzens rein zu waschen, die drei letzten Sonaten und den sogenannten SCHWANENGESANG an Tobias Haslinger (ohne die TAUBENPOST). Das Erscheinen der Lieder wurde für Anfang 1829 angekündigt. Der Bruder bekam etwa 175 Mark heutiger Währung als Vorschuß, Czerny zahlte im gleichen Monat rund 125 Mark. Bis zum Juli kamen etwa 800 Mark zusammen.

Die Plötzlichkeit von Krankheit und Tod konnten die Freunde nicht fassen. Das Bild des seit langem vom Tode Gezeichneten, des unter diesem Zwang fieberhaft Schaffenden will nicht in das wirkliche Geschehen passen. So ist denn auch die Inschrift von Grillparzer für das Grabmal zu verstehen, die durchaus nicht, wie vielfach angenommen, eine von Unverständnis geprägte Wertung darstellt, vielmehr gaben die Freunde unter fünf Entwürfen diesem den Vorzug, weil er die Empfindungen der Überlebenden gegenüber dem vorzeitig abgebrochenen Werk ausdrückte:

> »Die Tonkunst begrub hier einen reichen Besitz,
> aber noch viel schönere Hoffnungen.«

Von den vier Grabschriften, die der vorsichtige Poet auf Bestellung der Freunde zur Auswahl vorlegte, betonte die erste wieder einmal die vorherrschende Präsenz des Liederwerks in den Gemütern der Menschen, wenn sie ausspricht:

»Wanderer! Hast du Schuberts Lieder gehört? Unter diesem Steine liegt er. (Hier liegt, der sie sang.)«

und in der vierten Fassung wird, wieder mit Bezug auf die Lieder, schön und richtig ausgesagt:

»Er hieß die Dichtung tönen und reden die Musik.
Nicht Frau und nicht Magd, als Schwestern umarmen sich die beiden über Schuberts Grab.«

Die schließlich für die Nachwelt bestimmte dritte Fassung wanderte mit auf jenes scheußliche Gründerzeitdenkmal, das nach der zweiten Exhumierung auf dem Zentralfriedhof errichtet wurde. Unserem Verständnis für Grillparzers Abschiedsworte mag die Kenntnis aufhelfen, daß Schubert wenige Tage vor seinem Tod zu Simon Sechter ging, dem späteren Lehrer Bruckners, um sich bei ihm als Schüler im strengen Satz zu melden. Dies ist die Handlung eines Meisters, den sein Gewissen dazu antreibt, seine verschwenderischen Gaben noch strenger zu verwalten, und der sich plötzlich vor einer kaum begonnenen Lebensaufgabe sieht. So gesehen ist Grillparzers Grabinschrift nicht gar so verständnisarm.

Die nächste größere Tat der Freunde nach dem Konzert vom März 1828 kam bereits post festum. Man konzertierte für den Grabdenkmalsfond. Anna Fröhlich und der neue Schubert-Interpret Schoberlechner wirkten mit, letzterer eine in den musikalischen Abendunterhaltungen der »Gesellschaft der Musikfreunde« schon häufig bewährte Kraft. Übrigens setzten sich die Abendunterhaltungen unter sieben »Direktoren« fort und kamen mit Stetigkeit immer wieder auf Schuberts Lieder und Männerquartette zurück. In der Hausmusik Wiens, bei den Musikfreunden in Salzburg, Linz oder Graz, auch in den Donaustiften fanden Schuberts Gesänge freudige Aufnahme.

Am Tage von Schuberts Begräbnis publizierte man Seidls WIEGENLIED als Opus 105. Es erschien zusammen mit drei anderen Liedern. Zum Verlieben reizvoll ist die Melodie, und Schubert wiederholt sie denn auch fünfmal wie im Halbschlaf. Soll aber niemand wirklich in Schlaf gesungen werden, empfiehlt sich eine leichte Kürzung. — Das andere Wiegenlied der letzten Zeit, DER VATER MIT DEM KINDE, stammt von dem Intimus Eduard von Bauernfeld (1802—1890), der sich nach Schuberts Tod noch erfolgreich mit leichten Komödien in der französischen Art durchsetzte und etwa 1200 Aufführungen im Burgtheater erlebte. Die beiden Schlaflieder aus der allerletzten Zeit sind wie von Vater und Mutter gemeinsam erfunden und gesungen, in zartem Ton wendet sich Schubert am Schluß seines Lebens zu den Anfängen der ersten Singversuche für sein Schwesterchen zurück.

Zum Zeitpunkt von Schuberts Tod war nur wenig von dem veröffentlicht, was er niederschrieb: keine der neun Symphonien, kein Bühnenwerk, nur zwei von den Klaviersonaten, ein Streichquartett unter 14, im ganzen etwa 200 Lieder von insgesamt mehr als 600. Aber natürlich wäre es irreführend, von einer Vernachlässigung zu reden. Opus 1—100 lagen bei seinem Tode gedruckt vor, und welcher junge Komponist, ob damals oder heute, kann schon eine so stolze Zahl verlegter Werke vorweisen, daß die Möglichkeiten der erreichbaren Verlage voll ausgeschöpft sind? Wahrscheinlich hätten sich beim besten Willen (der zugestandenermaßen auch nicht immer vorhanden war) keine Absatzmöglichkeiten darüber hinaus ergeben können. Fleiß und Produktionsschnelligkeit Schuberts würden 20 Verlage an den Rand der Verzweiflung gebracht haben. Die bisher publizierten Lieder waren nicht etwa jene, die man als »eingängig« bezeichnen könnte, sondern eigenartigerweise die großen, tiefgründigen, ausdrucksgesättigten Gesänge wie GRETCHEN AM SPINNRADE, GRUPPE AUS DEM TARTARUS oder die GESÄNGE DES HARFNERS.

In das Jahr 1828 fielen drei Liedveröffentlichungen: der erste Teil der WINTERREISE als Opus 89, drei Lieder von Walter Scott als Opus 85/86, drei Goethe-Lieder (MUSENSOHN, AUF DEM SEE, GEISTESGRUSS) als Opus 92. Einzelne im Sommer erschienene Blätter waren privat gestochen worden. Nun folgten nur noch wenige Publikationen, die Schuberts eigener Zusammenstellung entsprechen. Opus 108 mit ÜBER WILDEMANN hatte er vielleicht noch so geplant, dann erschien der zweite Teil der WINTERREISE. Verhandlungen mit Verlegern standen nur noch wenige aus, und Ferdinand mühte sich unglaublich, in den kommenden 30 Jahren weitere Publikationen anzubringen. Die unmittelbar vor des Bruders Tode geschaffenen Lieder blieben vorläufig in dessen Wohnung. In Graz lag die Kopie des Liedes DER TOD UND DAS MÄDCHEN und DER ZÜRNENDEN DIANA. Bei Albert Stadler befanden sich DER KAMPF, THEKLA, DER STROM und DAS GRAB. Spaun besaß den musikalischen Brief EPISTEL und die vier italienischen Kanzonetten. Einige Lieder ruhten bei Karoline von

Esterházy in Ungarn. Weitere Autographen waren Eigentum der Joseph von Gahy, Witteczek, Schober, Streinsberg und des Freiherrn von Stiebar, vieles ging verloren, anderes kam in den Besitz von National- und Staatsbibliotheken.

1830 wurde es ziemlich still um den Namen Franz Schubert. Ein Denkmal war errichtet, in den Regalen Diabellis lagerten Manuskriptstapel, weiteres schlief in der Kiste, die sich Ferdinand zur Aufbewahrung anfertigen ließ. Chopin kam 1830 nach Wien, aber Schubert-Werke traten dabei nicht in seinen Gesichtskreis. Und in den Erinnerungen solcher Musiker wie Carl Czerny muß man nach dem Namen Schubert vergeblich fahnden. Für etwa 3000 Mark erwarb Diabelli einen Teil des Manuskriptschatzes von Bruder Ferdinand in Kommission, darunter alle verbliebenen Sololieder, deren Herausgabe sich durch das ganze Jahrhundert hinzog. Vieles ist heute noch nicht veröffentlicht, darunter die drei vollendeten Sologesänge AM ERSTEN MAIMORGEN (1816, Claudius), MAILIED (1816, Hölty) und das Lied ohne Titel und Worte von 1817. Sie werden wie alle anderen von Schubert erhaltenen Kompositionen in der neuen Gesamtausgabe bei Bärenreiter erscheinen.

Am 18. November schrieb der mit Schubert fast gleichaltrige Heinrich Heine, »dieser Heine aus Hamburg«, wie ihn Schubert seinen Verlegern gegenüber bezeichnet hatte, an Eduard Marxsen, der später als Lehrer von Johannes Brahms bekannt werden sollte, nach Wien. Marxsen studierte hier bei Seyfried Komposition und bei Bocklet Klavier. Während Heine über verschiedene Vertonungen seiner Lieder spricht, fallen die Namen Bernhard Klein und »Schubart« aus Wien. *»Die Kleinschen Kompositionen gefallen mir sehr gut. Schubart soll kurz vor seinem Tode ebenfalls sehr gute Musik zu meinen Liedern gesetzt haben, die ich leider noch nicht kenne.«* Ein späteres Urteil über Schuberts Vertonungen von Heines Texten ist nicht bekannt geworden.

In Robert Schumanns Tagebuch des Jahres 1828 wird immer wieder bewundernd auf Schubert hingewiesen. Auch setzte er einen langen Brief an ihn auf, schickte ihn aber aus unbekannten Gründen nie ab. Später gab Schumann seiner Bewunderung für Schubert so Ausdruck:

»Er hat Töne für die feinsten Empfindungen, Gedanken, ja Begebenheiten und Lebenszustände. So tausendgestaltig sich das Menschendichten und -trachten bricht, so vielfach die Schubertsche Musik.«

Robert Schumann

Der junge Schumann übernahm nicht nur als Komponist nach 1840 das Erbe Schuberts, indem er das Lied zu neuen Höhen und aktueller Lebendigkeit führte, — er war auch einer der wenigen, die sich wirklich dafür interessierten, was aus dem Notenschatz werden sollte, den er fast durch Zufall in Ferdinands Wohnung auffand. Die Manuskriptberge, denen kaum jemand einen Blick gegönnt hatte, ließ er katalogisieren. Nicht nur die Uraufführung der C-Dur-Symphonie Schuberts unter Mendelssohns Leitung in Leipzig, auch zahlreiche Liedentdeckungen waren die Folge der sofortigen Schritte, die der junge Mann unternahm. Zögernd genug erwachte dann das Interesse außerwienerischer Verleger.

Michael Vogl, der die 60 überschritten hatte, wurde nicht müde, die von ihm zum Erfolg geführten Lieder immer wieder zu singen. Spaun erzählt in seinen Memoiren: »*Der für uns so überaus traurige Verlust hinderte uns nicht lange am Genusse seiner Schöpfungen, ja, spornte uns vielmehr dazu an. Bei mir, insbesondere aber bei meinem gastlichen Freunde Witteczek, sangen Vogl und Schönstein von Mikschik und Sänger begleitet, die herrlichen Lieder, die steigende Begeisterung hervorriefen.*«

Noch 1834 trug Vogl den ERLKÖNIG in einem öffentlichen Konzert vor. Und nur wenige Tage vor seinem Tod sang er vor kleinem Kreise die WINTERREISE. Spaun berichtet von dem Abend bei Hofrat Enderes, »*daß die gesamte Gesellschaft auf das tiefste ergriffen war. Es war sein letzter Gesang. Wenige leben noch, die Vogls Vortrag genossen, aber diese wenigen werden den Eindruck nie vergessen — sie haben seither nichts Ähnliches gehört.*«

1843 starb Vogl, und Mosel schreibt in seinem Aufsatz »Die Tonkunst in Wien in den letzten fünf Dezennien« über den Verlust, »*der um so mehr zu beklagen ist, als es meinem dringenden und wiederholten Zureden nicht gelang, ihn zu bewegen, ein Lehrbuch für den deklamatorischen und dramatischen Gesang zu schreiben, das niemand so, wie er, zu verfassen fähig gewesen wäre«.*

Sicher hätten Vogl die Stirne gerunzelt und Schubert herzlich gelacht, wenn die Nachricht zu ihnen gedrungen wäre, daß 1835 ein Bariton der Pariser Opéra den WANDERER in Frankreich als »Der wandernde Jude« bei seinem Publikum einführte. Das tat jedoch der Beliebtheit dieses Liedes in Frankreich keinen Abbruch.

In Wien aber geschah während des Frühjahrs 1838 für das Schubert-Lied Bedeutendes. Franz Liszt trat zum erstenmal mit seinen Liedübertragungen für Klavier an die Öffentlichkeit. Seither sind diese gemeinhin als Sakrilegien verschrienen Bearbeitungen oft verurteilt worden. Andererseits muß man sich aber auch darüber klar sein, daß die bei solcher Gelegenheit erstmals vor eine wirklich breite Hörerschaft gebrachte Kunst Schuberts keinen besseren Liebesdienst hätte erfahren können. Die elektrisierende Wirkung von Liszts Klavierspiel hatte sich bei den Liedern Schuberts zu Erschütterung der Hörer gesteigert. Der Referent der Breitkopf & Härtelschen Musikzeitung berichtete nach Leipzig, daß Liszt in diesen Stücken »das Klavier zum Singen zwingt, wie keiner vor ihm«. Die Lieder hatte Liszt in Paris, Genf, Nohan bearbeitet; selbst auf den Reisen hatte er noch an den Niederschriften gefeilt. Jetzt wurden sie erstmals vorgetragen, und zwar zunächst mit den Erstlingen LOB DER TRÄNEN und HORCH, HORCH, DIE LERCH'. Alle Eigenschaften des Liedes wahrt Liszt getreulich, ohne sich Zutaten oder Veränderungen schuldig zu machen. Sein Instinkt für stilistische Eigentümlichkeiten läßt ihn ganz anders verfahren als etwa bei der Übertragung einer italienischen Salonarie oder einer Opernmelodie. Lediglich das fehlende Wort wird hier und da durch heute altmodisch wirkende »Tonmalerei« zu ersetzen gesucht. Liszts Eigenart, die Gesangsstimme häufig zuerst in die linke Hand zu verlegen, so als trüge der Bariton die erste Liedstrophe vor, und sie dann erst

Franz Liszt

mit dem Figurenwerk zu umspielen, kann allerdings als Manier stören. Bei aller Freizügigkeit jedoch und allem Glanz der Technik arbeitet er nicht mit den, sonst verschwenderisch geübten, Virtuoseneffekten, sondern stellt die Abänderung ganz in den Dienst der künstlerischen Sache. Liszt hat von Schubert gesagt:

> »In dem kurzen Spielraum eines Liedes macht er uns zu Zuschauern rascher, aber tödlicher Konflikte«,

und bezeugt damit, daß er die wahre Bedeutung dieser Schöpfungen hellsichtig erkannte. Noch im Frühjahr der Konzerte 1838 erschien bei Haslinger die erste, mit dem später entfernten altmodischen Titel »Hommage aux Dames de Vienne« versehene Sammlung:

1. STÄNDCHEN   2. LOB DER TRÄNEN
3. DIE POST   4. DIE ROSE.

Die nächste, schon umfangreichere Zusammenstellung brachte Diabelli: SEI MIR GEGRÜSST, AUF DEM WASSER ZU SINGEN, DU BIST DIE RUH', ERLKÖNIG, MEERESSTILLE, DIE JUNGE NONNE, FRÜHLINGSGLAUBE, GRETCHEN AM SPINNRADE, STÄNDCHEN, RASTLOSE LIEBE, DER WANDERER, AVE MARIA. In unregelmäßigen Zeitabständen erschienen dann noch folgende Lieder bei den Verlegern Schuberth, Schlesinger, Spinar, Diabelli und Haslinger: LITANEI, HIMMELSFUNKEN, DIE GESTIRNE, HYMNE, LEBE WOHL, DES MÄDCHENS KLAGE, DAS STERBEGLÖCKLEIN (womit ZÜGENGLÖCKLEIN gemeint ist), TROCKENE BLUMEN, UNGEDULD, DIE FORELLE, DAS WANDERN, DER MÜLLER AM BACH, DER JÄGER, DIE BÖSE FARBE, WOHIN, DIE STADT, DAS FISCHERMÄDCHEN, AUFENTHALT, AM MEER, ABSCHIED, IN DER FERNE, STÄNDCHEN, IHR BILD, FRÜHLINGSSEHNSUCHT, LIEBESBOTSCHAFT, DER ATLAS, DER DOPPELGÄNGER, DIE TAUBENPOST, KRIEGERS AHNUNG, GUTE NACHT, DIE NEBENSONNEN, MUTH, DIE POST, ERSTARRUNG, WASSERFLUTH, DER LINDENBAUM, DER LEIERMANN, TÄUSCHUNG, DAS WIRTSHAUS, DER STÜRMISCHE MORGEN, IM DORFE.

Hier bietet sich die seltene Gelegenheit, die Anschauungs- und Interpretationsweise eines Großen an 54 Schubert-Liedern zu studieren. Dem schließen sich noch vier für Orchester gesetzte an: DIE JUNGE NONNE, GRETCHEN AM SPINNRADE, LIED DER MIGNON, ERLKÖNIG. Ende 1870 in Budapest bearbeitete er unter Hinzufügung eines Männerchors DIE ALLMACHT für Tenor mit Orchester. Von den zahllosen Übertragungen von Instrumentalwerken ganz zu schweigen, hat sich Liszt um Schubert in der Tat verdient gemacht. Als er Schubert den »poetischsten« Musiker nannte, bewies er ein Urteilsvermögen, das in einem Zeitalter sehr im Argen lag, in dem das Studium des Stils noch keinen Vorrang hatte.

1864 wurden die Müller-Lieder zum zweiten Mal in ihrer originalen Form veröffentlicht. Das brachte naturgemäß die Debatte um die Voglschen Abänderungen, die sogenannten »Embellissements«, wieder in Bewegung. 1824 waren die Lieder bereits in der Sauer-Leidesdorfschen Ausgabe im Originaltext gedruckt worden. 1829, also nach Schuberts Tode, publizierte Diabelli die Ausgabe mit den Verzierungen, wie sie in jener Zeit gebräuchlich waren. Auch Umstellungen von Harmonik, Melodie, Bögen und Dynamik blieben dabei nicht aus, so, wie sich das andere Schubert-Lieder hatten bereits gefallen lassen müssen. Zwar werden die Namen der Bearbeiter nicht genannt, aber man kann mit Sicherheit annehmen, daß Verleger und Hauptinterpret gemeinsam Hand angelegt haben. Friedländer wies die einwandfreie Urheberschaft der »Verbesserungen« in den Müller-Liedern durch Vogl nach. Diabellis neue Ausgabe wurde bis in die achtziger Jahre des Jahrhunderts immer wieder nachgedruckt, und Spinars Originalversion von 1864 verursachte vorerst nur ein Anfachen der Diskussion. Nach der Herstellung einer gereinigten Schubert-Ausgabe demaskierte Max Friedländer in seinem Supplementband die Voglschen Abänderungen, wobei er allerdings den Irrtum beging, alle »Korrekturen« auf die Anhänglichkeit des Sängers an die italienische Schule zurückzuführen. Die bloßen Verzierungszutaten Vogls halten sich jedoch in mäßigen Grenzen. Atemmangel und stimmliche Schwierigkeiten waren viel häufiger der Anlaß für Abänderungen. Am meisten aber wollte er die dramatischen Zuspitzungen herausarbeiten, was uns an die seltsamen Worte erinnert, die er bei der ersten Begegnung mit Schubert fallen ließ: »*Sie sind zu wenig Scharlatan.*« Um Willkür hat es sich bei Vogl ganz sicher nicht gehandelt, eher um Erinnerungen an improvisatorische Abreden, die noch mit dem Komponisten bei gewissen Aufführungsgelegenheiten getroffen worden waren, die aber natürlich nur ihn selber betrafen und keinen Anspruch auf Allgemeingültigkeit erheben konnten. Immerhin findet sich eine Briefstelle an Stadler von 1831, die auch einiges über Vogls Einstellung auszusagen vermag:

»Fast alle gefallen sich ganz erstaunlich in so oder so gestellten Noten. Gewöhnlich kann man unter die hingestellten Singnoten füglich auch andere Worte schreiben; das kommt daher weil äußerst wenig Musiker die Musik wirklich als eine Sprache behandeln, die so wie deutsch, französisch, italiänisch gerade nur dies oder jenes besagen und ausdrücken will: Ich möchte aber wissen, wer unter Schuberts ERLKÖNIG, GRETCHEN AM SPINNRADE, AN ANSELMOS GRABE, MÜLLERLIEDER, WINTERREISE *etc. etc. andere Worte hinschreiben möchte?«*

Die anwachsende Popularität der Musik Schuberts zeitigte die traurige Begleiterscheinung, daß man den Komponisten immer häufiger als Bühnen- und später auch als Filmhelden sehen wollte. Zunächst erschien das erste Schubert-Singspiel von Hans Max Freiherr von Päumann als »Original-Liederspiel in einem Akt, Musik mit Benutzung Schubertscher Kompositionen von Franz von Suppé« im Jahre 1864. Was finden wir? Die dramatisierten Müller-Lieder mit dem Zugstück UNGEDULD, das Schubert hier wie selbstverständlich für Karoline Esterházy zu Papier bringt. Der Müller darf seine Müllerin heimführen, und der böse Jäger muß sich bescheiden. Schubert als guter Geist kommt auf die Bühne und bittet den Meister Vater um den Segen für das Pärchen. Der Glück bringende Komponist wird von allen gepriesen und darf sich dann in die Arme seiner Esterházy-Verlobten stürzen, indem er »Dein ist mein Herz und soll es ewig bleiben« schmettert. Das Kunstprodukt fand nicht etwa Widerspruch, sondern es wurde 1879 sogar gedruckt. 1897 kamen zur Hundertjahr-Feier für Schubert gleich zwei Festspiele heraus. Gustav Burchhard führte den melancholischen Todgeweihten seinem rührseligen Publikum vor, nicht ohne dem Fieberkranken Erlkönigs Töchter erscheinen zu lassen, die ihn ins Geisterreich zu entführen trachten. Aber die falsche Adresse wird im letzten Augenblick vermieden, der Standhafte klammert sich an »Marias Herrlichkeit« und haucht sein Leben unter den Klängen des AVE MARIA aus. »Eine Schubertiade« heißt das Spiel von Heinrich Zöllner, obwohl es damit nicht das geringste zu tun hat, vielmehr — (natürlich!) — eine rührselige Liebesgeschichte mit einer Komtesse vorstellt.

Im Frühjahr 1865 sollten einige der Lieder Mitgliedern der weitverzweigten Familie Schubert zur Linderung ihrer finanziellen Not verhelfen. Vater Schubert hatte eine Familie gegründet, deren Nachfahren bis in unsere Tage leben. Köhlers »Stammtafel der Familie Schubert« in der Wiener Stadtbibliothek reicht bis in die zwanziger Jahre unseres Jahrhunderts und zählt mehr als 200 Namen auf. Franzens zweitältester Bruder Ferdinand Lukas trug zur Verbreitung des Namens Schubert kräftig bei, da er als Direktor der Normal-Hauptschule zu St. Anna aus seinen beiden Ehen mit Anna Schülle und Theresia Spezierer sich eines Segens von 28 Sprößlingen erfreute, von denen immerhin 18 am Leben blieben. 1859 war er gestorben, und seine Witwe befand sich in bedürftiger Wirtschaftslage. Johann Herbeck, der die Errichtung eines Schubert-Denkmals eifrig unterstützte, veranstaltete im Frühjahr 1865 mit seinem Orchester, den Wiener Philharmonikern, ein Konzert zum Besten des Denkmalfonds, in dem außer der großen C-Dur-Symphonie und zwei Entr'actes aus »Rosamunde« die Sängerin Karoline Bettelheim die Lieder MEMNON, GRUPPE AUS DEM TARTARUS, AM GRABE ANSELMOS und GEHEIMES vortrug. Der Witwe Ferdinands konnte eine verhältnismäßig namhafte Summe ausbezahlt werden, was aber die sozialen Nöte der Familie Schubert nicht dauerhaft lindern konnte.

Ein lebenslanger und höchst verständnisvoller Verehrer Schuberts, Johannes Brahms, war seit einiger Zeit in Wien ansässig und setzte sich nach 1867 mehrfach für die Neuausgabe der Werke ein. Er beteiligte sich auch an der Revision und war einer der ersten, die die Müller-Lieder endlich einmal originalgetreu, das heißt ohne die in Mode gekommenen Verunstaltungen herauszugeben trachteten. Es kam nicht zur Ausführung seines Vorschlages gegenüber seinem Verleger Rieter-Biedermann, aber er hat doch wichtige Anstöße zur späteren Realisation gegeben. Auch für eine Umarbeitung der vergessenen Oper »Fierrabras« setzte er sich ein, allerdings hat sich bis heute nicht der Textbearbeiter gefunden, der diese köstliche Musik gerettet hätte. Von Brahmsens Vergnügen bei der Beschäftigung mit Schubert mag folgender Auszug aus einem Brief an Rieter zeugen:

Johannes Brahms

»Überhaupt verdanke ich die schönsten Stunden hier unge-
druckten Werken von Schubert, deren ich eine ganze Anzahl in
Manuskripten zu Hause habe. So genußvoll und erfreuend aber
ihre Betrachtung ist, so traurig ist fast alles, was sonst daran
hängt. Zu unglaublich billigem Preis kam neulich noch ein ganzer
Stoß ungedruckter Sachen zum Verkauf, den zum Glück noch
die Gesellschaft der Musikfreunde erwarb. Wieviel Sachen sind
zerstreut, da und dort bei Privatleuten, die entweder ihren Schatz
wie Drachen hüten oder sorglos verschwinden lassen.«

1863 heißt es in einem Brief an Schubring:

»Meine Schubertliebe ist eine sehr ernsthafte, wohl gerade,
weil sie nicht eine flüchtige Hitze ist. Wo ist ein Genie wie seines,
das sich so kühn und sicher zu dem Himmel aufschwingt, wo wir
dann die wenigen Ersten tronen sehen. Er kommt mir vor wie ein
Götterjüngling, der mit dem Donner des Jupiters spielt, also
auch gelegentlich ihn absonderlich handhabt. Aber so spielt er
in einer Region, in einer Höhe, zu der sich die andern nicht lange
aufschwingen.«

Für seinen Freund, den berühmten Konzertbaritonisten Julius
Stockhausen, instrumentierte Brahms 1862 einige Schubert-
Gesänge, darunter IM ABENDROTH und DER EINSAME. Das unge-
druckte Material nahm Stockhausen mit nach England; dort ging
es verloren. Otto Erich Deutsch entdeckte GEHEIMES, AN
SCHWAGER KRONOS und MEMNON 1936 in der Schloßbibliothek
Windsor und veröffentlichte die Partituren, bereichert um eine
Chorversion mit großem Orchester, die Brahms von GRUPPE AUS
DEM TARTARUS angefertigt hatte, da Stockhausen dieses Lied
nicht in seinem Repertoire hatte. Es ehrt Brahms, wenn er fest-
stellt, es gäbe unter all den Hunderten von Schubert-Liedern kein
einziges, aus dem »unsereins nicht irgend etwas lernen könnte«.

Der große Sänger und Chordirigent Julius Stockhausen (1826
bis 1906) hatte 1854 zum erstenmal DIE SCHÖNE MÜLLERIN als
vollständigen Zyklus in Wien gesungen und bei dieser Gelegenheit etwa das Dreifache der Summe eingenommen, die der Komponist selbst für sein Werk erhalten hatte. Die beginnende Kom-
merzialisierung des Konzertlebens machte sich bemerkbar. Im
Stockhausen-Archiv zu Frankfurt am Main kann man übrigens
in den Noten des Sängers feststellen, daß er in fast allen Fällen
Wilhelm Müllers Originaltext den kleinen Abänderungen Schuberts vorzog.

»Ein Schubert-Abend bei Ritter von Spaun«, dieses Bild von

Ein Schubert-Abend bei Josef v. Spaun

Moritz von Schwind, das so viel Anschauungswert für jeden Freund der Schubert-Biographie enthält, entstand 1868 als vollendete Sepia-Zeichnung am Starnberger See und ging 1906 in den Besitz der Stadt Wien über. Schwind hatte sich zeitlebens mit musikalischen Gegenständen beschäftigt, wovon seine »Zauberflöten«-Fresken in der Loggia und die Komponisten-Lünetten im Foyer der Wiener Oper spätestes Zeugnis geben. Sieben Jahre nach Schuberts Tod plante er, ein Schubert-Zimmer auszumalen, in dem er jede Wand einem der bedeutendsten Gedichtautoren seiner Lieder widmen wollte. Später konzipierte er eine Schubert-Apotheose für die dritte Wand eines Musikzimmers, in dem Mozart durch ein Zauberflöten-Bild, Beethoven durch Schwinds »Symphonie« verherrlicht werden sollte, auf dem ja auch Schubert ganz versteckt zu finden ist. Schließlich kam der »Schubert-Abend« zur Ausführung, der *»meinen trefflichen Freund Schubert am Klavier nebst einem Zuhörerkreis«* zeigen sollte, *»der alte Vogl singend und die ganze damalige Gesellschaft, Männlein und Weiblein darum herum«*. Die etwas später entstandene Ölskizze stellt eins der wenigen Ölbilder dar, die die Meisterschaft des Malers auch auf diesem Gebiet bezeugen.

1883 wurde ein Schatz im Nachlaß des Karl Schubert durch Max Friedländer aufgefunden, in dem sich eine Bleistiftskizze mit Entwürfen zum »Credo« der As-Dur-Messe fand. Die gleichen Blätter enthalten auch die erste Niederschrift des Liedes DIE

GEFANGENEN SÄNGER von August Wilhelm Schlegel mit dem Datum Januar 1821. Die Skizze befand sich unter dem Stapel von Manuskripten, die nach Schuberts Tode in den Besitz des Bruders Ferdinand gelangten und dann an dessen Sohn Karl gingen. Auch das Duett-Fragment LINDE LÜFTE WEHEN war dabei. Schlegels Vögel im Käfig symbolisieren natürlich geknebelte Künstlerfreiheit, aber davon ist in Schuberts lieblichen Sechsachtel-Melodien wenig zu spüren. Der erste Einfall reicht eigentlich nur für eine Seite aus, und so wird, um die restlichen fünf Strophen zu bewältigen, eine ganze Kette von Einfällen aneinandergeknüpft, die doch ein musikalisch befriedigendes Ganzes ergibt.

So wie dieses Lied hätte das in den Bibliotheken und Archiven der Welt verstreute und immer mit Mühe gesammelte Material verborgen bleiben müssen, wenn ihn nicht das Ordnen des Wissenschaftlers in Ausgaben, die dem Stand der Zeit entsprechen, dem Musikpublikum zugänglich machte. Ausübung und Erforschung der Musik hängt vom Tage des Aufschreibens der Komposition bis zum jeweils gegenwärtigen Tage eng mit der Bezeichnung und Identifikation der Quellen und deren Veröffentlichung zusammen. Diese Tätigkeit beschränkt sich nicht auf Veröffentlichung von Einzelwerken, sondern stellt sich auch die Aufgabe, das Schaffen der Meister in Überblicken zu erfassen. So wurde wie von selbst die Bereitstellung von Gesamtausgaben, von Denkmälerreihen, Werkkatalogen, Verlagsverzeichnissen und musikalischen Lexika notwendig. Besonders zu erwähnen ist an dieser Stelle die von Tobias Haslinger geplante Gesamtausgabe der Werke Beethovens zu Beginn des vorigen Jahrhunderts, die auf kalligraphischer Reinschrift basierte, aber leider unvollständig blieb. Die ersten wirklichen Gesamtausgaben wandten sich nicht an den Namen eines Verlegers, sondern an den einer zu solchem Zweck gegründeten Gesellschaft. Nach Bach, Händel, Beethoven und Mozart kam nun 1884—1897 auch Schubert zu Wort. Unter den Inauguranten der neuen Werkreihen finden wir die führenden Namen damaliger Musikwissenschaft: Chrysander, Spitta, Becker, Sandberger, Mandyczewski, Seiffert und viele mehr, als Prominentesten Johannes Brahms. Eusebius Mandyczewski (1857—1929), der hier schon oft erwähnte Betreuer des Liedteiles der Schubert-Gesamtausgabe bei Breitkopf & Härtel, hatte seinen romantischen Vornamen der Bewunderung seines Vaters, der ein griechisch-orthodoxer Geistlicher war, für einen Kirchenheiligen zu verdanken. Im Lichte der

Bedeutung, die Robert Schumann diesem Vornamen verlieh, erscheint jedoch sein Klang glücklich für den Musiker, der umfassendes Wissen mit Begeisterung vereinte. Als Hanslick 1895 vom musikalischen Lehramt an der Wiener Universität zurücktrat, faßte man Mandyczewski als Nachfolger ins Auge. Der bescheidene Archivar schrieb an Brahms:

Eusebius Mandyczewski

»In der Universitätsangelegenheit habe ich eine ernsthafte Besorgnis: daß mein Wissen einstweilen nicht ausreicht. Denn unter Spittas prächtigem Einfluß hat das Arbeiten auf musikwissenschaftlichem Gebiete einen Aufschwung und eine Verbreitung genommen, die man vor 25 Jahren noch gar nicht geahnt hat, und heute verlangt man von einem, der auf einer Kanzel, gleich Hanslick steht, ein ganz anderes Wissen als vor ihm.«

Immerhin wirkte Mandyczewski mehr als 30 Jahre bis zu seinem Tode am Wiener Konservatorium. Zu diesen und seinen Leistungen als Herausgeber kam seine Tätigkeit als Chordirektor der Wiener Singakademie und später als Dirigent eines eigenen Frauenchores, für den er eine Reihe von Werken komponiert hat.

Für seine kritische Revision der Lieder Schuberts benutzte er Autographe, Originalausgaben, d. h. solche, die Schubert selbst besorgte und mit Opuszahlen versah, dann älteste Ausgaben der nicht von Schubert selbst veröffentlichten Lieder und schließlich Abschriften aus Schuberts Zeit und aus seiner nächsten Umgebung. Hier waren die Kopien am ergiebigsten, durch deren Anfertigung und Sammlung sich Schuberts Freunde Stadler und Witteczek verdient gemacht hatten. Stadlers Sammlung in schöner, geübter Handschrift beginnt mit dem Jahr 1815 und endet bei drei zusammengetragenen Bänden 1817. Joseph Witteczek hat wohl erst später zu sammeln begonnen.

Der American Musicological Society in Verbindung mit der Music Library Association gebührt das Verdienst, durch einen Neudruck diese Gesamtausgabe 1964 von ihrem Bibliothekendasein erlöst und einem größeren Interessentenkreis zugänglich gemacht zu haben. Noch während des Neudruckes erfuhr die Musikwelt von der geplanten »Neuen Schubert-Ausgabe« bei Bärenreiter, die Angelsachsen schwangen sich aber zum Glück über alle Bedenken der Rivalität hinweg, und nun ist der Bedarf des Augenblicks, wenigstens bis zur Fertigstellung des neueren Projekts, befriedigt.

Allenthalben wurde gegen Ende des vorigen Jahrhunderts die schöpferische Wirkung des Schubert-Liedes spürbar. 1883 begann der 23jährige Gustav Mahler mit der Niederschrift seiner »Lieder eines fahrenden Gesellen«, in deren letztem jene Melodie »Auf der Straße steht ein Lindenbaum« aufklingt, die Schubert so nahe ist, daß nur der Böswillige die innere Verwandtschaft von Melodieformung und Ausdruck zur WINTERREISE verkennen kann. Es ist bezeichnend, daß Mahler ebenso wie den anderen österreichischen Fortsetzer Schuberts in den großen Formen, Anton Bruckner, der Vorwurf »himmlischer Länge« getroffen hat.

1886 brachte Max Friedländer seine verdienstvolle Ausgabe von Schubert-Liedern im Verlag Peters heraus. Nicht verschwiegen sei allerdings, daß der Mangel an Systematik in Anordnung der Lieder und Darstellung des Notenbildes zu mancherlei Irrwegen der Schubert-Wiedergabe führen mußte. Auch erschienen nur drei Bände in Transpositionen für tiefere Stimmlagen, und hierin ist einer der Gründe dafür zu sehen, daß allzu viele der Lieder aus den »hinteren« Bänden im Dämmer des Unbekanntseins verblieben. Den größten Absatz erzielten nämlich die transponierten Ausgaben. Immerhin konnte ein vor längerem erschienener Auswahlband in der Zusammenstellung von Eduard Behm den Sängern Ergänzendes an die Hand geben. Auch Auswahlen von Friedrich Martienszen und Wolfgang Rosenthal erleichtern den Weg zur Erschließung des Unbekannten. Friedländer ließ eine ganze Reihe von Liedern unberücksichtigt, die dann in der Gesamtausgabe des folgenden Jahrzehnts auftauchten. Aber er schloß eine Bearbeitung von Goethes »Liebe schwärmt auf allen Wegen« in seine Sammlung ein, die im Ausdruck ganz dem Charakter der kleinen Lieder von 1815 verwandt ist, im Original aber der Musik zum Singspiel »Claudine von Villa Bella« angehört.

Kurz nach der Jahrhundertwende tauchten wieder zwei Theaterstücke auf, deren eines den Titel »Horch, Horch, die Lerch'!« trägt und von Johann Raudnitz stammt. Sein »Lebensbild in einem Aufzuge« läßt Schubert zwischen zwei Frauen hin und her schwanken — Therese und Karoline! Karl Costa verfaßte ein Volksstück, das einfach »Franz Schubert« hieß, aber nicht etwa biographisch verfuhr. Das berühmteste und verhängnisvollste Produkt dieser Art, das während des ersten Weltkriegs seinen Triumphzug antrat, fand immer wieder eifrige Anwälte — sie fanden, hier sei die wirkungsvollste »public relation« für Schubert betrieben worden. Zum Glück sind wir mit der Zeit hellhörig geworden für alle Umfunktionierungen dieser Art und reagieren entsprechend allergisch. Wir brauchen uns keine Moments Musicaux mit Textunterlegung und keinen kitschtriefenden Schubert mehr aufdrängen zu lassen, wie ihn sich die Textautoren Willner und Reichardt und der Musikarrangeur Berté frei nach der Romanfigur des Rudolf Hans Bartsch, die auch nicht viel besser ist, in ihrer Kitschretorte zusammengebraut haben. Auch der Schwall von Schubert-Filmen ist, wenn auch noch nicht lange, verebbt und hat aufgehört, die Menschheit zu beglücken.

Etwa von der Jahrhundertwende ab war es dem Wiener Schubertbund zu danken, daß bis dahin unbekannt gebliebene Meisterwerke öffentlich aufgeführt wurden. So wurde, abgesehen von einer ohne Nachwirkung gebliebenen Aufführung des HIRT AUF DEM FELSEN in den 60er Jahren des 19. Jahrhunderts, über die Hanslick berichtet, dieses Lied erst 1902 bei einer der Schubertiaden des Schubertbundes wieder entdeckt. Seit der Aufführung durch Marie Seyff-Katzmayr gemeinsam mit dem Klarinettisten Andreas Dietsch wurde das Stück in den Konzertsälen einigermaßen heimisch.

Das Bild Schuberts gewann nun nicht nur durch musikalische Interpretation immer klarere Umrisse, sondern auch die Musikwissenschaft räumte mit den Hypothesen und Verfälschungen der Schubert-Darstellung auf. Grundlegend und vorbildlich wirkte hier ein Gelehrter aus Österreich. Dem nie nachlassenden Schubertforscher Otto Erich Deutsch gelang es 1914, in seinem Band »Franz Schubert, Dokumente seines Lebens« so viel Unbekanntes und Verschollenes zu präsentieren, daß dem Leser neben vielem anderem klar wird: Schubert war in der Meinung der Öffentlichkeit von 1818—1828 keineswegs jenes Mauerblümchen, als das man ihn nach seinem Tode immer wieder hinstellen wollte. Ein Grund dafür mag in der Friedhofsruhe zu erblicken sein, die bis zu Schumanns und Liszts Eintreten für Schubert herrschte. Wohl selten war es wie Deutsch einem einzelnen Gelehrten vergönnt, derart erschöpfendes Material über einen seiner Lieblingsgegenstände zu versammeln.

Es muß beschämend anmuten, daß Deutschs 1951 erschienener »Thematischer Katalog aller Werke Schuberts in chronologischer Reihenfolge« immer noch nicht als Ausgabe in deutscher Sprache existiert. Der unermüdliche Forscher hatte 1939 aus Österreich nach England emigrieren müssen, wo er von Cambridge aus seine Arbeiten über Schubert fortsetzte, die dort zwischen 1939 und 1951 veröffentlicht wurden. Obwohl Deutsch dann nach Wien heimkehrte, erlebte sein fundamentales Nachschlagewerk bisher keinen deutschsprachigen Nachdruck. Inzwischen ist aber eine revidierte Ausgabe, die spätestens 1978 erscheinen soll, als Supplement der »Neuen Schubert-Ausgabe« in Vorbereitung.

1967 starb Deutsch, und die Schubert-Forschung verlor ihren bedeutendsten Pionier. Für die von ihm entwickelte Art der Dokumentbiographie war schon sein 1905 erschienenes »Schubert-Brevier« bezeichnend. Weitere Werke dieser Art ließ er folgen, vor allem über Schubert und Mozart. Die uneigennützige Weise, in der dieser Gelehrte allen Kollegen und Freunden, so auch dem letzten bedeutenden Schubert-Biographen Maurice J. E. Brown, sein bibliographisches Wissen und seine Forschungsergebnisse zur Verfügung stellte, war beispielhaft. Viele englische und österreichische Bibliotheken haben ihm für die Schenkung von wertvollen Erstdrucken und bibliographischen Seltenheiten zu danken, die auch zu großen Teilen das Liedwerk Schuberts betrafen. Zum Glück ist wenigstens Deutschs Schubert-Dokumentation in deutscher Sprache erschienen, als Teil der Gesamtausgabe der internationalen Schubert-Gesellschaft, deren Ehrenpräsident Deutsch war.

Die letzten bedeutsamen Tage für die Archäologie des Schubertwerks brachte der Winter 1968/69. Manuskripte von der Hand des Meisters und Abschriften einiger Werke, die bisher den Forschern unbekannt geblieben waren, wurden durch Christa Landon im Archiv des Wiener Männergesang-Vereins entdeckt. Unter den sehr verschiedenartigen Funden erregt eine Kopie von Ausschnitten des eigenhändig durch Franz Schubert geschriebenen Nachlasses unser besonderes Interesse, denn sie enthält zwei verloren geglaubte Lieder, VOLLENDUNG und DIE ERDE. Unter D 989 kann man bei O. E. Deutsch im Werkverzeichnis beide gemeinsam als ein Lied angegeben finden. Dietrich Berke nun konnte den Beweis der Texturheberschaft von Friedrich Matthisson für beide liefern, er legte sogar die Textunterlagen vor, die aller Wahrscheinlichkeit nach von Schubert benutzt wurden. Das »Lesebuch für Mädchen von 10—15 Jahren« und das »Lesebuch für Jünglinge von 15—20 Jahren«, Wien 1811/12, wurden als Ort des Nachdrucks der Gedichte festgestellt, sie enthalten auch von Schubert nicht benutzte Strophen der Gedichte. In der Abschrift aus dem Besitz des ersten Schubert-Biographen Kreißle von Hellborn findet sich VOLLENDUNG vollständig, während bei DIE ERDE die sieben letzten Takte fehlen. Im Archiv der Gesellschaft der Musikfreunde fand nun Frau Landon in einem Stoß von Abschriften ohne Autorenangabe die Stücke mit der Titelbezeichnung »Lieder für eine Singstimme mit Begleitung des Pianoforte betitelt I. Vollendung II. Die Erde« mit einem Bleistiftvermerk des Archivars »unbekannt«. Es handelt sich um eine Abschrift aus der Mitte des vorigen Jahrhunderts. Die Entstehungszeit setzt die Auffinderin, einigen Andeutungen Kreißles folgend, mit September oder Oktober 1817 an. Stil und Formung lassen freilich eher an die Matthisson-Lieder von 1814 denken.

Frau Christa Landon beteiligt sich auch an der Veröffentlichung von Instrumentalwerken in der neuen Gesamtausgabe im Bärenreiter-Verlag, die 1969 ihren Anfang nahm und mit ihr zusammen von Walther Dürr und Arnold Feil betreut wird. Die Anordnung der Lieder erfolgt hier nicht strikt chronologisch, wie sich noch Mandyczewski nach dem Stand der Forschung um die Jahrhundertwende zu verfahren bemühte, sondern die Herausgeber gruppierten zunächst die zu Schuberts Lebzeiten teils von ihm selbst gereihten Veröffentlichungen, um dann zu chronologischer Folge nach den Ergebnissen des thematischen Katalogs von Deutsch fortzuschreiten, wobei die Varianten oder musikalisch selbständigen Bearbeitungen der frühesten Fassung zugeordnet werden. Das ermöglicht eine aufschlußreiche Kenntnis der Auswahl, die Schubert selbst unter seinen Kompositionen getroffen hat, und deren Gruppierung für die Veröffentlichung. Ein Beispiel bietet uns das erste Goethe-Heft, das ganz nach dem Prinzip inneren Gewichts zusammengestellt wurde (322). Und wenn später auch häufiger die bloße Gleichzeitigkeit für die Auswahl bestimmend wird, so lassen sich auch immer Ordnungsprinzipien inneren Zusammenhangs erkennen.

Nicht nur dieser Zusammenstellung wegen ist es zu bedauern,

daß ich für meine Schallplattenaufnahme die neue Ausgabe noch nicht zur Hand hatte. Auch die weitgehende Wiederherstellung der, Schubert so ausschließlich eigenen, Notation, vornehmlich des Klavierparts, ergibt verschiedentlich ein dem Herkömmlichen entgegenstehendes Interpretationsbild. Die beiden Systeme der Klavierstimme schließen sich durch Schubert derart zu einer Einheit zusammen, daß die musikalischen Linien über beide Fünfstriche hinweg unter Hinzunahme einer »elften« Linie steigen und fallen. Besonders aber kamen hinsichtlich der Bindebögen in den posthumen Drucken so viele Eigenmächtigkeiten vor, daß deren Tilgung vornehmlich solche Melismen in der Singstimme in neuem Licht erscheinen läßt, wo Schubert, einen besonderen Affekt unterstreichend, selbst einen hingesetzt hat. Man darf der Vollendung des gewaltigen Projekts mit Spannung entgegensehen.

Das 20. Jahrhundert, das in so vielen künstlerischen Dingen frappanten Wandel zeitigte, manche Lässigkeit erstickte und jedenfalls die interpretatorische Genauigkeit weiterentwickelte, förderte auch eine Jahr für Jahr wachsende Schubert-Pflege. Die Werke des großen Wieners eroberten sich allmählich jene Plattform in der musikinteressierten Öffentlichkeit, die ihrem Gehalt, ihrer Sprache, ihrer Reinheit angemessen ist. *Anna Milder-Hauptmann* und *Wilhelmine Schröder-Devrient* hatten noch lange nach Schuberts Tod durch ihre Liedvorträge die Menschen hingerissen. Wer jedoch sonst noch von Berufssängern hie und da Schubertlieder sang, blieb ziemlich unbekannt; viele, die sich intensiv mit der lockenden Aufgabe des Schubert-Liedgesangs beschäftigten, darunter die Schwestern *Fröhlich,* waren Amateure, so auch *Karl von Schönstein, August von Gymnich* und *Karl Umlauff* oder jener Herr *Tietze* mit dem schönen Tenor, der von der Kritik als »Hr. Dilettant« wohlwollend behandelt wurde. Er sang auch bei der Erstaufführung der Kantate »Mirjams Siegesgesang« 1829 das Sopransolo, natürlich in der Tenorlage. Sie alle taten im häuslichen Kreis oder halböffentlich für Schubert, was in ihren Kräften stand, ihre Begeisterung kannte keine Lauheit, aber ihr Einfluß blieb verhältnismäßig begrenzt. Nicht alle großen Absichten reiften zu künstlerischem Rang. Immerhin wollen wir hier einige Namen ehren, die die Ausnahmen von der Regel darstellen. Die Person *Anton Haitzingers* (1796—1869), eines Salieri-Schülers, ist wichtig für die Geschichte des Schubert-Liedes. Im Besitz einer kräftigen Tenorstimme vermochte er als erster Adolar in Webers »Euryanthe« die begeisterte Anerkennung des Komponisten zu wecken. Bei der denkwürdigen Premiere von Beethovens 9. Symphonie am 7. Mai 1824 sang er die Tenorpartie. Seinen Schubertstil übertrug er seinem gleichnamigen Sohn, welcher k. k. Feldmarschall-Leutnant seinen Vater sogar noch im Erfolg übertrumpfte. *Eduard Hanslick* widmete ihm bei seinem Tode 1893 einen Nachruf, indem er ohne Einschränkung der ausdrucksvollen Tenorstimme Haitzingers ge-

Adolphe Nourrit

denkt, die in Gesängen wie Der Zwerg, Die Allmacht oder Kriegers Ahnung zu interessieren und ergreifen vermochte. — Unter den ersten, die im Ausland für Schuberts Lieder eintraten, nennen wir *Adolphe Nourrit* (1802—1839). Bei ihm wiederholt sich, was für Haitzinger und Staudigl gilt: Die Begabung des Älteren geht auf den Jüngeren über, die Tradition wird fortgesetzt. Nourrits Sohn scheint den Vater überragt zu haben. Nach *Louis Nourrits* Abschied von der Pariser großen Oper trat Adolphe, dem Vater in Erscheinung und Stimme zum Verwechseln ähnlich, das Erbe an und war zwölf Jahre lang Publikumsliebling in allen großen Rollen des französischen Repertoires; daneben unterrichtete er am Konservatorium. Der depressive, nervöse Künstler forderte 1837, weil man einen rivalisierenden Kollegen engagierte, seine Entlassung und begann ein unstetes Reiseleben. Aber enthusiastischer Beifall in Südfrankreich, Belgien und Italien hinderte das Anwachsen seiner Depressionen nicht, und 1839 stürzte er sich, unmittelbar nach einem triumphalen »Norma«-Gastspiel in Neapel, aus dem Fenster. Der auch kompositorisch begabte Sänger hat für die Popularisierung von Schuberts Liedern in seiner französischen Heimat Erstaunliches geleistet.

In Deutschland wurden sehr bald die Konzertabende des Deutsch-Böhmen *Eugen Gura* (1842—1906) beliebt, vor allem wenn der Sänger Loewe-Balladen oder Schubert-Lieder wie den Greisengesang vortrug. Der Wagner-Sänger *Ferdinand Jäger* war nicht nur der Prophet Hugo Wolfs, er begeisterte sich ebenso an Schubert. Auch die erste Bayreuther Kundry *Marianne Brandt* (1842—1921) widmete sich nach 1890 neben der Musik ihres Freundes Brahms vor allem Franz Schubert. *Julius Stockhausen* (1826—1906) machte Schuberts große Zyklen im Konzertsaal heimisch, ebenso wie die Schwedin *Jenny Lind,* die sich von den Männertexten ebensowenig abschrecken ließ wie nach ihr noch viele Damen auf dem Konzertpodium. Zum Glück sind wir heute gegen diese Art der »Hosenrollen«-Besetzung im Konzert allergisch. Julius Stockhausen machte als Oratorien- und Konzertsänger Schule, später bildete er Generationen von Sängern heran. Besonders lag ihm die Wiedergabe vollständiger Zyklen am Herzen. Der Elsässer mit dem wohllautenden Bariton wußte seine Technik dem Sinn des Kunstwerks unterzuordnen. Der vielseitige Mann hat auch als Orchesterdirigent rühmlich gewirkt und leitete von 1862–1867 die philharmonischen Konzerte und die Singakademie in Hamburg.

Julius Stockhausen

Seine Vorliebe galt Beethovens »An die ferne Geliebte«, Schumanns »Dichterliebe« und Brahmsens »Magelone«, die ihm gewidmet ist. Bereits 1854 hatte er mächtige Wirkung mit Schubertliedern in Wien. Zärtlich liebte er die Schöne Müllerin, die er 1857 mit *Joseph Dachs* zum erstenmal vollständig aufführte, 1861 in Hamburg mit *Johannes Brahms* am Flügel. Stockhausens Hauptwirkung bestand nicht in der mächtigen Stimme (Brahmsens Stimmbehandlung in den Magelonen-Liedern gibt darüber beredte Auskunft), er beeindruckte vor allem durch Darstellungsgabe, Kunstverstand und subtile technische Ausbildung, die er von seinem väterlichen Freund Manuel Garcia mit auf den Weg bekommen hatte. Hanslick schreibt 1854 in Wien:

»Es ist schwer zu entscheiden, in welchem Liede der weiche, innige Vortrag des Konzertgebers am gewinnendsten war; den meisten Eindruck schien Der Müller und der Bach, dann das zarte ›Ich frage keine Blume‹ zu machen. (Der Kritiker findet in diesem Zusammenhang den Titel Der Neugierige ›sehr unpassend‹.) Im Fach der Ballade gab Herr Stockhausen die wunderlichgrauenhafte Tragik des Schubertschen Zwerg mit maßvoller Empfindung, wie sie dieses hinreißend schöne Musikstück wohl verträgt.«

Und so verzeichnet die Musikgeschichte die Merkwürdigkeit, daß Julius Stockhausen, der seine Laufbahn als Koloraturbariton der Oper in Paris begonnen hatte, zum Inbegriff des deutschen

Liedersängers wurde. Seine Anhänglichkeit an Schuberts Werk blieb bis ins hohe Alter erhalten. Die Müller-Lieder hat er in Deutschland, Österreich und der Schweiz populär gemacht, auch in England und Rußland sang er sie, wo in Petersburg *Anton Rubinstein* am Klavier saß. In seinem Frankfurter Alterssitz hat er Hunderten von Sängern Liebe und Verständnis für das Schubert-Lied vermittelt.

Der Bassist des Kärntnertor-Theaters *Joseph Staudigl* (1807 bis 1861) machte sich zum Apostel des Liedes DER WANDERER. Er endete tragisch in einer Wiener Irrenanstalt. Bühnen- und Liedbegabung gingen auf seinen Sohn über. — Ebenso hat der Wiener Bariton *Johann Nepomuk Beck* (1827—1907) seine hochdramatische Stimme mit Glück im Schubert-Liederabend eingesetzt. Der Brauch, Liederabende zu veranstalten, bürgerte sich mit Julius Stockhausen ein und bedeutete ursprünglich eigentlich immer »Schubert-Liederabend«. — Eine Art Erbfolger seiner Interpretation der Müller-Lieder wurde der Wiener Hofoperntenor *Gustav Walter* (1834—1910), zu dessen Schubertiaden im Bösendorfersaal sich das Publikum drängte. Kritiker haben allerdings süßlich-schmachtendes Übertreiben in solchen Gesängen wie SEI MIR GEGRÜSST bemängelt. — Stockhausens Schüler *Karl Scheidemantel* (1859—1923), Bayreuther Amfortas von 1886, setzte sich mit seinem mächtigen Organ für die größeren Gesänge ein. — Ganz gegensätzlich wirkte *Raimund von zur Muehlen* (1854 bis 1931), jener baltische Baron, der sich mit seinen gar nicht blendenden Stimmitteln gänzlich für den Konzertgesang entschied und nach einer äußerst erfolgreichen Laufbahn noch einige Jahrzehnte in Ostpreußen und England Mittelpunkt einer großen Schar ihn zutiefst verehrender Schüler aus nah und fern wurde. Etwas von dem Fanatismus, mit dem zur Muehlen um die Wahrheit des Ausdrucks rang, konnte ich durch meine beiden Lehrer erfahren, die durch seine Schule gegangen waren und selbst vielfältig mit Schubertwerken hervortraten: den Oratorientenor *Georg A. Walter* und den Baßbariton *Hermann Weißenborn*.

Nur gelegentlich war der erste Bayreuther Wotan *Franz Betz* (1835—1900) mit Schubertschen Liedern zu hören; man sagte ihm eine etwas trockene Gestaltungsweise nach. — Auch *Alexander Heinemann*, der Berliner Hofopernsänger, war nicht sehr häufig als Schubertsänger zu hören, konnte aber sein wuchtiges Organ von der Größe der ALLMACHT frappant schnell in Pianotöne für etwa NACHT UND TRÄUME zwingen. *Theodor Reichmann*

(1849—1903), Bayreuths erster Amfortas im »Parsifal«, hatte bei seinen gelegentlichen Abstechern von der Opernbühne, wo er ein vergötterter Heiling, Vampir, Tell, Holländer oder Sachs war, mit Schubert-Liedern Wirkungen, die seine Rivalen in den Schatten gestellt haben sollen. Die Eindringlichkeit seiner Darstellungen des DOPPELGÄNGER oder des ERLKÖNIG ist den letzten überlebenden Ohrenzeugen unvergeßlich, auch wenn er solche Eigenmächtigkeiten einführte wie etwa die Schlußworte »war tot« im ERLKÖNIG mit schauerlicher Übertreibung hallend zu sprechen, eine Unsitte, der auch heute gelegentlich noch gefrönt wird, wie man es etwa an *Lotte Lehmanns* Schallplattenaufnahme studieren kann.

Einige Schüler des Baritonisten *Johannes Messchaert* (1857 bis 1922) erzählen von der Herzenskultur und dem Fluidum dieses besonders im Bach-Gesang Einzigartigen. Offenbar vertiefte er sich gründlicher als alle Erwähnten in die besonderen Anforderungen Schuberts und wurde, auch in der Programmgestaltung, für viele ein Vorbild. AN DIE MUSIK, NACHT UND TRÄUME, MEERESSTILLE —, sie werden als beispielhaft für seine Kunst dargestellt. Sonoren Klang hatte er besonders in der Tiefe, so daß ihm die Schlüsse im WANDERER und in DER TOD UND DAS MÄDCHEN überzeugend gelangen. Wie sein Lehrer Stockhausen hat der aus Holland stammende Sänger sich für die Verbreitung seltener Schubert-Lieder eingesetzt. Einige Schubert-Interpretationen des Tenors *Felix Senius* (1868—1913), der oft in Passionsaufführungen gemeinsam mit Messchaert zu hören war, haben sich auf Schallplatten erhalten.

Viktor Heim belebte 1912 in Wien die Pflege der Schubertiaden. In der Höldrichsmühle bei Mödling, die mit dem Zyklus in bloß legendärem Zusammenhang steht, wurde die SCHÖNE MÜLLERIN als Auftakt gegeben. *Otto Erich Deutsch* hielt den einleitenden Vortrag. WINTERREISE, SCHWANENGESANG und unzählige Einzelgesänge füllten die nachfolgenden Programme. Ähnlich wie Heim widmete sich auch *Hans Duhan* (geboren 1890), vor allem in schwermütigen Liedern überzeugend, vornehmlich den Zyklen. Auf der Bühne vor allem als Mozartsänger hervorgetreten, befaßte er sich gerne mit selten interpretierten Liedern wie MEMNON, HELIOPOLIS oder GRENZEN DER MENSCHHEIT. Seine Schallplattenreihen bieten die ersten vollständigen Aufnahmen der Zyklen. *Richard Mayrs* weicher Baß (1877 bis 1935) bewährte sich in den dunkleren Gesängen. FAHRT ZUM

HADES, GREISENGESANG, GRUPPE AUS DEM TARTARUS erhielten durch seine verinnerlichte Singweise besonderen Zauber. Seine Aufnahme von GRENZEN DER MENSCHHEIT läßt allerdings nur noch ahnen, wie er wirklich gesungen hat. Auch der stimmgewaltige *Leo Slezak* (1873–1946), dessen Heldengestalten mehr als sein Liedgesang ins Allgemeinbewußtsein drangen, sang frühe Ausschnittreihen aus der SCHÖNEN MÜLLERIN und der WINTERREISE auf Schallplatten, und durch alle uns geschmacklich etwas entrückten Schluchzer und Tempoverzerrungen hindurch spürt man das liebevolle Verständnis für den Geist Schuberts; auch ist erstaunlich, wie Slezak seinem heldischen Organ mit größter Leichtigkeit die duftigsten Piani entlockte. Ebenso war der samtweiche Baßbariton *Josef von Manowardas* (1890–1942), des angehenden Diplomaten und dann Philosophen, gelegentlich besonders eindrucksvoll in Schubertgesängen zu hören.

Die Individualität von *Paul Bender* (1875–1947), des Bassisten der Münchner Oper und der Metropolitan Opera in New York, läßt sich aus den wenigen erhaltenen Aufnahmen erkennen. Die dunkle Männlichkeit des PROMETHEUS, des ZWERG, des SCHWAGER KRONOS und der GRENZEN DER MENSCHHEIT beherrschte er ebenso wie das Spielerische von ALINDE oder GEHEIMNIS. — Das spröde Organ des Rezitators und Schauspielers *Ludwig Wüllner* (1858 bis 1938) machte gewiß viele seiner musikalischen »Darstellungen« problematisch. Aber ich konnte selbst erleben, als mein Vater mich in ein Konzert des ihm Befreundeten mitnahm, was eine stimmlose, aber im Wortvortrag ergreifende Grazie in solchen Liedern wie IM GRÜNEN erreichen kann.

Bei einem Blick ins Ausland mag die Gestalt des Baritonisten *David Bispham* (1857–1921) ins Auge fallen, der nach anfänglichen Opernerfolgen Amerikas bedeutendster Oratoriensänger wurde und sich als stilvoller Schubertsänger betätigte. Nach 1914 widmete sich auch der Brite *John Coates* (1865–1941) sehr intensiv dem Schubertlied, nachdem er eine bunte Laufbahn über Vaudeville, Operette, Oper und Oratorium hinter sich gebracht hatte. Der heldische Charakter seiner Stimme verlor sich in späteren Jahren, was ihn nicht daran hinderte, noch nach der Vollendung seines 70. Lebensjahres Liederabende im Londoner Rundfunk zu geben, die er auch meist selbst einleitete. Ein Parallelfall zu *Karl Erb* stellt sich hier dar.

Auch vom Boxer kann man sich zum Liedersänger wandeln, wie der Australier *Peter Dawson* (1882–1961) bewiesen hat.

Bereits 1904 fing er mit dem Aufnehmen von Schallplatten an und brachte es schließlich bis über 3000 Titel, von denen die meisten Lieder sind. Auf der Bühne trat er nur selten und in kleineren Partien hervor. — Nicht vergessen sei jener späte Bruder im Geiste des Julius Stockhausen, *Sir George Henschel* (1850—1934). Der gebürtige Breslauer studierte in Leipzig und Berlin Komposition, wurde dann Dirigent und Konzertsänger, dessen Stimme von Brahms über die Maßen geschätzt und des öfteren am Klavier begleitet wurde. Henschel war überdies erster Dirigent des Bostoner Symphony Orchestra und ließ sich dann nach 1884 in London nieder. Seine Tätigkeit als Dirigent des London Symphony Orchestra hinderte ihn nicht, als Oratorien- und Liedersänger aufzutreten, wobei er sich meist selbst begleitete — eine Art des Liederabends, die nur noch von *Carl Loewe* und *Richard Bitterauf,* einem kürzlich verstorbenen Heldenbariton, bekannt wurde. *George Henschel,* der 1914 in den Adelsstand erhoben wurde, war auch als Komponist fruchtbar und bewahrte sich seine schöne Stimme bis ins hohe Alter, so daß er noch 1928 Schallplatten aufnehmen konnte, die allerdings nur sehr schwer erhältlich sind.

Der Schubertsänger aus der Zeit vor dem ersten Weltkrieg gibt es noch ungezählte, genannt seien hier noch *Paul Knüpfer, Edward Lloyd, Franz Naval, Julius von Raatz-Brockmann.* Aus dieser Aufzählung männlicher Stimmen wird ersichtlich, wie unendlich viel mehr Schubert diesen Stimmlagen zu bieten hat als den Frauenstimmen, während es doch zu allen Zeiten in Fülle Schumann- und Brahms-Sängerinnen gab. Dennoch hätte allein das wesenhaft Weibliche im Schubert-Lied anderen Komponisten zur Unsterblichkeit genügt. Eigentlich verwundert die Enge der Auswahl, die die Frauen im allgemeinen treffen, da ihnen doch viele Lieder reserviert bleiben. Da sind die »Gretchenlieder«, Suleika I und II, die Gesänge der Mignon, jene aus Walter Scotts »Fräulein vom See«, da ist Die junge Nonne, Berthas Lied in der Nacht, Goethes Die Liebende schreibt, da sind die Blumenlieder, die Wiegenlieder, zwei Chansons von Seidl, Des Mädchens Klage und alle die kleinen Miniaturen, die ebenso gut von Frauen gesungen werden könnten. Aber natürlich hat es hervorragende Schubertsängerinnen gegeben, selbst in jenen Tagen, da sich nur Bühnensängerinnen gelegentlich mit den Liedern befaßten.

Die durch Selbstmord geendete Hochdramatische *Marie Wilt*

etwa (1833–1891), die in ihrem Gesang auch der weichsten Färbungen fähig gewesen sein soll. — Die große, dramatische Stimme der *Marianne Brandt* aus Wien umfaßte das Mezzo- und Sopranfach, wobei ihr besonders die Wagner-Partien entgegenkamen, während sie im Alter dann intensiv den Liedgesang pflegte. — Der Werdegang der Britin *Clara Butt* mutet wie der einer Vorläuferin von *Kathleen Ferrier* an. Ihr Liedgesang eroberte bei einer Tournee 1913 die Welt, 1920 wurde sie in den Adelsstand erhoben. Bei der gleichen Lehrerin, *Etelka Gerster* in Berlin, studierte die nachmals weltberühmte Niederländerin *Julia Culp*, erst 1970 verstorben. Zu den größten Liedinterpretinnen gezählt, ging ihre Laufbahn von deutschen Städten aus. Sie mußte sich während der deutschen Besetzung als Jüdin in Amsterdam versteckt halten. Phrasierungskunst und Subtilität der Textausdeutung sind noch auf einigen ihrer Platten nachzuprüfen. — Bei den niederrheinischen Musikfesten in den ersten Jahrzehnten unseres Jahrhunderts macht die Wiener Koloratursopranistin *Grete Forst* durch technische Brillanz und Leichtigkeit der Tongebung im Schubertgesang aufhorchen. — Durch Arthur Nikisch entdeckt, gefördert und zumeist auch begleitet, wurde die gefeierte Schubert-Sängerin *Elena Gerhardt*, die schon sehr bald die Bühnenlaufbahn ganz zugunsten des Liedgesangs aufgab. Von 1903 an, als sie ihren ersten Leipziger Liederabend gab, bis zu den letzten Schallplattenaufnahmen 1953 bezauberte sie ihr Publikum durch feine Textausdeutung und beseelten Vortrag. — Der Siebenbürger Altistin *Lula Mysz-Gmeiner* sei hier gedacht, deren Lehrer allesamt Koryphäen des Schubertgesanges waren: *Gustav Walter*, *Emilie Herzog*, *Etelka Gerster* und *Lilli Lehmann*. Besonders eng aber gestaltete sich ihre Zusammenarbeit mit Raimund von zur Muehlen, der ihr nach 1911 erst den Weg zum größten Erfolg ebnete. Später gab sie als Professorin der Berliner Musikhochschule ihr Wissen an zahlreiche Schüler weiter, so an den Tenor *Peter Anders*, der ihre Tochter heiratete. Leider existieren von ihr ausschließlich Aufnahmen leichtgewichtiger Schubert-Lieder, denen ihre dunkel timbrierte Stimme nicht ganz gerecht werden konnte.

Zwischen den Kriegen erscheint das Panorama der Sänger Schuberts eher noch erweitert, wobei der Eindruck natürlich durch die zahlreich erhaltenen Schallplattenaufnahmen unterstützt wird. Mehr am Rande fungiert hier die samtene Stimme der amerikanischen Negerin *Marian Anderson*, der es zu danken ist, daß die farbigen Sänger sich auch im Kunstgesang durchsetzten. — Von 1925 an, nach ihrer Rückkehr von einer Hauslehrerinnenstellung in Montevideo, bis 1960, wo sie sich als Professorin an der Hamburger Musikhochschule niederließ, bezauberte die Sopranistin *Erna Berger* mit einem umfangreichen Repertoire auch unbekanntester Lieder. Viele Schubert-Gesänge erlebten durch ihren Einsatz eine Renaissance. Neben den Schallplatten sind die immer wieder zu hörenden Bandaufnahmen im Norddeutschen Rundfunk, die sie mit *Sebastian Peschko* machte, eine Quelle der Anregung. —

Der Pariser *Pierre Bernac* hat mit *Francis Poulenc* am Flügel keineswegs nur dessen Werke interpretiert, auch in Schubert-Liedern konnte sich seine hohe Baritonstimme bewähren. — *Karl Erb*, der städtische Angestellte in Ravensburg, unterrichtete sich selber und sang erst einmal von 1907—1930 in der Hauptsache Heldentenorpartien, bis dann ein Unfall ihn zur reinen Konzerttätigkeit zwang, bei der er sich neben den Evangelisten Bachs vor allem das Schubert-Lied angelegen sein ließ. Noch nach der Vollendung seines 70. Lebensjahres stand er auf dem Podium oder machte Aufnahmen, deren Ausdrucksreichtum zu bewundern bleibt.

1934 gab die Altistin *Lore Fischer* ihre ersten Abende, auf ihren ausgedehnten Konzertreisen meist von ihrem Mann, dem Bratschisten *Rudolf Nel* oder dem Komponisten *Hermann Reutter* begleitet. Auch sie spürte seltenste Schubert-Gesänge auf.

Gerade erst sechs Jahre tätig, am Beginn einer hoffnungsvollen Laufbahn, fiel der junge Baritonist *Karl Hammes* im zweiten Weltkrieg. — Stilsicherheit und Nuancenreichtum zeichneten den ersten weltberühmten Negersänger, den Tenoristen *Roland Hayes* aus, der keineswegs nur der berufenste Interpret des Negro Spirituals war. Nach 20 Jahren mühevollster Studienarbeit entdeckte er den bereits erwähnten Sir George Henschel als Lehrer für sich und sang fortan noch 35 Jahre lang, wobei ihm nicht zuletzt sein Schubert-Stil Begeisterung in allen Erdteilen eintrug. — Der aufgehende Stern des Heldenbaritons *Hans Hotter* führte ihn gleich zu Beginn in die Gefilde Schuberts, dem er mit ebenso machtvoller wie weicher Stimme, die der erstaunlichsten Färbungen auch im Pianissimo fähig war, zu zahlreichen Wiedergeburten verhalf. Auch nach 1945 machte er, gemeinsam mit *Michael Raucheisen* und *Gerald Moore*, eine Reihe bedeutsamer

Aufnahmen. — Ebenfalls in der Oper beheimatet, widmete sich *Gerhard Hüsch* in Zusammenarbei mit dem Pianisten *Hans Udo Müller* auf seine eindringliche Art den Schubert-Zyklen, die auch heute noch als Schallplattendokumente in aller Welt verehrt werden, da man erst jetzt ihre eigenständige Formung vergleichend würdigen kann. — Auch *Herbert Janssen*, Star der New Yorker Metropolitan Opera, galt als großartiger Liedinterpret seiner Generation. — Von weit »schauspielerischerer« Kraft zeugen die Tondokumente des ukrainischen Bassisten *Alexander Kipnis*, der mit seiner schweren Stimme zu spielen verstand und dabei doch eine »moderne« Sachbezogenheit des Singens zeigte.

Frisch und natürlich ging *Lotte Lehmann*, die berühmte Strauß-Interpretin der Bühne, den Schubertgesang an, der besonders in den letzten sechs Jahren ihrer Tätigkeit in den Vordergrund trat. Seither gibt sie zu Santa Barbara in Kalifornien ihr großes Wissen an Schüler aus aller Welt weiter. In mehreren Büchern hat sie auch als Schriftstellerin ihre Auffassungen über Liedinterpretation bekanntgegeben, die allerdings nicht ohne Widerspruch geblieben sind.

Von entscheidender Bedeutung für die Entwicklung des Singens zur Werktreue und zur gesteigerten Transparenz der Gedichtaussage hin erwies sich der Liedgesang der norddeutschen Altistin *Emmi Leisner*. Nur acht Jahre lang stellte sie ihre dunkle Prachtstimme in den Dienst der Oper, um dann ein Publikum von Kennern in aller Welt durch die Weiten ihres Repertoires zu führen, in dem auch die Männerzyklen Schuberts nicht fehlten. Viele der Schubert-Raritäten hat ihr der deutsche Meisterbegleiter jener Jahre, *Michael Raucheisen*, auf das Pult gelegt. So tat er es auch bei dem lyrischen Sopranstar der Berliner Staatsoper *Tiana Lemnitz*, von deren feiner Behandlung der Blumenballaden nach Schober wenigstens noch Schallplattenzeugnisse vorliegen, während leider nichts von Frau Leisners Schubert-Gesang auf die Nachwelt kam. — Beiträge zum Liedstil der 20er Jahre lieferte auch die vor dem Dritten Reich nach Frankreich und Amerika geflohene Hamburger Konzertsopranistin *Lotte Leonard*.

Zu erschüttern vermochte der verinnerlichte Gesang einer Stütze der Bayreuther Festspiele, der Sopranistin *Maria Müller*, wenn sie bei seltenen Gelegenheiten im Konzertsaal auftrat. — *Sigrid Hoffmann*, die sich nach ihrem Komponistengatten *Onegin* nannte, hat nur solche Schallplatten hinterlassen, die Schöngesang, das heißt nebeneinandergestellte Schönklänge auch im Lied aufweisen. So ist für den Hörer von heute nur schwer nachzuvollziehen, wenn von der mächtigen Steigerungsfähigkeit ihres Ausdrucks gesprochen wird. Aber die Zeugnisse und Berichte attestieren ihr Einmaligkeit auch im Liedgesang.

Große Verdienste erwarb sich der französische Baritonist *Charles Panzera,* der nicht nur als Widmungsträger des Liederzyklus »L'horizon chimérique« von Gabriel Fauré in die Musikgeschichte einging, sondern sich außer für zahlreiche junge Komponisten auch für das Schubert-Lied in Frankreich und auf seinen Reisen durch die Welt einsetzte. Erwähnenswert seine — im Katalog alleinstehende — Einspielung des ERLKÖNIG mit der Orchesterbegleitung von Hector Berlioz. — Als Schüler von Mandyczewski und Franz Schmidt brachte der Österreicher *Julius Patzak* große musikalische Überlegenheit in seine Tenorlaufbahn ein, die ihn denn auch, neben seinem unvergeßlichen »Palestrina« in Pfitzners Oper, den Bach-Evangelisten und den Mozart-Belkantisten, einen Schubertsänger von ganz eigenem Profil werden ließ. Dabei waren vor allem Natürlichkeit und Spontaneität seine Leitsterne. — Besondere Ausdrucksintensität der Deklamation dagegen war dem in München gefeierten Bariton *Heinrich Rehkemper* eigen, dessen Liedgesang auch im Ausland großen Widerhall fand. Seine Aufnahmen mit Michael Raucheisen offenbaren eine Lebendigkeit der Gestaltung, die der etwas schweren Stimme trotzt. Krankheit machte seiner Laufbahn ein allzu frühes Ende.

Ebenfalls viel zu kurze Zeit sang die Altistin *Martha Rohs* Lieder, die sie ebenso überzeugend wie ihre Opernpartien zu gestalten wußte. — Gemessen an solchen Leistungen kann der Schubert-Gesang des russischen Bassistenstars *Fedor Schaljapin,* in zwei Beispielen der staunenden Nachwelt auf Schallplatten erhalten, nur als Kuriosität anmuten. Selbst in der ausdrucksfreudigsten und musikalisch freizügigsten Zeit des Liedgesangs um die Jahrhundertwende hat man solche Übertreibung gewöhnlich gemieden. — Von mehr nach innen gewandter Resonanz zeugt die Baritonstimme des *Theodor Scheidl,* der sich auch auf der Opernbühne bewährte. Ähnlich herzwärmend wirkt der Gesang des nach Holland emigrierten Schlesiers *Hermann Schey,* der sich dank einer Beschränkung auf den Konzertgesang sein Stimmaterial von Beginn seiner Laufbahn 1922 bis auf den heutigen Tag erhalten hat. — 1938 debütierte der Däne *Aksel*

Schiøtz, den eine Gehirnoperation 1955 dazu zwang, sich vom Tenor- aufs Baritonfach umzustellen. Von den Ergebnissen seiner Energieleistung, am Flügel von Gerald Moore assistiert, war ich tief beeindruckt. Sein großes Allgemeinwissen und seine Lehrtätigkeit ließen ihn auch ein sympathisches Buch über Liedinterpretation schreiben. — Als der hierzulande wohl Populärste unter den Schubert-Apologeten jener Jahre muß *Heinrich Schlusnus* genannt werden, der vor allem über ein bestechend schönes Stimmaterial verfügte. Nichtsdestoweniger dürften es Intonationsschwankungen und musikalische Ungenauigkeiten, die er sich nicht selten zuschulden kommen ließ, vor dem heutigen Anspruch schwer haben zu bestehen. Seine Begleiter *Franz Rupp* und *Sebastian Peschko* machten sich vielseitig um Liedentdeckungen verdient.

Gerald Moore, — eigentlich sollte diesem König unter den Begleitern ein gesondertes Kapitel gewidmet werden, wenn das nicht den Rahmen dieses Buches sprengen müßte. Es entspricht seinem Rang, daß er wohl der einzige Liedpianist auf der Welt ist, der sämtliche Schubert-Lieder gespielt hat. Dabei erweist sich vor allem sein rhythmischer Impetus als ein Wesenszug, auf den eine Schubert-Interpretation nicht verzichten kann. Aber auch die Kunst seines Legatospiels und sein Einfühlungsvermögen in die Gedichtaussagen machen ihn zum geradezu idealen Partner bei der Bewältigung auch der kompliziertesten Aufgaben, die Schubert stellt.

Ein Solist unter vielen, die auch mit Sängern musizierten, muß hier noch als faszinierender Schubertbegleiter erwähnt werden: *Artur Schnabel.* Die wenigen Aufnahmen, die von ihm und seiner Frau, der ausschließlich dem Lied dienenden Altistin *Therese Behr-Schnabel*, Schülerin von Stockhausen und Etelka Gerster, auf uns gekommen sind, zeugen von der Intensität seiner Partnerschaft, die gelegentliche stimmliche Mängel der Sängerin vergessen machen.

Unter den ersten Sängern, die im neueren Sinne werkgerecht Schubert sangen, ist *Karl Schmitt-Walter* zu nennen, der Bariton des Deutschen Opernhauses Berlin. Seine WINTERREISE mit *Ferdinand Leitner* am Flügel, damals noch Liedbegleiter, wird jedem unvergeßlich bleiben, der sie miterlebte. — Der Deutsch-Ungar *Friedrich Schorr*, ein unvergleichlicher Hans Sachs der Opernbühne, bereicherte mit seinen gelegentlichen Ausflügen auf das Konzertpodium, zu denen er sich gewöhnlich selten Gesungenes auswählte, die Liedpflege ebenso wie seine österreichische Kollegin *Lotte Schöne,* deren glockenhellem Koloratursopran besonders gelungene Schallplattenaufnahmen zu danken sind. — Ihr sehr ähnlich im Stimmklang, aber noch ungleich feiner in der Diktion und Beseelung ihres Vortrags, war *Elisabeth Schumann.* Die Thüringerin gestaltete ihre Liederabende, mit ihrem Gatten *Karl Alwin* oder mit Gerald Moore am Flügel, zu Höhepunkten der Konzertsaison in den Weltmetropolen.

Etwas verdunkelt durch seine unvorstellbare Popularität als Operettensänger ist für die Nachwelt der Ruhm *Richard Taubers* als Opern- und Liedsänger. Die Leichtigkeit seiner Tongebung und seine Musikalität zeichnen seine frühen Aufnahmen, z. B. mit Ausschnitten aus der WINTERREISE, auch heute noch aus. Von Taubers Beitrag zum Erfolg der zweiten Berliner Aufführungsserie des »Dreimäderlhauses« kann allerdings nicht mit der gleichen Begeisterung gesprochen werden.

Die Vielfalt der möglichen Schubertauffassungen und der individuellen Prägung des Vortragsstils hat sich nach dem Erwachen aus der Kriegskatastrophe eher noch breiter gefächert. Alle, die da Schubert auf dem Konzertpodium interpretierten, auch nur zu nennen, ist unmöglich, aber stellvertretend seien neben meinen eigenen Bemühungen hier die Hervorragendsten erwähnt, deren Aufnahmen noch in solcher Reichweite liegen, daß sich jeder Interessierte selbst ein Urteil zu bilden vermag:

Elly Ameling, Peter Anders, Viktoria de los Angeles, Walter Berry, Kim Borg, Friedrich Brodersen, Grace Bumbry, Anton Dermota, Mattiwilda Dobbs, Helen Donath, Kieth Engen, Kathleen Ferrier, Nicolai Gedda, Agnes Giebel, Josef Greindl, Elisabeth Grümmer, Horst Günter, Ernst Haefliger, Waldemar Kmentt, Werner Krenn, Erika Köth, Anneliese Kupper, Richard Lewis, Christa Ludwig, Walther Ludwig, Jessie Norman, Peter Pears, Hermann Prey, Leontine Price, Heinz Rehfuß, Anneliese Rothenberger, Peter Schreier, Elisabeth Schwarzkopf, Irmgard Seefried, Martial Singher, Gérard Souzay, Eleanor Steber, Rita Streich, Eberhard Wächter, William Warfield, Lawrence Winters, Fritz Wunderlich. So viele Namen, so viele Temperamente und Klangassoziationen! Man muß an Karl Straubes Feststellung denken: »*Die ganze Wahrheit ist immer gegenwärtig. Wir aber erkennen den Teil der Wahrheit, der der eigenen Mentalität gemäß von unserer Vernunft aufgenommen und durchdacht werden kann.*« In der Subjektivität der Auffassung, die ja beim Sänger vom Stimmcharakter weitgehend mitbestimmt ist, und der sich daraus entwickelnden Fähigkeit zum Aufbau einer Welt aus einer Grundidee heraus liegt ja etwas vom Zauber der Transformation toter Notenzeichen in tönendes Leben. Sie ist in der individuellen Erfüllung des Schubertliedes durch alle genannten Sänger gültig geworden.

Man darf wohl vermuten, daß kommende Generationen noch lange auf dem Wege zu Schubert fortschreiten werden, wozu freilich auch wesentlich gehört, daß adäquate Interpreten nachwachsen. Denn mit einmal festgehaltenen Wiedergaben, die den Moment, die Sängerindividualität, aber nicht die immer neuen und lebendigen Ausdeutungen festhalten, ist es nicht getan. Und die Bereitschaft einer Gesamtheit von Hörern, sich mit Schuberts Werk zu beschäftigen, müßte durch Kenntnis und Einfühlung wachgehalten, wenn nicht gesteigert werden. Dafür bieten die technischen Verbreitungsmöglichkeiten, selbst wenn sich die Struktur unseres Konzertlebens grundlegend ändern sollte, ja vielleicht gerade durch eine derartige Wandlung, günstige Voraussetzungen. Sollten wir auch weiterhin mit der Unmusik leben müssen, die eine vornehmlich materialistisch gesinnte Gesellschaft mit ihren isolierten Einzelwesen zu verdienen scheint, so könnten wir es besonders nötig haben, nach den Orientierungsmarken Ausschau zu halten, die unter anderen Großen Schubert gesteckt hat.

Sie bezeichnen genau jene Stellen, zu denen sich die Welt nach den beiden Vernichtungskriegen auf der Suche befindet. Sie bedeuten nicht etwa die sogenannte »heile Welt«, vielmehr stehen sie für die verlorenen Ziele der Kunst. Es mag absurd klingen, wenn sich mit dem rein Kommerziellen gewisser Gesamtausgaben bei Buch und Schallplatte die Hoffnung verbindet, gesteigertes geistiges Interesse bei Musikern und Hörern auszulösen. Im Falle Schubert muß jedoch von einer Hilfe gesprochen werden, um überhaupt erst zu der Entdeckung dessen fortzuschreiten, was er wirklich hinterlassen hat. Dabei ist zu wünschen, daß sich junge Sänger intensiver als bisher mit dem Hervorholen vernachlässigter Stücke befassen, um so ihre Programme zu erweitern und neue Ideen, etwa zur Liederabend-Dramaturgie, hervorzubringen. Dies wiederum wird das Publikum von der konventionellen Genüßlichkeit befreien, immer wieder Gehörtes zu verlangen.

Einige Gedanken, die unter Musikern immer wieder ausgesprochen wurden, seien hier wiedergegeben: Wir wollen ein Übergangsstadium zur Erweiterung des Kreises der Hörwilligen einleiten. Wir wollen nach Geräuschentfaltung zur Stille zurückfinden. Auch in der Popmentalität des Augenblicks wollen wir ein gut Teil Sehnsucht entdecken, der weithin verschwundenen Ganzheit der Melodie, der melodischen Nicht-Dekadenz, wie sie sich Nietzsche wünschte, wieder näherzukommen. Selbst in der Verzerrung wollen wir bereit sein, noch einen Abglanz jener Seligkeit aufzufinden, die den Geist der Kunst am Leben zu halten fähig ist und die zu immer neuer Verwandlung aufruft.

Solcherlei Programmatik der Thesen mag weniger hochfliegend anmuten, wenn wir der Tatsache inne werden, daß die Ablehnung der Romantik, die das 19. Jahrhundert für überlebt erklärte, inzwischen der Erkenntnis ihrer zentralen Bedeutung für die Musikgeschichte gewichen ist. Die Trotzreaktion zunächst der »neuen Klassizität«, dann der »neuen Sachlichkeit« und ähnlicher Abenteuer führten sich selber ad absurdum, indem sie eine neuerliche Hinneigung zum vergangenen Jahrhundert unterbauen halfen. Zertrümmerung des musikalischen Materials und Erregung zu immer neuer Klimax des Häßlichen führte zu Enttäuschung und Verkapselung. Wird sich Mitteilung und Aussage dem anderen gegenüber wieder einstellen können? Wird Hörbares, Nachvollziehbares und deshalb Verstehbares im melodischen Gefüge wiederzufinden sein?

Gerade Schubert läßt immer wieder erkennen, wie stark die Melodie in der Kunstmusik das Wesentliche des Erfindens bezeichnet. Wird die Theorie den Mut zu dem Bekenntnis ihrer Unfähigkeit aufbringen, einen Schaffensakt ohne Melos zu konstruieren?

Das sind viele Fragen, — und sie wurden im Bewußtsein gestellt, daß sich das Rad der Kunst nicht zurückdrehen lasse. Vielleicht aber kann das Lied in dem Zeitraum schöpferischer Pause, der vorwiegend mit formaler Bastelei neue Inhalte zu erzwingen sucht, einiges von dem in die Zukunft hinüberretten, was zur Versammlung der zersprengten Teile beiträgt.

Zugegeben, ein unreflektiertes Hören stellt sich selbst bei dem so ganz aus Liebe bestehenden Schubert nur noch in Ausnahmefällen ein. Aber wo die Qualitäten des Musikalischen bei unbekannten Liedern ans Licht kommen, klärt sich das historische Bewußtsein, und man wird ihnen gerecht. So wenig das

19. Jahrhundert als Ganzes eine terra incognita im Sinne Hermann Aberts blieb, so sehr trifft das leider immer noch für das Schubertlied zu. Man erinnerte sich so manches peripheren Komponisten und studierte dessen Werk. Der zweite zentrale Komponist des Säkulums muß sich noch immer mit der genauen Kenntnis höchstens durch die Fachleute begnügen.

Dies zu ändern, wollte unsere Bemühung ihren bescheidenen Beitrag leisten. Natürlich läßt sich der Vorrang nicht wieder herstellen, mit dem einst die Vokalmusik das Bild der Konzerte bestimmte. Andererseits verfälscht die absolut beherrschende Rolle des Instrumentalmusik-Anteils, der sich in unser Jahrhundert herüberrettete, den Eindruck des Erbes. Und das sogar im Fall Schubert, dessen Liedœuvre, seines gewaltigen Ausmaßes wegen, noch eine verhältnismäßig hohe Stellenzahl in den Liedprogrammen innehat. Eines nehmen wir für sicher: Wenn es auch künftig Hörer mit einem Gefühl für Künstlerisches geben wird — immer vorausgesetzt, es handele sich um eine Kommunikation zwischen Interpreten höchsten Ranges und ebensolchen Hörern —, dann wird die meisterliche Vertonung eines Gedichts ein unvergleichliches Erlebnis bleiben.

BIBLIOGRAPHIE

Eine Auswahl

BIEHLE, Herbert: Schuberts Lieder als Gesangsproblem. Langensalza 1929.

BROWN, Maurice J. E.: Schubert. Wiesbaden 1969.

BÜCKEN, Ernst: Das deutsche Lied. Probleme und Gestalten Hamburg 1939.

CAPELL, Richard: Schubert's songs. London 1928.

DE CURZON, Henri: Les Lieder de Franz Schubert. Paris 1899.

DAHMS, Walter: Schubert. Leipzig 1912.

DEUTSCH, Otto Erich: Die Originalausgaben von Schuberts Goetheliedern. Ein musikbibliographischer Versuch. Wien 1926.

— —: Franz Schubert. Die Dokumente seines Lebens und Schaffens. 3 Bände. München und Leipzig 1913—1914. Englische Ausgaben London 1946, New York 1947.

— —: Schubert. Die Dokumente seines Lebens (Neue Schubert-Ausgabe, Serie VIII: Supplement. Band 5). Kassel und Leipzig 1964.

— —: Schubert. Die Erinnerungen seiner Freunde. 2. Auflage. Leipzig 1966.

— —: Schubert. Thematical catalogue of all his works in chronological order. London 1951.

EINSTEIN, Alfred: Schubert. Ein musikalisches Porträt. Zürich 1952.

FEIL, Arnold: Franz Schubert. Die schöne Müllerin. Winterreise. Mit einem Essay »Wilhelm Müller und die Romantik« vor Rolf Vollmann. Stuttgart 1975.

FRIEDLÄNDER, Max: Franz Schubert. Skizze seines Lebens und Wirkens. Leipzig 1928.

GAL, Hans: Franz Schubert oder die Melodie. Frankfurt 1970.

GALLET, Maurice: Schubert et le Lied. Paris 1907.

GOLDSCHMIDT, Harry: Franz Schubert. Ein Lebensbild. Berlin 1954.

HOECKER, Karla: Wege zu Schubert. Regensburg 1940.

JELINEK, Walter: Schubert und die poetische Lyrik seiner Klavierlieder. Wien 1939.

Kolb, Annette: Franz Schubert. Sein Leben. Erlenbach / Zürich 1947.

Kreissle von Hellborn, Heinrich: Franz Schubert. Wien 1865.

Lafite, Carl: Das Schubertlied und seine Sänger. Wien 1928.

Liess, Andreas: Johann Michael Vogl. Graz/Köln 1954.

Mies, Paul: Schubert, der Meister des Liedes. Bern 1928.

Moore, Gerald: Schuberts Liederzyklen. Gedanken zu ihrer Aufführung. Aus dem Englischen von Else Winter. Tübingen 1975.

Moser, Hans Joachim: Das deutsche Lied seit Mozart. 2 Bde. Berlin 1937.

Paumgartner, Bernhard: Franz Schubert. Zürich 1943—1947.

von der Pfordten, Hermann: Franz Schubert und das deutsche Lied. Leipzig 1916.

Porter, Ernest G.: Schubert's Song Technique. London 1961.

Rehberg, Walter und Paula: Franz Schubert. Leben und Werk. Zürich 1946.

Rosenwald, Hans Hermann: Geschichte des deutschen Liedes zwischen Schubert und Schumann. Berlin 1930.

Schnapper, Edith: Die Gesänge des jungen Schubert vor dem Durchbruch des romantischen Liedprinzips. Bern 1937.

Schubert, Franz: Werke. Serie 20: Lieder und Gesänge. 10 Bde. Leipzig 1894—1895.

——: Neue Ausgabe sämtlicher Werke. Serie 4: Lieder. Kassel 1968 ff.

——: Lieder. Hrg. von Max Friedländer, 7 Bde. Leipzig 1871 bis 1887.

Schulz, Helmut: Johann Vesque von Püttlingen. Regensburg 1930.

Schwarmath, Erdmute: Musikalischer Bau und Sprachvertonung in Schuberts Liedern. Tutzing 1969.

von Spaun, Josef: Erinnerungen an Schubert. Hg. von Georg Schuenemann. Berlin 1936.

Stefan, Paul: Franz Schubert. Wien 1928. Neue Ausgabe 1947.

Studer-Weingartner, Carmen: Franz Schubert. Sein Leben und sein Werk. Olten 1947.

Vetter, Walther: Der Klassiker Schubert, 2 Bde. Leipzig 1953.

Werlé, Heinrich: Franz Schubert in seinen Briefen und Aufzeichnungen. 4. Auflage. Leipzig 1955.

VERZEICHNIS DER LIEDTITEL

(Jahreszahlen überwiegend nach dem Stand der Forschungsergebnisse von Maurice J. E. Brown)

NAMENVERZEICHNIS

Musik-Taschenbücher

Epochen der Musikgeschichte in Einzeldarstellungen

Mit einem Vorwort von Friedrich Blume. Zweite Auflage. 468 Seiten, 9 Abbildungen, Notenbeispiele.

Heinrich Besseler: Ars antiqua / Heinrich Besseler: Ars nova / Hans Albrecht: Humanismus / Friedrich Blume: Renaissance / Friedrich Blume Barock / Friedrich Blume: Klassik / Friedrich Blume: Romantik / William W. Austin: Neue Musik

Johann Sebastian Bach. Leben und Werk in Dokumenten

Als Taschenbuch zusammengestellt von Hans Joachim Schulze aus „Bach-Dokumente", herausgegeben vom Bach-Archiv Leipzig unter Leitung von Werner Neumann (Supplement zur Neuen Bach-Ausgabe). 206 Seiten, 1 Faksimile, 1 Notenbeispiel.

Die Kantaten von Johann Sebastian Bach

Erläutert von Alfred Dürr. Originalausgabe. Zwei Bände. Zweite Auflage. 756 Seiten, Notenbeispiele, mehrere Register.

Unter den „Fünfzig Büchern 1971 Bundesrepublik Deutschland"

Ulrich Dibelius: Mozart-Aspekte

Originalausgabe. Zweite Auflage. 156 Seiten, 23 Abbildungen, Werkverzeichnis nach der Systematik der Neuen Mozart-Ausgabe.

Béla Bartók. Weg und Werk, Schriften und Briefe

Herausgegeben von Bence Szabolcsi. Zweite, für die Taschenbuchausgabe überarbeitete und erweiterte Auflage. 381 Seiten, 16 Tafeln mit 33 Abbildungen.

Rudolf Kloiber: Handbuch der Oper

Zwei Bände. Achte, für die Taschenbuchausgabe überarbeitete und erweiterte Auflage. 876 Seiten, verschiedene Register.

Günther Rennert: Opernarbeit

Inszenierungen 1963–1973. Werkstattbericht, Interpretation, Bilddokumente. Originalausgabe. 264 Seiten, mit 216 schwarzweißen und 18 farbigen Fotos sowie einer Besetzungsliste der dargestellten Inszenierungen

Dietrich Fischer-Dieskau: Auf den Spuren der Schubert-Lieder

Zweite, für die Taschenbuchausgabe durchgesehene Auflage. 370 Seiten, 76 Abbildungen.

Diether de la Motte: Harmonielehre

Originalausgabe. 281 Seiten, Tabellen, Zeichnungen, über 500 Notenbeispiele.

Bärenreiter

Neue Schubert-Ausgabe

Herausgegeben von der Internationalen Schubert-Gesellschaft

Editionsleitung: Walther Dürr, Arnold Feil und Christa Landon

Stand: Frühjahr 1976

Von den 14 Bänden der Serie IV (Lieder) sind erschienen:

Band 1a und b, vorgelegt von Walther Dürr. BA 5506a/b. Band 1a enthält die Lieder und Liederzyklen op. 1–22 (u. a. Erlkönig, Gretchen am Spinnrade, Heidenröslein, Wandrers Nachtlied, Der Tod und das Mädchen, An Mignon, Ganymed), Band 1b Alternativfassungen und Parallelbearbeitungen.

Band 2a und b, vorgelegt von Walther Dürr. BA 5513a/b. Band 2a enthält die Lieder und Liederzyklen op. 23–43 (u. a. Die Liebe hat gelogen, Die schöne Müllerin, Die Forelle, Sehnsucht, Der Einsame), Band 2b Alternativfassungen und Parallelbearbeitungen.

Band 6, vorgelegt von Walther Dürr. BA 5503. Dieser Band enthält die frühesten Liedkompositionen Schuberts wie Hagars Klage, Leichenfantasie, Der Vatermörder und Der Taucher (erste und zweite Fassung), die zum Teil noch dem Vorbild Zumsteegs verpflichtet sind.

Band 7, vorgelegt von Walther Dürr. BA 5502. Dieser Band enthält neben Liedern nach Texten von Friedrich von Matthisson, Friedrich von Schiller und anderen auch frühe Goethe-Lieder, zum Beispiel Trost in Tränen, De Sänger und Szene aus »Faust«

Die Serie IV der Neuen Schubert-Ausgabe bringt sämtliche Lieder und Gesänge Schuberts für eine Solostimme und Pianoforte oder Kammerensemble. Die Bände 1–5 umfassen die zu Schuberts Lebzeiten gedruckten Lieder und Gesänge in der Reihenfolge ihres Erscheinens, die Bände 6–14 die übrigen in der Reihenfolge von Otto Erich Deutschs thematischem Verzeichnis. Zweite und dritte Fassungen, d. h. Varianten ein und derselben Komposition, ebenso wie mehrfache, musikalisch selbständige Bearbeitungen eines Textes sind hiervon ausgenommen: Varianten findet man, selbst wenn sie verschiedene Deutsch-Nummern tragen, jeweils der frühesten Fassung, verschiedene Bearbeitungen eines Textes der spätesten Komposition zugeordnet.

Aus den anderen Serien der Neuen Schubert-Ausgabe sind erschienen:

Die Zauberharfe (Band II/4), vorgelegt von Rossana Dalmonte. BA 5512

Mehrstimmige Gesänge für gleiche Stimmen ohne Begleitung (Band III/4), vorgelegt von Dietrich Berke. BA 5509

Sinfonien, Band 1: Sinfonien 1–3 (Band V/1/1), vorgelegt von Arnold Feil und Christa Landon. BA 5522

Oktette und Nonett (Band VI/1), vorgelegt von Arnold Feil. BA 5504

Streichquintette (Band VI/2), vorgelegt von Martin Chusid. BA 5508

Werke für Klavier und mehrere

Instrumente (Band VI/7), vorgelegt von Arnold Feil. BA 5511

Werke für Klavier und ein Instrument (Band VI/8), vorgelegt von Helmut Wirth. BA 5505

Märsche und Tänze für Klavier zu vier Händen (Band VII/1/4), vorgelegt von Christa Landon. BA 5507

Schubert. Die Dokumente seines Lebens (Band VIII/5), herausgegeben von Otto Erich Deutsch

Quellen II. Franz Schuberts Werke in Abschriften: Liederalben und Sammlungen (Band VIII/8), von Walther Dürr.

Bärenreiter

Musik

Guido Adler (Hrsg.):
Handbuch der
Musikgeschichte
3 Bände
WR 5952

Epochen der
Musikgeschichte
in Einzeldarstellungen
dtv-Bärenreiter
WR 4146

Rudolf Kloiber:
Handbuch der Oper
2 Bände
dtv-Bärenreiter
3109, 3110

Dietrich Fischer-Dieskau
(Hrsg.):
Texte deutscher Lieder
Ein Handbuch
Originalausgabe
3091

Johann Sebastian Bach
Leben und Werk
in Dokumenten
WR 4164

Alfred Dürr:
Die Kantaten von
Johann Sebastian Bach
2 Bände
dtv-Bärenreiter
WR 4080, 4081

Ulrich Dibelius:
Mozart-Aspekte
dtv-Bärenreiter
802

Josef Kaut:
Festspiele in Salzburg
Eine Dokumentation
668

Günther Rennert:
Opernarbeit
Inszenierungen 1963–1973
Werkstattbericht /
Interpretation /
Bilddokumente
dtv-Bärenreiter
976